Ernst Bloch

Herausgegeben
von Heinz Ludwig Arnold
edition text + kritik

Sonderband aus der Reihe TEXT + KRITIK
Gastredakteur: Thomas Bremer

Satz: Fertigsatz GmbH, München
Druck: Weber Offset GmbH, München
Buchbinder: Vogel GmbH, Haar
Umschlagfoto: Digne Meller Marcovicz

ISBN 3-88377-201-1

INHALT

Klaus L. Berghahn

»L'art pour l'espoir«

Literatur als ästhetische Utopie bei Ernst Bloch

> *Alles, was die Menschen in Bewegung setzt, muß durch ihren Kopf hindurch; aber welche Gestalt es in diesen Köpfen annimmt, hängt sehr von den Umständen ab.*
> (Friedrich Engels)

Im TIME-Magazin erschien am 15. August 1977 folgende Notiz:

> Died. *Ernst Bloch, 92, unorthodox Marxist philosopher with a sizable following among student radicals; of a heart attack, in Tübingen, West-Germany. His master work, Das Prinzip Hoffnung (The Principle of Hope), completed during his prewar years in the US, laid the ground work for theologian Jürgen Moltmann's ›philosophy of hope‹.*

So kurz und bündig wird er also in den USA, wohin er sich vor dem Faschismus flüchtete, erinnert. Natürlich entstand »Das Prinzip Hoffnung« erst zwischen 1938 und 1947 und ausgerechnet in Cambridge, wo die Philosophen des altehrwürdigen Harvard wohl kaum ahnten, wer da ihre Bibliothek benutzte und welches Werk dort entstand. Aber nehmen wir es mit den kleinen Ungenauigkeiten des Nachrufs nicht zu genau, so stimmt er – vor allem was die Wirkung Blochs betrifft. Denn daß er mit seinem *opus magnum* zum Propheten von Moltmanns ›Theologie der Hoffnung‹ (wie es natürlich heißen müßte) wurde, ist schon ein seltsames Stück Bloch-Rezeption. Doch so ist es: Waren es doch in erster Linie die Theologen, die sich für Bloch interessierten, besonders für das 52. und 53. Kapitel des »Prinzip Hoffnung«. Sie vereinnahmten den Atheisten und Marxisten, indem sie Blochs diesseitige Hoffnungsphilosophie als Vorstufe und Bestätigung ihrer alten Jenseitshoffnungen interpretierten. Klammheimlich und jesuitisch verwandelten sie Blochs ›Atheismus im Christentum‹ in einen christlichen Atheismus. Und noch eine andere Gruppe eignete ihn sich an und setzt sein Erbe fort: die Neue Linke. Sie kritisierte all ihre Lehrer mit Ausnahme Blochs, der bis zu seinem Tode ihr streitbarer Verbündeter blieb. Das bezeugen Rudi Dutschkes Laudatio auf den Neunzigjährigen (»Im gleichen Zug und Feldzugsplan«) und Oskar Negts Edition der politischen Schriften Ernst Blochs, von dem es im Nachwort heißt, er sei der *deutsche Philosoph der Oktoberrevolution*.

Ansonsten ist es still um ihn geworden. Schon 1971 beobachtete Frederic Jameson: *Blochs Werk, so scheint es, ist in beiden Deutschlands, in denen er gelebt und gearbeitet hat, mehr geehrt als einflußreich.*[1] Das stimmt und war in den sechziger Jahren nicht anders, als der im Osten verfemte ›Revisionist‹, der kein Renegat sein wollte, von Leipzig nach Tübingen ging, wo er, obwohl schon sechsundsiebzig, noch einmal lehren konnte. Noch bis Anfang der siebziger Jahre war es selbst bei Politikern üblich, den utopischen Marxisten bei jeder unpassenden Gelegenheit entstellend zu zitieren. 1967 erhielt der Nationalpreisträger der DDR in der Paulskirche den Friedenspreis des deutschen Buchhandels. Nach seinem Tode, aber auch schon vorher, stellten sich dann Verdrossenheit und Verlegenheit ihm gegenüber ein, denen bald nörgelnde Kritik folgte: Einigen ist er nicht philosophisch genug; als Expressionisten, Essayisten und Erzähler lobt man ihn, um sich den scharf denkenden Marxisten vom Leibe zu halten. Anderen ist seine Hoffnungsphilosophie zu überschwenglich; sie passe nicht mehr in eine Zeit der Rohstoffknappheit, der Wirtschaftskrisen und des Doomsdaypessimismus. Als sei die Zeit des Faschismus, in der »Das Prinzip Hoffnung« entstand, nicht auch eine finstere Zeit gewesen, und als ob nicht unsere Epoche der Angst seine Hoffnungsphilosophie nötiger denn je brauche. Letztlich hat seine Vision einer konkreten Utopie ihn politisch suspekt gemacht: Im Osten, wo man ihn wegekelte, und im Westen, wo er ein unbequemer Gast wurde. *Er ist ein Ketzer durch und durch,* resümierte schon 1959 Martin Walser seine Lektüre des »Prinzip Hoffnung«, *von uns aus gesehen, von Rom aus, von Washington und Moskau aus, von Ost- und West-Berlin aus, von wo aus auch immer, Bloch ist ein Ketzer.*[2]

Ich erspare mir eine Vorurteilskritik, welche die Argumente der Utopie- und Bloch-Gegner von Voigt (1906) über Popper (1945) zu Schelsky (1980) entkräften könnte,[3] übergehe auch die Blochrezeption in Philosophie, Soziologie und Geschichtswissenschaft[4] und komme zum Thema: Bloch und die Literaturwissenschaft. Um dieses problematische Verhältnis zu verdeutlichen, bediene ich mich eines Zitats aus einem ansonsten empfehlenswerten Buch von Jürgen und Ursula Link, »Literatur-soziologisches Propädeutikum« (1980). Dort heißt es unter dem seltsamen Stichwort »Produktivkraftstimulation durch ›Antizipation‹ (Bloch)«: *Ernst Bloch hat mit seiner Theorie des antizipierenden, ›utopischen‹ Denkens und Imaginierens alle literaturtheoretischen Richtungen des 20. Jahrhunderts wie wahrscheinlich kein zweiter Denker beeinflußt.*[5] Wenn dem so wäre, müßte nun mehr kommen als sieben weitere nichtssagende Zeilen und ein halbseitiges Zitat aus dem »Prinzip Hoffnung«. Die Links bleiben nicht nur in jeder Weise den Beweis für ihre kühne Behauptung schuldig, sondern sie geben den Studenten nicht einmal einen Hinweis, für welche Propädeutik Blochs Methode wichtig sein könnte. Aber ich will ihnen das nicht weiter vorhalten, denn sie hätten sich schon sehr anstrengen müssen, um etwas über Blochs Einflüsse auf die Literaturwissenschaft zu finden. Namen, die in diesem Zusammenhang auftauchen müßten, fehlen in ihrem Literaturverzeichnis: Hans Mayer, Frederic Jameson, Burghart Schmidt, Gert Ueding und Hermann Wiegmann. Auch unter den rund siebenhundert Titeln, die Burghart Schmidt 1978 im Materialienband zum »Prinzip Hoffnung« zusammentrug, finden sich nur eine Handvoll Aufsätze von Literaturwissenschaftlern, eine kleine Gemeinde. Nein, eine Bloch-Rezeption in der Literaturwissenschaft hat noch nicht stattgefunden.

Das ist seltsam. Denn einerseits ist der Begriff der Utopie und erst recht das Adjektiv utopisch in der philosophisch-politischen Diskussion seit rund hundert Jahren ein beliebtes Kampf- und Schmähwort (sowohl bei Pragmatikern wie bei Dogmatikern), andererseits erfreut sich die Gattung Utopie seit Jahrzehnten steigender Beliebtheit. Thomas Morus »Utopia« und deren Vor- und Nachfahren regten zu immer neuen Untersuchungen an, so daß sich die Forschungsliteratur kaum noch überschauen läßt.[6] Aber zu Bloch, dem Morus unseres Jahrhunderts, kaum etwas. Damit wir uns nicht mißverstehen, ich rede nicht von Titeln wie »Utopie und ...«, »Utopisches bei ...« oder über die vage Verwendung Blochscher Termini als Signalworte, jene osmotisch intuitive Rezeption, die es zu Genüge gibt. Vielmehr frage ich nach einer Bloch-Rezeption im Sinne der Aneignung und Auseinandersetzung, was auch Kritik einschließt. Wie viele wichtige und erregende Methodendiskussionen gab es doch in den letzten fünfzehn Jahren: um den Marxismus, die Literatursoziologie, die Rezeptionstheorie, den Strukturalismus und dessen Post; um Lukács, Adorno, Gadamer, Foucault und Derrida – aber nichts dergleichen zu Bloch und über die Brauchbarkeit seiner Methode. Abgesehen von der Bloch-Gemeinde: Schweigen und Stillstand.

Woran liegt das? Warum diese Zurückhaltung gegenüber einem wohlfundierten, erweiterten Utopiebegriff, der den Realismusbegriff bereichern und die Funktion der Literatur im historischen Prozeß schärfer bestimmen könnte? Abgesehen von den schon erwähnten politischen Gründen, die allemal ausreichen, eine breitere Rezeption zu verhindern, spielen sicher auch literarische Gattungserwartungen eine Rolle, die sich durch eine lange Tradition verfestigten. Für den Literaturwissenschaftler ist es sicherlich leichter, den Prototyp der Gattung (Morus' »Utopia«) und seine Variationen zu bestimmen oder ausgerüstet mit einem Kriterienkatalog der Gattungsnorm literarische Utopien dingfest zu machen, als Blochs Phänomenologie des Hoffens der Literaturwissenschaft zu integrieren und auf die Dichtung anzuwenden, zumal Bloch selbst in seinen literarischen Aufsätzen keine systematische Anleitung bereitstellt, wie seine Ästhetik sich auf die Literatur anwenden lasse. *Bloch hat keine spezifische Literaturtheorie entwickelt,* heißt es etwas apodiktisch bei Wiegmann, der sich dennoch darauf einläßt, Blochs ästhetische Kriterien zu kommentieren und auf ihre interpretative Brauchbarkeit zu untersuchen.[7] Das Problem der Hermeneutik Blochs, so meint Jameson, liege *in der Vielfalt ihrer Gegenstände, während die Ausgangsbegriffe relativ einfach und unverändert bleiben: auf diese Weise wird alles allmählich zur Spielart einer Grundfigur, der Utopie*[8]. Damit scheint er, ohne es zu wollen, nochmals denjenigen recht zu geben, die Bloch für einen abundierenden, vagen Utopiebegriff verantwortlich machen wollen und die daher auf Gattungsnormen und übergeschichtlichen Kategorien insistieren. Doch auch Jameson spricht von Kategorien (Ausgangsbegriffe), die Wiegmann dann genauer bestimmt: Vor-Schein, konkrete Phantasie, Modell, Fragment, Symbol und Novum. Wollte man den Reichtum und die Schwierigkeit utopischer Interpretation durch einen Vergleich verdeutlichen, so bietet sich Goethes Symbolbegriff an: Zwar gibt uns Goethe selbst einige Definitionen an die Hand, aber sie erleichtern die Deutung der dichterischen Symbole keineswegs, denn diese sind, was die Dialektik von Erscheinung und Wesen betrifft, durchaus vieldeutig und geheimnisvoll, *lebendig-augenblickliche Offenbarung des Unerforschlichen*[9]. Nicht weniger mutet uns Blochs Spektrum der utopischen Grundkonzeption zu: der Hoffnungsglanz großer Kunst ist mehr als die Summe ihrer Elemente.

Die Vernachlässigung Blochs in der Literaturwissenschaft sieht Jameson hauptsächlich in der Tatsache begründet, *daß sein System, eine Lehre der Hoffnung und ontologischer Antizipation, selbst antizipatorisch ist und als Lösung für Probleme einer universellen Kultur und universellen Hermeneutik steht, die noch gar nicht existieren. Es liegt deshalb enigmatisch und gewaltig vor uns, wie ein Meteorit, der aus dem Raum herabgestürzt ist, überzogen mit geheimnisvollen Hieroglyphen, die eine seltsame innere Wärme und Kraft ausstrahlen: Zaubersprüche und Schlüssel für Zaubersprüche in Erwartung des Augenblicks, da sie selbst endlich entziffert werden.*[10] Gar so romantisch möchte ich Bloch nicht sehen, zumal ich nicht einmal sicher bin, ob meine Hinweise zu seiner Entzifferung beitragen. Meine Frage, die sich nach ausgedehnter Bloch-Lektüre einstellte, ist trügerisch einfach: Wie nützlich könnte Blochs utopische Perspektive für die literarische Interpretation sein? Meine Antwort versteht sich als ein bescheidener, aber ernst zu nehmender Vorschlag, den Utopiebegriff im Sinne Blochs zu erweitern und die utopische Dimension der Literatur bei der Interpretation zu berücksichtigen.

I

Als Ausgangspunkt einer jeden Erörterung der Utopie empfiehlt es sich, auf Thomas Morus zurückzugreifen, der 1516 mit seinem Werk »Utopia« den Begriff und den Prototyp prägte. Ihr Hauptmerkmal wird seither darin gesehen, daß die Utopie den Entwurf einer bestmöglichen Staats- und Gesellschaftsordnung darstelle, die sich auf ein neues Normensystem stützen und die sämtliche menschlichen Lebensverhältnisse verändern würde:[11] So bedeutend diese Beschreibung eines möglichen idealen Staates auch sein mag, gibt sie sich damit jedoch nicht zufrieden, vielmehr artikuliert sich in jeder Utopie auch ein kritisches und intentionales Verhältnis zur Wirklichkeit. *Nicht in der positiven Bestimmung dessen, was sie will, sondern in der Negation dessen, was sie nicht will, konkretisiert sich die utopische Intention am genauesten.*[12] Diese bekannte Definition von Arnhelm Neusüss, die Adornos Utopieverständnis verpflichtet ist, legt die Utopie formal auf ihre kritische Funktion fest. Allerdings muß man gleich hinzufügen, daß diese Negation ohne eine utopische Funktion um ihren Sinn gebracht würde, im Pessimismus enden könnte. Doch findet diese Definition ihre Bestätigung in fast allen Sozialutopien seit Morus. Diese beschränken sich keineswegs auf den Entwurf einer idealen Gesellschaftsordnung, sondern kontrastieren sie mit der sozialen Misere der Gegenwart. Die Sozialutopien sind also auch und vor allem als Gegenentwürfe zur Unvernunft der herrschenden Gesellschaftszustände zu lesen, die sie im Idealbild kritisieren, blamieren und verurteilen. ›Die Verhältnisse könnten auch anders sein‹, lautet das Motto der Utopie, das durch einen zweiten Satz ergänzt werden muß: ›Die Verhältnisse müssen verändert werden‹. Denn in der Kritik drückt sich zugleich der Wunsch aus, die Wirklichkeit im Sinne des Ideals zu verändern. Kritische und praktische Intention gehören also notwendig zur immanenten Tendenz der Utopie. Daß sich diese, trotz der Großartigkeit mancher Entwürfe, nicht durchsetzten, liegt in ihrer Abstraktheit begründet. Als Ausgeburten des Kopfes fordern sie die Verwirklichung von Idealen, ohne auf die realen historischen Tendenzen zu achten.

Hier setzte die Kritik des utopischen Sozialismus durch Marx und Engels an, der Bloch sich anschließt. Nicht daß sie die *genialen Gedankenkeime* der utopischen Entwürfe von Saint-Simon, Fourier und Owen verachteten, im Gegenteil, sie sahen darin die Propheten ihres Sozialismus, aber sie waren für sie noch unreife Theorien, *reine Phantastereien,* da sie den gesellschaftlichen Mißständen ihre ideale Ordnung entgegenstellten, die sie durch einen Appell an die Vernunft verwirklichen wollten.[13] Die Kritik der utopischen Sozialisten ließ in ihrer Schärfe nichts zu wünschen übrig, aber die neue Ordnung ließ sich nur durch einen Sprung aus der Geschichte erreichen; was sie vernachlässigten, waren die objektiven Bedingungen solcher Umwälzungen. Bei Bloch, der die *alten Staatsmärchen* wie Engels zu den *ehrwürdigen Vorläufern* des Sozialismus zählt, heißt es dazu: *Gemeinsam ist den abstrakt-sozialen Utopien die Überholung der vorhandenen Gesellschaft durch eine überwiegend im Kopf ausgemalte, auskonstruierte – eben ohne konkreten Bezug der subjektiv-utopischen Intention auf den Fahrplan, auf die Reife der Bedingungen, auf die objektiv-utopische Tendenz-Latenz, auf reale Möglichkeiten in der Wirklichkeit selber. Erst mit letzterem Bezug entsteht statt abstrakter konkrete Utopie.*[14] Während die alten Utopien *sozialer und anderer Weltverbesserer* als reine Phantasieprodukte die Wirklichkeit im Medium der Fiktion kritisieren oder den Staat durch Ideen verändern möchten, orientiert sich Bloch an den Tendenzen der historischen Wirklichkeit und ihren realen Möglichkeiten. Seine paradoxe Formel einer ›konkreten Utopie‹ zielt auf eine Veränderung des historischen Prozesses, dessen Fernziel ein geglückter Sozialismus wäre. Mit anderen Worten: Es geht um das Hier und Jetzt mit Blick auf die ›konkrete Utopie‹.

Damit scheint Bloch auf dem Boden des ›wissenschaftlichen Sozialismus‹ zu stehen, der das utopische Denken überholte. Allerdings doch nicht so ganz. Denn er gibt dem utopischen Denken innerhalb des Marxismus einen anderen Stellenwert und eine neue Funktion. *Bloch will dem Sozialismus, der von der Kritik der Tradition lebt, die Tradition des Kritisierten erhalten,* bemerkt Habermas.[15] Bloch arbeitet die utopisch-emanzipative Tradition, die bisher keineswegs eingelöst wurde, für den Marxismus auf, um sie zuerst vor dem faschistischen Mißbrauch, dann vor einem einlullenden Kapitalismus und schließlich auch vor einem ökonomistischen Materialismus zu retten. *Marxismus ist nicht keine Utopie,* heißt es im »Experimentum Mundi«, *sondern er ist das Novum einer prozeßhaft konkreten Utopie.*[16] Der erste Teil des Satzes ist wegen seiner doppelten Negation eine harte Nuß. Formallogisch wäre der Marxismus eine Utopie, aber das drückt er nicht aus, kann Bloch nicht meinen, da der Marxismus keine Utopie im alten Sinne sein kann. ›Nicht keine Utopie‹ plädiert für einen Marxismus, in dem die Utopie aufgehoben, überschritten und bewahrt ist. Auch meint die Formel von der ›konkreten Utopie‹ nicht etwas Vages und bloß Fernes, sondern zielt für Bloch wie für Marx auf das *›Reich der Freiheit‹*, auf das Marx am Ende des »Kapitals« hinweist, ohne näher darauf einzugehen. Sie ist das Fernziel: *Naturalisierung des Menschen, Humanisierung der Natur,* um es mit der bekannten Formel Marx' zu benennen, die Bloch wiederholt benutzt (PH, 149, 241). Es wäre das letzte Kapitel der Geschichte, das man *bei Strafe des Untergangs* nicht aus dem Auge verlieren darf.[17]

Blochs antizipierendes Denken ist nicht mehr an die Sozialutopien gebunden, deren kritische und praktische Intentionalität er jedoch übernimmt. Utopisches Denken bedeutet bei Bloch geprüftes und begriffenes Hoffen, das die Wirklichkeit kritisiert und ein Fernziel antizipiert. Diese Art von ›bewußt gewußtem Hoffen‹ verzichtet zwar auf fertige Gesellschaftsentwürfe, gibt sozusagen nur die Marschrichtung an, aber dafür gewinnt das utopische Denken eine Vielfalt und Weite, die alle menschlichen Lebensverhältnisse durchforscht und als *utopische Funktion* (PH, 163) auf den gesellschaftlichen Prozeß wirkt. Die *Entformalisierung der Utopie zur utopischen Funktion*[18] erweitert den Utopiebegriff und bereichert den schöpferischen Marxismus.

Der erweiterte Utopiebegriff erlaubt es Bloch, alle Spuren des begriffenen Hoffens zu verfolgen und das ganze Material des antizipierenden Denkens aufzuarbeiten, so daß man das »Prinzip Hoffnung« als eine ›Enzyklopädie der Hoffnung‹ lesen kann. Doch damit nicht genug, spürt Bloch die utopische Funktion auch dort auf, wo andere nichts als Ideologie zu sehen vermögen. Wie er die alten Utopien ideologiekritisch prüft, ohne sie zu verwerfen, so untersucht er auch die Ideologie, besonders jene im kulturellen Überbau, ohne sie zu denunzieren. Bloch vermeidet daher die krasse Entgegensetzung von Ideologie und Utopie, wie sie Karl Mannheim in seiner bekannten Untersuchung 1928 konstatierte. Beide sind für ihn Bewußtseinsbildungen, die den sozialen Prozeß bestimmen: *Sie sind ›ideologisch‹, wenn sie der Absicht dienen, die bestehende soziale Wirklichkeit zu verklären oder zu stabilisieren; ›utopisch‹, wenn sie kollektive Aktivität hervorrufen, die die Wirklichkeit so zu ändern sucht, daß sie mit ihren die Realität übersteigenden Zielen übereinstimmt.*[19] Das ist recht formal, daher handhabbar und entsprechend verbreitet. Schematisch deutet Mannheim dann den historischen Prozeß als Alternieren von Ideologie und Utopie: Realisiert die Utopie ihre gesellschaftlichen Ziele, so schlägt sie in Ideologie um, die wiederum durch eine neue Utopie überwunden werden muß. Als sei die geschichtliche Entwicklung damit noch nicht abstrakt und kopflastig genug, wird auch noch eine ›freischwebende Intelligenz‹ als Motor dieser Vorgänge ausgemacht. Bloch verwendet dagegen beide Begriffe ungleich vorsichtiger und dialektischer: Die Utopie ist für ihn keine zweckrationale Handlungsanweisung, die, sobald sie verwirklicht wird, in Ideologie umschlägt; und in der Ideologie können auch Kritik und sogar Wahrheit verborgen sein. Die Utopie untersucht er daher ideologiekritisch, und der Ideologie begegnet er mit Utopieverdacht.[20] Wie das zu verstehen sei, muß schrittweise erläutert werden, was uns zugleich den Problemen der Kunstinterpretation näher bringt.

Vorläufig und grob gesprochen, ist Ideologie zunächst einmal negativ zu bestimmen als Schönfärberei, Deckvorstellung und Lüge, wodurch eine herrschende Klasse ihre wahren, d. h. ökonomischen Interessen ideell verbrämt: *Man sagt Bibel und meint Kattun* (Kipling). Das ist des Pudels Kern. Aber so eindeutig liegen die Dinge nicht, wie bei Marx nachzulesen ist. In der Einleitung zur »Kritik der Hegelschen Rechtsphilosophie« kritisiert er die Religion als ein *verkehrtes Weltbewußtsein,* als Illusion. Sie ist für ihn Ideologie, da sie mit ihren Trost- und Rechtfertigungsgründen das wahre Elend dieser Welt verschleiert. Sie projiziert auf den Himmel, was hier auf Erden sein müßte, nämlich eine menschenwürdige Gesellschaft. Aber – und das ist die Kehrseite der Medaille – die Religion ist auch *Ausdruck des wirklichen Elends und in einem Protestation gegen das wirkliche Elend.*[21] Religion ist also einerseits Illusion, Täuschung und Priesterbetrug, andererseits aber auch *Kritik des Jammertals,* in der sich eine Sehnsucht nach einer besseren Welt ausdrückt. In der Religion als Ideologie steckt also auch ein utopisches Ferment, für das sich Bloch besonders interessiert.

Nicht anders steht es um die objektive Ideologie im Überbau. Auch von ihr gilt, daß sie in jeder Epoche die Gedanken der herrschenden Klasse ausdrückt und rechtfertigt. Kultur wäre also in diesem Sinne immer affirmativ. Doch auch und gerade hier unterscheidet Bloch genau: Es gibt Ideologie, die bewußt betrügt und schönfärbt, und Ideologie im Sinne von ›noch falschem Bewußtsein‹, das subjektiv durchaus wahr und aufrichtig sein kann. Das trifft vor allem auf die großen Kunstwerke der Vergangenheit zu, die ideologisch eingefärbt sind und dennoch nicht in der sie bedingenden Gesellschaft aufgehen; sie enthalten Noch-nicht-Eingelöstes, das uns noch betrifft. Bloch spricht hier vom *kulturellen Überschuß in der Ideologie*[22]. Er kann sich auch dabei wieder auf Marx berufen, der sich bekanntlich wunderte, daß die griechische Kunst noch Genuß gewähre und in gewisser Beziehung noch als Norm gelte. Marx erklärt dies mit dem *unegalen Verhältnis* zwischen materieller und künstlerischer Produktion.[23] Bloch sieht in jenem kulturellen Überschuß ein Vermächtnis, Unabgegoltenes, *Zukunft in der Vergangenheit*[24], die als kulturelles Erbe wichtig ist und gegenwärtige Praxis bestimmt. Dieser utopische Überschuß in der Ideologie läßt sich nur durch *marxistische Tendenzkunde* von ästhetisierender Affirmation scheiden. Ideologiekritik ist also bei Bloch nicht nur verwerfende Kritik, sondern auch Freilegen eines Protestes gegen eine unvernünftige Wirklichkeit, in deren Negation die utopische Funktion steckt. Diese läßt sich durch Ideologiekritik schrittweise aus dem jeweiligen Werk herausheben, wofür Burghart Schmidt einen vorzüglichen Fragenkatalog bereitstellt:

a) *Wie weit handelt es sich in Überbaugebilden um ideologische Reflexe ihrer Entstehungszeit?*
b) *Wie weit werden Tendenzen auf die nächste Zukunft dieser Zeit reflektiert, deren Wirksamkeit sich schon anzeigt?*
c) *Wie weit erscheinen Rückgriffe auf vergangene Wunschgestalten?*
d) *Wie weit erscheinen Vorgriffe auf das, was in der Entstehungszeit noch gar nicht tendenziell angelegt war?*
e) *Wie weit enthalten Überbaugebilde direkte Kritik an der Gegenwart ihrer Entstehungszeit?*[25]

Ideologie und Utopie sind also nicht nur Gegenbegriffe, sondern die Utopie ist auch Wechselbegriff der Ideologie, der durch Ideologiekritik aus den theoretischen und künstlerischen Werken der Vergangenheit als Kulturerbe freigelegt wird.

II

Kunst ist für Bloch der reinste Ausdruck des utopischen Bewußtseins. Sie artikuliert und antizipiert, was in der Wirklichkeit als realer Möglichkeit noch schlummert. Daher sind die ›Vorgriffe der Einbildungskraft‹ und der ›Vor-Schein der Kunst‹ Schlüsselbegriffe seines utopischen Denkens. Diese Erweiterung des Utopiebegriffs, der nun auch in der Literatur eine Bedeutungsfülle gewinnt, wie man sie vorher nicht kannte, stellt die Literaturwissenschaft vor neue Aufgaben, die sich mit den Normen der utopischen Gattung allein nicht mehr lösen lassen. *Utopisches auf die Thomas Morus-Weise zu beschränken oder auch nur schlechthin zu orientieren,* heißt es am Anfang des »Prinzip Hoffnung«, *das wäre, als wollte man die Elektrizität auf den Bernstein reduzieren, von dem sie ihren griechischen Namen hat und an dem sie zuerst bemerkt worden ist. Ja, Utopisches fällt mit dem Staatsroman so wenig zusammen, daß die ganze Totalität Philosophie notwendig wird (...), um dem mit Utopie Bezeichneten inhaltlich gerecht zu werden.* (PH, 14) Zwar sind auch die literarischen Utopien große Phantasieleistungen, welche die herrschenden Verhältnisse im Medium der Fiktion kritisieren und deren utopische Intention offen zutage liegt, aber sie sind nur ein, wenn auch bedeutender Teil im Spektrum des Utopischen, nur eine mögliche Ausgestaltung des ›Prinzips Hoffnung‹, das ihrer zu seiner Begründung nicht bedarf. Denn Bloch begründet es anthropologisch,[26] ontologisch, logisch, politisch, eben mit der *ganzen Totalität der Philosophie,* ehe er auch einen historischen Abriß der Sozialutopien einfügt.[27] In diesem allgemeinen Begründungszusammenhang des Utopischen spielt auch die Ästhetik – und damit die künstlerischen Ausgestaltungen des Hoffens und Wünschens – eine wichtige Rolle, und zwar durchaus unabhängig von der Gattungsnorm ausgemalter Utopien. Die Intention auf Utopisches zeigt sich am deutlichsten in den *Vorgriffe(n) der Einbildungskraft* (PH, 97), sei es in Tagträumen, Wunschbildern oder großer Kunst. Bloch verfolgt und untersucht die Spuren des Utopischen in allen ästhetischen Erscheinungsweisen. Das Utopische als Wunschaffekt ist für ihn die *Grundkategorie künstlerischer Produktion*[28]. Schon in den Wunschbildern der Tagträume sieht Bloch eine *Vorstufe der Kunst,* Ausdruck ästhetischer Aktivität, die das Noch-Nicht-Bewußte einzuholen trachtet. In ihnen drückt sich eine Unzufriedenheit mit der mangelhaften Wirklichkeit aus, die in illusionären oder phantastischen Wunschbildern kritisiert wird. Die Tagträume objektivieren sich im Märchen und in Phantasiedichtungen als Gestalt des *Traumes einer Sache,* erst recht in den Werken großer Kunst.[29] Denn, was in der Wirklichkeit als realer Möglichkeit noch verborgen liegt, läßt sich in der Kunst phantasiereich antizipieren. So werden für Bloch die Phantasie und der Vor-Schein der Kunst zu wichtigen Manifestationen des utopischen Bewußtseins: *Künstlerischer Schein ist überall dort nicht nur bloßer Schein, sondern eine in Bilder eingehüllte, nur in Bildern bezeichenbare Bedeutung von Weitergetriebenem, wo die Exaggerierung und Ausfabelung einen im Bewegt-Vorhandenen selber umgehenden und bedeutenden Vor-Schein von Wirklichem darstellen* (PH, 247). Mit einem Wort: *Kunst ist Vor-Schein.*[30]

Der Begriff ist bekannt, entsprechend verbreitet, aber deshalb vor Mißbrauch nicht sicher. Er hat seine Vorgeschichte, die eine Geschichte zweier sich bekämpfender Lager ist. Bloch kommentiert diese Vorgeschichte in einem für uns zentralen Kapitel des »Prinzip Hoffnung«, *Künstlerischer Schein als sichtbarer Vor-Schein* (PH, 242 ff.). Darin kommen zunächst die Gegner zu Wort von Platon bis

Nietzsche: die religiösen Bilderstürmer, der Kunsthaß der Philosophen, die um ihre Wahrheit fürchten. Kunst ist für sie Täuschung, Illusion und schöner Schein, aber ohne Wahrheit. Die Künstler lügen. Dagegen die klassische Ästhetik von Kant über Schiller und Goethe bis Hegel, die im Kunstschönen Schein und Wahrheit verbunden sehen, *als sinnliches Scheinen der Idee* (Hegel). Auch wenn Bloch mit Hegel an der Wahrheit im Schein der Kunst festhält, so war ihm dessen Wahrheit als Idee zu fertig, zu abgeschlossen und zu vollendet. Außerdem war für Hegel die Kunst von seiten ihrer höchsten Bestimmung für uns ein Vergangenes. Da stand ihm Schiller fast näher, denn dessen ästhetischer Schein, der *aufrichtig und selbständig* ist, bewahrt und rettet die Wahrheit in der Kunst, indem er ihn einer depravierenden Wirklichkeit gegenüber für autonom erklärt.[31] *Die Wahrheit lebt in der Täuschung fort,* heißt es bei Schiller,[32] und gemeint ist jener ästhetische Schein, der sich kritisch zur mangelhaften Wirklichkeit verhält, ihr widersteht und antizipiert, was noch nicht ist. Für Schiller wie für Bloch ist das Theater dafür die *paradigmatische Anstalt* (Bloch), ein Ort bewußter und begriffener Illusion, auf die der Zuschauer sich einläßt, weil er dort mehr erwartet als Täuschung, nämlich durch den Schein der Kunst Wahrheit. Doch bei aller noch so frappierenden Ähnlichkeit zwischen idealistischer und materialistischer Kunstauffassung darf man doch eine entscheidende Differenz zwischen Schillers ästhetischer Utopie und Blochs Vor-Schein nicht verwischen. Für Schiller ist der ästhetische Schein radikal von der Wirklichkeit geschieden, Kunst ist das *reine Produkt der Absonderung*[33]. Dadurch gewinnt die ästhetische Praxis zwar eine kritische Funktion gegenüber der gesellschaftlichen Wirklichkeit, aber ihre utopische Funktion hat nur die Verbindlichkeit einer regulativen Idee und bleibt daher historisch fern und abgehoben. Für Bloch dagegen ist die Kunst gesellschaftlich bedingt, ohne total determiniert zu sein.[34] Der ästhetische Schein, in dem die Wahrheit aufgehoben ist, wird für ihn Vor-Schein, d. h. er treibt voran, bildet fort, was in der Wirklichkeit als objektiv-real Mögliches angelegt ist. Kunst ist Vor-Schein eines Noch-Nicht-Gewordenen, realisierbare Zukunft. Die Losung des ästhetischen Vor-Scheins lautet: *wie könnte die Welt vollendet werden* (...)? (PH, 248)[35].

Zwei Aspekte der Vor-Schein-Ästhetik Blochs müssen, um Mißverständnissen vorzubeugen, näher erläutert werden: die umfassende Potentialität der Kunst und die antizipierte Vollendung der Welt.

Wie in Blochs Utopiebegriff ist auch in seiner Kunsttheorie der Subjekt-Faktor mit der objektiven Wirklichkeit dialektisch verbunden. In der künstlerischen Produktivität objektiviert sich das utopische Bewußtsein, dessen Ausfabelungen, symbolische Strukturen und Chiffren auf die Erwartungsfülle des real Möglichen verweisen, das Noch-Nicht-Gewordene antizipieren. Das Abbild der Welt und ihres Prozesses, wie es die Kunst schafft, formuliert daher nicht fertige Gesellschaftsbilder oder Anweisungen zum besseren Leben, sondern verweist auf die Latenz und Tendenz der Wirklichkeit, *macht sie in der Antizipation kenntlich: als unabgeschlossene Entelechie*[36]. Das Mögliche als Teil des Wirklichen muß in der Kunst als *das ungeworden Mögliche im bewegten Wirklichen* sichtbar werden. Jede Nachahmung der Wirklichkeit muß also dieses Element des Werdens mit enthalten: *Derart bringt bedeutende Dichtung einen beschleunigten Strom von Handlung, einen verdeutlichten Wachtraum vom Wesentlichen ins Bewußtsein der Welt: sie will dazu verändert werden.*[37]

Kunst als Vor-Schein zielt auf *Vollendung in Totalität* (PH, 248). Wie ist das zu verstehen? Damit meint Bloch weder ein Transzendieren der Welt im Sinne eines religiösen Vorscheins oder die ersehnte Rückkehr ins Paradies, noch das Zu-Sich-Selbst-Kommen des Geistes im Sinne Hegels, vielmehr erweitert Blochs Zielvorstellung die Natur, ohne über sie hinauszugehen. Es wäre eine menschlich vollendete und damit humanisierte Natur. Diesen Zustand der Vollkommenheit, der in der Welt noch nicht anzutreffen ist, nennt Bloch ›utopisches Totum‹. Es ist ein Fernziel, das anvisiert wird, ohne inhaltliche Aussagen darüber machen zu können, und das sich daher auch nur formal bestimmen läßt: Dauer, Einheit, Endzweck (PH, 1564). Dauer verlangt Aufhebung der Zeit in der Zeit, Einheit bedeutet die Versöhnung aller Widersprüche und der Endzweck ist ein Zustand der Vollkommenheit. So sehr dieses utopische Totum auch an der Blässe des Formalen und sehr Fernen krankt, ist es doch vorstellbar als humaner Endzweck einer harmonischen Gesellschaft ohne Eigennutz, ohne Ungleichheit und ohne Entfremdung. Die vorauseilende Phantasie hat sich nie hindern lassen, solche Vollkommenheit als Paradies, Schlaraffia oder Utopia an einen fernen Horizont zu malen. Und der Vor-Schein großer Kunst leuchtet in die gleiche Richtung, ist *Wachtraum mit Welterweiterung, Phantasieexperiment der Vollkommenheit* (PH, 106). So geht der Vor-Schein der Praxis voran, illuminiert den Raum künftiger Möglichkeiten, indem er selbst schon *ein Fest ausgeführter Möglichkeiten* ist (PH, 249). Damit der Kunsttheorie so viel optimistische Legitimation nicht zu Kopfe steige, fügt Bloch einschränkend noch hinzu: *Ob allerdings der Ruf nach Vollendung (...) auch nur einigermaßen praktisch wird und nicht bloß im ästhetischen Vor-Schein bleibt, darüber wird nicht in der Poesie entschieden, sondern in der Gesellschaft.* (PH, 249)

Die Lackmusprobe einer jeden sich als materialistisch verstehenden Ästhetik ist der Realismusbegriff, wie er theoretisch von Engels, Lenin und Lukács entwickelt wurde. Als Widerspiegelungstheorie wurde er ebenso berühmt wie berüchtigt. Doch ist sie zweifellos theoretisch besser fundiert und weniger schematisch, als das landläufige Vorurteil es wahrhaben will. Um Blochs Kritik und Erweiterung dieses Realismusverständnisses besser zu verstehen, sei sie kurz skizziert: Die Kunst ist eine Art von Widerspiegelung der Wirklichkeit im menschlichen Bewußtsein, die im schöpferischen Prozeß objektiviert wird. Die Nachahmung der Wirklichkeit soll weder eine oberflächliche Reproduktion noch eine formale Abstraktion der Realität sein, vielmehr in der Dialektik von Erscheinung und Wesen, Besonderem und Allgemeinem die allseitige Totalität der gesellschaftlichen Welt darstellen. Die spezifisch künstlerische Leistung realistischer Darstellung ist die typische Gestaltung, *die treue Wiedergabe typischer Charaktere in typischen Situationen* (Engels), wodurch das charakteristisch Typische im gesellschaftlich Allgemeinen zur Synthese gelangt. Objektiv ist solche Darstellung, da sie das Wesen der Realität adäquat erfaßt und den historischen Prozeß in seiner Gesetzmäßigkeit zum Ausdruck bringt. Objektivität meint also keineswegs eine wertneutrale Darstellung, sondern durch die künstlerische Produktivität wird eine historische Bewegung bewußt gemacht und vorangetrieben. Dadurch erhält die realistische Kunst eine immanente Tendenz, die der objektiven Entwicklungstendenz der Gesellschaft entspricht. Realistische Kunst wird damit Zeugnis und Faktor der Geschichte.

Blochs Realismusbegriff paßt in diese Tradition wie er selbst in den Marxismus, also schwierig und dicht daneben. Wie viele Neomarxisten kritisiert er diese Tradition, um sie zu erweitern. *Es geht um den Realismus,* heißt bezeichnenderweise ein Abschnitt im »Prinzip Hoffnung«, der in das Umfeld der Expressionismus/Realismus-Debatte gehört; aber, so fügt er hinzu: *Alles Wirkliche hat einen Horizont* (PH, 256), es ist begrenzt und *prospektiv* zugleich. Wenn er die Spiegelmetapher der Nachahmungstheorie aufgreift, so in einer für ihn typischen Art: Realistische Kunst ist *ein Spiegel immanenter Antizipation* (PH, 950). Blochs Realismusverständnis wendet sich sowohl gegen einen theoretischen Schematismus, der alles schon weiß und eine handhabbare formalistische Schablone bereitstellt, als auch gegen eine künstlerische Methode, die sich mit der Darstellung der Oberfläche, den sogenannten Tatsachen zufrieden gibt.

An den Dingen zu kleben, sie zu überfliegen, beides ist falsch. Beides bleibt äußerlich, oberflächlich, abstrakt, kommt, als Unmittelbares, von der Oberfläche nicht los. (PH, 256) Wie Lukács, den wir hier als repräsentativen Theoretiker der Widerspiegelungslehre und partiellen Antipoden Blochs heranziehen, polemisiert auch Bloch gegen jedweden Naturalismus, da er empiristisch an den Tatsachen kleben bleibe, nur einen dummen Abklatsch der Wirklichkeit gebe und unfähig sei, das Wesen der dargestellten Sache typisch-real herauszustellen. Komplexer ist Blochs Verhältnis zu den *überschwenglichen Schwärmern* in der Kunst, wozu in unserem Kontext wohl auch die Expressionisten zu rechnen sind, die für Lukács nichts als Formalisten sind.[38] Das sind sie auch für Bloch, oder genauer: Phantasten, sofern sie den Boden unter den Füßen verlieren, *mit viel Schein, viel bedenklicher Flucht nach einem geradezu absichtlich unwahren Traum-Schein* (PH, 256). Aber sie sind belehrbar und korrigierbar, denn sobald die Phantasie konkret wird, eröffnet die Kunst *Bilder, Einsichten, Tendenzen, welche im Menschen wie in dem ihm zugeordneten Objekt zugleich geschehen* (ebd.). Doch ist Realismus für Bloch keine bloße Formsache.

Die Kunst ist durch die vorgegebene Wirklichkeit bedingt, ohne von dieser gänzlich determiniert zu sein: *Statt des isolierten Fakts und des vom Ganzen gleichfalls isolierten Oberflächenzusammenhangs der abstrakten Unmittelbarkeit geht nun die Beziehung der Erscheinungen zum Ganzen ihrer Epoche auf und zum utopischen Totum, das sich im Prozeß befindet.* (PH, 256 f.) Das ist der vertraute gesellschaftliche Nexus, der die schlechte Unmittelbarkeit beseitigt, indem er das Bedeutende an den Erscheinungen aufdeckt, im Besonderen das Allgemeine erkennt. Aber diese Relation ist nicht als ein ökonomischer Schematismus zwischen Basis und Überbau zu verstehen, denn die ideologischen Gebilde des Überbaus enthalten durch ihre Ungleichzeitigkeit einen utopischen Überschuß, der als Vermächtnis auf Unerfülltes und Unabgegoltenes verweist. Ebensowenig genügt Bloch die Dialektik von Erscheinung und Wesen, da der Schein der Kunst auch Vor-Schein enthält, ohne den es keinen künstlerischen Realismus geben kann: *Wo der prospektive Horizont ausgelassen ist, erscheint die Wirklichkeit nur als gewordene, als tote (...). Wo der prospektive Horizont durchgehend mit visiert wird, erscheint die Wirklichkeit als das, was es in concreto ist: als Wegegeflecht von dialektischen Prozessen, die in einer unfertigen Welt geschehen, in einer Welt, die überhaupt nicht veränderbar wäre ohne die riesige Zukunft: reale Möglichkeit in ihr.* (PH, 257)

Was Bloch daher an Lukács' Realismusbegriff störte, obwohl er in vielem mit ihm übereinstimmte, war dessen dogmatische Einseitigkeit: *Lukács setzt überall eine geschlossen zusammenhängende Wirklichkeit voraus, dazu eine, in der zwar der subjektive Faktor des Idealismus keinen Platz hat, dafür aber die ununterbrochene ›Totalität‹, die in idealistischen Systemen, (...) am besten gediehen ist.*[39] Dessen philosophisches wie ästhetisches System ist Bloch zu abgeschlossen, zu fix und fertig, eine *Begriffstapete,* die alles verdeckt, was prozeßhaft offen und fragmentarisch ist.[40] Realistische Kunst – so fassen wir zusammen – ist für Bloch nicht nur Abbildung allseitiger Totalität und *sinnliches Erscheinen der Idee,* sondern vor allem Fortbildung der in der Wirklichkeit noch unentfalteten Möglichkeiten auf ein fernes Ziel hin, kurz: Realismus ist *Wirklichkeit plus Zukunft in ihr.*[41]

Das letzte Zitat stammt aus Blochs Aufsatz »Marxismus und Dichtung«, dem einzigen pragmatischen Aufsatz dieser Art, der sich daher besonders eignet, unsere Überlegungen zusammenzufassen. Er wurde auf dem Kongreß zur Verteidigung der Kultur 1935 in Paris vorgetragen. Während auf derselben Veranstaltung der Dichter Brecht gegen einen vagen Humanismus polemisierte, der angesichts des Faschismus nichts als die Kultur retten wolle, und die Anwesenden mit der linksradikalen Parole: *Kameraden, sprechen wir von den Eigentumsverhältnissen!* schockierte,[42] sprach der Philosoph Bloch über Marxismus und Phantasie. Er versucht den bürgerlichen Schriftstellern die Berührungsangst vor dem Marxismus zu nehmen, indem er nachweist, daß der Marxismus die Phantasie weder gefährdet noch austrocknet. Das sei *eine schiefe Sorge, auf die Dauer keine.*[43] Ein falsches Bild von der Ästhetik des Marxismus entstehe nur durch einen *klassizistisch, gar rezeptmäßig kastrierten Realismus,* der die Phantasie fast zu einer Strafsache mache und sich daher gegen avantgardistische Schriftsteller wie Kafka, Proust und Joyce wendet. Für Bloch dagegen verbinden sich in *wirklich realistischer Dichtung* Marxismus und Phantasie: Marxistische Kritik scheidet die Wahrheit von der Ideologie, berichtigt und lenkt den poetischen Überschwang, während die *exakte Phantasie* den *Traum von einer Sache* (Marx) ins Bewußtsein bringt. Gerade die Phantasie als subjektiver Faktor im künstlerischen wie historischen Prozeß kann nicht einfach als idealistisch diffamiert werden. Tut man es, so verdorrt die Kultur, und heraus kommt eine Kunst der Fakten oder noch Schlimmeres. Idealismus ist, um mit Lenin zu sprechen, eine Einseitigkeit, aber kein Unsinn; er läßt sich durch marxistische Tendenzkunde korrigieren. Exakte Phantasie macht auf die realen Möglichkeiten der Wirklichkeit aufmerksam, wird als künstlerischer Vor-Schein der Geburtshelfer einer neuen Welt. Freilich kann die Wirklichkeit dann nicht mehr als in sich geschlossene, schöne Totalität abgebildet werden, vielmehr muß sie offen und fragmentarisch dargestellt werden, um so das *ungelebt Mögliche* sichtbar zu machen und voranzutreiben. Dann würde durch dichterische Phantasie der Weltprozeß, innen wie außen, transparent – *minus ideologische Lüge, plus konkrete Utopie* (PH, 142). Als einzigen Autor der Gegenwart, der über diese exakte Phantasie verfüge, nennt Bloch keinen anderen als – Brecht.

III

Vieles, auf das hier nicht einmal hingewiesen werden konnte, müßte noch erörtert und geprüft werden: Blochs eigene ästhetische Kategorien als mögliche Poetik der künstlerischen Avantgarde (bei Brecht und Klee); die Probe auf ihre interpretative Brauchbarkeit zuerst in Blochs eigenen literarischen Aufsätzen (sei es seine Umdeutung des Katharsisbegriffs oder die Deutung des Künstlerromans) und dann auch an literarischen Werken der Vergangenheit und Gegenwart.[44] Statt dessen ziehe ich einen Schlußstrich; darunter müßte, wie vorläufig und fragmentarisch auch immer, einiges über den Nutzen von Blochs antizipierendem Denken für die literarische Interpretation und ihre mögliche Praxis stehen:

Bloch erweitert den Utopiebegriff, der als utopische Funktion keine literarische Gattung mehr ist, sondern sich in allen Formen der Kunst und Literatur als ästhetischer Vor-Schein aufspüren läßt.

Kunst als ästhetische Utopie hat eine doppelte Funktion: Der ästhetische Schein verhält sich kritisch zur dargestellten Wirklichkeit und antizipiert, was in ihr als reale Möglichkeit noch schlummert. Die Wahrheit der Kunst wird damit zum Vor-Schein. *Die Utopie, die in großer Kunst zur Erscheinung kommt, ist niemals die bloße Negation des Realitätsprinzips, sondern seine Aufhebung, in der noch ein Schatten auf das Glück fällt.*[45] So noch Herbert Marcuse in seinem letzten Werk, als kommentiere er Bloch mit Adorno. Kunst ist gestalteter Tagtraum einer besseren Welt, *Phantasieexperiment der Vollkommenheit*, kurz: *L'art pour l'espoir.*

Große Literatur der Vergangenheit, die einer ideologiekritischen Probe standhält, bewahrt ein humanes Erbe, ist *Zukunft in der Vergangenheit.* Sie fordert ein, was den Menschen erst zum Menschen macht: Das *Zu-Sich-Selber-Kommen des Menschen* (Becher). Realistische Kunst ist mehr als nur Abbilden einer sinnvollen Totalität, sondern auch Fortbilden noch unentfalteter Wirklichkeit: *Wirklichkeit plus Zukunft in ihr.* Daher wendet sich Bloch gegen jedweden Naturalismus, Formalismus und Produkte der Kulturindustrie. Er kritisiert daran die oberflächliche Kopie der Wirklichkeit, die Schönfärberei mit leerem Schein und das schlechte Neue des reinen Konsums. Darin sieht er weder ein sinnvolles Erbe noch utopische Substanz. Nur in den großen Werken der Kunst erscheint die utopische Funktion, die auf ein Totum weist, ohne das es keine konkrete Utopie und keine sinnvolle Praxis gäbe.

Wie der Sozialismus die alten Utopien ablöste, indem er zur *Praxis der konkreten Utopie* wurde (PH, 16), so ersetzt die utopische Funktion die *alten Staatsmärchen.* Der Vor-Schein wird ihre Manifestation in den Werken der Kunst, ja jetzt wird erst erkennbar, daß die Kunst diese utopische Dimension immer schon besaß und daß sie eine ihrer bedeutendsten Qualitäten ist. Bedenkt man diesen Zusammenhang zwischen Literatur und Utopie, und berücksichtigt man ihn bei der literarischen Praxis, die immer nur eine vermittelte sein kann, so könnte die Beschäftigung mit Literatur wieder aufmuntern, ermutigen und Perspektive geben; sie kann die Kritik schärfen, den Widerstand stärken und zum Handeln motivieren.

Literatur, so lesen wir bei Christa Wolf ganz im Sinne Blochs, *kann die Grenzen unseres Wissens über uns selbst weiter hinausschieben. Sie hält die Erinnerung an eine Zukunft in uns wach, von der wir uns bei Strafe unseres Untergangs nicht lossagen dürfen. (...) Sie ist revolutionär und realistisch: sie verführt und ermutigt zum Unmöglichen.*[46]

1 Frederic Jameson: »Marxism and Form«, Princeton 1971, S. 158. Übers. in: »Materialien zu Ernst Blochs ›Prinzip Hoffnung‹«, hg. v. B. Schmidt, Frankfurt 1978, S. 437. — **2** Martin Walser: »Prophet mit Marx- und Engelszungen«. In: »Über Ernst Bloch«, Frankfurt ²/1968, S. 14. — **3** Arnhelm Neusüss: »Schwierigkeiten einer Soziologie des utopischen Denkens«. In: »Utopie. Begriff und Phänomen des Utopischen«. Hg. v. A. Neusüss, Neuwied 1968, S. 13–114. — **4** Siehe die entsprechenden Forschungsberichte in: »Utopie-Forschung«. Hg. v. Wilhelm Voßkamp, Stuttgart 1983, Bd. I, S. 11–231. — **5** Jürgen u. Ursula Link: »Literatur-soziologisches Propädeutikum«. München 1980, S. 184 f. — **6** Zur Forschungsliteratur bis 1968 siehe Neusüss, a.a.O., S. 449–495, danach: Jürgen Fohrmann, »Utopie-Forschung«, Bd. I, S. 232–253. — **7** Hermann Wiegmann: »Ernst Blochs ästhetische Kriterien und ihre interpretative Funktion in seinen literarischen Aufsätzen«. Bonn 1976, S. 12. — **8** Frederic Jameson, a.a.O., S. 406 f. — **9** »Goethes Werke«. Hg. v. Erich Trunz, Hamburg 1953, Bd. 12, S. 471. — **10** Frederic Jameson, S. 437. — **11** Vgl. Wilhelm Voßkamp: »Thomas Morus' ›Utopia‹: Zur Konstituierung eines gattungsgeschichtlichen Prototyps«. In: »Utopie-Forschung«, Bd. 2, S. 183–196. — **12** Arnhelm Neusüss, S. 33. — **13** Friedrich Engels: »Die Entwicklung des Sozialismus von der Utopie zur Wissenschaft«. MEW, Bd. 19, S. 189 ff. — **14** Ernst Bloch: »Antizipierte Realität – Wie geschieht und was leistet utopisches Denken?« In: Ders.: »Abschied von der Utopie?«. Hg. v. Hanna Geckle. Frankfurt 1980, S. 110. — **15** Jürgen Habermas: »Ein marxistischer Schelling«. In: »Über Ernst Bloch«, S. 63. — **16** Ernst Bloch: »Experimentum Mundi«, Frankfurt 1975, S. 188. — **17** Ernst Bloch: »Abschied von der Utopie?«, S. 110. — **18** Burghart Schmidt: »Utopie ist keine Literaturgattung«. In: »Literatur ist Utopie«. Hg. v. Gert Ueding, Frankfurt 1978, S. 32. — **19** Karl Mannheim: »Utopie«. Bei Neusüss, S. 115 f. — **20** Ernst Bloch: »Ideologie und Utopie«. In: Ders.: »Abschied von der Utopie?«, S. 65–75. — **21** Karl Marx: »Die Frühschriften«. Hg. v. Siegfried Landshut, Stuttgart 1953, S. 208. — **22** Ernst Bloch: »Abschied«, S. 87. — **23** Karl Marx: »Grundrisse der Kritik der politischen Ökonomie«. Wien o. J., S. 31. — **24** Ernst Bloch: »Abschied«, S. 68. — **25** Burghart Schmidt: »Utopie ist keine Literaturgattung«, S. 26. — **26** *Das Utopische selbst ist das Charakteristikum des Menschen.* (Bloch, »Abschied«, S. 106). — **27** »Prinzip Hoffnung«, Kap. 36, »Freiheit und Ordnung«: Eine meisterhafte Darstellung, die mit Abstand die beste Einführung und Geschichte der Sozialutopien ist. — **28** Burghart Schmidt: »Utopie ist keine Literaturgattung«, S. 19. — **29** Gert Ueding: »Tagtraum, künstlerische Produktivität und Werkprozeß«. In: Ernst Bloch: »Ästhetik des Vor-Scheins«. Hg. v. G. Ueding, Frankfurt 1974, Bd. 2, S. 7–22. — **30** Ernst Bloch: »Abschied«, S. 73. — **31** Friedrich Schiller: »Sämtliche Werke«. Hg. v. Gerhard Fricke u. Herbert G. Göpfert, München [2]1960, Bd. 5, S. 659. Vgl. dazu Verf.: »Ästhetische Reflexion als Utopie des Ästhetischen«. In: »Utopie-Forschung«, Bd. 3, S. 146–171. — **32** Ebd., S. 594. — **33** Ebd., S. 653. — **34** Hermann Wiegmann: »Ernst Blochs ästhetische Kriterien«, S. 167. — **35** Darin unterscheidet sich Bloch auch von Adorno, für den die utopische Funktion der Kunst aufgrund des Autonomiegebots allein in der kritischen Negation der Wirklichkeit liegt. Kunst ist für Adorno nur in dem Sinne Utopie, daß sie Negation der Negation ist. Vgl. dazu: Alo Allkemper: »Rettung und Utopie. Studien zu Adorno«. Paderborn 1981. — **36** Gert Ueding: »Blochs Ästhetik des Vor-Scheins«. In: Ernst Bloch: »Ästhetik des Vor-Scheins«, Frankfurt 1974, Bd. 1, S. 22. — **37** Ernst Bloch: »Marxismus und Dichtung«. In: Ders.: »Literarische Aufsätze«, Frankfurt 1965, S. 143. — **38** Zu diesem ganzen Komplex jetzt: Roland Bothner: »Kunst im System. Die konstruktive Funktion der Kunst für Ernst Blochs Philosophie«. Bonn 1982. — **39** Ernst Bloch: »Erbschaft dieser Zeit«. Frankfurt 1962, S. 270. — **40** Nicht umsonst sind Fragment und Montage für Bloch zentrale ästhetische Kategorien, die der Wirklichkeit als Prozeß entsprechen. Daher kann Bloch die neuen künstlerischen Techniken der Avantgarde auch gerechter beurteilen als Lukács, der darin nur Dekadenz und Formalismus zu sehen vermag. Da ich darauf nicht näher eingehen kann, verweise ich auf Hermann Wiegmanns Arbeit. — **41** Ernst Bloch: »Literarische Aufsätze«, S. 143. — **42** Bertolt Brecht: »Gesammelte Werke«. Frankfurt 1967, Bd. 8, S. 246. — **43** Ernst Bloch: »Literarische Aufsätze«, S. 137. — **44** Als Muster einer solchen Interpretation sei auf Hermann Wiegmanns Musil-Interpretation verwiesen; in: »Literatur ist Utopie«, S. 309–334. — **45** Herbert Marcuse: »Die Permanenz der Kunst«. München [2]1978, S. 77. — **46** Christa Wolf: »Lesen und Schreiben«. Neuwied [2]1980, S. 48. Vgl. zu Christa Wolf auch den Aufsatz des Verf.: »Die real existierende Utopie im Sozialismus. Zu Christa Wolfs Romanen«. In: »Literarische Utopien von Morus bis zur Gegenwart«. Hg. v. Klaus L. Berghahn und Hans U. Seeber, Frankfurt 1983, S. 275–297.

Anna Wołkowicz

Der frühe Bloch und der literarische Symbolismus

I

Forscher, die Blochs Frühwerk aus literaturgeschichtlicher Sicht betrachten, unterstreichen einstimmig dessen expressionistische Züge.[1] Ohne diesen Befund anfechten zu wollen, möchte ich ergänzend auf die Verwandtschaft mit einer anderen literarischen Strömung hinweisen, die zeitlich mit Blochs Kindheit und Jugend zusammenfällt, nämlich den sogenannten Symbolismus, zu dessen wichtigsten deutschsprachigen Vertretern Hugo von Hofmannsthal, Rainer Maria Rilke, Stefan George und der postnaturalistische Gerhart Hauptmann gezählt werden. Davon, daß Bloch diese Dichter las und von einzelnen ihrer Werke tief beeindruckt war, zeugen Stellen in »Geist der Utopie«, den frühen Aufsätzen und den »Spuren«.

Natürlich wäre es verfehlt, Bloch als Symbolisten etikettieren zu wollen; gewisse Einflüsse oder Parallelen sind jedoch unverkennbar. So berufen sich die europäischen Symbolisten auf eine Tradition, die auch Bloch vertraut ist: sie reicht über Novalis und den esoterischen Goethe, über Böhme, Paracelsus und die mittelalterliche Mystik bis zum Neuplatonismus zurück. Bloch teilt mit ihnen ferner das Interesse für okkultes Wissen über die Seele und deren Beziehung zu einer ›höheren‹ (also gewissermaßen utopischen) Wirklichkeit, für Traum und Hellsehen, für Kabbala, Magie und Alchemie.

Zentral für das ganze Lebenswerk Blochs ist die Kategorie des Symbols. Im sinnlich wahrnehmbaren Symbol wird das sonst Unfaßbare, die gesellschaftliche Utopie, das verborgene Selbst des Menschen erfahren. Noch im »Prinzip Hoffnung« ist das Symbol der utopische *Vor-Schein im präzisen Sinne*[2]. In »Geist der Utopie« wird als *echte(s) Symbol* vor allem die Musik bezeichnet: (...) *das Geheimnis, das verständlich-Unverständliche, das Symbolische an ihr ist der eigene, sich sachlich verhüllte Menschengegenstand selber*[3]. Bloch betont dabei die mystische Beschaffenheit der symbolischen Utopieerfahrung, in der die Subjekt-Objekt-Spaltung aufgehoben wird: der Ton ist für uns *kein Gegenüber*, sondern er *geht mit uns und ist Wir,* (...) *zieht sich nicht am Ende in seine uns fremde oder gar verbotene Heimat allegorisch zurück*[4].

Auch für Vertreter des literarischen Symbolismus sind Symbole Boten der eigentlichen Wirklichkeit, die jenseits des sinnlich Wahrnehmbaren verborgen liegt; mit Hilfe von symbolischen Gegenständen, Bildern, Visionen und Beschwörungsformeln kann der Mensch daran teilhaben. In der Regel fehlt den ›symbolistischen‹ Symbolen das, was Bloch ›Tendenz‹ oder ›Richtung‹ nennt: der Verweis auf die Zukunft, in der er seine Utopie lokalisiert. Allerdings hat auch das ›Jenseits‹ der Symbolisten oft utopischen Charakter; mitunter wird es sogar als ein Zustand geschildert, in dem die Menschen zu Göttern werden. In den »Blättern für die Kunst« finden wir z. B. folgende Darstellung des Vorgehens eines symbolistischen Dichters: (...) *unter allen bedeutungsvollen dingen das herauswählen, das den größten und schönsten teil der schwingenden Seele enthält, das die andern in seinem tieferen wesen widerspiegelt und das sich durch seine vollkommene form am meisten der unbedingten einheit, dem höchsten traum nähert – diese dinge mit klarer schöner und sogar am abgrundsrande unerschütterlicher stimme sagen (weil man jenseits des abgrunds sich selber als den gott fühlt den man freude-geblendet anschaut): Symbolik.*[5]

II

Einen schönen Beweis dafür, daß der frühe Bloch die Wirklichkeit und insbesondere die Literatur mit symbolistischer Sensibilität aufgenommen hat, stellt seine Kategorie der ›Symbolintention‹ dar. Sie wird im Kapitel »Zur Metaphysik der Innerlichkeit« im »Geist der Utopie« erläutert. Es handelt sich dabei um jene *ganz uneigentlichen Anlässe und Inhalte*, an denen sich das *innere, tiefste Erstaunen* entzündet: *Es entzündet sich oft völlig beliebig, ja unangemessen.* (...) *Ein Tropfen fällt und es ist da; eine Hütte, das Kind weint, eine alte Frau in der Hütte, draußen Wind, Heide, Herbstabend, und es ist wieder da, genau so, dasselbe; oder wir lesen, daß sich Dimitri Karamasow im Traum verwundert, wie der Bauer immer ›Kindichen‹ sagt, und wir ahnen, hier wäre es zu finden; ›die Ratte, die raschle so lange sie mag! Ja wenn sie ein Bröselein hätte!‹, und wir fühlen, bei diesem kleinen, schnöden, sonderbaren Vers aus Goethes Hochzeitlied, hier, in dieser Richtung liegt das Unsagbare, das, was der Knabe liegen ließ, als er wieder aus dem Berg herauskam, ›vergiß das Beste nicht!‹ hatte der Alte zu ihm gesagt, aber noch keiner konnte dieses Unscheinbare, tief Versteckte, Ungeheure jemals im Begriff entdecken. Man sieht, es sind ganz uneigentliche Anlässe und Inhalte, zu denen wir derart wünschelrutenhaft inklinieren.* (...) *Das einfachste Wort ist schon viel zu viel, das erhabenste Wort wieder viel zu wenig, und vielleicht gilt von diesen kleinen durchdringenden Symbolintentionen, was nur noch von dem Größten, Entferntesten gilt: von der delphischen Sibylle, von dem Wunder der Heiligen Nacht in der Missa solemnis, von den Urerlebnissen großer dunkler Dichtungen, von der ›Gespenstersonate‹, von ›Und Pippa tanzt‹, vom Faust und seiner, wie Goethe sagt, für den Verstand dauernd inkommensurablen Produktion, von allen diesen Gebilden kurz vor Tag, wie man sie insgesamt doch irgend woher namenlos verstehen kann, als Antwort,*[6] nämlich als Antwort auf die *unkonstruierbare Frage* nach dem utopischen Selbst der Menschen. Von solchen Symbolintentionen gilt, *was William Butler Yeats* (einer der größten

Dichter und Theoretiker des englischen Symbolismus, A. W.) *von Shelley und seiner Symbolik schreibt* (...): *es gäbe für jeden eine Szene, ein Abenteuer, ein Bild, das das Gleichnis seines verborgenen Lebens darstellt*[7].

Versucht man, die wichtigsten Merkmale der Symbolintentionen zusammenzufassen, so ergibt sich etwa die folgende Charakteristik: Symbolintentionen offenbaren sich plötzlich und überraschend an unscheinbaren Anlässen, wobei die Beispiele im »Geist der Utopie« durchweg literarischen Ursprungs sind. Das Auftreten dieser Erfahrung ist *völlig beliebig,* sie läßt sich nicht willentlich herbeiführen, ist irrational und unberechenbar, hat etwas Esoterisches an sich: *Man ist hier entweder mit oder bleibt draußen.*[8]

Bei der Begegnung mit einer Symbolintention reagieren wir mit dem *inneren, tiefsten Erstaunen,* dem auch Grausen beigemengt sein kann.[9] Symbolintentionen werden als durchdringend, vag-scharf, unheimlich, sonderbar, schnöde, verständlich-unverständlich empfunden.

Sie deuten auf das *Eine, Ungenannte, Unnennbare,* auf das *noch unartikulierte Urgeheimnis*[10] hin, d. h. auf das künftige, utopische Selbst des Menschen bzw. der Menschheit überhaupt. Symbolintentionen sind kleine, antizipierende Selbstbegegnungen. Ihr Geheimnis kann zwar *von irgendwo her namenlos* verstanden werden, läßt sich jedoch nicht in Worte fassen, nicht objektivieren, weil darin Subjekt und Objekt, das menschliche Innere und das Innere der Welt zusammenrücken. Schon die Betrachtung des alten Krugs am Anfang des Kapitels »Die Selbstbegegnung« (in »Geist der Utopie«) meint eine solche mystische Anteilnahme am Objekt: der Krug ist ein *mir teilhaftiges Gebilde,* ragt *in ein fremdes, neues Gebiet* hinein und bringt mir von dort – *mit einem gewissen, wenn auch noch so schwachen Symbolwert beladen* – ein Stück meiner eigentlichen Identität.[11]

Wie wichtig die Kategorie der Symbolintention und des damit verbundenen Staunens für das Verständnis von Blochs »Spuren« ist, zeigt Rainer Hoffmann in seinem Buch »Montage im Hohlraum«. Bloch selbst hat die »Spuren«-Texte expressis verbis als *Symbolintentionen auf uns selbst*[12] bezeichnet.

In einem Exkurs weist Hoffmann auf die *erstaunlichen Ähnlichkeiten* hin, die zwischen Blochs *symbolintentionalen Erfahrungen* und den im *Chandos-Brief Hugo v. Hofmannsthals geschilderten Erlebnissen*[13] bestehen. Er irrt jedoch in der Annahme, daß Bloch selbst auf diese Ähnlichkeiten *sehr spät*, nämlich erst in der »Tübinger Einleitung in die Philosophie« zu sprechen kommt[14]. Dies geschieht vielmehr bereits in dem 1919 veröffentlichten Aufsatz »Über das noch nicht bewußte Wissen«. Die unkonstruierbare Frage nach unserem wahren Selbst hat, heißt es dort, *zahllose, oft unscheinbare, jedoch uns stets gleichartig erschütternde Erscheinungsweisen, und eben das wartende Dunkel des gelebten Augenblicks erfährt daran, an den wehenden, verständlich-unverständlichen Symbolintentionen wenigstens die*

Lichtung des allerunmittelbarsten Erstaunens. Rilke, Hofmannsthal (in einigen Prosaschriften) fühlen mitunter die nachlassende Sprache in der Nähe dieses Zustandes, ohne recht zu wissen, welche Gesamtheit hier plötzlich erscheint.[15] In der Fassung von 1969 (Gesamtausgabe) sind die Hinweise präziser: es handle sich um die letzten Verse in Rilkes Gedicht »Der Fremde«, um Hofmannsthals »Brief des Lord Chandos an Bacon oder die sprachlos machende Sprache, in welcher die stummen Dinge zu mir sprechen«[16], ferner um das Gespräch Glans mit dem Mädchen aus Knut Hamsuns »Pan«, von dem sowohl in der Urfassung des Aufsatzes, als auch im »Geist der Utopie« und den »Spuren« die Rede ist.[17]

Den Blochschen Symbolintentionen entsprechen im Chandos-Brief die *guten Augenblicke. Es wird mir nicht leicht, Ihnen anzudeuten, worin diese guten Augenblicke bestehen; die Worte lassen mich wiederum im Stich. Denn es ist ja etwas völlig Unbenanntes und auch wohl kaum Benennbares, das in solchen Augenblicken, irgendeine Erscheinung meiner alltäglichen Umgebung mit einer überschwellenden Flut höheren Lebens wie ein Gefäß erfüllend, mir sich ankündet. (...) Eine Gießkanne, eine auf dem Felde verlassene Egge, ein Hund in der Sonne, ein ärmlicher Kirchhof, ein Krüppel, ein kleines Bauernhaus, alles dies kann das Gefäß meiner Offenbarung werden. Jeder dieser Gegenstände und die tausend anderen ähnlichen, über die sonst ein Auge mit selbstverständlicher Gleichgültigkeit hinweggleitet, kann für mich plötzlich in irgendeinem Moment, den herbeizuführen auf keine Weise in meiner Gewalt steht, ein erhabenes und rührendes Gepräge annehmen, das auszudrücken mir alle Worte zu arm scheinen.*[18]

Angesichts *irgendeiner nichtigen Kreatur* wird Chandos von der *Gegenwart des Unendlichen durchschauert*, es ergreift ihn eine tiefe Rührung, die *viel mehr und viel weniger als Mitleid* ist: *ein ungeheures Anteilnehmen, ein Hinüberfließen in jene Geschöpfe.*[19]

Auch in Hofmannsthals »Gespräch über Gedichte« – in dem *Schönsten und Umfassendsten, was zu Weltbild und Kunstweise des Symbolismus von der deutschsprachigen Seite gesagt wurde*[20], sind solche Entsprechungen zu finden. Hofmannsthal spricht dort z. B. von *geheimnisvolle(n) Chiffern, mit denen Gott unaussprechliche Dinge in die Welt geschrieben hat. (...) Es sind Chiffern, welche aufzulösen die Sprache ohnmächtig ist. (...) Jener herbstliche Park, diese von der Nacht umhüllten Schwäne – du wirst keine Gedankenworte, keine Gefühlsworte finden, in welchen sich die Seele jener, gerade jener Regungen entladen könnte, deren hier ein Bild sie entbindet. Wie gern wollte ich dir das Wort ›Symbol‹ zugestehen, wäre es nicht schal geworden, daß michs ekelt.*[21] Diese Chiffren versetzen den Betrachter in eine magische Bezauberung: sein Wesen verschmilzt *für eines Gedankenblitzes Dauer* mit dem *fremden Dasein* des Symbols. Auf die Frage, woher denn solche Symbole oder Chiffren die Kraft nehmen, uns derart zu bezaubern, antwortet Hofmannsthal: *Davon, daß wir und die Welt nichts Verschiedenes sind.*[22]

Es dürfte inzwischen klar sein, daß Hofmannsthal und Bloch tatsächlich dieselbe Erfahrung meinen: die Unscheinbarkeit der Anlässe, das plötzliche Auftreten *für die mystische Frist eines Hauches* (Hofmannsthal), die mystische Anteilnahme am Objekt, die Überzeugung, daß sich in solchen Augenblicken ein *Unendliches, Unnennbares* ankündigt, das sich nicht in Worte fassen läßt, das Gefühl der tiefsten Ergriffenheit, oft verbunden mit einem unheimlichen Schauer – all das stimmt überein. Auch Bloch (allerdings der spätere) spricht von Chiffren – er versteht darunter *reale Dinge mit Schlüsseleigenschaften für das Subjekt, diesem den Blick auf Zukünftiges, Utopisches zu öffnen*[23]. Aber läßt sich von den Symbolintentionen im »Geist der Utopie« nicht dasselbe behaupten?

Unterschiedlich bleibt die Interpretation dieser gemeinsamen Erfahrung. Hofmannsthal deutet sie *nicht* als Vorwegnahme unseres utopischen Selbst. In seiner frühen Epik (»Das Märchen der 672. Nacht«, »Reitergeschichte«) verweisen vergleichbare Erfahrungen – Déjà-vu-Erlebnisse, plötzliche Ergriffenheit beim Anblick schäbiger Tiere – vielmehr auf den Tod[24].

III

Unter den *großen dunklen Dichtungen*, die als Antwort auf die unkonstruierbare Frage verstanden werden können, nennt Bloch – neben Strindbergs »Gespenstersonate« und Goethes »Faust« – »Und Pippa tanzt« von Gerhart Hauptmann. Was mag ihn zu einem solchen Bekenntnis bewogen haben? Bestehen Gemeinsamkeiten zwischen der Philosophie des frühen Bloch und der Gedankenwelt dieses Märchendramas, das, 1906 uraufgeführt, zu den bekanntesten Werken des Symbolisten Hauptmann gehört?

Auf der Suche nach solchen Gemeinsamkeiten stoßen wir im Text von »Und Pippa tanzt« auf mehrere Stellen, die uns aufhorchen lassen. So glaubt man z. B. in dem Ausruf Hellriegels: *Manchmal schleudert's mich förmlich vor Ungeduld. (...) Es muß alles anders werden: – die ganze Welt!*[25] die für den »Geist der Utopie« so bezeichnende Sehnsucht nach der Erneuerung der Welt wiederzuerkennen. An gewisse Aspekte der Blochschen Utopie erinnert ein Ausspruch des weisen Zauberers Wann, er warte *auf den neuen Anfang und Eintritt in eine andere musikalisch-kosmische Brüderschaft*[26]. Wann nennt Pippa *ein Fünkchen aus den Paradiesen des Lichtes – Man weiß wenigstens, wenn man in diesen schwarzen Hadesbränden nach Atem schnappt, daß man ein Kämpfer und noch weit entfernt von den Paradiesen des Lichtes ist. – Nur ein Fünkchen daraus hat den Weg gefunden!*[27] – eine Bezeichnung, die den Interpreten Anlaß gab, auf Meister Eckharts Lehre vom ›Fünkelin‹ hinzuweisen, jenem *Seelengrund, in dem Gott selbst mit der Seele in Berührung tritt*[28]. Der Funken-Metapher, wie überhaupt der gnostisch anmutenden Lichtmetaphorik, bedient sich auch Bloch. In dem Kapitel »Kategorien« (im »Geist der Utopie«)

kehrt der Satz *Denn die Menschen tragen den Funken des Endes durch den dunklen Gang* refrainartig wieder. Das *Ende* ist in diesem Fall mit *unserem verborgenen Götterdasein*[29] gleichzusetzen, das künftig verwirklicht werden soll; der *dunkle Gang* ist unser materielles Dasein. Sowohl Hauptmanns »Pippa« als auch »Geist der Utopie« enthalten Zitate aus dem großen Symbolisten Dante: in der Fassung von 1923 sind dem Kapitel »Die Gestalt der unkonstruierbaren Frage« Verse aus der »Göttlichen Komödie« vorangestellt, in beiden Fassungen endet das einleitende Kapitel mit dem Satz *Incipit vita nova*, den auch der zaubernde Wann ausruft[30].

Aufschlußreich für unseren Vergleich – besonders in Verbindung mit der bereits zitierten tiefsinnigen Analyse Robert Mühlhers, auf die ich mich im folgenden stütze – ist Hellriegels magische Reise nach Venedig (mit einem winzigen Schiffchen). Sie spielt sich in einer durch den Zauber Wanns bewirkten Trance ab. Mühlher beweist, anhand von Klages' »Kosmogonischem Eros«, daß ihr Verlauf den einzelnen Stationen antiker Mysterien entspricht.[31] Schon in der ersten Phase, während der *Ausfahrt der Seele, sinkt Hellriegel in einen traumartigen Zustand, in dem er sich von der Außenwelt immer weiter entfernt*[32]. In diesem Zustand soll er – nach Wanns Verheißung – *mit einemmal alles erblicken, wonach* [seine] *schmachtende Seele strebt*[33]. Dies gelingt – Hellriegel gelangt nach Venedig, wo er nie gewesen war, und – erkennt es wieder: *Es war ja das, was ich mir immer gewünscht habe! es war ja dasselbe! ich hab' es ja ganz genau wiedererkannt, was ich mir vor dem Ofenloch sitzend, als kleiner Knabe erträumt habe! Und Pippa guckte zum Fenster heraus!*[34]

Dieses Déjà-vu-Erlebnis ließe sich sehr gut im Sinne der Blochschen Utopie erklären: Hellriegel kommt in die Heimat, wo er noch nicht war, in die urvertraute Fremde. Der magischen Trance entsprechen bei Bloch Träume bzw. traumartige Zustände mit utopischem Inhalt, die bereits im »Geist der Utopie« von gewöhnlichen, vergangenheitsbezogenen Träumen sorgfältig abgehoben werden. Man müsse zwischen Traum und Traum unterscheiden: *der eine sinkt herab und gibt lediglich eine abgeleitete, eine Mondscheinlandschaft der Tagesinhalte, ein bloßes sich Erinnern dessen, was schon war; und der andere zieht hinüber, ist ein Dämmern und ›noch nicht bewußtes Wissen‹ dessen, was sich dereinst, drüben, im noch ungeschehenen Drüben zuträgt; freilich so, daß auch hier ein Wiedererinnern, ein sich Zurückfinden in die Heimat wirksam ist, aber eben in eine Heimat, in der man noch niemals war und die dennoch Heimat ist.*[35] Solchen ins *noch ungeschehene Drüben* hinüberziehenden Träumen ist die Fähigkeit des Geistersehens eng benachbart. Der spätere Bloch entwickelt daraus die Kategorie des ›Tagtraums‹, welcher z. B. im »Prinzip Hoffnung« den von Freud analysierten Nachtträumen als progressives Gegenstück entgegengehalten wird. Die Verwandtschaft solcher utopischer Träume mit mystischen Offenbarungserlebnissen läßt sich nicht verleugnen.

Darin, daß Hauptmanns Venedig ein Symbol der Utopie ist, stimmen die Interpreten überein. Für Otto Rommel bedeutet es eine Art *himmlisches Jerusalem, ein Symbol für das, was nicht ist, aber für Menschen wie Hellriegel das einzige Seiende ist*[36]. Nach Robert Mühlher bezeichnet Venedig ein *jenseits der Welt gedachtes Reich, das wir Metakosmos nennen, jenes Reich, das wir durch Abschütteln der Welt betreten können*[37]. Dem Entwurf eines solchen utopischen Raumes sollen Schopenhauer[38] und Böhme[39] Pate gestanden haben. Es ist der Raum der Einheit, auf die sich der *durch alles Sein durchgehende Widerspruch* bezieht, *die zwar nie realisiert werden kann, aber die eigentlich innerste Triebkraft allen Geschehens ist*[40]. Eben diese Einheit sei das ›Unbekannte‹, ›Grenzenlose‹, in das Hauptmanns Helden vorstoßen, *nicht anders, als wäre dort der Verbannten Heimat*[41]. Sie ist Hellriegels Venedig, das jenseits der Sinne liegende metakosmische Reich, das in der Ekstase *für die Dauer eines dionysischen Augenblicks* betreten werden kann, der *Raum der Utopie*[42], wohl auch die *musikalisch-kosmische Brüderschaft,* in die einzugehen Wann hofft.

Parallelen zu Blochs Utopieverständnis liegen hier auf der Hand. Auch seine Utopie ist die unbekannte, noch nie betretene Heimat des Menschen, die *urvertraute Fremde,* wie es in den »Spuren« heißt, die in Zuständen der Entrückung und Selbst-Erweiterung – beim Hören von Musik, in zukunftsbezogenen Träumen, bei Begegnungen mit Symbolintentionen – für die Dauer eines mystischen Augenblicks antizipierend erfahren wird. Auch bei Bloch liegt die Utopie, obwohl sie sich in sinnlich wahrnehmbaren ›Realsymbolen‹ vergegenwärtigen kann, im wesentlichen jenseits der physikalischen Welt, der Zeit und jeglichen Widerspruchs. Anders als bei Hauptmann ist sie das eschatologische Ziel der Menschheit, das die Welt und die Geschichte aufheben wird und dessen Verwirklichung in den Händen der Menschen selbst liegt. Durch diese eschatologische Deutung wird die Urerfahrung des *Raums der Utopie* rationalisiert, die Bloch mit den Symbolisten teilt. Sie gab ihm, wie es scheint, den Impuls zur philosophischen Reflexion.

Kehren wir jedoch zu Hellriegels magischer Reise zurück. Das Ziel aller Mysterien ist *der Anblick des Menschen außer sich, jenes zweiten Ichs, das wir Psyche oder Anima nennen*[43]. Hellriegel erscheint sein zweites Ich als das Gespenst Pippas, mit zwei Lichtern, *rechts und links je eines, auf der Schulter*[44]. (Der Interpret deutet diese Lichter als die für den Ekstatiker eigentümliche Aura.) Wann begrüßt diese Erscheinung mit dem Satz, den Dantes ›Lebensgeist‹ bei der ersten Begegnung mit Beatrice ausgerufen haben soll: *Siehe, da kommt ein Gott, der stärker ist als ich, und wird die Herrschaft über mich antreten.* Pippa, das Fünkchen aus den Paradiesen des Lichtes, ist also die sich im Mysterium offenbarende Seele bzw. ihr letzter erfahrbarer Grund, das ›Selbst‹, das man wohl mit dem Funken Göttlichkeit im innersten Grund des Menschen gleichsetzen darf.

Die Vorstellung der Seele war zentral für eine Epoche der deutschen Geistesgeschichte, die *im Verlaufe des 19. Jahrhunderts den Idealis-*

mus ablöst und die Mühlher die *dionysische* nennt, *ohne damit einzig Nietzsche zu meinen.*[45] Als ihre Vertreter zählt er neben Hauptmann u. a. Stefan George, Arnold Böcklin und Hans von Marées auf – sie deckt sich also wenigstens teilweise mit dem Symbolismus. Die Vorstellung der Seele ist selbstverständlich keine originelle Schöpfung dieser Epoche, sie war im Laufe der Geschichte stets gegenwärtig, meist in weiblichen Symbolgestalten (Mysteriengöttinnen, die Göttin zu Sais, die gnostische Pistis Sophia, Jungfrau Maria, Frau Minne, Beatrice, Böhmes Jungfrau Sophia).

Auch Bloch knüpft an diese ›dionysische‹ Tradition an. Die Welt der Seele interessiert ihn außerordentlich; ohne Lächerlichkeit fürchten zu müssen, denn das Thema ist mindestens bis zum ersten Weltkrieg en vogue, widmet er sich im »Geist der Utopie« mit prophetisch-wissenschaftlichem Ernst solchen Problemen, wie Geistersehen (unter Berufung auf Chesterton, Schiller, Schopenhauer, Wagner) und Seelenwanderung. Die Lehre von der Seelenwanderung ist für das Gesamtkonzept seines Utopiebuches viel wesentlicher als der etwas zufällig hineingeratene Marxismus. Dem apokalyptischen Kampf, der *Wegnahme der physischen Welt* müsse *dereinst mit reingewordenen Seelen, mit dem endlich gefundenen Ü b e r h a u p t der Seelen*[46] begegnet werden – Seelenwanderung wird also im Sinne eines Läuterungsprozesses verstanden. Der Menschheit muß es gelingen, bis zum kritischen Moment des Weltuntergangs alle ihre Seelen zu läutern: damit *das seelische Leben auch über die Vernichtung der Welt hinausschwinge, dazu muß es im tiefsten Sinn ›fertig‹ geworden sein (...), soll nicht auch das seelische Keimplasma in den Abgrund des ewigen Todes gerissen, und das Ziel, auf das es bei der Organisierung des Erdenlebens vor allem ankommt, das ewige Leben, die auch transkosmologische Unsterblichkeit, die alleinige Realität des Seelenreichs, die Restitutio in integrum aus dem Labyrinth der Welt – durch Satans Erbarmen verfehlt werden*[47].

An das *Ziel aller Mysterien* – die Begegnung mit dem eigentlichen Selbst – erinnert Blochs Kategorie der Selbstbegegnung. Von ihr gilt im Prinzip dasselbe, wie von der mystischen Erfahrung des ›Raums der Utopie‹. Blochs Utopie ist ja nichts anderes als unser künftiges, göttliches Selbst, das sich im Augenblick der Ekstase ankündigen kann. Nicht unbedeutend für unseren Beweis, daß sich Blochs Gedanken aus dem ›dionysischen‹ Symbolismus genährt haben, scheint die Tatsache, daß dieses zukünftige Selbst eine Gemeinschaft der Seelen sein soll, ein ›Wir‹, ja sogar – in Aufhebung der Subjekt-Objekt-Spaltung – eine Gemeinschaft mit dem ›Innersten‹ der Welt.

Der ideale Ort der Selbstbegegnung ist für Bloch die Musik – das echte Symbol, die schlechthin utopische, aber auch dionysische Kunst. *Sie bringt uns in die warme, tiefe, gotische Stube des Innern, die allein noch mitten in dem unklaren Dunkel leuchtet, ja aus der allein noch der Schein kommen kann, der das Wirrsal, die unfruchtbare Macht des bloßen Seienden, das rohe, verfolgungssüchtige Tappen der demiurgischen Blindheit, wenn nicht gar den Sarg des gottverlassenen Seins selber zuschanden zu machen und auseinander zu sprengen hat, da nicht den Toten, sondern den Lebendigen das Reich gepredigt wurde, und so eben diese unsere kaum gekannte, warme, tiefe, gotische Stube am jüngsten Morgen dasselbe wie das offenbare Himmelreich sein wird.*[48]

Die *warme, tiefe, gotische Stube* (wo Faust Magie getrieben hat), welche allein noch in der Dunkelheit leuchtet, bezeichnet das ›Innere‹, die tiefste Seele des Menschen. Die Licht-Dunkel-Metaphern, deren gnostische Konnotation in diesem Zitat sehr deutlich ist (demiurgisches Tappen), unterstreichen, ebenso wie die Hervorhebung des Gegensatzes zwischen Lebendigem und Totem, den hohen Stellenwert des Seelischen. Die Seele – so könnte man das Zitat zusammenfassen – ist Ausgangspunkt und Ziel des utopischen Heilsprozesses.

Nach alledem kann die Feststellung Blochs nicht mehr überraschen, wonach *das Letzte, was den Menschen überhaupt erwartet (...) nach Gestalt und Wesen das Weib* ist. Die eindrucksvolle Stelle lautet in extenso folgendermaßen: *das Letzte, das den Menschen überhaupt erwartet, die Antwort, die Seele Jesu, der transzendente Ichraum, Kybele, Maria, die große Mutter, das Um uns und der innerste Name alles Eros, die Taube des heiligen Geistes, der Phallos, von einem Kreis umschlossen, dieses uralte Symbol Gottes – das Letzte, das den Menschen derart jenseits aller Welt und im ewigen Leben erwartet, ist nach Gestalt und Wesen das Weib.*[49]

Der reife Hauptmann wurde von solchen Philosophen wie Plato, Plotin, Paracelsus und Böhme, von Schopenhauer, dem späten Schelling und Eduard von Hartmann entscheidend beeinflußt.[50] Auch Bloch verdankt diesen Denkern wesentliche Impulse, mit vielen von ihnen setzt er sich bereits in seinem Frühwerk auseinander. Angesichts einer solchen Konvergenz der philosophischen Interessen – man könnte die Aufzählung um weitere Namen, etwa des Kulturphilosophen Bachofen erweitern –, die übrigens für die Gedankenatmosphäre der Zeit ziemlich typisch sein dürften, können uns die Parallelen im Werk Hauptmanns und Blochs nicht verwundern. Bloch fühlt sich nicht nur von der »Pippa« angezogen, auch »Hanneles Himmelfahrt« und der Ketzerroman »Der Narr in Christo Emanuel Quint« erregen sein Wohlgefallen. Die im »Geist der Utopie« erwähnte Symbolintention aus dem Quint-Roman, nämlich die Episode mit dem goldenen Döschen, auf dessen Oberfläche *nach einem geheimen Fingerdruck* ein erbsengroßer, singender Stieglitz erscheint, könnte ein Prachtstück in Blochs »Spuren«-Sammlung sein: *Es war, als horche er* (Quint) *mit einer besonderen Spannung darauf hin, als wäre etwas vom Inhalt des allertiefsten Geheimnisses in diesem Döschen und Liedchen verborgen gewesen.*[51]

1 So z. B. Hans Heinz Holz (»Logos spermatikos«, Neuwied 1975), Arno Münster (»Utopie, Messianismus und Apokalypse im Frühwerk von Ernst Bloch«, Frankfurt/M. 1982), Roland Bothner, (»Kunst im System«, Bonn 1982). — **2** Hans Heinz Holz, »Über Ernst Blochs ›Das Prinzip Hoffnung‹«, in: »Materialien zu Ernst Blochs ›Prinzip Hoffnung‹«, Frankfurt/M. 1978, S. 139. — **3** Ernst Bloch, »Geist der Utopie«, Erste Fassung (Gesamtausgabe, 16), Frankfurt/M. 1977 (weiter als: »Geist der Utopie« I), S. 232. — **4** Ebd. — **5** »Blätter für die Kunst« II, 4, zitiert nach: »Reallexikon der deutschen Literaturgeschichte«, Band IV, Berlin-New York 1979, S. 337. — **6** »Geist der Utopie« I, S. 364 f. — **7** Ernst Bloch, »Geist der Utopie«, Zweite Fassung (Gesamtausgabe, 3), Frankfurt/M. 1977 (weiter als »Geist der Utopie« II), S. 245. Übrigens scheint es zwischen Yeats und Bloch auch weitere Parallelen zu geben. So spricht Friedrich Eckstein, der deutsche Herausgeber der Erzählungen und Essays von Yeats (Leipzig 1916) von *jener Umwandlung aller Dinge in eine göttliche unvergängliche Wesenheit, von jener alchimistischen Transmutation (...) wie sie Yeats in ›Rosa Alchemica‹ vorschwebt. Soll diese Wandlung überhaupt jemals Ereignis werden, dann muß ihr notwendigerweise der Aufschrei maßloser Sehnsucht vorausgehen nach einer Welt, die ganz aus Wesenheiten gemacht ist* (Einleitung, S. 26 f.). An Bloch erinnert hier nicht nur die *Umwandlung aller Dinge in eine göttliche, unvergängliche Wesenheit* und der *Aufschrei der maßlosen Sehnsucht.* Er teilt mit Yeats das zeittypische Interesse für Alchemie, begriffen im Sinne eines Ideenkomplexes, *der sich in erster Linie mit Läuterung und Veredelung (einerseits des Menschen selbst, andererseits, in Entsprechung dazu, der Natur) befaßt* (Hans Biedermann, »Handlexikon der magischen Künste«, Graz 1973, S. 30). Im »Geist der Utopie« tauchen vereinzelt alchemistische Fachtermini auf, z. B. der Begriff der ›chymischen Hochzeit‹. — **8** »Geist der Utopie« I, S. 365. — **9** »Geist der Utopie« II, S. 244. — **10** »Geist der Utopie« II, S. 245. — **11** Ähnliche Erlebnisse hat Bloch angesichts der Bilder van Goghs, dieses *magischen Bildners, der uns uns selbst begegnen läßt* (»Geist der Utopie« I, S. 50). *Denn bereits seit van Gogh wird es deutlich anders; wir sind plötzlich mit darin und gerade dieses wird gemalt. (...) Das Gezeichnete in allen Erscheinungen, das unbegreiflich uns Verwandte, uns Verlorene, Nahe, Ferne, Saishafte der Welt tritt in van Goghs Bildern, wie sonst nur noch bei Strindberg ans Licht. (...) Das Ding wird zur (...) Formel geheimer Zielregungen, das menschliche Innere und das Innere der Welt rücken zusammen, Eckehartisch, Kantisch (...). Plötzlich sehe ich meine Augen, meinen Ort, meinen Stand: ich selbst bin diese Schublade und diese Fische, diese Art Fische in der Schublade zu liegen. (...) Alles derart Geformte erlangt (...) das Deduktionsprinzip seiner Entelechie: eine Spur, ein Teil des Makanthropos zu sein* (»Geist der Utopie« I, S. 51). — **12** Rainer Hoffmann, »Montage im Hohlraum – Zu Ernst Blochs ›Spuren‹«, Bonn 1977, S. 27. — **13** Ebd., S. 298. — **14** Ernst Bloch, »Tübinger Einleitung in die Philosophie« (Gesamtausgabe, 13), Frankfurt/M. 1977, S. 17. — **15** Ernst Bloch: »Über das noch nicht bewußte Wissen«, in: »Die weißen Blätter«, Jahrgang VI (1919), S. 363. — **16** Ernst Bloch, »Philosophische Aufsätze zur objektiven Phantasie« (Gesamtausgabe, 10), Frankfurt/M. 1977, S. 120. — **17** Ernst Bloch, »Spuren« (Gesamtausgabe, 1), Frankfurt/M. 1977, S. 216 ff. — **18** Hugo von Hofmannsthal, »Prosa II«, Frankfurt/M. 1959, S. 14 (»Ein Brief«). — **19** Ebd., S. 15. — **20** »Reallexikon der deutschen Literaturgeschichte«, a.a.O., S. 337. — **21** Hofmannsthal, a.a.O., S. 87 (»Das Gespräch über Gedichte«). — **22** Ebd., S. 90. — **23** Günter Witschel, »Ernst Bloch – Literatur und Sprache: Theorie und Leistung«, Bonn 1978, S. 52. — **24** In der »Reitergeschichte« kommt es sogar zu einer ›Selbstbegegnung‹ mit dem Doppelgänger. Auch sie kündigt (übrigens im Einklang mit altem Volksglauben) den Tod an, in dem nach Hofmannsthal der Mensch zum wahren Selbstsein gelangt. Übrigens ist bereits im »Geist der Utopie« (1918) ein Hofmannsthal-Zitat versteckt, und zwar in dem sehr wichtigen Abschnitt über das Staunen (S. 364 f.): Die *einfachste(n), tiefe(n) Worte* von der Begegnung des Heilands mit der Mutter auf einem *Brücklein* (allerdings nicht einfach und irrational genug, um als Symbolintention zu gelten) stammen aus Hofmannsthals Gedicht »Vor Tag«. Den Hinweis darauf verdanke ich Herrn Professor Karl Pestalozzi aus Basel. Dem Hofmannsthal-Zitat geht ein Rilkesches voraus: die Worte *der fremde Mann, die Mutter und er Tod* (»Geist der Utopie« I, S. 364) bilden die Schlußzeile einer Strophe aus Rilkes Stunden-Buch (zweites Buch: Von der Pilgerschaft, Gedichtanfang »Du bist die Zukunft, großes Morgenrot«). — **25** Gerhart Hauptmann, »Und Pippa tanzt«, in: »Sämtliche Werke«, Band II, Frankfurt/M.–Berlin 1965, S. 275. — **26** Ebd., S. 296. — **27** Ebd., S. 299. — **28** Robert Mühlher, »Kosmos und Psyche in Gerhart Hauptmanns Glashüttenmärchen ›Und Pippa tanzt‹«, in: Robert Mühlher, »Dichtung der Krise«, Wien 1951, S. 312. Der Band enthält zwei Aufsätze über Hauptmann; vgl. auch Anmerkung 40. — **29** »Geist der Utopie« I, S. 52. — **30** Hauptmann, a.a.O., S. 298. — **31** Daß im »Prinzip Hoffnung« (Kap. 12) Klages als der *komplette Tarzan-Philosoph* attackiert wird, sollte uns nicht abschrecken. Der frühe Bloch interessiert sich sehr lebhaft für Seelenmysterien; die mitunter recht aggressive Abgrenzung der eigenen ›fortschrittlichen‹ Interessen als Gegenposition der ›reaktionären‹ eines Klages oder Jung wird erst später energisch betrieben. — **32** Mühlher, a.a.O., S. 346. — **33** Hauptmann, a.a.O., S. 305. — **34** Ebd., S. 308. — **35** »Geist der Utopie« I, S. 214. — **36** Otto Rommel, »Die Symbolik von Gerhart Hauptmanns Glashüttenmärchen ›Und Pippa tanzt‹«, in: »Zeitschrift für Deutschkunde«, Jahrgang 36 (1922), S. 397. — **37** Mühlher, a.a.O., S. 338 und 336. — **38** Mühlher (a.a.O., S. 336) zitiert eine Stelle aus »Die Welt als Wille und Vorstellung«, die Hauptmann in seinem Roman »Atlantis« anführt: *Hinter unserm Dasein nämlich steckt etwas anderes, welches uns erst dadurch zugänglich wird, daß wir die Welt abschütteln.* — **39** Im April 1898 soll Hauptmann einen Aufsatz über Böhme geschrieben haben (Mühlher, a.a.O., S. 298 f.). Das Verhältnis Blochs zu Jakob Böhme untersucht Anton Christen, »Metaphysik der Materie«, Bonn 1979. — **40** Friedrich Jodl, »Geschichte der neueren Philosophie«, Wien-Leipzig-München 1924, zitiert in: Mühlher, »Prometheus-Luzifer. Das Bild des Menschen bei Gerhart Hauptmann«, a.a.O., S. 272. — **41** Mühlher, a.a.O., S. 275. — **42** Ebd. — **43** Ebd., S. 352. — **44** Hauptmann, a.a.O., S. 319. — **45** Mühlher, a.a.O., S. 257 und 313. — **46** »Geist der Utopie« I, S. 442. — **47** Ebd. — **48** Ebd., S. 234. — **49** Ebd., S. 357. — **50** Mühlher, a.a.O., S. 103 und 403. — **51** Gerhart Hauptmann, »Der Narr in Christo Emanuel Quint«, in: »Ausgewählte Prosa«, Band I, Berlin 1956, S. 407.

Stefano Zecchi

Hiob und Müntzer

Die Utopie als Spur ethischer Bedeutung

Die Begriffe im Blochschen Denken herauszuarbeiten, die eine systematische Utopie-Vorstellung[1] strukturieren könnten, ist unmöglich; gerade in dieser Unmöglichkeit liegt jedoch die Originalität der Blochschen Konzeption begründet.

Die systematische Utopie hat ihre mögliche logische Ordnung darin, daß sie ein Zentrum besitzt, das die einzelnen Teile kohärent organisiert und miteinander in Einklang bringt. Die Sozialutopien zwischen dem Ende des 18. und der Mitte des 19. Jahrhunderts beleuchten diesen Systemcharakter am deutlichsten.[2] Ernst Blochs Philosophie der Hoffnung hingegen ist im wesentlichen asystematisch; vereinzelte ›Spuren‹ mit nahezu unmittelbarem Zeichencharakter prägen seine Denkfiguren. Es ist kennzeichnend, daß die Gesamtausgabe des Blochschen Werks mit den »Spuren« einsetzt, jenem Band, der Siegfried Kracauer zufolge *die Geschichten aus dem undeutlichen Leben* vorstellt; so ist auch Müntzer, eine utopische Figur par excellence, nicht beziehbar auf ein Zentrum, das etwa eine wissenschaftliche Interpretation seines Handelns und der Bauernkriege ermöglichen würde. Blochs Müntzer ist vielmehr eine Spur: das Fragment, nicht die Erklärung einer möglichen Realität.

Blochs Utopie setzt sich zusammen aus Spuren und Fragmenten, die sich auf das Experiment hin öffnen und nicht auf die Vollständigkeit der Erklärung zielen. Aus diesem Grunde sind die überzeugendsten Erklärungen der Utopie solche, die die Vermittlung zwischen Dasein und Noch-Nicht übergehen, gerade jene Vermittlung also, die eine systematische Konstruktion der Utopie leisten müßte. In der schöpferischen Arbeit, in der Kunst und in der Religion gibt es keine Vermittlung in Richtung des Noch-Nicht; die These vom Vor-Schein als Daseinsweise der Utopie wird von Bloch mit Vorliebe gerade in der Reflexion des Systems allegorischer und symbolischer Beziehungen aufgenommen, die aus dem ästhetischen und religiösen Bereich deduzierbar sind: *Konkrete Utopie als Objektbestimmtheit setzt konkretes Fragment als Objektbestimmtheit voraus und involviert es, wenn auch gewiß als ein letzthin aufhebbares. Und deshalb ist jeder künstlerische, erst recht jeder religiöse Vor-Schein nur aus dem Grund und in dem Maße konkret, als ihm das Fragmentarische in der Welt letzthin die Schicht und das Material dazu stellt, sich als Vor-Schein zu konstituieren.*[3]

Untersucht man das so skizzierte Problem auf der Ebene der Religion, so zeigt sich, daß die *visio eretica*, die sich auf die Bibel beruft, daß jene Bibelexegese, die ihren roten Faden im Kampf gegen die theokratische Unterwerfung des Menschen entdeckt und in den Marxschen Texten einen Berührungspunkt besitzt, eine Spur ist, die auf eine ethische Bedeutung verweist und nicht auf die Konfiguration einer Utopie, die eine neue soziale Ordnung erklärt: *Wohl aber ist im Marxismus (...) das ganze so subversive wie unstatische Erbe impliziert, das in der Bibel selber, allzulange verdeckt, nicht als »Rückverbindung« umgeht. (...) Sofern nur die Bibel endlich auch mit den Augen des kommunistischen Manifests gelesen werden kann.*[4]

Es gibt in diesem gemeinsamen Nenner, den Bloch in der häretischen Lektüre der Bibel und im Marxschen Text aufspürt, eine Spezifität, die über den Tonfall einer programmatischen Darlegung der Erlösung des Menschen und seiner (von jeher ersehnten) wiedergefundenen Identität hinausgeht; hier ist nämlich eine Ebene von Sinngebung erreicht, die losgelöst oder zumindest nicht abhängig ist von einer Erklärung. Der Sinn des Lebens, das Verhaltensvorbild für das individuelle und kollektive Leben wird von den großen biblischen Figuren repräsentiert, die voll sind von utopischem Gehalt, von Negation des Bestehenden und aufgezwungener Realität: von Jakob, Hiob, Moses. Diese Figuren haben dieselbe Funktion wie der Mythos oder das Märchen, sie sind Fragmente, die in der utopischen Spannung zwischen Wunschziel und Wirklichkeit einen Lebenssinn aufleuchten lassen. Die Möglichkeit, die Blochsche Interpretation des Alten und des Neuen Testaments in die Problematik der zeitgenössischen Theologie einzubeziehen, ist offensichtlich. Im Blick auf unsere Überlegungen ist es jedoch zunächst vordringlich, das einheitliche Thema des Blochschen Denkens herauszuarbeiten, das sich um das Problem der Utopie zentriert. In diesem Zusammenhang nimmt die Beziehung zwischen Christentum und Marxismus einen besonders interessanten Stellenwert ein, und zwar vor allen Dingen für den Marxismus, weil auch er die Ebene des Sinns besetzt; seine Technik der Erklärung annulliert und überlagert nämlich nicht jenen Sinn der Existenz, aus dem eben die wissenschaftlich-ökonomische Erklärung ebenso herrührt, wie auf der religiösen Ebene der kodifizierte Buchstabe innerhalb der kirchlichen Ordnung aus einer Sinnspur, die nicht ausgelöscht werden kann. Bloch schreibt: *Derart hat auch das Leben genau soviel Sinn, wie er sich in Unzufriedenheit, Arbeit, Verwerfung des uns Inadäquaten, Ahnung des Angemessenen erst bildet; übersteigend, nicht verstiegen.*[5] Es ist dies die Anerkennung der Tatsache, daß der Lebenssinn und die Anwesenheit des utopischen Geistes in ihm nicht aus der wissenschaftlichen Erklärung eliminiert werden kann, und zwar gerade deshalb nicht, weil der Mythos, das Märchen, die biblische Figur, also die Spuren der großen utopischen Bilder durch wissenschaftliche Erklärungen nicht ersetzt werden können. In dieser Perspektive läßt sich der ethische Charakter des Marxismus situieren, wobei hervorgehoben werden muß, daß die Konsistenz der ethischen Instanz – ein zentrales Moment im Marxschen Denken – nichts anderes ist als der Versuch, die Sinnebene ins Licht zu rücken und so die utopische Dimension für die Theorie und Praxis fruchtbar zu machen.

In diesem Vorgehen ist die häretische Lektüre der Bibel ein universales semantisches Paradigma und das klarste Beispiel einer ›Spur‹. Der geheime rote Faden der Bibel ist jener, der die Bauernkriege beflügelt und die Rebellion gegen die Herrschaft der Theologen hervorgerufen hat. Diejenigen Gefühle, die in der Religion Nachgiebigkeit und Unterwerfung vor den Mächtigen ausdrücken, nämlich Demut und Geduld, sind vom Kirchenapparat aufgebaut worden, der seine Macht mit Hilfe der Verknüpfung von Religion und Interessen der dominierenden Klasse konsolidieren konnte: die Religion, beobachtet Bloch, wird hier ›re-ligio‹, *Rückverbindung*[6]. Gegen den Versuch, Kirche und Religion miteinander zu identifizieren (eine Manipulation, bei der der Freiheitsbegriff auf der Strecke bleibt), läßt das häretische Wort der Bibel die großen utopischen Modelle aufbegehren; *so hat der Blick nach vornhin den nach Oben abgelöst.*[7]

Der Exodus ist die Rebellion par excellence, in der Gott seinem Volk ins Exil folgt und Moses das Bewußtsein der Utopie in der Religion verkörpert, auch wenn das Auftreten des Messias, das entscheidend die Erlösung von der Sklaverei und also auch von der Theokratie ausdrücken wird, ein Jahrtausend später erst erfolgt.[8] Moses ist die Quelle, aus der die Propheten das Thema des ›eschaton‹, des Versprechens auf die Zukunft, schöpfen, wenn sie das unaufhebbare Elend der Gegenwart konstatieren. Gegen jede äußere Form der Religion steht Moses als die Figur, die ein Volk in Übereinstimmung mit seinem Gott zur Rebellion führt. *Die Moral wie die Utopie der Propheten wären aber ohne Moses nicht möglich gewesen, gerade auch nicht als explosiv entspringende*[9]; Moses weist den Zorn des Herrn gegen sein Volk zurück – der Herr hat Moses von Angesicht zu Angesicht erkannt[10] –, er muß mit ihm den Maßstab der Moralität als Wertprinzip aushandeln, dem sich selbst Gott unterwirft: *Moses aber flehte vor dem Herrn und sprach: Ach Herr, warum will dein Zorn ergrimmen über dein Volk, das du mit großer Kraft und starker Hand aus Ägypten geführt? Warum sollen die Ägypter sagen und sprechen: Er hat sie zu ihrem Unglück ausgeführt, daß er sie erwürgte im Gebirge und vertilgte sie von dem Erdboden? Kehre dich von dem Grimm deines Zorns und laß dich gereuen des Übels über dein Volk. Gedenke an deine Diener Abraham, Isaak und Jakob, denen du bei dir selbst geschworen und verheißen hast ... Also gereute den Herrn das Übel, das er drohte, seinem Volk zu tun.*[11]

In der Sprache Blochs ist Moses eine Spur, die keinen Bezug auf ein Zentrum besitzt, ein Fragment, ein Sinn, der in den Werken der Propheten wiederauflebt, wo ein *Weltsprengendes (»neuer Himmel, neue Erde«) angesetzt* ist, *wenn auch noch als Werk in Jachwe*[12]. So setzt Bloch in der Lektüre der Propheten gegen jede Theokratie den Gott der Befreiung und den Gott der Moralität in ständige Evidenz, dieses Wunschbild, das *selbst der Atheismus* (..) *nicht ganz aufgehoben* hat, *denn es hängt, wie immer auch unvermittelt, aus dem Sein ins Ideal über*[13]. Wir werden die Blochsche Beziehung zwischen biblischem Text und Marxismus unter diesem Blickwinkel noch präzisieren, der dem sozialen Dasein und seinen objektiven Gegebenheiten (dem Exodus aus Ägypten und dem Einzug in Kanaan) die sie bestimmenden grundlegenden Bilder Gottes (die der Befreiung und der Ethizität) wiedergibt.

In der Blochschen Lektüre der Bibel wirkt die populäre Tradition, *Volkes Stimme*[14], die in der Haggadash präsent ist und in der die Zeichen des nicht unterworfenen und rebellischen Wortes gegenüber einem mit der Autorität der Transzendenz aufgezwungenen Willen noch erkennbar sind. In diesem Sinne gewinnt der Rat der Schlange im irdischen Paradies: *eritis sicut deus, scientes bonum et malum* eine hochexplosive Brisanz; das Prinzip der Rebellion des Menschen gegen die Autorität fällt mit der Menschwerdung selbst zusammen, das heißt: mit der Bewußtwerdung der Grenze und ihrer Überschreitung.

Das ›Licht des Bewußtseins‹ erleuchtet das Streben des Menschen, mit sich selbst identisch zu sein, und wird so ein Prinzip, das jegliche Transzendenz außerhalb des Menschen und der Welt negiert. Wie ein Gott sein zu wollen, ist das Emanzipationsbegehren des Menschen, die Loslösung vom Weltenschöpfer, dessen Herrschaft Bedürfnislosigkeit und Überfluß an materiellen Gütern garantierte. Der Mensch, der der Versuchung der Schlange erliegt, ist der Mensch, der wissen will und sich weigert, die Souveränität und die Herrschaft eines transzendenten Schöpfers anzuerkennen. Und in der Tat begnügt sich der Mensch nicht damit, den Wunsch, wie Gott zu sein, im tiefsten Innern seines Bewußtseins zu verschließen, er kehrt vielmehr sein Begehren ins Soziale: der Turmbau von Babel ist die Erzählung vom verzweifelten Wunsch der Menschen, bauen zu wollen wie Gott, und der Fluch Gottes gegen den prometheischen Ehrgeiz des Menschen wird noch auf die Einheit des ersten und grundlegenden Kommunikationsmittels des Menschen, der Sprache, geschleudert; darauf folgt die Aufteilung und Zerstreuung der Menschen auf der Erde.

In der Figur der *lichtbringenden Schlange*[15] findet Bloch die erste Spur der Kraft des Wissens, weil mit ihr der Mensch sich seines Zustands der Unterworfenheit bewußt wird, dem er unterliegt und mit dem er sich gegen die theokratische Übermacht als den ausschließlichen Verwalter der Erkenntnis auflehnt. So ruht die Schlange nicht, (...) *so sehr sie auch in der redigierten Bibel zur satanisch-finsteren Urmuhme des Bösen aufbereitet wurde* (...), *an allen subversiven Bruchstellen der Bibel anwesend zu sein*[16]. Doch welchen Preis bezahlt der Mensch für den Abschied vom Paradies, in dem nur die Tiere zurückbleiben konnten? In der Bibellektüre Blochs klingt dieses Problem geradezu obsessiv und scheint eine tragende Säule der Begegnung zwischen der großen christlichen Utopie und des vom Marxismus gegebenen menschlichen Sinns der Geschichte zu werden. *Und der Herr wird die Tränen von allen Angesichten abwischen,* sagt Jesaja[17], aber warum, so fragt sich Bloch, muß das Reich der Freiheit *sich so blutig durch Notwendigkeit hindurcharbeiten?*[18]

Hiob wird für Bloch die Spur, um den Sinn der Theodizee zu verstehen. Hiob ist *gerade fromm, indem er nicht glaubt. Außer an Auszug und daß das letzte Wort human noch nicht gesprochen ist, vom Bluträcher, vom Blutstiller, kurz vom Menschensohn selber, statt vom Großherrn.*[19] Hiob, den die Kirchentradition als Symbol der Resignation und der Geduld überliefert wissen wollte, stellt die für den Christen beunruhigendsten Fragen, und deren Beantwortung läßt den historischen Materialismus und den subversiven Gehalt der Bibel in der gleichen utopischen Perspektive konvergieren. Hiob ist *die Entdeckung des utopischen Könnens innerhalb religiöser Sphäre*[20]; dies bedeutet, daß die Geschichte von Hiob ihre Erklärung nur dann findet, wenn die Beziehung theokratischer Unterordnung und die Transzendenz jenseits des Menschen und der Natur negiert werden. Der Mensch kann besser sein als sein Gott; er kann – nicht nur, aber auch – ihm seine Fehler bewußt machen und von ihm das Warum des Guten und des Bösen einfordern. Anders ausgedrückt: weil der Weg zur Freiheit nur über die Notwendigkeit führt, über das Schlechte und die Drangsal der materiellen Bedürfnisse, ist das moralische Bewußtsein die einzige Stütze. *»Sieh, hier ist (auf der Anklageschrift) meine Unterschrift; der Allmächtige antworte mir«.*[21] Das ist die Kritik Hiobs an der gegenwärtigen Welt, es ist das Bewußtsein der Möglichkeit einer anderen und besseren Welt. Der Geist der Utopie erreicht hier eine so negative Ausprägung, daß er beginnt, den Glauben an eine Sphäre von Gerechtigkeit und Wahrheit, die den Menschen transzendiert, zu zerstören und die Tatsache zu denunzieren, daß gerade mit Hilfe dieser vorgeblichen Distanz zwischen Endlichem und Unendlichem sich die Herrschaft und die Arroganz der Macht fortsetzen: die Hierarchisierung zwischen dem, der befiehlt, und dem, der gehorcht.

Welchen Zweck hat die Umkehrung des Sinns zwischen Hiob und seinem Gott? Diese Frage enthält für Bloch den utopischen Charakter der Religion. Hiobs Anrufung geschieht unter der Prägung der Utopie eines möglichen Jenseits. Traditionell stellt sich das Problem der Theodizee in der Antinomie von Omnipotenz und Güte Gottes: entweder ist Gott allmächtig, aber böse und ungerecht, oder er ist gut, dann aber fehlbar und ohnmächtig. In bezug auf Hiob verändert Bloch das Problem dahingehend, daß das Schlechte in der Welt weder eine theozentrische Rechtfertigung besitzt noch unabhängig ist von der Verantwortung des Menschen. Die tragische Spannung der Figur Hiobs besteht in der Tatsache, daß Hiob nicht aus seinem Gott heraus kann, wie auch Gott sich nicht von Hiob befreit. Die Tragik liegt im Fehlen einer Vermittlungsinstanz, einer dritten Größe, die die direkte Verbindung zwischen Hiob und Gott auflösen könnte. Es ist die gleiche Tragik wie im Glauben Ivan Karamasovs: ›Ich glaube an Gott, aber ich lehne seine Welt ab‹. So ist die Lehre, die Hiob gibt, die Lehre von der Unmöglichkeit der Teleologie, sobald eine Spaltung zwischen der natürlichen Welt und dem Menschen herbeigeführt wird. Und in der Tat haben die Fragen Hiobs über die Verzweiflung, seine Hoffnung auf die Veränderung einer ungerechten Situation und seine Ahnung einer besseren Welt keine Antwort im Wort Jahwes, weil dieses auf einer anderen Ebene angesiedelt ist und nicht die von Hiob gestellten Fragen berührt: *Jachwe,* schreibt Bloch, *antwortet auf moralische Fragen mit physikalischen*[22]. Gott macht aus der Natur das Instrument seiner Macht, die jede Beziehung mit dem Menschlichen sprengt; die natürliche Welt ist nicht geschaffen worden für den Menschen, der sich vielmehr ihren Gesetzen unterwerfen muß. Auf diese Weise überwinden die Naturgesetze das ethische Urteil, und die menschliche Teleologie hat keinen Sinn mehr, überwältigt und beherrscht von der Natur und ihren Gesetzen, wie sie ist. Infolgedessen antwortet Jahwe auf die Frage Hiobs: »*Was ist der Mensch, daß du besonders auf ihn achtest und bekümmerst dich mit ihm?*«[23], indem er die Macht der Natur unterstreicht, anstatt auf das Problem des Schicksals des Menschen einzugehen: »*Wo warst du, da ich die Erde gründete? (..) Da mich die Morgensterne miteinander lobten und jauchzten alle Kinder Gottes.*«[24]

Bloch weist auch auf den spinozistischen Charakter des Gottes hin, der Hiobs Fragen, die moralisch sind, die Natur gegenüberstellt: *Gott leite* – so referiert er Spinoza – *die Natur nach seinen universalen Gesetzen, nicht nach den besonderen Gesetzen und Absichten der Menschen (»adeoque Deus non solius humani generis, sed totius naturae rationem habet«). Dem Hiob-Jachwe fehlt selbstverständlich die Ratio und Autarkie der Ratio völlig, die Spinoza meinte; dennoch ist die antiteleologische Berührung erstaunlich.*[25] Der Konflikt zwischen Hiob und Jahwe enthält alle Elemente, in denen sich diese Distanz zwischen der Autonomie der Naturgesetze und der Ohnmacht des Menschen ihnen gegenüber radikalisiert. Hiob glaubt nicht an diesen cäsarischen Gott und kann daher als wahrer Gläubiger das Antlitz des Rächenden ins Licht rücken, der Ungerechtigkeit mit Gerechtigkeit bekämpft und so auf moralische Fragen eine moralische Antwort gibt; eine wesentliche Bedingung dafür, daß die menschliche Teleologie nicht unter dem Gewicht einer der Freiheit des Menschen feindlichen Natur zusammenbricht.

Wie für Hiob, so ist auch die Wirkungskraft Müntzers nicht auffindbar in der Beziehung zu einem Zentrum, das die logischen Koordinaten einer ›Erklärung‹ angäbe. Müntzer ist Spur; seine Geschichte ist aufgehoben in heterogenen Fragmenten, die in einem moralischen Pantheismus konvergieren. *Thomas Münzer also ist auch in seinem Scheitern keine rührende, keine punktuelle, keine komische, sondern eine durchaus vertretende, kanonische, tragische Gestalt.*[26] Die Predigt Müntzers ist das spirituelle Wollen der Revolution, weil er die Ebene der politischen Aktion mit der Umkehrung jener irdischen Werte verbindet, die gerade die Religion seiner Zeit konsolidieren sollten. Er führt den Aufstand gegen den Staat der Fürsten und Luthers an, weil seine Theologie moralisch und politisch ist. Wenn Müntzer ihr als Aufgabe zuweist, (...) *unbedrückt die Schrift lesen zu lassen, seines inneren Leids, seiner Bereitung wahrzunehmen, so schafft er damit allerletzt auch noch der Religion ihr Wozu, den Sinn ihrer Raumbereitung, das apokalyptische Maß ihrer Wahrheit. Deren Inhalt war bei den Hussiten wie bei Münzer das »Reich Gottes auf Erden«.*[27] Die Ankunft des Glaubens ist weder erwartet noch versprochen, sie ist Aufgabe: Chiliasmus plus Aktion, sagt Bloch, unterscheiden die Mystik Müntzers von der alten deutschen Mystik Eckharts und Taulers. Das Reich ist nicht die andere Welt, es ist diese – transformierte – Welt, und der Glaube ist nicht zu erwarten von der Gnade, die das Heil ermöglicht, sondern sie ist Ausdruck des subjektiven Bedürfnisses, ›so zu werden wie Gott‹. In der Erwartung der Parusie hat das Christentum einen institutionellen Apparat geschaffen – die Kirche der Sakramente –, der die Beziehung zwischen Gott und Mensch vermittelt und am Ende dazu geführt hat, aus der Religion die Anerkennung des Bestehenden zu machen; in dieser Hinsicht ist sie in der Tat ›Opium des Volkes‹. Der Einbruch der Utopie in die Prädikation Müntzers ist für Bloch das Zeichen, daß die Religion auch ein ›Noch-Nicht‹ enthält, daß sie nicht nur ideologische Maske, sondern auch ein offener Raum für Realisierungsmöglichkeiten ist. Hier zeigt Bloch, wie die Funktion der Utopie aus dem Bewußtsein der Krise entspringt, und wie die religiöse Misere eine tatsächliche Misere ist, die zur nicht in die Zukunft projizierten, sondern gegenwärtigen Rebellion aufruft: die Zeit, auf die sie sich richtet, ist das Jetzt. Der Gegensatz zwischen Müntzer und dem ›sola fide‹ Luthers wird für Bloch einfach und absolut: auf der einen Seite die Kraft des utopischen Geistes einer Theologie, die Gott im Menschen ansiedelt, indem sie ihm die Mittel der Überschreitung für eine Realisierung des Reiches an die Hand gibt; auf der anderen eine repressive Theologie, die die Beziehung des Menschen mit Gott vermittelt und einen zeitgebundenen Apparat schafft, der eine Überschreitung des zeitgenössischen politischen Systems nicht zuläßt.

Die Beziehung des Gläubigen zur religiösen und politischen Institution ist der Maßstab für den Übergang des Mystizismus in die chiliastische Utopie. Müntzer hält den Wert der subjektiven Erfahrung des Glaubens gegen jede doktrinäre Vermittlung; Glaubenszeuge wird der Mensch in erster Linie in seinem Tun und in seinem Verhalten, und die Gemeinschaft der Gläubigen entsteht nicht durch formale Übereinkunft, sondern schließt sich zusammen um gemeinsame, von den Gläubigen gelebte Werte: *»Der Sohn Gottes hat gesagt, die Schrift gibt Zeugnis, da sagen die Schriftgelehrten* [= die Lutheraner], *sie gibt den Glauben, also ist der arme Haufe verführt durch die hochfertigen Bacchanten, darum muß die verhaltene Wahrheit einmal ganz können an den Tag kommen, welche also ganz lange geschlafen hat in solchem Maß.« – Mithin lehrt das bloß gelesene Wort nicht das geringste, son-*

dern tötet nur und dazu recht und scharf als schreckendes Gesetz, darüber hinaus aber muß es ausgewurzelt werden, denn es macht nicht lebendig. Dermaßen scheidet Münzer auch ganz zuletzt noch, auch noch der Schrift gegenüber, alles Nachgeahmte ab, »den allertörichsten Glauben, der auf Erden ist, wie die Affen«. Luther aber ist der Fremdling, »der den Weg zum ewigen Leben vermildert, läßt die Dorn und Disteln stehen und spricht, glaube, glaube, halt dich fest mit einem starken Glauben, daß man Pfähle in die Erde damit stoße« (...). So kräftig setzt sich Unglaube ein, damit sich die Kreatur ganz erfahre und in ihrer Leere verzehre; die Schrift gilt nicht zuerst, sondern nur unterwegs und gibt schließlich nur Zeugnis.[28]

Die Bibel ist der Ort des Konflikts zwischen Volk und Priesterschaft, zwischen der vom Glauben getragenen Subjektivität und der zeitgebundenen Form der Kirche; es ist ein Konflikt, der subjektiv als objektive Gegebenheit erlebt wird. Die Religion ist beim Müntzer Blochs Religionskritik, und zwar an einer solchen, die sich der tatsächlichen Misere bedient und die Legitimationsbasis der alltäglichen Hierarchie liefert. Der Chiliasmus Müntzers attackiert in der starken Bejahung der Humanisierung der Transzendenz, die ein persönlich an Gott gebundenes Subjekt fordert, zwei funktional miteinander verbundene Ziele: die Religion der Priester und die bürokratische Hierarchisierung der Institutionen im sozialen Bereich. Figuren wie Müntzer und Jan Hus haben deswegen im Volk ihren Anhang, weil ihre Predigt nur unter den ausgebeuteten sozialen Schichten konkret gelebt wird; Müntzer und Hus sind in ihrer Lebensführung ein lebendiges Beispiel ihrer Ideen. Sie bedienen sich nicht des Volkes als Aufstiegsmittel in der Hierarchie der Macht, sondern leben mit dem Volk die religiöse Konfliktualität, und sowohl ihr Wille, Gott dem Menschen zurückzubringen, als auch der Wille des Menschen, ›zu sein wie Gott‹, werden zum Aufstand und Kampf gegen jene Religion und jene politische Macht, die eine Realisierung dieses Glaubens nicht erlaubt.

Bloch arbeitet hier ein Thema heraus, das ihn nicht mehr loslassen wird: daß nämlich Geschichte nicht möglich ist ohne ein Element von Transzendierung der Realität, und daß das Bewußtsein ein Bewußtsein der realen Möglichkeiten der Geschichte ist. Im Chiliasmus kann die Zukunft der Geschichte erkennbar werden als Realisierung des christlichen Kerygmas in einer Gesellschaft gleicher Menschen bei einem Kommunismus der Güter und abgeschafftem Privateigentum. Aber die Zukunft bedeutet auch die Einführung des Risikos, des Scheiterns und der Niederlage. Die ›Zukunft‹ liegt nicht in den deterministischen Kategorien der Geschichte, ist nicht nur mechanisch reproduzierte ›Gegenwart‹. Auf theologischer Ebene ist man gegen die umstürzlerischen Gefahren des Chiliasmus vorgegangen, indem man die ›Zukunft‹ ihres erkennbaren Potentials entleert und durch die Unerkennbarkeit des Ziels ersetzt hat. Die Rebellion der Menschen, handelnder Subjekte in ihrer persönlichen Einheit mit Gott, gegen die Macht, die diese Einheit negiert, wird ersetzt durch die Kirche der

Sakramente und die Vorbereitung auf ein nicht erkennbares Ziel, das die Einheit des Menschen mit Gott zerreißt und ihm von neuem die unendliche Distanz der Transzendenz vor Augen führt. Bloch erklärt den Prozeß der Identifikation von Religion und Kirche (in ihrem Priesterapparat) mit dem Verlust der moralischen Autonomie des Menschen, bewirkt vom Glauben an die Autorität. Die herrschende soziale Form wird durch die Kirche bestärkt.

Die Konsistenz des Chiliasmus unterscheidet sich also bei Bloch von jener ›psychologischen‹ Funktion, die ihm Kautsky zuschreibt, für den die Predigt Müntzers lediglich ein Instrument sozialer Agitation darstellt, und damit eine Zusicherung, daß die ökonomischen Ansprüche der Bauern und ihrer Verbündeten vom göttlichen Willen gedeckt sind. Der Chiliasmus, sagt Kautsky, ist die Kommunikationsform, die der Kommunismus der damaligen Zeit hatte, um das Bedürfnis nach der Verteilung der Reichtümer auszudrücken; aber nur indem man diese Hülle entfernt, kann man die Dynamik der ökonomischen Mächte erfassen und zugleich verstehen, warum die Rebellion von 1525 gescheitert ist: weil sie nämlich ihre Massenbasis in der Schicht der Bauern hatte, bei der es sich jedoch nicht um die ökonomisch im Aufstieg befindliche Klasse handelte.[29] Der Chiliasmus, Müntzer, die Bauernkriege waren für Bloch die komplexe Antwort, reich an Fragezeichen, auf den deterministischen Evolutionismus der deutschen Sozialdemokratie. Die Zukunft in der Geschichte eröffnet die ständige Möglichkeit des Scheiterns und garantiert weder einen gelingenden Transformationsprozeß noch den Zusammenfall von Wirklichkeit und Wahrheit, der – wenn er einträfe – nur eine neue Position der Überlegenheit begründen würde. Die Übersteigung der Realität als aktives Prinzip des utopischen Bewußtseins beschränkt sich nicht auf die vom ökonomischen Wandel der realen Verhältnisse motivierte Notwendigkeit; die Bauernkriege begründen einen Sinn der Praxis, der nicht abgeschlossen werden kann in der Suche nach der Ursache seiner Niederlage. Hier geht es vielmehr darum, daß der Chiliasmus, Müntzer und die Bauernkriege auch Spuren eines ethischen Sinns sind. Es handelt sich dabei darum, die Sekte gegen die Kirche zu stellen, die den Despotismus des Buchstabens darstellt, das Schweigen der Hoffnung. Die Kritik an der Religion ist jedoch nicht reduzierbar auf die Demaskierung der ideologischen Sprache; sie kann vielmehr zeigen, wie in der Religion selbst ein realisierbares ›Noch-Nicht‹ steckt, ein utopischer Gehalt mit seinem objektiven Inhalt in der Gegenwart, und nicht nur im Versprechen auf eine unerkennbare Zukunft. Blochs Müntzer zeigt, welches die Ebene der Kritik gegen die Religion ist, die historisch an die Klassengesellschaft gebunden ist, indem er mit Nachdruck auch die Kritik an jenem Grad von subjektivem Bewußtsein akzentuiert, das den Aufstieg der kirchlichen und statuarischen Form der Religion fördert und (wegen der Nachgiebigkeit gegenüber der Macht, wegen des Glaubens, daß die eigenen Bedürfnisse nur von oben befriedigt werden können) ihr Komplize ist.

Die häretischen Sekten haben sowohl gegen diese Degeneration des religiösen Gefühls als auch gegen die politische Macht gekämpft, die dieses Gefühl ausbeutet, um den Menschen in Knechtschaft zu halten. Die Sekte ist ein unreduzierbares, unverzichtbares Element zur organischen Zusammensetzung des ökonomisch-politisch-religiös dominierten Zustands. Historisch ist sie das Zeichen der Wiedervereinigung von moralischer Autonomie und politischer Freiheit, das Zeichen der Transformation von kirchlicher Religion in reine moralische Religiosität. Theoretisch ist die Sekte die Zukunft. Der Gott, der an der Seite von Jan Hus und Thomas Müntzer kämpft, ist der Gott der Moralität und der Befreiung; die Kritik an der Religion führt zur Humanisierung der Transzendenz.

Müntzer beerbt die apokalyptische Gerechtigkeit der Prophezeiungen und den historischen Weg des Menschen im Prozeß seiner sozialen Emanzipation. Der alttestamentarische juristische Kern kreuzt sich mit dem Naturrecht des Stoizismus und ersteht auf in der Aktion des chiliastischen Utopismus, vor allem der Wiedertäufer; Müntzer bedeutet Geschichte und ist der älteste Traum, der ungeduldige und rebellische Wille, das Paradies auf Erden herzustellen: der Kommunismus wird für das Christentum eine moralische Pflicht. *Daher auch schärft Münzer die Kraft, die Furcht, die einzeln und irdisch verpflichtende Strenge des mosaischen Sittengesetzes unnachlaßlich ein, gegen Luther, der »verachtet das Gesetz des Vaters und heuchelt durch den allerteuersten Schatz der Güte Christi und macht den Vater, mit seinem Ernst des Gesetzes zuschanden durch die Geduld des Sohns.«* (...) *Nach Münzer regiert der gleiche Gott in beiden Testamenten, es besteht weiter die Furcht Gottes, nicht aufgehoben, sondern erfüllt, als Furcht vor dem Rechtsgott, als Ehrfurcht und scheue Ahnung des Liebesgottes und des Gottes der allerlösenden Herrlichkeit; und es besteht weiter die Pflicht prophetischer Naturen, dem Sittengesetz gemäß zu drohen und zu strafen. Nicht anders ließ Münzer in seiner Predigt die Gewalt- und Rechtsforderung des Alten Testaments der Gelassenheits- und Liebesforderung, dem absoluten Naturrecht des Neuen Testaments als Taktik zum absoluten Naturrecht vorangehen, damit dieses echten, täuschungsfreien Raum gewinne.*[30]

Damit ist nicht nur Blochs Versuch eindeutig, den Determinismus zwischen ökonomischer Basis und religiösem Überbau in der Erläuterung der Bauernkriege zurückzuweisen, sondern deutlich wird auch die Weigerung, die Determinierung der Ebene des subjektiven Bewußtseins in einem vorwiegend ökonomischen Konzept wie demjenigen des Klassenbewußtseins vorzunehmen. Der Chiliasmus, in seiner Eigenschaft als Kritik jener kirchlichen und statuarischen Religion, die sich in Übereinstimmung mit der herrschenden politischen Macht befindet, ist das ›Noch-nicht‹ der Religion als antizipierendes Bewußtsein der Transformation. Die Bauernkriege bedeuten einen Moment der Suche nach der Realisierung des alten Traums von der Gerechtigkeit, sie sind die *Ekstase des aufrechten Gangs*[31], die sich im

Glauben an die Parusie ankündigt: *Dieser Glaubenswelt raucht rein das Morgenrot der Apokalypse entgegen, und genau an der Apokalypse gewinnt sie ihr letztes Maß, das metapolitische, ja metareligiöse Prinzip aller Revolution: den Anbruch der Freiheit der Kinder Gottes.*[32]

Das ist ein Urteil, darauf gerichtet, das wichtigste Ereignis der zeitgenössischen Geschichte zu interpretieren, nämlich die Oktoberrevolution. Bloch betrachtet nur von sehr ferne Marx, Engels und Kautsky; er steht näher dem Mystizismus eines Sebastian Franck, Jakob Böhme und Franz Baader, dem chiliastischen Kommunismus der Wiedertäufersekten Müntzers und Jan Hus', jenem Kommunismus, der – nachdem er im bürgerlichen Europa die utopische Kraft seiner Teleologie verloren hat – im an christlich-eschatologischem Spiritualismus reichsten Land wiederkehrt, nämlich im Rußland Dostojewskis, Tolstois und Alexander Bloks: *Den russischen, den innersten Menschen hat Münzer in sich voraufgenommen: wer einen russischen Menschen in sich hat, wird den Archifanaticus Patronus et Capitaneus Seditiosorum Rusticorum, Überschrift und Stigma des Heldrunger Gemäldes, in sich hören.*[33] Durch den Bruch mit den Parametern der historischen Exegese wird Müntzer bei Bloch zu einem grandiosen Bild der spirituellen Figur des Revolutionärs, hellsichtig in seinem Willen zu verstehen und leidenschaftlich in der Revolte. Er ist eine Spur, die die utopische Bedeutung der Revolution umschließt, eine Bedeutung, die einer ökonomischen Erklärung der Ursachen nicht aufgepfropft werden kann, wie auch jene nicht alle Schichten der Bedeutung erschöpft. Bevor er zu einer ökonomischen Doktrin wird, besitzt der Kommunismus eine innere theologische Kraft, die nicht verlorengehen darf. Die kommunistische Revolution enthält diese nicht unterdrückbare Bedeutung des bürgerlichen Laizismus, wie auch die Französische Revolution – so Bloch – *schwerlich nur mit Diderot, nicht einmal mit Rousseau, sondern immer noch chiliastisch gezündet haben dürfte*[34]. Der chiliastische Kommunismus ist enthalten in den kommunitarischen Demokratien der Levellers, der Camisards und der Quäker. Der Kommunismus hat den bürgerlichen Okzident durchquert und sich in Rußland niedergelassen. Hier ist der Ort der aktuellen Realisierung und der Utopie im Jetzt als immanenter Spannung zwischen Streben und Realität, einer Konstruktion, die über die von den tatsächlichen Strukturen vorgegebene Grenze hinausreichen will. Die in ihrer Abstraktheit höchsten Ideale (Gerechtigkeit, Freiheit, Liebe), die ihren Niederschlag in der Transzendenz, in einer konsolatorischen Vision finden, welche ekstatisch überhöht und tatsächlich betrügt, müssen fruchtbar gemacht werden und eine praktische, also moralische Bedeutung entfalten.

Mit dem Buch über Müntzer stellt Bloch die Frage, wie ein ›Noch-Nicht‹ mit Hilfe der Spur und des Fragments zu wollen, zu wünschen, zu erhoffen sei. Dem, der Zeichen fordert, sagt Müntzer, und zwar mit Wagemut, Kraft und Ausdauer, dem wird Gott sie nicht versagen. Er ist gegen Luther, weil Luther die Unterordnung unter den Buchstaben bedeutet und den Willen, die figürliche Vielflächigkeit (Polyedizität) – heidnisch wegen ihrer pantheistischen Explosion –, in den Monotheismus des kodifizierten Buchstabens transformiert. Die Spur ist Prophezeiung und konkrete Utopie, der Buchstabe ist Geschichte und gehört zu einer Diachronie, deren ›Noch-Nicht‹ vorhersehbar ist. Müntzer indessen ist Fragment, eine Spur, die sich nicht innerhalb der Geschichte kodifiziert, die im Nu die Zeit durchquert. Hierin liegt begründet, weshalb Müntzer bei Bloch im Moment der deutschen revolutionären Krise der zwanziger Jahre den Sinn und die Notwendigkeit der relativen Autonomie des revolutionären Subjekts von den ökonomischen Produktionsformen zu zeigen vermag. Aber diese Lehre beschränkt sich nicht auf die historische Kontingenz: sie unterstreicht, daß der von einem autonomen historischen Subjekt abgetrennte Transformationsprozeß in der elementaren Form eines Naturereignisses erscheint und deterministisch in den Koordinaten des vorhandenen ökonomischen Systems befangen bleibt. In diesem Sinne weist die Praxis Müntzers einen Weg, der demjenigen einer Herausbildung politischer Herrschaftsstrukturen entgegengesetzt ist und statt dessen die Legitimation der sozialen Aktion der Transzendierung der Realität als notwendig erachtet: eine Legitimation, die nur bezogen werden kann aus jenen Emanzipationsformen, die die soziale Aktion freisetzt. Wenn es gelingt zu zeigen, daß das revolutionäre Subjekt nicht einseitig von seinem ökonomischen Interesse und der Rolle, die es im Inneren des vorhandenen ökonomischen Systems spielt, her zu bestimmen ist, dann ist die Organisationsform nicht reduzierbar auf eine reine Taktik der Machteroberung, sondern erfordert die Aufstellung eines Wertesystems, das aufs engste der politischen Dimension zugehörig sein muß. Der Kommunismus war theologisch, bevor er ökonomisch geworden ist; daher muß er, außer Gerechtigkeit auf ökonomischem Gebiet zu wollen, auch moralische Antworten auf die politische Organisation geben. Die ganze Bedeutung der Utopie im Werk Ernst Blochs bewegt sich um dieses Problem. Der Kommunismus, so sagt er, kann das sein, was unter der Bezeichnung ›Moral‹ lange vergeblich gesucht worden ist.

Subjekt und Realität befinden sich in einer Beziehung der Transzendierung, die die Geschichte ist und die in der utopischen Spannung zwischen Streben und Realität eine Dynamik des Lebens illustriert, die niemals eine Entsprechung, einen Abschluß, eine vollkommene Integration im Rahmen der existierenden Institutionen finden wird. Blochs Müntzer ist eine Spur des Kommunismus, und der Kommunismus muß die Bedeutung des Fragments begreifen, damit er sich nicht auf eine Doktrin der ökonomischen Interessen einer Gruppe beschränkt und sich infolgedessen nicht mit Hilfe einer historisch bereits überwundenen sozialen Form legitimieren muß. In diesem Sinne ist das Vorhandensein des chiliastischen Kerns im Kommunismus eine aktive ›metapolitische‹ Pflicht, die Distanz zwischen Endlichem und Unendlichem als einen Ort der Diskriminierung und der Fortdauer von Herrschaft zu bekämpfen. Der Transzendenz das Antlitz des Menschen zu geben bedeutet, diese Distanz aufzuheben, indem das Göttliche in den Menschen zurückverlegt wird. Dies ist der Sinn der Botschaft Müntzers und stets einer der entscheidenden Punkte der Blochschen Philosophie: *»Wie uns denn allen«, predigt Münzer, »in der Ankunft des Glaubens muß widerfahren, daß wir fleischlichen irdischen Menschen sollen Götter werden durch die Menschwerdung Christi«; ist Gott Mensch geworden, so werde begriffen, daß und wiefern der gänzlich erfaßte, abgrundhafte Mensch auch Gott werde, sein innerstes Ebenbild vernehmend.*[35] Dieser Gedanke der horizontalen Transmission des Göttlichen ist das Erbe, das der religiöse Geist der Utopie dem Kommunismus weitergibt. Für die Bauern Müntzers bedeutet die Tatsache, selbst Gott sein zu können, einen praktischen Gleichheitswert: *Auch viel heidnischer Trotz mischte sich derart in die apostolische Zeit, die von den Besseren ersehnt wurde.*[36]

In den Worten Blochs überschneiden sich alte Motive des heidnischen Pantheismus mit dem jüdischen Messias, *der in einem »Vogelnest« verborgen gedacht wurde*[37], und mit dem Chiliasmus der Wiedertäufer in einer geradezu metahistorischen Umarmung, die Licht auf die utopischen Figuren der Religion wirft, auf Moses, Hiob, Christus, Müntzer. In der pantheistischen Übereinstimmung von Gott und Natur erkennt der Mensch die Tatsache der Gleichheit, trifft er Hiob und seine Art und Weise, tragisch – weil menschlich – das Problem der Theodizee anzugehen. Um was es sich dabei handelt, ist jedoch kein *naturalistischer, sondern ein davon völlig verschiedener, ein gleichsam moralischer »Pantheismus«*[38]. Das führt zur Demaskierung der Alltagshierarchie und ihrer Kodifizierungen in Form von ökonomischer, politischer, religiöser Herrschaft, indem es den Machtwillen des individualistischen ›Sein-Wollens-wie-Gott‹ umkehrt zugunsten der Möglichkeit, in jedem Menschen einen Gott zu erkennen. Die Essenz der Moralität wird zur Suche nach einer vollkommenen Korrespondenz von Ich und Objekt, von Ich und dem Andern, ohne die Integrität zu verletzen oder zu zerstören, indem sie mit unbedingter Strenge den lebensnotwendigen Austausch bestimmt.

Aus dem Italienischen von Thomas Bremer

1 In der Studie »Utopia e speranza nel comunismo. Un'interpretazione della prospettiva di Ernst Bloch« (Milano 1974, Kap. 2, S. 72–105) habe ich entsprechend auf der Unterscheidung zwischen ›Utopismus‹ im Sinne von ›Illusion‹ und ›Utopie‹ im von Bloch formulierten Sinne als entscheidend bestanden. — **2** Vgl. V, 556ff. (Die römischen Ziffern beziehen sich im folgenden auf die Bandzahl der Gesamtausgabe; Bd. V = »Prinzip Hoffnung«; Bd. XIV = »Atheismus im Christentum«, Bd. II = »Thomas Münzer«). — **3** V, 255. — **4** XIV, 98. — **5** XIV, 335. — **6** XIV, 92. — **7** XIV, 346. — **8** Vgl. V, 1459 und 1464. — **9** XIV, 141. — **10** 5. Moses 34, 10; Zit. in XIV, 142. — **11** XIV, 142. — **12** XIV, 143. — **13** XIV, 135. — **14** XIV, 118. — **15** XIV, 232. — **16** XIV, 232. — **17** Jesaja, 25, 8. — **18** XIV, 165. —

19 XIV, 166. — **20** XIV, 150. — **21** Hiob 31, 35; Zit. in XIV, 152. — **22** XIV, 154. — **23** Hiob 7, 17; Zit. in XIV, 153. — **24** Hiob 38, 4; Zit. in XIV, 153. — **25** XIV, 155. — **26** II, 99. – Die korrekte Namensschreibung Müntzers ist, wie mehrfach festgestellt wurde, mit ›tz‹ und nicht mit einfachem ›z‹, wie es Bloch tut. Daher erscheinen hier beide Schreibweisen; in den Blochzitaten wurde die Schreibweise mit einfachem ›z‹ beibehalten. — **27** II, 209. — **28** II, 193f.; II, 193. — **29** Vgl. Karl Kautsky: »Vorläufer des neueren Sozialismus« (1895–1913), hg. v. G. Eckert, Hannover 1968/1969, Bd. 2, S. 235ff. — **30** II, 115. — **31** II, 56. — **32** II, 210; meine Hervorhebung. — **33** II, 110; dies der Titel eines Müntzer-Bildes nach einem Stich von C. van Sichem, 1524. — **34** II, 91. — **35** II, 60. — **36** II, 57; vgl. auch S. 53 und 59. — **37** II, 53. — **38** II, 208.

Helmut Reinicke

Gretes Fall ins Jetzt

Zu einem Text der »Spuren«

I

Das Jetzt ist die Grube, in die jeder fallen kann, gefallen ist. Der Abgrund der Literatur, die säkularisierte Hölle. Dieses Jetzt ist bei Bloch geladen mit dem Noch-Nicht, es ist potentia, Möglichkeit materialistischer Hoffnung und transzendierende Materiatur zugleich. Dieses Jetzt – das Dunkel des gelebten Augenblicks im »Geist der Utopie« – wird bewußtlos durchlebt. Was davor steht und dahinter liegt, bildet die Konturen des Sensoriums. Das Jetzt ist theorielos. Deshalb ist die Theorie fade, die das Jetzt begreifen will; den Theorien über den Alltag haftet dieses graue Eingeständnis an. Und trotzdem wäre dieses begriffene Jetzt immer Gegenstand der Theorie, dafür wird sie gemacht und gedacht. Die Theorie rennt aber voraus oder lahmt der Gegenwart hinterher; im Jetzt macht sie höchstens ›Spuren‹ fest, wie Bloch vorsichtig formuliert hat, Sinnlichkeiten, Dichotomisches, das die strukturale Zeitmaterie durchtrennt zu zwei Blöcken – Hegels ›Hic Rhodos, Hic salta!‹ aus der Vorrede zur Rechtsphilosophie. Die Rose im Kreuz der Gegenwart. Diese blitzt dann auf. Qualitative Merkpunkte sind die Elemente, an denen die Erkenntnisapparatur begreift. Selbst große Veränderungen machen sich an Kleinigkeiten fest, an Stimmungen; einer hört Glocken läuten, eine Uhr bleibt stehen; Farben verändern sich, Frauen tragen Blumen; Paris war voller Anzeichen vor der Commune. Schon Heine – seinerzeit in Helgoland – hatte einen eigentümlichen Meeresgeruch in der Nase von Plätzchen und Kuchen. Als dann die Nachricht von der Revolution in Paris kam, war die Sache klar: die Meernymphen hatten zur Begrüßung der Revolution einen Tee-dansant veranstaltet und hierfür Kuchen gebacken. Deshalb roch das Meer nach Kuchen.

Theorie ist erst dann daseiende Reflexionsform von Gesellschaft, wenn sie die Logik begriffener Realität an der Subsistenz von Qualitativem aufweist. Dieses Qualitative ist Gegenstand der Soziomikrologie. Der ›Fall ins Jetzt‹ ist ein theoretisches Problem, sonst bleibt er ein schlecht praktisches. Die kleine Erzählung, die Ernst Bloch – in den »Spuren« – überliefert, theoretisiert die Gegenwart; sie bringt die Zeiten durcheinander, die Konturen der verbrieften Wahrnehmung. Sie überschreitet die große Gesellschaftstheorie, die sich außerhalb der Gegenwart etabliert, die deshalb diesen ›Fall‹ nicht thematisieren kann, nicht verkörpert. Die Sprache ist das Material der Theorie; und ihre Explikationsformen sind jeweils Ausdruck bestimmter Ebenen gesellschaftlicher Reflexion. Theorie im herkömmlichen Verständnis verläßt gerade ihr Material zugunsten von Abstraktionsprozessen. Bürgerliches Ideal von Theorie ist deshalb auch in den Gesellschaftswissenschaften die Mathematik. Damit ist ein alltäglicher Theoriebildungsprozeß aus dem Bewußtsein gewischt, der sich in den verschiedenen – vortheoretischen – Sprachformen als materialer Prozeß vollzieht. Die sprachlichen Artikulationsformen sind Teil der verschiedenen Produktionselemente, die eine materielle Kultur ausmachen. Diese materielle Kultur reflektiert sich, vollzieht sich in ihr als allgemeine Synthesis. Die Sprache ist deshalb Form, die einen materialen Inhalt transportiert: sie ist zumal selbst dieser Inhalt. Die materielle Kultur der Sprache ist »vernünftige« Realität und damit ansichseiende Theorieform. Die Theorie einer materiellen Kultur von Sprache ist ihr Reflexionsprozeß, selber materielle Kultur als Theoriepraxis.

Die Soziomikrologie greift auf, untersucht, sensibilisiert und kritisiert die transitorischen Formen, in denen sich die materielle Kultur der Sprache sedimentiert und expliziert. Je nach gesellschaftlicher Reflexionsmöglichkeit, also den Geltungsbedingungen von Gesellschaftstheorie, verändern sich diese Formen. Eine Ballade kann die auf einer Stufe der gesellschaftlichen Entwicklung adäquat mögliche Theorieform sein, ein Märchen; oder eine Gesellschaftstheorie als Logik der Verhältnisse; Sprichwörter oder Formen ritualisierter oder sie durchbrechender Kommunikation. Mit sich verändernder gesamtgesellschaftlicher Produktionspraxis erweitern oder verengen sich die erforderlichen Erkenntnismöglichkeiten. Doch auch wenn sich Erkenntnisbedingungen vermöge einer anderen Produktionsform gesellschaftlicher Totalität ablösen oder durch neue beherrscht werden, so heißt dies nicht, daß auch die Theorieformen, innerhalb deren Erkenntnisse aufgehoben wurden, hinfällig geworden seien. Gesellschaftliche Wahrheiten können über Sprichwörter, Märchen oder Lieder tradiert werden, deren Erkenntnisbedingungen, wie Arbeitsgegenstände oder konkrete Produktionsprozesse, nicht mehr existieren. Dieser strukturalistische Überhang macht diese Erkenntnisformen noch nicht unwahr. Als ungleichzeitige geben sie bestimmte Erkenntnismöglichkeiten an; als gleichzeitige, wie über Handwerk oder Fließprinzip gewonnene, ebensolche Reflexionsformen gesellschaftlicher Realität. Ein Straßenmusikant mag unter bestimmten gesellschaftlichen Bedingungen Kritik üben können, die ein Buch nicht mehr bewältigt. Zugleich kann die Produktionsform von Straßenmusik völlig ungleichzeitig sein angesichts immenser Musikfabriken. Aber der Straßenmusikant vermittelt eine andere Erkenntnismöglichkeit, berührt andere Wahrnehmungsformen des Sensoriums.

Gesellschaftstheorie müßte sich somit die Fähigkeit aneignen, die Totalität in vielerlei Formen von Wahrheit zu reflektieren. Diese Wahrheiten schließen sich nicht aus, sie ergänzen sich und bilden in Erkenntnisschichten, strukturalen Tableaus, diachronen Spiralen den Vollzug gesellschaftlicher Reflexion, den die Theorie beansprucht, bewußt auszusprechen.

Eine Form der Tradierung gesellschaftlicher Erkenntnis ist das Märchen – als Form von Gesellschaftstheorie und -kritik vorab das plebejische Märchen; seine Substanz ist Arbeit und List, nicht mehr die Zauberei in einer statischen Welt. Das Jetzt ist darin greifbar, auch wenn der dumme Hans noch vor ganz alten Zeiten mit dem König daselbst gesprochen hat. Mit dieser Gleichzeitigkeit des Märchens in seiner geltungsmäßigen Ungleichzeitigkeit von plebejischer oder bäuerlicher Arbeit hat es eine eigene Bewandtnis.

Blochs »Fall ins Jetzt« ist ein plebejisches Märchen aus dem Stettel, also aus der ostjüdischen Armut. Die Hoffnungslosigkeit war besonders groß und die Grube immerdar, viel fallen konnte man nicht mehr, mit viel Glück sich umgeben, denken auch nicht. Was man sich wünschte, wenn ein Engel käme? Der Rabbi wäre schon froh, wenn er seinen Husten loshätte. Es verändert sich also nicht viel. Für die Gesellschaftstheorie ist das Stettel Marginalie, untergehende Lehmdörfer. Die Sprache des Märchens jedoch hält für Veränderung wach. Sie reflektiert eine materielle Kultur, die sich noch nicht abgefunden und deshalb diese eigene materielle Kultur von Sprache entwickelt hat. Jenes Märchen bringt es fertig, das theoretische Problem der verschiedenen Erkenntnisstufen von Vergangenheit und Gegenwart, von Reichtum und Armut aufzulösen; also das von Zeit und gesellschaftlichen Klassen. Der Zerlumpte war König und ist Bettler. Als Bettler ist er aber auch noch König. Es gibt keinen Übergang in den Zeiten. Die Welt ist verkehrt. Der Bettler hat sie durch seine Erzählung auf den Kopf gestellt. In dieser auf den Kopf gestellten Welt ist der König ein Bettler – aber kann nicht auch der Bettler im nämlichen Jetzt zum König werden?

Das Märchen hat – was die Theorie sich immer wünscht – die Zeit eingeholt. Es dreht die Welt herum in die Gegenwart, sie wird kenntlich in ihrer Erbärmlichkeit und zumal Veränderlichkeit. Die Vergangenheit ist nicht mehr der Alb über den Lebenden. Das Leben ist dieses Jetzt – dem sollen die Wünsche gelten. Freilich, in der Mangelwirtschaft eines plebejischen Märchens aus der Geschichte von Grete und Hans läßt sich nicht von heute auf morgen eine gesellschaftliche Gesamtveränderung zu Reichtum und Glück herstellen. Diese Erkenntnismöglichkeit wird allerdings bedacht, und die Realität selber vorerst allein individuell hergestellt. Wenn die Welt nicht jetzt öffentlich-praktisch schon verändert werden kann, so bedarf es der List als einem Element, das weiterbringt.

Nach dieser Erkenntnistheorie von Weltveränderung (meist durch Arbeit gewonnen) verbleibt die individuelle Möglichkeit, aus dem Mangel herauszukommen. Was er denn alles von seinem Reichtum hätte, wenn er ihn doch wieder verlöre, fragt der Rabbi. Ein Hemd, sagt der Bettler; und die Juden schenken dem König das Hemd.

Etwas ist immerhin herausgekommen aus der Verkehrung der Zeiten. Überhaupt soll die Verkehrung immer präsent sein – so wollen es die Märchen von Grete und Hans. Das Jetzt wird heller, auch wenn ihre Geschichten aus ganz alten Zeiten herstammen, aus den Tagen, als Grete noch eine Bäuerin war, »Die kluge Bauerntochter« (Grimm, KHM 94).

II

Es war einmal ein armer Bauer, der hatte kein Land, nur ein kleines Häuschen und eine alleinige Tochter, da sprach die Tochter: Wir sollten den Herrn König um ein Stückchen Rottland bitten. Da der König ihre Armut hörte, schenkte er ihnen auch ein Eckchen Rasen, den hackte sie und ihr Vater um, und wollten ein wenig Korn und der Art Frucht darauf säen. Als sie den Acker beinah herum hatten, so fanden sie in der Erde einen Mörsel von purem Gold. Hör, sagte der Vater zu dem Mädchen, weil unser Herr König ist so gnädig gewesen und hat uns diesen Acker geschenkt, so müssen wir ihm den Mörsel dafür geben. Die Tochter aber wollt es nicht bewilligen und sagte: Vater, wenn wir den Mörsel haben und haben den Stößer nicht, dann müssen wir auch den Stößer herbeischaffen, darum schweigt lieber still. Er wollte ihr aber nicht gehorchen, nahm den Mörsel, trug ihn zum Herrn König und sagte, den hätte er gefunden in der Heide, ob er ihn als eine Verehrung annehmen wollte. Der König nahm den Mörsel und fragte, ob er nichts mehr gefunden hätte. Nein, antwortete der Bauer. Da sagte der König, er sollte nun auch den Stößer herbeischaffen. Der Bauer sprach, den hätten sie nicht gefunden; aber das half ihm so viel, als hätt er's in den Wind gesagt, er ward ins Gefängnis gesetzt und sollte so lange da sitzen, bis er den Stößer herbeigeschafft hätte. Die Bedienten mußten ihm täglich Wasser und Brot bringen, was man so in dem Gefängnis kriegt, da hörten sie, wie der Mann als fortschrie: Ach, hätt ich meiner Tochter gehört! Ach, ach, hätt ich meiner Tochter gehört! Da gingen die Bedienten zum König und sprachen das, wie der Gefangene als fortschrie: Ach, hätt ich doch meiner Tochter gehört!, und wollte nicht essen und nicht trinken. Da befahl er den Bedienten, sie sollten den Gefangenen vor ihn bringen, und da fragte ihn der Herr König, warum er also fortschrie: Ach, hätt ich meiner Tochter gehört! Was hat Eure Tochter denn gesagt? Ja sie hat gesprochen, ich sollte den Mörsel nicht bringen, sonst müßt ich auch den Stößer schaffen. Habt ihr so eine kluge Tochter, so laßt sie einmal herkommen. Also mußte sie vor den König kommen, der fragte sie, ob sie denn so klug wäre, und sagte, er wollte ihr ein Rätsel aufgeben, wenn sie das treffen könnte, dann wollte er sie heiraten. Da sprach sie gleich, ja, sie wollt's erraten. Da sagte der König: Komm zu mir, nicht gekleidet, nicht nackend, nicht geritten, nicht gefahren, nicht in dem Weg, nicht außer dem Weg, und wenn du das kannst, will ich dich heiraten. Da ging sie hin und zog sich aus splitternackend, da war sie nicht gekleidet, und nahm ein großes Fischgarn und setzte sich hinein und wickelte es ganz um sich herum, da war sie nicht nackend; und borgte einen Esel fürs Geld und band dem Esel das

Fischgarn an den Schwanz, darin er sie fortschleppen mußte, und war das nicht geritten und nicht gefahren; der Esel mußte sie aber in der Fahrgleise schleppen, so daß sie nur mit der großen Zehe auf die Erde kam, und war das nicht in dem Weg und nicht außer dem Wege. Und wie sie so daherkam, sagte der König, sie hätte das Rätsel getroffen, und es wäre alles erfüllt. Da ließ er ihren Vater los aus dem Gefängnis und nahm sie bei sich als seine Gemahlin und befahl ihr das ganze königliche Gut an.

Nun waren etliche Jahre herum, als der Herr König einmal auf die Parade zog, da trug es sich zu, daß Bauern mit ihren Wagen vor dem Schloß hielten, die hatten Holz verkauft; etliche hatten Ochsen vorgespannt und etliche Pferde. Da war ein Bauer, der hatte drei Pferde, davon kriegte eins ein junges Füllchen, das lief weg und legte sich mitten zwischen zwei Ochsen, die vor dem Wagen waren. Als nun die Bauern zusammenkamen, fingen sie an, sich zu zanken, zu schmeißen und zu lärmen, und der Ochsenbauer wollte das Füllchen behalten und sagte, die Ochsen hätten's gehabt; und der andere sagte, nein seine Pferde hätten's gehabt, und es wäre sein. Der Zank kam vor den König, und der tat den Ausspruch, wo das Füllen gelegen hätte, da sollt es bleiben; und also bekam's der Ochsenbauer, dem's doch nicht gehörte. Da ging der andere weg, weinte und lamentierte über sein Füllchen. Nun hatte er gehört, wie daß die Frau Königin so gnädig wäre, weil sie auch von armen Bauersleuten gekommen wäre; ging er zu ihr und bat sie, ob sie ihm nicht helfen könnte, daß er sein Füllchen wieder bekäme. Sagte sie: Ja, wenn Ihr mir versprecht, daß Ihr mich nicht verraten wollt, so will ich's Euch sagen. Morgen früh, wenn der König auf der Wachtparade ist, so stellt Euch hin mitten in die Straße, wo er vorbeikommen muß, nehmt ein großes Fischgarn und tut, als fischtet Ihr, und fischt also fort und schüttet das Garn aus, als wenn Ihr's voll hättet, und sagte ihm auch, was er antworten sollte, wenn er vom König gefragt würde. Also stand der Bauer am andern Tag da und fischte auf einem trockenen Platz. Wie der König vorbeikam und das sah, schickte er seinen Laufer hin, der sollte fragen, was der närrische Mann vorhätte. Da gab er zur Antwort: Ich fische. Fragte der Laufer, wie er fischen könnte, es wäre ja kein Wasser da. Sagte der Bauer: So gut als zwei Ochsen können ein Füllen kriegen, so gut kann ich auch auf dem trockenen Platz fischen. Der Laufer ging hin und brachte dem König die Antwort, da ließ er den Bauer vor sich kommen und sagte ihm, das hätte er nicht von sich, von wem er das hätte: und sollt's gleich bekennen. Der Bauer aber wollt's nicht tun und sagte immer, Gott bewahr! er hätt es von sich. Sie legten ihn aber auf ein Gebund Stroh und schlugen und drangsalten ihn so lange, bis er's bekannte, daß er's von der Frau Königin hätte. Als der König nach Hause kam, sagte er zu seiner Frau: Warum bist du so falsch mit mir, ich will dich nicht mehr zur Gemahlin: deine Zeit ist um, geh wieder hin, woher du kommen bist, in dein Bauernhäuschen. Doch erlaubte er ihr eins, sie sollte sich das Liebste und Beste mitnehmen, was sie wüßte, und das sollte ihr Abschied sein. Sie sagte: Ja, lieber Mann, wenn du's so befiehlst, will ich es auch tun, und fiel über ihn her und küßte ihn und sprach, sie wollte Abschied von ihm nehmen. Dann ließ sie einen starken Schlaftrunk kommen, Abschied mit ihm zu trinken; der König tat einen großen Zug, sie aber trank nur ein wenig. Da geriet er bald in einen tiefen Schlaf, und als sie das sah, rief sie einen Bedienten und nahm ein schönes weißes Linnentuch und schlug ihn da hinein, und die Bedienten mußten ihn in einen Wagen vor die Türe tragen, und fuhr sie ihn heim in ihr Häuschen. Da legte sie ihn in ihr Bettchen, und er schlief Tag und Nacht in einem fort, und als er aufwachte, sah er sich um und sagte: Ach Gott, wo bin ich denn? Rief seinen Bedienten, aber es war keiner da. Endlich kam seine Frau vors Bett und sagte: Lieber Herr König, Ihr habt mir befohlen, ich sollte das Liebste und Beste aus dem Schloß mitnehmen, nun hab ich nichts Besseres und Lieberes als dich, da hab ich dich mitgenommen. Dem König stiegen die Tränen in die Augen, und er sagte: Liebe Frau, du sollst mein sein und ich dein, und nahm sie wieder mit ins königliche Schloß und ließ sich aufs neue mit ihr vermählen; und werden sie ja wohl noch auf den heutigen Tag leben.

III

Wir wissen einiges von der Grete, das Märchen ist mitteilsam genug, denn es will schließlich eine Geschichte erzählen. Freilich etwas verstellt für die Nachgeborenen, doch mit äsopischem Witz zureichend ausgestattet, um weitergereicht zu werden: als Subgeschichte. Das Märchen ist die Subgeschichte einer bestimmten Geschichte; die kluge Grete setzt uns auf deren Spur.

Die Verhältnisse sind einfach, die Zeiten schlimm; Gretes Vater war ein Bauer ohne Land – eine eigenwillige Bodenverfassung muß Platz gegriffen haben, selbst das Rottland trägt schon einen herrschaftlichen Besitztitel. Grundbesitzer haben sich etabliert, erheben Zins und fordern Dienstleistungen. Das Land des Bauern ist weg und er lebt mit dem Mangel. Auch sonst ist nichts zu machen, der Bauer hat noch kein Handwerk gelernt und ohne Land schafft er das Überleben nicht. Den Nachbarn geht es ebenso, von ihnen ist nichts zu erwarten. Die alte Markgenossenschaft hat sich aufgelöst; Allods – veräußerliche Felder – wurden verkauft, kein Los entscheidet mehr über die Verteilung der Gewanne zum gemeinsamen Anbau. Das Land ist in den Händen von Herren und die alte Verfassung der Mark lebt nur noch in Rechtsvorstellungen und einigen gemeinsamen Arbeiten der ehemaligen Genossen. In dieser materiellen Kultur hat die Erinnerung an die freie Mark großes Gewicht, auch wenn die Knechtschaft sich eingesetzt hat.

Grete ist eine verwunderliche Person, sie schickt sich nicht in die Bedrängnis, obwohl doch das Land Eigentum der Herrn ist und die Rechtsverhältnisse sich nicht rütteln lassen. Aber Grete hat eine eigene Begabung und Wissenschaft. Sie ist klug, eine Eigenschaft, die von den Herrn für die sichere Einrichtung ihres Besitzes nur eingedämmt vonnutzen ist. Die Fähigkeiten der Grete können den Herrn gar gefährlich werden; dann wird sie verhext. Die Hexen haben sich noch Freiheiten und Weisheiten bewahrt, aus der alten Zeit der deutschen Barbarei. Deshalb gelten sie der Herrschaft als Gefahr. Grete hat ein Stück des alten Heidentums gerettet. Damals rangierte die Weisheit der Frauen über den Männern. Im alten Verband der Sippen standen die Frauen dem Haushalt vor, die Kinder scharten sich um sie, ihre leiblichen Mütter; ein leiblicher Vater war in dieser Verfassung gemeinsamen Eigentums nicht bedeutsam. Als Familienvorstand und Alltagstheoretikerinnen gleichermaßen genossen die Weiber hohe Achtung.

Grete steckt noch in dieser Tradition und weiß sie zu gebrauchen. Als Bittstellerin geht sie sogleich zum König, ein Stückchen Rottland zu fordern und der König gewährt ein Eckchen Rasen. Eine Geste, keine große; aber immerhin genügt er seiner Fürsorgepflicht, wie es die alte Verfassung dem Herrn für seine Knechte zuschreibt. Überhaupt sind die Verhältnisse noch überschaubar. Der Herr König ist nicht weit weggerückt; er sitzt zu Gericht und empfängt die Leute. Die Bauernschaft ist ihm noch nahe. Er ist ein Besserer, ein Edler durch Beispiel, durch Schlachten oder ruhmreiche Tugenden. So jedenfalls denkt das Volk. Deshalb ist er für Grete nicht nur herrschender Grundbesitzer. Auch ihn umgibt der Äther des alten Heidentums. Grete vertraut ihm eher als den neureichen Grundbesitzern, die ihren Vater landlos gemacht haben, selbst wenn der König mehr Land besitzt als alle andern.

Der König erinnert sich also seiner alten Fürsorgepflicht und verschenkt ein Eckchen. Daran macht sich Grete mit ihrem Vater. Ihre einzige Habe besteht in diesem Eckchen und ihrer Arbeitskraft. Aber diese bringt nicht viel, zumal das meiste doch wieder in die Säcke der Herren geht. Die Schufterei führt immer wieder in neue Armut. Gleichviel, der Bauer hat sonst nur die Arbeitskraft, mehr ist nicht zu erwarten. Und doch hat es mit dieser Arbeitskraft eine eigene Bewandtnis. Selbst wenn durch die Arbeit nur gerade das Nötigste aufgebracht wird, so besitzt der Bauer doch Kenntnisse über die Erde, die den Herren fehlen. Er muß mit der Erde vertraut sein, damit sie Ernte spendet. Seine Arbeitsweise entscheidet darüber. Der Herr hat weder diese Wissenschaft, noch arbeitet er. Die Arbeit macht den Bauern höher als jenen Parasiten, der seine Reichtümer zusammenraubt und durch Zinsung abpreßt. Hier liegt die verborgene Macht von Gretes Vater, die er vielleicht ahnt. Er weiß sie noch nicht. Die Arbeit bringt ihm den Lebensunterhalt; wenn es ganz gut geht und er ungesehen einiges zur Seite legen kann, noch ein bißchen mehr. In der Arbeit stecken vielleicht sogar Reichtümer. Das soll vorgekommen sein. Man weiß ja nie, was die Erde noch alles verbirgt, die schließlich die Ernte gedeihen läßt und mit der man vertrauten Umgang pflegt. Die Hoffnung liegt also nicht im Himmel, nicht bei den Herrn, sie liegt in der Erde. Die Arbeit ist das Hilfsmittel und viel Glück muß man haben.

Der König zeigt sich zwar erkenntlich, aber in historisch verbrieften Maßen, denn ein Eckchen ist ja nicht die Welt. Viel ist also von der Anlehnung an die Herrschaft nicht zu erhoffen. Nun tritt aber die erklärende Synthese des Märchens hinein: jener Grund der Konstitution von Verkehrung, Weltveränderung, mit der es das Jetzt auflädt. (...) *den hackte sie und ihr Vater um, und wollten ein wenig Korn und der Art Frucht darauf säen.* Hierin ist die ganze Konstitutionsproblematik verborgen, der Wert der Arbeitskraft – die Leute arbeiten hart, um aus ihrem Eckchen etwas herauszubringen. Arbeit stellt bei den armen Leuten keine Konstitution von Reichtum dar; den eignen sich andere aus ihrer Arbeit an. Zwischen Reichtum und Arbeit gibt es keine spürbare Kausalität. Gleichwohl ist diese Arbeit die Henne, die vorerst noch goldene Eier legt und dann bei Adam Smith als Arbeit sans phrase ins Blickfeld rückt. Dem Bauern bleibt diese bürgerlich-ökonomische Einsicht allerdings verstellt. Deshalb taucht als Ergebnis ein eigentümliches Produkt auf: die Ernte der Arbeit hat die Form des Schatzes. Die Frucht ertragreicher Arbeit steckt noch allein in der Natur; sie beherbergt die mythische Form der veräußerten Arbeitskraft als Goldschatz.

Das Arbeitsprodukt ist also durch den Herrschafts- und Arbeitszusammenhang auf zweierlei Weise bestimmt: einmal ist die vorwiegende Form der Arbeit agrarisch; der Schatz steckt in der Erde, wird durch bäuerliche Arbeit aus der Erde befreit; zum andern verblendet der allgemeine Herrschaftszusammenhang einen gesellschaftlichen Begriff von Arbeit. Der abstrakte Begriff des Werts zieht sich zusammen in eine konkrete und individuelle Bestimmung, den Goldschatz. Die allgemeine Form menschlicher Arbeit repräsentiert sich, Natur und Herrschaft subsumiert, im Golde als abstraktem gesellschaftlichem Tauschwert. Es ist die magische Form des Wertes, die das Märchen ausdrückt. Damit expliziert es aber zugleich eine bestimmte Ökonomie, die der bäuerlichen Welt. Gretes Geschichte als ökonomische Reflexionsform bestimmt das Gold als Resultat abstrakter Arbeit und damit den allgemeinen Tauschwert der vorbürgerlichen Verhältnisse. Wir betreten also das Terrain ökonomischer Theoriebildung – das Märchen liefert uns eine Vorstufe zur Erkenntnis der allgemeinen gesellschaftlichen Arbeit als wertstiftend; eine ähnliche erkenntnistheoretische Leistung wie die Adam Smith's für die frühe bürgerliche Welt des Handels.

Grete und ihr Vater haben also Glück mit ihrer Arbeit, sie finden einen Mörsel von purem Gold. Die Arbeit hat sich gelohnt, einen Schatz haben die beiden aus der Erde gehackt. Aber hiermit treten auch neue Erkenntnisverwirrungen ein, der unerhoffte Fund ist in der einfachen Hausökonomie ein überflüssiger Schatz. Geld ist zwar hier und da im Umlauf, doch ein Bauer muß eben noch nicht groß damit wirtschaften. Wozu sollte er Gold brauchen? Es liegt auch nur herum und wenn es wegkommt, ist der Ärger da. Grete und ihr Vater überlegen also hin und her.

Eine bestimmte Mitteilung bräuchte man, eine Spur. Ein Schatz ist ja kein bloßer Findling; es ist ein für Menschen schätzbarer Fund; sie können, wenn sie ihn haben, meist viel damit anfangen. So auch mit dem Gold. Allein Grete und ihr Vater haben gewisse Verlegenheiten; mit Gold zu hantieren, ist Sache der Herrschaften. Das ist die eine Seite. Das Gold hat aber noch eine ganz bestimmte Form als Mörsel. Und das ist die andere Seite. Zusammengenommen ist alles verzwickt und eine lange Geschichte, die hinter den Überlegungen des Bauern steckt. Aber er bringt sie so zusammen, wie es nicht anders geht.

Der Bauer hat gemerkt, mit der Klugheit der Weiber ist doch etwas anzufangen. Grete hat ihm durch ihre direkte Aktion zu diesem Eckchen Land verholfen. Immerhin ist er dadurch wieder geworden, was er ehemals war, Landbesitzer. Er selber hätte nicht aufgemuckt, die Grete hat gegen die Armut revoltiert. Er hatte sich schon abgefunden mit dem Elend seit Generationen, der allmählichen Wegnahme seines Landes; der Untergrabung der Dorfrechte und der Auflösung der Markverfassung. Man stellt sich dann schon lieber unter den Schutz eines Herren, als sich von allen berauben zu lassen. So weiß man wenigstens, wieviel jährlich in Regelmäßigkeit abzugeben ist. Der Raub gewinnt dadurch eine gewisse ökonomische Logik. Man kann sich darauf einstellen. Die Knechtschaft ist erträglicher geworden, meint der Bauer. Dem Herren ist es recht mit dieser Verkehrung der Verhältnisse, denn ehemals war er auf den Bauern angewiesen, war selbst noch Bauer und konnte nicht über die Dorfversammlung hinweg entscheiden. Jetzt garantiert er dem Bauern Schutz, hat Land und den Bauern obendrein in der Hand. Und der Bauer glaubt noch, der Herr beschütze ihn und ließe ihn an seinem Reichtum teilhaben. Denn da alles dem Herren gehört, so gerät immer mehr der Herr zum Segensspender und nicht mehr die Erde. Die neuen Herren werden mit Reichtum und Macht von Gott begnadet und der Bauer merkt nicht mehr, daß er selber hinter diesem verkehrten Prozeß steckt. Wenn auch diese Knechtschaft gewaltsam erfahren wurde, irgendwann nimmt die Verkehrung die Überhand und der Bauer erkennt nicht, daß er seine Rechte selber aufgibt, indem er sich freiwillig in die Knechtschaft schickt.

Mit der freiwilligen Knechtschaft ist der Raub legalisiert und der Herr hat keine ideologischen Probleme mehr mit dem Einpressen dieser neuen Wahrheit. Das bißchen was noch zu tun ist, übernimmt die Kirche. Die Zweiteilung von Herr und Knecht ist damit ein ganz natürliches Verhältnis geworden. Wenn es gar nicht mehr anders geht, erinnert man sich an frühere Zeiten, wo der Bauer noch frei war und hält wenigstens in der Hand: ›Der Adel kommt vom Bauern her‹. Nur, wer nimmt sich dieser Erinnerung an? Wer ist der Richter? Es bleibt nur der König übrig, die einzige Instanz, der auch die Herren sich beugen müssen. Und dann denkt der Bauer an die alten Zeiten, wo der König für den Heerzug aufgrund seiner Tugenden gewählt wurde. Er wird diese immer noch aufweisen. Deshalb ist der König dem Bauern näher für die Gerechtigkeit, als der nächste Herr mit dem geraubten Grundbesitz.

Jetzt ist der Schatz zu Tage gearbeitet. Die freiwillige Knechtschaft hat dem Bauern schon so zugesetzt, daß er diesen abstrakten Reichtum mit der Herrschaft zusammenbringt und ihn ohne viele Umstände lieber gleich dorthin überführen will. Die Herrschaft bekommt den Zins sowieso, warum nicht den Schatz gleich mit. Vielleicht sorgt der König dann besser für seinen Bauern. So bornieren die Herrschaftsverhältnisse die Erkenntnis des Resultats der Arbeit, während diese doch Verhinderungen von Bewußtsein gerade beiseitefegen könnte. *Hör, sagte der Vater zu dem Mädchen, weil unser Herr König ist so gnädig gewesen und hat uns diesen Acker geschenkt, so müssen wir ihm den Mörsel dafür geben.* Das ist die Logik der verkehrten Verhältnisse. Nun ist aber der Bauer auch kein dummer Bengel; er muß ja alltäglich Löcher finden, gegenüber den herrschaftlichen Auflagen zu überlegen, wie man langsamer arbeitet, ohne daß es auffällt, trotz Jagdbann einen Hasen zur Seite schafft oder die Vorräte verschwinden läßt. Man sieht zu, wie man durchkommt. Mit dieser Ausrüstung, aus allem das Beste machen zu müssen, kommt dem Bauern ein Hintergedanke, der seine Absichten der Schatzübergabe beflügelt.

Der König hatte Gretes Bitte erhört. Das Eckchen Rasen linderte die Armut ein wenig. Vielleicht könnte er mit Grete noch zu mehr Land kommen. Wenn auch das Gold für den Bauern nur ein abstrakter Schatz ist, dann der Mörsel als Form wenigstens ein handfester Gebrauchswert. Einmal ging es gut mit der Grete. Warum nicht zurück in bessere Zeiten mit viel Land. Wenn der König ein Auge auf die kluge Grete geworfen hat, dann wäre eine Liaison nicht unmöglich und am alten Land wäre kein Mangel. Der Mörsel war das Zeichen, – für den Bauern ist nicht das Gold der Schatz, sondern seine Grete. Dafür weist der Mörsel die Spur. Wo der ist, gehört auch ein Stößer her. Das alles sagt der Bauer der Grete nicht, es ist eben nur ein Hintergedanke. Ohne ihn hätte er den Schatz ebenso weggegeben. Der Mörsel legt aber eine Fährte, auf der vielleicht noch mehr zu holen ist. Wer der eigentliche Schatz ist, das eben soll der König auch zu wissen bekommen. Die Heirat wäre die Lösung der Bodenfrage.

Der Bauer ist also so uneigennützig nicht und die freiwillige Knechtschaft hat auch ihre Tücken für die Herren. Zumal eine Überlegung noch hinzukommt, die alle andern begleitet und ihnen vorhergeht. Der König kann zwar geben, er kann aber auch alles nehmen. Darin geht die Knechtschaft auf. Hat er ein Auge auf die Grete geworfen, dann kann er sie jederzeit haben, ihr Leib gehört dem Herrn. Da ist es schon besser, das Angebot selber zu machen und das Recht auf den Leib in eine Heirat umzumünzen.

So geht es dem Bauern durch den Sinn; hinter der eingesessenen Logik der freiwilligen Knechtschaft – daß der Mörsel die Gnade des Herrn Königs wieder ein wenig wettmacht. Hier zeigt sich aber wieder die Klugheit der Grete, sie durchschaut die herrschenden Verhältnisse besser und warnt den Vater vor dieser dienenden Geste. Noch mit den Gattungskräften der alten Barbarei ausgestattet, sind ihr deren Freiheiten näher; sie widersetzt sich dem Tausch von Leib gegen Land. Die sexuelle Symbolik als Beförderung dieser Tauschökonomie verfängt bei ihr nicht. Sie bleibt bei der Logik des Realitätsprinzips, – der König wird alles haben wollen und zwar in der abstrakten Schatzform, den Mörsel und dazu auch den Stößer. Ihm geht es um den Schatz, die Leiber gehören ihm umsonst. Grete gibt sich mit ihrer Knechtrolle noch nicht so zufrieden wie der Vater. Der sieht nicht mehr den Alltag der Exploitation, nur die Gnade. Dieser patriarchalischen sittlichen Ökonomie begegnet er als freiwilliger Knecht. Doch diese volontäre Opferung von Schatz und Tochter wird sein Verhängnis.

Die Bornierung des Bauern ist natürlich nicht nur eine Sache seiner ökonomischen Theoriebildung; daß er hinter seiner eigenen Ökonomie noch zurückhängt, das Resultat seiner Arbeit nicht anerkennt, hat nicht nur erkenntnistheoretische, sondern ganz praktische Folgen. Der Bauer muß seine freiwillige Knechtschaft theoretisch wie praktisch teuer bezahlen. Die Tochter, mit größerem soziologischen Durchblick, warnt den armen Bauern. Aber es hilft nichts, er *nahm den Mörsel, trug ihn zum Herrn König und sagte, den hätte er gefunden in der Heide, ob er ihn als eine Verehrung annehmen wollte. Der König nahm den Mörsel und fragte, ob er nichts mehr gefunden hätte. ›Nein‹, antwortete der Bauer. Da sagte der König, er sollte nun auch den Stößer herbeischaffen. Der Bauer sprach, den hätten sie nicht gefunden; aber das half ihm so viel, als hätt er's in den Wind gesagt, er ward ins Gefängnis gesetzt und sollte so lange da sitzen, bis er den Stößer herbeigeschafft hätte.* Es tut den Knechten also gar nicht gut, daß sie auch noch freiwillig Knechte sein wollen. Daß die Leute Knechte sind, reicht schon aus zum Elend; wer sich noch freiwillig dazu verknechtet, ist ein arger Tölpel. Im Märchen wird er deshalb für seine geringen Freiheitsvorstellungen bestraft.

Dem König, für den Exploitation nicht mehr Raub war, sondern in Form des Zinses und der zuzüglichen Dienstleistungen die Weihe einer Huld erhalten hatte, nimmt den Mörsel. Sein paternalistisches Wohlwollen, das vom Volk ihm noch angeheftet bleibt, ist längst der maßlosen Schatzheberei gewichen. Er will den Stößer auch. Der ist ihm wichtiger als die Tochter, deshalb versteht er den erinnernden Wunsch des Bauern nach der alten Vereinigung von Land und Familie nicht, der egalitären Mark. Reichtum heißt Macht, und die braucht er, um seine Lehensleute zusammenzuhalten. Also den Stößer her, harte Schatzbildung.

Der geprellte Bauer wird gefänglich gesetzt; so ergeht's dem, der nichts mehr zu geben hat. Da erinnert sich der Bauer seiner klugen Tochter, hätte er nur auf sie gehört. Der König vernimmt's, und läßt die Tochter holen, vielleicht besitzt sie die Wissenschaft, die den Stößer auch noch herbeischafft. Die Klugheit der Grete will er ansetzen, den Stößer lieber vorerst selber machen und sie heiraten. Nichts Menschliches ist ihm fremd für Reichtum. Um sich aber ihrer Weisheit zu versichern, gibt er ein Rätsel auf. Die Theoretikerin löst die Aufgaben zur Zufriedenheit. Der König wird mit ihr einiges anfangen können; er nimmt sie zur Frau und läßt den Vater los. Wer so klug ist, der wird mehr erwirtschaften als der endliche Stößer wert ist, und sei er aus Gold.

Da sich das Märchen in patriarchalischen Herrschaftsverhältnissen weiß, setzt der König die Tochter als Vernunftinstanz lahm, indem er sie nach der Lösung eines Rätsels heiratet. Damit verleibt er Gretes Klugheit seinem Besitze ein. Auch scheint er die Gefahren der bürgerlichen politischen Ökonomie zu wittern, jedenfalls vereinnahmt er sinnlich die beiden Produzenten des Goldes und setzt sich damit wieder an die Stelle des natur- und gottgegebenen Verkleisterers der Herkunft abstrakten gesellschaftlichen Reichtums.

Sehr schön bringt diese Geschichte der Grete auch die Ambivalenz ans Licht, die das Märchenhafte ausmacht und damit eine mögliche Realität immer auch kupiert. Als politisch-ökonomische Theorieform legt das Märchen den Erkenntnisgang bis zum Wertbegriff in seiner magischen Form frei, der Goldform. Das Patriarchat verdeckt die mögliche Erkenntnis der Herkunft gesellschaftlichen Reichtums, indem der König einmal den Reichtum expropriiert, einen Produzenten gefänglich setzt, den anderen kurzerhand heiratet. Damit ist die gesellschaftliche Genesis des Reichtums vorerst abgeschnitten. Der Ausbeutungskontext ist als Naturzusammenhang wiederhergestellt. Die subversive Vernunft, die noch hinter die politische Ökonomie hätte kommen können – die kluge Tochter – wird durch Heirat eingekauft. Wenn es also gar nicht mehr anders geht, bleibt die Herrschaft nicht mehr unter sich, sondern zeigt sittliche Ökonomie und heiratet das Volk. Dieses Sittlichkeitsverhältnis ist ja schließlich auch Garant noch vorhandener Freiheiten. Das Volk stützt sich immer wieder auf diese sittliche Ökonomie zu seiner Verteidigung, die Herrschaft bedient sich ihrer bei ihren Angriffen auf alte Freiheiten.

Damit könnte die Geschichte aufhören. Die Herrschaft hat die Klugheit eingekauft, durch Vermählung sich dauerhaft gemacht, der Reichtum vermehrt sich und das Volk bleibt Volk. Die Geschichte vom Bauern und dem König läßt sich aber nicht so umstandslos vermählen. Sie ist voller Widersprüche, Widerstände und hat noch lange keine Lösung gefunden. Deshalb geht das Märchen weiter und widmet sich den historischen Taten der Bauerntochter. Sie ist Mittlerin, ihre Fähigkeiten schätzt das Märchen höher als den erpreßten Reichtum des Königs oder die Landarmseligkeit des Bauern. Wie der Pflug letztlich höher als sein unmittelbarer Zweck, so sind die Potenzen der Bauerntochter weitreichender als die stößerlichen Fähigkeiten ihres Gemahls.

Als Frau des Königs ist Grete immer noch Bäuerin geblieben; als Weib hat sie sich die alten Eigenschaften erhalten, die der paternalistische König der Macht geopfert hat: das alte Recht ist ihr näher und sie verficht es, auch wenn es die inzwischen inthronisierten Willkürmaßstäbe angreift. So bleibt ein moralisches Element, an das Subversion sich heften könnte. Der König hat diese kritische Potenz zwar in die Herrschaft eingemeindet: doch etwas Widerständlerisches bleibt am klugen Volk kleben, auch wenn es eingekauft ist. Das Volk ist politischer Ökonom und Vernunft. Dies ist die eine Seite der geschichtlichen Trägerschaft von Erkenntnis. Herrschaft und die sittliche Ökonomie des Patriarchats bedient sich ihrer, vereinnahmt sie. Damit ist die mögliche Freiheit und soziale Veränderung kupiert. Aber der Herrschaftsrahmen hat als naturgegebener arge Sprünge bekommen: Das Märchen hat die Heroen der Sage, die Akteure, popularisiert. An ihre Stelle treten die kleinen Leute, andere historische Subjekte in die Geschichte ein. Im Märchen tradiert sich diese geheime Erkenntnis.

Grete ist das Prinzip der Tätigkeit in unserer Geschichte, sie verkörpert die Gattungskräfte, die über dem Herren stehen. Als ein Bauer sein Füllchen wieder haben will, das sich zwischen zwei Ochsen gelegt hat, richtet der König willkürlich. Er vertritt und legitimiert mit seinem Richterspruch zugleich die bestehenden und beharrlichen Gewaltverhältnisse: wo es gelegen hätte, da sollt es bleiben. Hier leistet die kluge Grete Widerstand. Die Klassensolidarität – *weil sie auch von armen Bauersleuten gekommen wäre* – siegt über das Unrecht. Freilich, die neuen Mächte sind nun einmal da, offen dagegen läßt sich nichts ausmachen. Also bedarf es der List, um dem König eins auszuwischen und das Recht wiederherzustellen. Die kluge Grete plant einen Verfremdungseffekt, der dem König, wie späternorts vielfach den Bürgern, die Augen zurechtrückt. Damit ist der Kreis Arbeit und Vernunft – Rätsel und List – geschlossen. *Der Bauer stand am andern Tag da und fischte auf einem trocknen Platz. Wie der König vorbeikam und das sah, schickte er seinen Laufer hin, der sollte fragen, was der närrische Mann vorhätte. Da gab er zur Antwort: Ich fische. Fragte der Laufer, wie er fischen könnte, es wäre ja kein Wasser da. Sagte der Bauer: So gut als zwei Ochsen können ein Füllen kriegen, so gut kann ich auch auf dem trocknen Platz fischen. Der Laufer ging hin und brachte dem König die Antwort* (...). Damit war natürlich die Gerichtsbarkeit des Königs in trübes Licht gestellt. Hinter der Narretei, dort zu fischen wo kein Wasser ist, liegt System. Zumal ein solches, das die Willkür des Königs denunziert, sie als herrschende Ordnung desavouiert. Der König nimmt es als bitteren Arg. Diesem Bauerntölpel war solche Weisheit nicht eingegeben; hier entfaltet sich gefährliche Gesellschaftstheorie, verhängnisvoll für die bestehende Sittsamkeit. Bald bekommt der König heraus, daß seine Frau es war, die hinter dieser Legitimationskrise steckt.

Mit Gewalt läßt der König – er verfügt weder über große Verstandeskräfte noch List – aus dem Bauern heraushauen, daß die Frau Königin die sinnliche Denkhilfe bewirkt hat. In seinen herrscherlichen Kapazitäten bloßgestellt, kann er wiederum nur mit Gewalt kontern: *Warum bist du so falsch zu mir, ich will dich nicht mehr zur Gemahlin: deine*

Zeit ist um, geh wieder hin, woher du kommen bist, in dein Bauernhäuschen. Er merkt, mit dem Volk ist nicht so einfach auskommen und entledigt sich der Grete. Ihre Klugheit gerät ihm doch zu sehr über den Kopf, gar an den Kragen. Die Liaison von Klugheit und Arbeit ist bedrohlich, die Bäuerin muß wieder zurück ins Bauernhäuschen. Die Ordnung soll so bleiben wie sie ist; der Einkauf der unteren Klassen durch Versippung hat sich als trojanisches Pferd erwiesen. Die Klassenverhältnisse müssen wieder in die erkämpfte Geschiedenheit auseinandergelegt werden. Die Bauerntochter versteht natürlich, daß die Sache vorläufig daneben gegangen ist. Höchst ungewiß bleibt zumal, wann es zum Klappen kommen kann, denn List wird ja nur selten gesellschaftlich materiell. Aber um ganz auszuscheren, dazu ist sie eine zu gute Lassalleanerin geworden, – immerhin läßt es sich durch die Stößerlichkeit des Königs hindurch besser leben, als mit dem Vater in der Armut. Sie hat den Aufstieg einmal geschafft, welche Hoffnung hätte sie sonst noch, ihr Bauernhäuschen zu verlassen? Eine solche Revolution ist auch noch nicht in Sicht. Lieber reich als arm, lieber oben als unten. Warum also nicht an der individuellen Veränderung der Verhältnisse festhalten, wenn gesamtgesellschaftlich noch keine in Sicht ist? Als Theoretikerin wird sie gewiß immer die Sinne wach halten für die schwachen Seiten der Herrschaft. So setzt sie auf ihre beibehaltenen Gattungskräfte, lullt den König gehörig in den Schlaf, bevor sie ihm noch die Erlaubnis abbedungen hat, ihr Bestes mitnehmen zu dürfen. Sie läßt ihn also einpacken und in ihr Bauernhäuschen bringen, *und als er aufwachte, sah er sich um und sagte: Ach Gott, wo bin ich denn? Rief seinen Bedienten, aber es war keiner da. Endlich kam seine Frau vors Bett und sagte: Lieber Herr König, Ihr habt mir befohlen, ich sollte das Liebste und Beste aus dem Schloß mitnehmen, nun hab ich nichts Besseres und Lieberes als dich, da hab ich dich mitgenommen. Dem König stiegen die Tränen in die Augen, und er sagte: Liebe Frau, du sollst mein sein und ich dein, und nahm sie wieder mit ins königliche Schloß und ließ sich aufs neue mit ihr vermählen; und werden sie ja wohl noch auf den heutigen Tag leben.*

Von der Innigkeit und Sinnigkeit – bei den Damen seines Standes mangelt es ja gerade an dieser wonnigen Sinnlichkeit – umschlungen und gerührt, läßt der König sich seinen leiblichen Schatz doch gefallen und vermählt sich wiederum mit ihr. Damit fängt die Geschichte aufs Neue an. Vielleicht gewitzter, weniger nur auf die individuelle Klugheit gebaut. Und deshalb ist das Märchen auch hier zu Ende.

IV

Für die Grimms schleppen die Märchen die alten Epen mit fort. Dies gilt als Leistung der Volkspoesie. Der Pointe des Märchens, die Subjektivität der armen Klassen als Möglichkeit von geschichtemachender Tätigkeit im kollektiven Gedächtnis zu bewahren, haben die Grimms mit dieser Interpretation die Spitze abgebrochen: *Hier hat sich deutliche Spur der alten Sage von Aslaug, Tochter Brynhilds und Sigurds erhalten. Wiewohl eine königlich geborene, die durch Unglück in die Hände von Bauern geraten ist, nicht ausdrücklich genannt, zeigt sich doch klar dasselbe Verhältnis. Sie ist über ihren Stand und ihre Eltern weise und der König wird* (...) *durch ihre Klugheit aufmerksam gemacht.* Im Märchen gibt es aber wie im wilden Denken und im Unterbewußtsein keine Zufälle. Nicht die Heldin Aslaug wird thematisiert, sondern die Tochter eines armen Bauern. Die Klugheit ist ihr nicht vermittels eines höheren Standes angeboren; sie arbeitet und ist klug. Das Märchen gibt eine andere Erkenntnistheorie wieder als die Heldensage. Diese ist hier nicht verflacht oder modifiziert, – sie ist umgemünzt, weil die armen Leute sich anders haben sehen und erkennen können, als ihre Herrscher es ihnen haben vorschreiben wollen. Die schöne Grimmsche Genealogie macht das Märchen zum Derivat. Umgekehrt. Mit dem Märchen können die Sagen erschlossen werden. Jene sind eine eigene geschichtliche Synthesis: sie explizieren einen neuen Erkenntnisstand, bäuerliche und plebejische Kritik an der immer noch fortexistierenden gesellschaftlichen Realität, welche die Heldensage in sich gefaßt hatte. Das Märchen drückt damit die Gesellschaftstheorie der unteren Klassen aus, als Theorie und Kritik – zumeist in sehr schöner Sinnlichkeit dargeboten, wo kann das die Theorie heute noch von sich sagen! – erschließt es Erkenntnismöglichkeiten über die Gesellschaft, moralische Elemente, die es bei den gegebenen Zuständen nicht aushalten. Das Märchen kritisiert so die Vergangenheit in der Gegenwart, aber auch die Zukunft in ihr: die aufkommenden bürgerlichen Verhältnisse und damit das Aufkommen neuer – abstrakter – Herrschaftsformen. Mit dieser Intention setzt sich das Märchen ins Präsens; die Ungleichzeitigkeiten sind im Jetzt immer auch Gleichzeitigkeiten.

Die Grimms erwähnen noch, der Inhalt des Rätsels stimme auch mit dem der Heldensage zusammen. Die Abderiten hatten ebenfalls derartige Rätsel. Sie werden so alt sein wie das von der Sphinx, das Ödipus schließlich löste. In der Interpretation von Hegel erkennt in diesem Rätsel der Mensch sich selber – wer geht morgens auf vier, mittags auf zweien und abends auf drei Beinen? – deshalb stürzt sich die Sphinx angesichts dieser neuen Wahrheit vom Felsen, – die mythischen Naturmächte müssen weichen. Das Märchen will, daß mythologische Herrschermächte gestürzt werden. Auch damit ist, wie Hegel sagen würde, eine neue Stufe des Geistes eingetreten. So tradiert sich auch im Rätsel Gesellschaftstheorie. Das Rätsel in »Die kluge Bauerntochter« mag aus dem Nibelungzyklus weiter tradiert worden sein; es mag weiter zurückreichen in die griechische Welt. Es gibt eine Form der menschlichen Erkenntnis wieder, die über den literaturhistorischen Kontext, in die die Grimms es stellen, weit hinausweist. Das Rätsel von der Sphinx ist nicht nur zu Hegel gewandert. In einer Hütte im Mittleren Atlas hat ein Berber mir dieses Rätsel gestellt. Die Genealogie wird dann irgendwo unwichtig.

Martin Zerlang

Ernst Bloch als Erzähler

Über Allegorie, Melancholie und Utopie in den »Spuren«

Geschichte und Geschichten

Der italienische Kulturhistoriker Carlo Ginzburg hat ein Paradigma der Rationalität rekonstruiert, das die Jäger des Neolithikums und die Wahrsager Mesopotamiens mit den hippokratischen Ärzten und modernen Detektiven verbindet, das Paradigma eines ›niederen‹, indizien-orientierten Denkens, das er unterscheidet von den herrschenden Formen des abstrakten, deduktiven Systemdenkens. Dieses intuitiv-anschauliche Erkennen, das durch Auswertung konkreter Spurensuche zustandekommt, gehört zu den unterdrückten Lebenszusammenhängen der Frauen, der nicht-urbanen und der nicht-europäischen Völker, findet sich aber auch im Positivismus des 19. Jahrhunderts. In den unüberschaubaren Großstädten des modernen Europas erwies sich die detektivische Spurensicherung als ein geeignetes Mittel, um sich in dieser neuen Wirklichkeit zu orientieren. In den »Spuren« vertritt Ernst Bloch ein Denken, das seinen Ausgangspunkt in dieser großstädtischen Wirklichkeit hat, dessen Ziel aber bestimmt ist von der utopischen Perspektive unterdrückter Erfahrungen.

Blochs »Spuren« entdecken noch in den unscheinbarsten Dingen eine geschichtliche Dimension. Eine Spur kann ein Hummer sein, ein Strohhut oder eine Syphonflasche. In »Spielformen leider« sieht Bloch die Spur der klassenlosen Gesellschaft im Genuß eines Arbeiters –, *der in den verschafften Fäusten* einen Hummer hielt, in den er zunächst *biß und spuckte rote Schale, daß der Boden spritzte,* bis er danach *dem zarten Wesen darin, als er es einmal hatte, still und verständig* zusprach. Ganz ähnlich wird ein Strohhut, den die Menschenmenge der Pariser Straßen am 14. Juli vom Kopf eines Mitglieds *der Herrenklasse* abschlägt, als eine Spur der Französischen Revolution interpretiert, *ein sehr geringer, sehr allegorisch zerstampfter Stellvertreter der Bastille.* Und schließlich äußert sich für Bloch die Furcht der Herrenklasse in der Reaktion eines jungen und eleganten Paars auf den Knall, mit dem ein Gast in einem Café versehentlich die Syphonflasche vom Tisch stößt. Dieses Ereignis *spielte eine Vergangenheit nach, die nicht verging, eine Zukunft vor, von der sich selbst der Pariser Bürger nicht losgesprochen fühlt.*

Die traditionelle Grenze zwischen der Arbeitsweise des Historikers und derjenigen des Schriftstellers – auch Carlo Ginzburg hat darauf hingewiesen – ist die Grenze zwischen demjenigen, der sich nur mit der Geschichte im Singular befaßt und dem, der Geschichte in den Plural setzt. Diese Grenze, die ohnehin nicht von jeher bestanden hat, erkennt Bloch nicht an. Erst im 18. Jahrhundert nämlich wurde das alte Wort ›Historie‹ durch den neuen Begriff ›Geschichte‹ ersetzt, und nun erst wurde die Geschichte als einheitlicher, universeller Handlungszusammenhang einmaliger Ereignisse aufgefaßt. Diese Entwicklung illustriert den Zusammenhang zwischen der Spurenerforschung (dem ›Indizienparadigma‹ Ginzburgs) und dem Erzählen von Geschichte: also auch Blochs geschichtsphilosophischen Standort.

Die Antike hat die Vorstellung von der Geschichte (oder besser: der Historie) als einem Arsenal belehrender Geschichten überliefert. Von Cicero stammt die bekannte Wendung, die Geschichte sei *Lehrmeisterin des Lebens (historia magistra vitae);* Staatsmänner insbesondere, aber auch Schriftsteller haben diesen Lehrsatz bis ins 18. Jahrhundert hinein befolgt. Die entscheidende Voraussetzung dafür war allerdings, wie Reinhard Koselleck schreibt, ein langsamer sozialer Wandel, durch den *die Nützlichkeit vergangener Beispiele erhalten* blieb. Nach der Französischen Revolution fiel es aber immer schwerer, die Vorbildlichkeit traditioneller Erfahrungen zu behaupten. Vom Standpunkt der Revolution aus wurde die Geschichte nun als ›epische Einheit‹ begriffen; aus exemplarischen Geschichten wurde ein kategorial erfaßbares Geschichtskontinuum. Dazu Koselleck: *Je mehr Geschichte als Ereignis und als Darstellung konvergierten, bereitete sich sprachlich die transzendentale Wende vor, die zur Geschichtsphilosophie des Idealismus führte. ›Geschichte‹ als Handlungszusammenhang ging in dessen Erkenntnis auf.* Zugleich trat an die Stelle Gottes als Wirkkraft historischen Geschehens die Notwendigkeit des Fortschritts. Der Fortschritt wurde zum immanenten Prinzip der geschichtlichen Entwicklung, die Geschichte erschien als säkularisierter Gott, der allmächtig und allgegenwärtig die Menschheit vorantreibt.

Geschichtliches Bewußtsein zu haben, das hieß Einsicht zu gewinnen in die geschichtliche Notwendigkeit der bürgerlichen Revolution. Andere soziale und politische Möglichkeiten, die während der Revolution 1789 aufschienen, wurden rücksichtslos niedergeschlagen. Die Bourgeoisie übernahm die Macht, überzeugt davon, daß sie mit dem Fortschritt und der Notwendigkeit einen Bund geschlossen habe. Diese Bourgeoisie war es, die nichts von einer Geschichte im Plural wissen wollte.

Ende des 19. Jahrhunderts wuchs allerdings die Skepsis gegenüber der Geschichte als einer Geschichte des Fortschritts. Die Bourgeoisie war keine aufsteigende Klasse mehr, sondern eine aufgestiegene Klasse. Sie versuchte ihre Macht zu festigen. Während der *zeitfetischistische Fortschrittsglaube,* wie Bloch in den »Differenzierungen im Begriff Fortschritt« schreibt, von der Sozialdemokratie übernommen wurde, verschob sich das *Interesse einer niedergehenden Bourgeoisie:* sie wollte nunmehr *den Fortschritt selber als geschichtsphilosophische Kategorie* verabschieden. Die vorindustriellen Klassen und Machteliten wurden auf einmal direkte Gegner des Fortschritts, priesen nun (mit den Worten von Norbert Elias) die *bessere Vergangenheit* anstelle der *besseren Zukunft.*

Vor diesem Hintergrund entwickelte sich, parallel zum Widerstreit zwischen den sozialen Klassen und den imperialistischen Nationen, eine lebensphilosophische Strömung unter den Intellektuellen. Philosophen wie Ernst Bloch und Georg Lukács fühlten sich zwar von ihrer Klasse und Kultur – dem jüdischen Großbürgertum – nicht marginalisiert, betrachteten aber die kapitalistische und imperialistische Entwicklung mit distanzierter Skepsis. Die gesellschaftliche Entwicklung diskreditierte die Ideale, die die bürgerliche Gesellschaft legitimieren sollten; die Intellektuellen wandten sich nach innen. Aus ihrem Gesichtswinkel war es, wie Jörg Kammler schreibt, nicht unmittelbar möglich, *die in ihrem Bereich aufbrechenden Widersprüche und Spannungen als Symptome erkennbarer gesellschaftsstruktureller Konflikte aufzufassen.*

Diese lebensphilosophische Strömung einte die Intellektuellen, die erst mit dem Beginn des Ersten Weltkriegs sich politisch in eine Rechte und eine Linke aufspalteten. Die Lebensphilosophie richtete einen Angriff auf den Fortschrittsoptimismus, war aber von Anfang an janusköpfig. Ihr Subjektivismus implizierte eine Verneinung des Fortschritts: die Innerlichkeit war eine ›wesentlichere‹ Wirklichkeit. Diese enthistorisierte Innerlichkeit konnte aber zugleich die Machtansprüche der herrschenden Klassen legitimieren, als Ansprüche nämlich, die dem ›Leben‹ entstammten. Mit der (auch politischen) Radikalisierung innerhalb der lebensphilosophischen Zirkel gelang es Intellektuellen wie Ernst Bloch und Georg Lukács, die Alternative von abstrakter Verneinung und ahistorischer (naturalisierender) Affirmation zu transzendieren. Das lebensphilosophische Interesse für Bewußtseinsphänomene (wie zum Beispiel das Zeiterlebnis) wird von ihnen kombiniert mit der marxistischen Erkenntnis der sozialen Strukturen.

Blochs »Spuren«, zwischen 1910 und 1929 geschrieben, repräsentieren eine Geschichtsauffassung, die darauf zielt, die Möglichkeiten dieses geschichtlichen Aufbruchs zu zeigen.

Die »Spuren« sind Geschichten aus der Geschichte. Sie knüpfen sowohl an das traditionelle als auch an das moderne Geschichtsverständnis an. Sie erinnern an das moderne Geschichtsverständnis, wenn sie als Momente einer kontinuierlichen Universalgeschichte charakterisiert werden: *Es ist ein Spurenlesen, kreuz und quer, in Abschnitten, die nur den Rahmen aufteilen. Denn schließlich ist alles, was einem begegnet und auffällt, dasselbe.* ›Dasselbe‹, wovon auch die letzte der »Spuren« spricht, verweist aber auf das utopische Ende der Geschichte, ist notwendig für alle Versuche, diese Geschichte im Erzählen moralisch und politisch zu interpretieren. Die Schließung (›closure‹) der geschichtlichen Erzählung ist, wie Hayden White gezeigt hat, die notwendige Bedingung dafür, Sequenzen wirklicher Ereignisse eine eschatologische Bedeutung zuzuschreiben und sie damit als Momente eines moralischen Dramas zu erkennen. Die Erzählung ist mit anderen Worten eine Art Allegorie, die auf eine Bedeutung hinweist, die in der bloßen Sukzessivität der Begebenheiten nicht enthalten ist. Diese Bedeutung wird aber von den Möglichkeiten der Zukunft bestimmt. Bloch versteht also – scheinbar paradox – die Geschichte als abgeschlossenen Prozeß, um ihre Brüche und Lücken zu finden. Damit sind die »Spuren« eine moderne, das heißt: dynamische Spielart der vor-modernen Geschichtsschreibung.

Allegorische Spuren

Bloch interpretiert seine »Spuren« in allerlei Erzählungen, in Anekdoten, Märchen, Legenden, Spukgeschichten. Das Verhältnis zwischen Spur und Interpretation in der Erzählung steht dabei direkt in einer bestimmten allegorischen Tradition: der Emblematik. So leitet Bloch »Schüttler für Erdbeeren« ein mit einer ›inscriptio‹: *Was reich ist, dem muß alles zum Besten dienen.* Darauf folgt die ›pictura‹, die Spur, hier der exemplarische Bericht vom Feinschmecker Brillat-Savarin, der einem der ›schüttelnden‹ (was meint: unablässig zitternden) Invaliden des Kriegs zugleich hilft und ihn ausnützt, als er ihn auffordert, schüttelnd die Erdbeeren zu zuckern. Abschließend die ›subscriptio‹ oder die Interpretation als eine Erläuterung zur faschistischen Ästhetisierung des Elends. Der einzige, aber wichtige Unterschied zwischen Emblemen und diesen Spuren ist, daß Bloch seiner Interpretation eine geschichtliche Perspektive gibt. Der doppelte faschistische Betrug, der Arbeitslose ebenso trifft wie diejenigen, die unter dem *dauernden Schüttelfrost ihrer Lage* leiden, wird als etwas Neues charakterisiert. Es ist neu, daß die Unzufriedenheit ablenkend gebraucht wird, und es ist neu, daß die Unzufriedenen *auf die Opfer ihresgleichen dressiert* werden: (...) *bislang hatten die besseren Herren nur Lumpenproleten oder immerhin Landsknechte für sich. Keine Erbitterung, gar Revolte konnte von daher nach links gefährlich werden statt nach rechts.*

Insofern kann Blochs Verhältnis zu den Spuren mit Brillat-Savarins Verhältnis zum Schüttler verglichen werden. Der arme Schüttler ist auf Gnade und Ungnade dem Kapitalisten ausgeliefert: *an Bedeutung kommt ihm das zu, was der Allegoriker* (oder der Kapitalist) *ihm verleiht* (Benjamin). Während aber Brillat-Savarin ihn sadistisch entwürdigt, um die sozialen Verhältnisse mit einem ästhetischen Schleier zu verewigen, wird der Schüttler für Bloch zu einem Emblem verborgenen Wissens. In der Montage von entlegenen Extremen und *ehemals undurchdringlichen Zonen* werden Mißverhältnisse und neue Möglichkeiten sichtbar. *Man achte gerade auf kleine Dinge, gehe ihnen nach,* heißt es in der programmatischen Spur »Das Merke«: *Was leicht und seltsam ist, führt oft am weitesten.*

Jahrhundertelang ist die Allegorie in Verruf gewesen, weil sie, so wird behauptet, nur eine auf Konvention beruhende Illustration einer vorgegebenen Bedeutung sei. Daß sie eine Real-Beziehung oder metonymische Relation zwischen den Dingen und ihren Bedeutungen zu entdecken versucht, ist dabei zumeist übersehen worden. Wie Walter Benjamin im »Ursprung des deutschen Trauerspiels« gezeigt hat, ist die Allegorie aber gerade nicht nur konventioneller Ausdruck und ebensowenig nur Entdeckung der objektiven Anwesenheit der Bedeutungen in den Dingen, sondern vor allem souveräner Gebrauch der Konvention mit Anspruch auf Autorität. Die Allegorie drückt aus, daß Erkenntnis in einer Projektion von gesellschaftlicher Bedeutung und subjektiver Intention auf die objektive Wirklichkeit besteht.

Benjamin zufolge entwickelt sich die Allegorie in den Auseinandersetzungen zwischen allgemein verpflichtenden, ›ewigen‹ Ideensystemen – dem Christentum vor allem – und dem materialistischen Bewußtsein von der Vergänglichkeit des Lebens.

Zugleich ist der Allegoriebegriff aber doppeldeutig. Es gibt eine konservative Allegorie, die ihre subjektive Dimension verleugnet, und eine kritische Allegorie, die gerade diese Dimension behauptet. Das Interesse Benjamins gilt stets der kritischen Allegorie: *Jede Person, jedwedes Ding, jedes Verhältnis kann ein beliebig anderes bedeuten. Diese Möglichkeit spricht der profanen Welt ein vernichtendes doch gerechtes Urteil: sie wird gekennzeichnet als eine Welt, in der es aufs Detail so streng nicht ankommt.* Genauso präsentiert Bloch seine Spuren als kritische Allegorien: *Aus Begebenheiten kommt da ein Merke, das sonst nicht so wäre; oder ein Merke, das schon ist, nimmt kleine Vorfälle als Spuren und Beispiele. Sie deuten auf ein Weniger oder Mehr, das erzählend zu bedenken, denkend wieder zu erzählen wäre; das in den Geschichten nicht stimmt, weil es mit uns und allem nicht stimmt.*

Erzählend zu bedenken, denkend wieder zu erzählen: das enthüllt die Bedeutung des Erzählens für das Spurenlesen. In »The Political Unconscious« definiert Fredric Jameson, der mit »Marxism and Form« ein wesentliches Kapitel amerikanischer Blochlektüre geschrieben hat, das Erzählen als *die zentrale Instanz des menschlichen Geistes.* Erzählen ist für ihn eine allegorische Operation, die das Dasein erkennbar macht. Die Interpretation wird damit zu einer Art von Spurenlesen, das mit einer umfassenderen Erzählung – der Geschichte – als ›master code‹ den kleineren Erzählungen und Geschichten eine Bedeutung zuschreibt. Die Psychoanalyse ist beispielsweise ein solcher ›master code‹, indem sie Bewußtseinsphänomene als Allegorien von Triebschicksalen begreift; das alte Basis-Überbau-Schema des Marxismus ist ein anderes Beispiel dafür. Jameson meint allerdings, daß solche Theorien nur eine temporäre Gültigkeit besitzen, die die Sektoralisierung und Segmentierung des modernen Lebens widerspiegeln. Nur eine Geschichtsphilosophie, die Geschichte totaliter als kollektive Emanzipations-Geschichte begreift, wäre ein wahrer ›master code‹: *Die Funktion und die Notwendigkeit der Doktrin vom politisch Unbewußten liegt in der Entdeckung von den Spuren dieser ununterbrochenen Erzählung, in der Wiedereinsetzung von der ver-*

drängten und begrabenen Wirklichkeit dieser fundamentalen Geschichte in die Oberfläche des Textes.

Wie Bloch macht Jameson darauf aufmerksam, daß die Allegorie indiziert, ›was nicht stimmt‹. Schon in der mittelalterlichen Lehre von der Präfiguration mit ihren vier Interpretations-Registern kam die ›Inkommensurabilität‹ zwischen dem Privaten und dem Öffentlichen zum Ausdruck. Und die Psychoanalyse, die einzige neue und originale Hermeneutik seit jenem patristischen Interpretationssystem, ist selbst eine Funktion der Sektoralisierung und ›Verdinglichung‹ des modernen Lebens. Das Ziel der kritischen Allegorie, die eben diese Aufteilung überschreitet und die ›entlegenen Extreme‹ zusammenfügt, wird dann die Konstruktion eines utopischen Endpunkts, von dem aus die geschichtlichen Zusammenhänge sich überschauen lassen.

In dem wichtigen Abschnitt »Geist, der sich erst bildet« scheint Bloch die Entstehung der Allegorie aus einem solchen verselbständigten Sektor, nämlich der Entwicklungspsychologie, erklären zu wollen. Er berichtet von einem *unbeschreiblichen und unvergeßlichen* Erlebnis; als Achtjähriger habe er in einem Ladenfenster eine Nährollenschachtel gesehen, worauf eine *Mondlandschaft* abgebildet war. Was seine Aufmerksamkeit erregte, war *das rote Licht,* das aus den Fenstern einer Hütte in dieser öden Landschaft leuchtete. *Ganz lächerliches Zeug,* sagt er selbst darüber, aber wie bereits früher hervorgehoben, ist gerade das vernachlässigte Bruchstück in einer menschenleeren Welt das privilegierte Material der kritischen Allegorie. Bloch sieht eine Relation zwischen diesem Erlebnis und dem achtjährigen *Icherlebnis,* dessen Folge ist, daß das Ich nicht mehr mit sich selbst übereinstimmt und deshalb eine beobachtende Distanz zu sich und seiner Umwelt aufrichtet. Ein Fenster schiebt sich sozusagen zwischen das beobachtende und das beobachtete Ich, und nach dem brausenden *All-Leben* der ersten Pubertät festigt sich dieses Fenster als *die Sammellinse für die utopischen Stoffe, aus denen die Erde besteht.*

Aber nur scheinbar wird die allegorische Erkenntnis entwicklungspsychologisch erklärt. Das Fenster markiert die Grenze und die Brücke zwischen dem Privaten und dem Öffentlichen. Das Fenster, typisches Motiv des Biedermeier, gibt der Privatperson die Möglichkeit, sich beobachtend ins öffentliche Leben hinauszubewegen, ohne ihre Privatheit und ihr Inkognito aufzugeben. Mit Grund assoziiert Bloch plötzlich sein rotes Fenster mit dem Fenster in der Baker Street, wo Sherlock Holmes das großstädtische Leben beobachtet und dessen Spuren nachgeht: *Mit dem Fenster wie mit einer Maske angetan trat man heraus und endlich nach außen, ins Freie.*

Die scharfe Trennung zwischen der Intimsphäre (der Kindheit) und der Sozialsphäre (dem erwachsenen Leben) bewirkte in Zusammenhang mit der Unüberschaubarkeit des Großstadtlebens eine, wie Henri Lefèbvre es genannt hat, *chute des référents,* einen Verfall der Bezugspunkte, eine Auflösung aller stabiler Relationen zwischen den

Dingen und den Bedeutungen. Spürhunde wie Sherlock Holmes bekämpfen diese Auflösung mit ihren rationalisierenden Beschreibungen scheinbar gleichgültiger und lächerlicher Details, die nichtsdestoweniger gerade das indizieren, ›was nicht stimmt‹.

Sind viele Spuren aus archaischen Gattungen, wie dem Märchen, der Fabel und der Parabel geholt, so entstammen ebensoviele Beobachtungen dem Erlebnisbereich der Großstädte. »Ein verquerender Flaneur«, *auf brüderlicher Ebene mit allem,* und »Der städtische Bauer«, der, *obwohl in der Großstadt geboren, den Maschinen, dem Schlagen von Eisen auf Eisen, den Explosionen von Öl, mittels derer wir uns so sanft von der Stelle bewegen,* mißtraut, sind typische Repräsentanten dieser »Spuren«; das wiederholte Motiv von Menschen, die mit Unbekannten zusammentreffen, ist, wie das Motiv von flüchtigen Gefühlen und Abschieden, großstädtischen Ursprungs, auch wenn die Erzählungen davon in frühere Zeiten verlegt sind. Der Hintergrund dieser Spuren ist immer die technische Welt: *Unten rasen die Lastautos, das Telephon tönt als des Knaben Wunderhorn, zwölf Stunden Betrieb und nachts noch Bogenlampen vor Schlafzimmern.*

Exemplarisch ist hier die Spur von der »unmittelbaren Langeweile«, die von einer der isolierten Großstadtexistenzen erzählt. Der *Münchner Melancholiker* der Erzählung bekommt in einem Theater in Brüssel einen Zettel von einer Dame, *die ihm schon vorher aufgefallen war.* Der Zettel ist mit unverständlichen Zeichen in einer ihm unbekannten Sprache beschrieben, bewirkt aber, daß alle ihm ausweichen oder ihn jagen. Als es ihm endlich in New York gelingt, sich für eine Entzifferung des Zettels Hilfe zu verschaffen, zeigt sich, daß er nicht mehr vorhanden ist. Bloch läßt nun verschiedene Personen die seltsam enttäuschende Erzählung des Melancholikers interpretieren, und die Interpretationen verbinden *so entlegene Extreme* wie Magazin-Geschichten und die antike Tragödie (das rätselhafte Verhängnis des Ödipus). Eine Hypothese lautet: *War die Schatulle nicht schon von Anfang an leer: als jenes Unsagbare im Menschen, das nichts zu sagen hat, als eine erhaltene Tiefsee, die gar nicht ist, als das vertrackte Inkognito von Leere und Langeweile?* Blochs eigene Interpretation führt aber am weitesten, weil sie auf den gesellschaftlichen Erkenntnishorizont hinweist: *Es gibt mancherlei Menschen heutzutage, in einer bürgerlich hohlgehenden, verlorenen Zeit, die gleich dem plötzlichen Erzähler dieser Ulkgeschichte herumgehen wie lauschende Kinder unter Erwachsenen. Diese Erwachsenen wissen alle etwas, was er nicht weiß oder auch: es ist etwas, was er als Erwachsener nicht gefunden hat, was eben in dem überlasteten Blick steckt, wenn er sich beim Abschied aus einem Mietzimmer umsieht, was er vergessen haben könnte.*

Adorno hat in seinem Aufsatz über Blochs »Spuren« auf ein Paradox aufmerksam gemacht, nämlich auf *die Gewalt des Willens, ohne den keine Spur entdeckt würde,* und die *dem Gewollten* entgegenarbeitet: *Denn die Spur selbst ist das Unwillkürliche, Unscheinbare, Inten-*

tionslose. Wie der Melancholiker sucht Bloch willkürlich Spuren, die ihn unwillkürlich im Dasein verankern. Die Langeweile beruht auf der Distanz zwischen dem Beobachter und den Spuren; kriminalistische Spannung entwickelt sich erst, wenn der Beobachter die Spurensuche aufnimmt.

Erzählkunst zwischen Verfall und Utopie

Das Aufkommen der modernen Großstadt-Kultur im 19. Jahrhundert bewirkte fundamentale Änderungen in der epischen Verarbeitung von Erfahrung, Änderungen, die oft als Verfall empfunden wurden. Der mitwissende und allwissende Erzähler machte immer mehr einem ›unwissenden‹ Erzähler Platz, der kaleidoskopartig ganz verschiedene Gesichtswinkel erprobt oder die Begrenztheit seines Wissens in langen Bewußtseinsströmen artikuliert. Der monumentale wie auch der mittelmäßige Held, der Lukács zufolge in kennzeichnender Weise die wesentlichen gesellschaftlichen Gegensätze widerzuspiegeln vermag, wurden vom Anti-Helden abgelöst; die Handlung, sowohl die der kurzen, episodischen als auch die der langen, kausalen Spannungsbögen, löste sich in Stimmungen und Assoziationsketten auf.

Auffallenderweise herrschte gerade bei den Philosophen und Literaten, unter denen Bloch verkehrte, die Meinung vor, daß die Erzählkunst sterbend oder bereits tot sei. In »Die Seele und die Formen« behauptet Lukács, daß man sich im modernen Leben weder nach außen entfalten noch innerlich erhalten könne. *Heute erzählen wir alles, erzählen es Einem, Jemandem, Jedem, und doch haben wir niemals noch irgendwas wirklich erzählt; so nahe steht uns jeder, daß seine Nähe umgestaltet, was wir ihm aus uns geben, und doch so sehr entfernt, daß auf dem Wege zwischen uns Zweien alles sich verirrt.* Später betonte er, daß diese ›Schiefheit‹ im Verhältnis des Einzelnen zur Gesellschaft ihre Ursache in der Verdinglichung habe. Die rationalisierende Aufteilung der Gesellschaft in scheinbar selbständige Sektoren, besonders in den Großstädten, welche er wie Bloch von Georg Simmel zu ›lesen‹ gelernt hatte, mache einen erzählenden Überblick unmöglich.

Diesen Faden nahm Walter Benjamin auf, als er seinen berühmten Essay »Der Erzähler« schrieb. Die Schlüsselvorstellung ist hier der Verfall der Erfahrung in der Welt der Großstädte, der Journalistik und der bis hin zum Krieg verschärften Konkurrenz. *Die Erfahrung ist im Kurse gefallen,* man hat das *Vermögen Erfahrungen auszutauschen* verloren, und es gibt keinen mehr, der – mittels der Erzählung – *dem Hörer Rat weiß,* denn *die Mitteilbarkeit der Erfahrung* ist verlorengegangen. Das rege und instrumentalisierende Verhältnis zur Zeit hat die epischen Dimensionen, die Erinnerung und die Hoffnung, aufgehoben. Kurz: es geht *mit der Kunst des Erzählens zuende.* Im »Standort des Erzählers im zeitgenössischen Roman« hat Adorno das pointiert ausgesprochen: *es läßt sich nicht mehr erzählen.*

Um so interessanter ist es zu sehen, wie sich Bloch zur Erzählkunst verhält – und wie er erzählt.

In manchen der »Spuren« spricht er die gleichen Themen wie Lukács, Benjamin und Adorno an. In »Die Wasserscheide« erzählt Bloch in der Ichform, wie eine der isolierten und entwurzelten Großstadtexistenzen *in einem wahren Kettenrauchen von Begegnung und Entzündung alle Menschen kennenlernte, die mir wichtig wurden,* wie gerade die zufällige Begegnung ein Schicksal mitentscheidet, auch, wenn *noch andre, ja eben weniger zufällige Fäden* in diesem *Kausalgewebe* existieren: *keiner geht so hindurch.* In einem solchen Leben, das *das Beliebige, ›Zufällige‹, das gleichsam Untaugliche, ja Unwürdige* geformt haben, ist es nur die *Gewöhnung ans Gewordene,* die eine Absicht vortäuschen kann. Noch direkter wird die enge Verknüpfung zwischen den flüchtigen, anonymen Beziehungen der Großstadt und einer Erzählkunst, die nur für den Erzähler selbst von Interesse ist, in »Pippa geht vorüber« thematisiert: *Ein Freund erzählte derart eine Geschichte, vielleicht eine ganz läppische, eine wahre Schaffnergeschichte, wie man in München die nennt, die sture Fahrgäste in Trambahnwagen erzählen, von Rettichen, die pelzig waren und dergleichen, was niemand interessiert außer den Erzähler selbst. Und weil es ihn so sehr interessiert, kann er es auch nur schlecht wiedergeben, gerade sein eigenes Interesse daran kann er nicht mitteilen, mit-teilbar machen.* Der Verfall des Erzählens rührt dann von der *Routine der Verdrängung am Normalen* her. Diese Verdrängung ist eine Chok-Bereitschaft im Sinne Benjamins, die die *kurzen Verwundungen oder glänzenden Jetzteindrücke ohne Folge* abwehrt.

Ebenso wie der Erzähler in einigen der Spuren verschwindet, gibt es aber auch Spuren, in denen der Held sein Schicksal verfehlt. Der erwähnte Münchner Melancholiker wird in den Texten von verwandten Antihelden begleitet. Dies gilt besonders für die Spuren des Abschnittes »Geschick« (in denen auch »Wasserscheide« und »Pippa« enthalten sind). »Kein Gesicht« heißt der vielsagende Titel des Berichts von einem ehrgeizigen Mädchen, das vom Mißverhältnis zwischen seinen Fähigkeiten und seinen Ambitionen ins Irrenhaus getrieben wird.

Neben solchen Antihelden können endlich auch viele der enttäuschenden Ausgänge der Geschichten als Beispiele der Auflösung der Handlung aufgefaßt werden. Mehrere der kurzen Schimmer von Erinnerungen und Analysen von Stimmungen leiten sich aus dem Spurenlesen her, das seit Prousts »A la Recherche du temps perdu« im modernen Roman üblich geworden ist. Neben diese Elemente des Verfalls der Erzählkunst treten aber auch solche, die sie zu retten versuchen.

Adorno schreibt in seinen Noten zu Blochs »Spuren«, daß das *Denken, das Spuren verfolgt, erzählend ist,* und Bloch folgt seinem utopischen Prinzip, wenn er in einem Zeitalter, in dem die Erzählkunst scheinbar unmöglich wird, die Rolle des Erzählers wiederaufnimmt: *Unmöglichkeit des Erzählens selber, wie sie die Nachkömmlinge der*

Epik zum Kitsch verdammt, wird zum Ausdruck des Unmöglichen, das erzählt und als Möglichkeit bestimmt werden soll.

Aus diesem Zwiespalt inszeniert Bloch oft mündliche Erzählsituationen, in denen die Erzähler einander ablösen und kommentieren. Erzählungen werden mit klassischen Formeln eingeleitet *(Ich kannte einen),* weisen oft auf sprichwörtliche Weisheiten hin *(Daß etwas so nicht weitergehen könne, hört man oft)* und gehen häufig unmerklich ineinander über. Dieser Erzähler läßt sich Zeit: ehe wir vom »Kätzchen als David« hören, sagt er ruhig: *Zuerst etwas über seinen Besitzer.* Und er *weiß Rat,* ja ist sogar dazu fähig, zwischen der echten und der falschen Persönlichkeit zu unterscheiden: *Das ist das echte fruchtbare Inkognito, um dessen Lichtung das ganze Geschäft geht; nicht das falsche der Langeweile, das nichts zu sagen hat. Wir wollen von dem echten einige kleine Geschichten erzählen, bloße ausgeführte Fingerzeige, chinesische, amerikanische, jüdisch-russische.* Deshalb kann er sich ohne Vorbehalte zur Verwandtschaft mit den ursprünglichsten Erzähltraditionen bekennen: *Ist diese Geschichte nichts, sagen die Märchenerzähler in Afrika, so gehört sie dem, der sie erzählt hat; ist sie etwas, so gehört sie uns allen.*

Diese Selbstinszenierung als chassidischer Rabbi, afrikanischer Märchenerzähler und persischer Weiser legt aber ebenso oft die Unmöglichkeit des Erzählens bloß, wie sie die Möglichkeit des Erzählens demonstriert. Es gibt etwas Flüchtiges, Entwurzeltes und Gewolltes in Blochs Sprüngen zwischen den Rollen; *in einem wahren Kettenrauchen von Begegnung und Entzündung* lernt man alle Geschichten kennen, die ihm wichtig wurden. Eigentlich könnte man sagen, daß die moderne Großstadt-Wirklichkeit ihre tiefsten Spuren in denjenigen Textabschnitten hinterlassen hat, die in andere Kulturen und Epochen verlegt sind. Blochs »Spuren« sind ein Kaleidoskop, eine Montage stark stilisierter Handlungsabläufe, die zusammen keinen dynamischen Spannungsbogen, sondern nur einen weiten Assoziationsraum bilden.

Melancholie und Engagement

Die Allegorie und die ganze Erzählkunst haben einen bedeutsamen psychologischen Hintergrund in der Langeweile oder der Melancholie. Otto Fenichel schreibt in »Zur Psychologie der Langeweile«, daß *wer sich langweilt, demjenigen zu vergleichen* sei, *der, nachdem er einen Namen vergessen hat, ihn von anderen erfahren will.* Der Name ist das Triebziel, das Vergessen ein Resultat der Verdrängung, und die potentiellen Helfer die Außenwelt, mit welcher der Triebanspruch sich alliieren muß, um das Ich zu überlisten. Mit Unterhaltung versucht der Erzähler diese Triebansprüche niedrig zu halten, mit Allegorien und Spurenlesen versucht er sie zu befreien.

Immer wieder kehrt Bloch zum Motiv des vergessenen Namens zurück. *Jeder kennt doch das Gefühl, in seinem bewußten Leben etwas vergessen zu haben, das nicht mitkam und klar wurde.* Die prägnanteste Formulierung davon findet man in »Potemkins Unterschrift«, dem *unheimlichsten Dokument zur Melancholie.* Das Dokument handelt von dem Fürsten, der sich in seiner abgrundtiefen Melancholie einschließt, während Räte und Beamte trippelnd auf Vorlassung warten. Zuletzt wagt der junge und strebsame Petukow sich zum Fürsten hinein, um dessen Unterschrift auf einige wichtige Akten zu bekommen. Potemkin schreibt *mit Augen wie im Schlummer.* Als Petukow aber triumphierend aus dem Zimmer stürzt, zeigt es sich, daß der Fürst überall als Petukow unterschrieben hat. Im *Gallenlicht* der Melancholie wird alles gleichgültig.

Wie Fenichel schreibt, rufen die Melancholie und die Langeweile ein ambivalentes Verhältnis zur Umwelt hervor. Die Umwelt soll die verdrängten, aber wirksamen Triebspannungen befriedigen, aber der gleiche Widerstand, der ursprünglich zur Verdrängung führte, richtet sich nun gegen die Zerstreuungen, die die Umwelt darbietet. Sie wird ›langweilig‹ genannt. Die Erinnerungen an die langweiligen Sonntage aus der Kinderzeit werden von Fenichel damit erklärt, daß die *triebhungrigen Kinder (dann) ganz besonders an Triebäußerungen gehindert wurden.* In »Verschiedenes Bedürfen« liefert Bloch eine Fabel zu diesem Thema.

Die Verdrängung der Triebansprüche bewirkt ein scheinbares Verschwinden der intensiven und konfliktvollen Erregung des Subjekts, die sich zu mehreren objektiven Zeichen ihrer fortwährenden Existenz verschiebt. Darum charakterisiert Fenichel die Langeweile als eine Variante der Depersonalisation. Solche ›Depersonalisation‹ ist nach Benjamin für den Melancholiker charakteristisch, und er bestimmt sie als eine *pathologische Verfassung, in welcher jedes unscheinbarste Ding, weil die natürliche und schaffende Beziehung zu ihm ausfällt, als Chiffer einer rätselhaften Weisheit auftritt.* Dieser Ausfall wurde eine allgemeine Erfahrung in den arbeitsteiligen Großstädten, besonders unter den politisch einflußlosen Intellektuellen. Gleichzeitig bedingt die immer zweideutigeren und undurchsichtigeren Sozialisationsformen der bürgerlichen Familie eine Verankerung dieser Depersonalisation in der Triebstruktur.

Wie Benjamin interpretiert auch Bloch die Melancholie im Lichte der Theorie Max Webers über den Zusammenhang zwischen der protestantischen Ethik und dem Geist des Kapitalismus. *Erst nach getaner Arbeit ist Juden und Protestanten gut zu ruhen,* heißt es in »Stachel der Arbeit«. Die Melancholie, die Bloch dazu bewegt, sich in die unscheinbarsten Dinge zu versenken, um den Schlüssel zu den Rätselfragen, die er überall spürt, zu finden, hat ohne Zweifel einen genauen soziologischen und psychologischen Hintergrund. Hier ist nicht der Ort für Ausführungen zu den Hintergründen des psychischen Profils von Bloch, doch würde die zentrale Position einer solchen Argumentation zweifellos von seinem Heranwachsen in einer großbürgerlichen jüdischen Familie und dessen direkte Konfrontation mit den sozialen und geschichtlichen Gegensätzen (als Gegensatz auch zwischen der alten spätabsolutistischen Residenzstadt Mannheim und der neuen Gründerstadt Ludwigshafen) eingenommen. Übrigens fällt auf, daß die Eltern trotz zahlreicher Jugenderinnerungen überhaupt nicht in den »Spuren« auftreten.

Michael Löwy hat die Entwicklung des jungen Lukács von der tragischen Ethik zur dialektisch-sozialistischen Politik mit der Wette Pascals verglichen. Bloch hingegen macht unmittelbar einen Sprung von der Melancholie zum Engagement, vermittelt durch die Faszination für die Traumbilder der Volks- und Massenkultur. Für beide gilt, daß sie in den entscheidenden Jahren ihres Lebens ›in Schach gehalten‹ wurden, in jener Position sich befanden, die Wolf Lepenies zufolge der entscheidende politisch-historische Hintergrund der Melancholie ist. Sie fühlten sich zu Machtpositionen qualifiziert, hatten aber keinen Einfluß, ja waren als Juden doppelt von ihr distanziert. Der Bericht vom melancholischen Fürsten Potemkin ist vermutlich motiviert von einer Identifizierung mit demjenigen, der sich auf dem Gipfel der Macht befindet. Zugleich appelliert die unheimliche Schwermut des Fürsten an die Befreiung von Minderwertigkeitsgefühlen, die denen verwandt sind, die Bloch in »Triumphe der Verkanntheit« analysiert hat.

Über die Identifizierung des Nicht-Identischen

Wenn der Melancholiker, wie Fürst Potemkin, sich von seiner Umwelt zurückzieht, wird diese Welt leer und gleichgültig. Damit läßt sie sich aber zu einem Projektionsschirm für seine Bedürfnisse und Werte transformieren. Benjamin beschreibt die Konsequenzen dieser mentalen Einstellung so: *Trauer ist die Gesinnung, in der das Gefühl die entleerte Welt maskenhaft neubelebt, um ein rätselhaftes Genügen an ihrem Anblick zu haben.* Die anwesenden Dinge werden zu Spuren vom Abwesenden, vom schlechthin ›Anderen‹. Durch seine Fixierung auf die Spuren unternimmt der Spuren-Leser eine ›Bedeutungs-Arbeit‹. Durch das Vergangene, das Fremde und das Entlegene verleiht er dem gegenwärtigen Leben Bedeutung. Diese ›Trauer-Arbeit‹ gibt den allegorischen Spuren eine utopische Perspektive. Auch die Melancholie gehorcht dem Lust-Prinzip.

Die Geschichtsforschung ist eine Art von Trauerarbeit. Wie der Trauernde kann der Historiker die Vergangenheit nicht loslassen; wie der Trauernde erlebt der Historiker das Vergangene als ein gegenwärtiges Anliegen. Der Historiker ist ein Spurenleser, der die schwierige Gratwanderung unternimmt, in einem und demselben Zugriff das ›Undenkbare‹ als solches zu rekonstruieren und es denkbar zu machen. Er soll die irreduktible Andersartigkeit der Vergangenheit respektieren und gleichzeitig diese zu einem Moment seiner Identität machen.

Der Historiker steht, wie Michel de Certeau es beschreibt, vor den Spuren der Vergangenheit wie Robinson Crusoe vor der Spur des vermutlichen Menschenfressers. Als Robinson Crusoe *den Abdruck eines Männerfußes ganz deutlich im Sand* entdeckt, entdeckt er gleichzeitig die Lücke in seiner Identität und die Grenzen seiner Rationalität. Die rationale Umweltbeherrschung muß vor den Träumen und den ambivalenten Gefühlen weichen. Erst als er ›den Wilden‹ findet, ihn als Sklaven beherrscht und ihn mit dem Namen Freitag innerhalb der Koordinaten seines Weltbildes unterbringt, gelingt es ihm, die Grenze zwischen seiner Identität und dem ›Anderen‹ aufzubauen. Die Begegnung mit ›dem Anderen‹ macht aus ihm einen Erzähler, und als Erzähler assimiliert er ›das Andere‹ mit dem Weltbild, das Kommunikation und Identität garantiert.

Wie Carlo Ginzburg gehört Michel de Certeau zu jener Richtung der mentalitätsgeschichtlichen Forschung, die am Anfang dieses Jahrhunderts von Marc Bloch und Lucien Febvre initiiert wurde. Diese vor allem empirisch angelegte Tradition hat sich unabhängig von der theoretischen Tradition, die Ernst Bloch vertritt, entwickelt. Es gibt aber signifikative Verbindungen in bezug auf Interessen, Gesichtswinkel und Interpretationsmodelle. Beide Traditionen untersuchen, wie eine Identifizierung des Nicht-Identischen möglich wäre. Ihre Bestrebungen haben mehrere theoretisch-methodische Verschiebungen im Verhältnis zu den dominierenden Geistes- und Kulturwissenschaften bewirkt. Man erforscht unterhalb der Ebene der bewußt artikulierten Weltbilder die Ebene der nicht-bewußten und nicht-formulierten Weltbilder; unter den Ideologien den ungleichzeitigen Eigensinn, die Mentalitäten, gleichgültig, ob diese nun als ›zersplitterte Ideologien‹ oder als ›präservierte Identitäten‹ (Vovelle) interpretiert werden. Dieser Umbruch hat stofflich zum intensivierten Interesse für Volkskultur und fremde Kulturen geführt und methodisch das Symptom, die Spur, das verratende Detail, die Bruchstelle in den Blick gerückt.

Der Anlaß des Umbruchs war die Problematisierung des unilinearen Evolutionismus um die Jahrhundertwende. Hier erfolgte, wie schon erwähnt, eine allgemeine Wendung vom Fortschrittsoptimismus zum Eingedenken der Vergangenheit. Weder die kritische Tradition, der Ernst Bloch angehörte, noch die Mentalitätshistoriker verloren aber die äußere Wirklichkeit und die Zukunft aus dem Blick, obwohl sie in Übereinstimmung mit dem Subjektivismus der lebensphilosophischen Strömungen das Interesse auf die Vergangenheit und ›zeitlose‹ Themen wie Hoffnung und Tod richteten. Sie distanzierten sich nur von der Perspektive des unilinearen Evolutionismus. Marc Bloch erklärte im »Handwerk des Historikers«, daß die Gegenwart und die Zukunft immer Dimensionen des historischen Interesses sind und daß die Geschichte deshalb nicht als ›die Wissenschaft über die Vergangenheit‹ definiert werden kann. Im gleichen Sinne behauptet Ernst Bloch, es lasse sich *schöpferisch überhaupt nur auf solche Vergangenheit zurückgreifen, die ebenso, unerledigt, in die Zukunft vorgreift.* Die allegorisch-utopischen Spuren weisen eben auf die alternativen Möglichkeiten hin, die immer in der historischen Entwicklung präsent sind. Benjamin hat das subtil formuliert: *Die Elemente des Endzustandes liegen nicht als eine gestaltlose Fortschrittstendenz zutage, sondern sind als gefährdetste, verrufenste und verlachte Schöpfungen und Gedanken tief in jeder Gegenwart eingebettet.*

Michel de Certeau und Carlo Ginzburg gehören zu den wenigen Theoretikern unter den Mentalitätshistorikern. Dagegen ermöglichen die theoretischen Überlegungen von Bloch und Benjamin – und in ihrer Folge die von Fredric Jameson – eine klarere Stellungnahme zu den Kernproblemen dieses Forschungsinteresses. Die Mentalitätshistoriker haben (mit den Worten von Lucien Febvre) *dem Anachronismus,* d. h. den zentralperspektivischen Interpretationsmodellen *den Krieg erklärt.* Sie haben die Grunddimensionen der historischen Forschung (Temporalität, Identität, Bewußtsein, Schriftlichkeit) mit den Grunddimensionen der anthropologischen Forschung (Spatialität, Alterität, Unbewußtsein, Oralität) kombiniert, um eine dezentrierte Forschung zu ermöglichen, die nicht die Vergangenheit mit Kategorien interpretiert, welche nur Gültigkeit innerhalb der gegenwärtigen Kultur besitzen. Kraft der fehlenden theoretischen Reflexion haben viele Mentalitätshistoriker nichtsdestoweniger die gegenwärtige kulturelle Identität als Maßstab für die andersartigen Kulturen und Mentalitäten benutzt. So haben sie zum Beispiel davon gesprochen, daß der vergangenen Kultur dieses oder jenes Phänomen ›fehle‹; und so haben sie zum Beispiel die geschichtliche Entwicklung quantifiziert und mit Kategorien wie einer ›niedrigeren‹ oder ›höheren‹ Integration beschrieben (z. B. Elias). Im Verhältnis zu diesen Anachronismen der Anachronismuskritik ermöglicht der Allegoriebegriff eine Diskussion, die die Bedingungen und die Perspektive des Spurenlesens genauer bestimmen kann. Der Ausgangspunkt des Allegorikers ist das, ›was nicht stimmt‹, das Nicht-Identische seiner eigenen Kultur und Mentalität. Von hier aus konstruiert er seine allegorischen Interpretationsmodelle, mit denen er gleichzeitig besser das Andersartige der vergangenen Kultur und das Andersartige seines eigenen Selbsts verstehen lernt. *Erst sehr weit hinaus ist alles, was einem begegnet und auffällt, dasselbe.*

Benutzte Literatur:

Adorno, Th. W., »Blochs Spuren«, in: »Noten zur Literatur« II (1973). – Adorno, Th. W., »Standort des Erzählers im zeitgenössischen Roman«, in: »Noten zur Literatur I« (1973). – Andersen, J. E., »Ernst Bloch – en introduktion« (1982). – Benjamin, W., »Der Erzähler«, in: »Über Literatur« (1969). – Benjamin, W., »Illuminationen« (1969). – Benjamin, W., »Ursprung des deutschen Trauerspiels« (1972). – Bichsel, P., »At læse. At fortælle« (1983). – Bloch, E., »Spuren« (Gesamtausgabe I) (1969). – Elias, N., »Über den Prozeß der Zivilisation« (1976). – Feher, F., »Lukács i Weimar«, in: Kultur & Klasse 37 (1980). – Fenichel, O., »Zur Psychologie der Langeweile«, in: »Aufsätze« I (1979). – Ginzburg, C., »Spurensicherung«, in: Freibeuter 3/4 (1980). – Lepenies, W., »Melancholie und Gesellschaft« (1972). –

Jameson, F., »The Political Unconscious. Narrative as a Socially Symbolic Act« (1983). – Kammler, J., »Politische Theorie von Georg Lukács. Struktur und historischer Praxisbezug bis 1929« (1974). – Lefebvre, H., »Das Alltagsleben in der modernen Welt« (1972). – Löwy, M., »Pour une sociologie des intellectuels révolutionnaires. L'évolution politique de Lukács 1909–1929« (1976). – Lukács, G., »Die Seele und die Formen« (1971). – Lukács, G., »Essays om realisme I-II« (1978). – Markun, S., »Ernst Bloch in Selbstzeugnissen und Bilddokumenten« (1978). – Koselleck, R., »Vergangene Zukunft. Zur Semantik geschichtlicher Zeiten« (1979). – Vovelle, M., »Idéologies & Mentalités« (1982). – White, H., »The Value of Narrativity in the Representation of Reality«, in: W. J. T. Mitchell (ed.), »On Narrative« (1981). – Zerlang, M., »Karneval og kætterbål. En introduktion til Carlo Ginzburgs kulturhistoriske forfatterskab«, in: »Kultur & Klasse« 40 (1980). – Zerlang, M. »Problemer og perspektiver i fransk mentalitetshistorie«, in: Kultur & Klasse« 48 (1984).

Thomas Bremer

Blochs Augenblicke

Anmerkungen zum Zusammenhang von Zeiterfahrung, Geschichtsphilosophie und Ästhetik

> *(...) und ich erwache, ehe ich das Geheimnis, das sich inzwischen erst ganz erschlossen hat, verraten kann, den Dreitakt, in dem das Spielzeug auseinanderfällt: die erste Tafel: jene Straße mit den beiden Kindern; die zweite: ein Gespinst von feinsten Rädchen, Kolben und Zylindern (...); und endlich die dritte Tafel: der Anblick der neuen Ordnung in Sowjetrussland.*
>
> Walter Benjamin: »Traumaufzeichnung« (»Mit einem Spielzeug Staat machen«; Pariser Nachlaß)

I

Vielleicht zu den – auch methodisch – interessantesten von Blochs literarischen Aufsätzen (und darin völlig unterschätzt) gehört die »Philosophische Ansicht des Detektivromans«. Nicht das Plädoyer für die literarische Gattung ist dabei entscheidend, sondern der Versuch, sie im Blick auf die Vorgehensweise des Detektivs zu lesen. Denn unabhängig von den einzelnen Texten und ihrer literarischen Qualität, also einschließlich jener *hunderttausend Nieten in der Kriminallotterie* wie beispielsweise Edgar Wallace, von dem Bloch zufolge es *besonders leicht möglich ist, nicht gefesselt zu sein,* manifestiert sich gerade im Detektivroman ein Prinzip des Erkennens, für das Bloch – vom Leser aus gesehen – drei Kennzeichen, *des Abgezielten* voll, angibt: das des Ratens, der Spannung und Unsicherheit (1) im Blick auf das Entlarvende (2) von Unerzähltem (3).[1] Anders als in anderen literarischen Gattungen üblich, steht im Detektivroman der dunkle Punkt noch vor dem eigentlichen Anfang. Gleichgültig ob der Detektiv wie Sherlock Holmes naturwissenschaftlich-induktiv vorgeht (die neuere Semiotik amerikanischer Prägung nennt es in der Nachfolge von Peirce ›abduktiv‹ und meint damit den Vorgang der Hypothesenbildung, der *allmählich in das Wahrnehmungsurteil*[2] übergeht) oder eher das Gesamtgeschehen intuitionierend wie Hercule Poirot – das Prinzip, das er verfolgt, ist stets das gleiche: es kommt darauf an, aus Indizien einen (vergangenen) Hergang abzulesen, das heißt: einen historischen Augenblick zu rekonstruieren. Der Detektiv, häufig *ein Bohemien, immer wieder auch ein Flaneur in den Pausen,* muß die Zeichen lesen im Blick auf den Tathergang; alles kann Bedeutung haben – wenn auch nicht alles eine hat – für eine unerzählte Geschichte *im Rücken der Geschichte.*[3] Dann erst entscheidet sich der Mordfall: je nachdem, ob der Täter Páris sagt oder, wie sein Double, París.

Daß diese Vorgehensweise ein modernes epistemologisches Modell beschreibt, das in den unterschiedlichsten Wissenschaftszweigen im Übergang vom 19. zum 20. Jahrhundert aufzufinden ist, darauf haben unabhängig voneinander in den letzten Jahren Carlo Ginzburg und Thomas Sebeok hingewiesen; es gilt gleichermaßen für den Kunsthistoriker Morelli, der Original und Fälschung durch genaues Beachten von Details (Ohrformen, Fingernägel) unterschied, es gilt für Freuds Rekonstruktion der verdrängten Traumata – noch jüngst hat Alfred Lorenzer auf den Zusammenhang von Psychoanalytiker und Detektiv im Blick auf Poe hingewiesen[4] –, und es gilt für jene historische Forschung, die – in der Formulierung Carlo Ginzburgs – die *verborgene Geschichte* dem *sozialen Gedächtnis* (erneut) einschreiben will[5]: der Historiker, der die Spuren liest, ein Detektiv, ein Lumpensammler, *frühe im Morgengrauen*[6], der den *Gestus des modernen Helden* vorbildet.[7]

Insofern ist bezeichnend, wie Ernst Bloch auf die Erläuterung der Konzeption des »Passagen-Werks« reagierte, dem monumentalsten aller Projekte zur Wiedereinschreibung verborgener Geschichte: nämlich mit der Bemerkung, hier zeige die Geschichte *ihre Marke von Scotland Yard.* Benjamin selbst, der passionierte Krimileser, hat die Anekdote als Bestandteil der Passagenarbeit im Konvolut N (»Erkenntnistheoretisches, Theorie des Fortschritts«) überliefert und mit jenem Satz kommentiert, der den situativen Rahmen anzeigt und in der Wendung gegen die bürgerliche Geschichtsschreibung des 19. Jahrhunderts zugleich die methodische Interpretation andeutet: *Es war im Zusammenhang eines Gesprächs, in dem ich darlegte, wie diese Arbeit – vergleichbar der Methode der Atomzertrümmerung – die ungeheuren Kräfte der Geschichte freimacht, die im »Es war einmal« der klassischen Historie gebunden liegen. Die Geschichte, welche die Sache zeigte, »wie sie eigentlich gewesen ist«, war das stärkste Narkotikum des Jahrhunderts.*[8] Das hängt zusammen mit Benjamins Überzeugung von der Nichtexistenz von *Verfallzeiten* der Geschichte,[9] deren Überwindung wie diejenige des Fortschrittsbegriffs *nur zwei Seiten ein und derselben Sache* sind:[10] alles bleibt historisch präsent, rekonstruierbar, doch eben: historisch, nicht als *zeitlose Wahrheit* – denn eher ist ›das Ewige‹ *eine Rüsche am Kleid als eine Idee.*[11] Die *Marke von Scotland Yard:* das ist eine Metapher, die aufzeigt, daß hier die Geschichte dingfest gemacht worden ist: von hier aus können ihre Aussagen für und wider sie (das heißt, die ihr innewohnenden Klasseninteressen) verwendet werden.

Doch enthält der Detektivroman noch eine beträchtliche Anzahl anderer spezifischer gesellschaftlicher Erfahrungen, die ihn für eine Analyse interessant und zu einer Allegorie der Moderne machen. Das ist vor allem die Massenerfahrung der Großstadt, die Anonymität, die das unerkannte Verbrechen und das Untertauchen des Täters erst ermöglicht und literarisch die Texte Victor Hugos, Poes (der bekanntlich von Baudelaire ins Französische übersetzt wurde), Baudelaires selbst, Sues »Geheimnisse von Paris« und Engels' Erfahrung, in London könne man stundenlang wandern, *ohne auch nur an den Anfang des Endes zu kommen*[12], miteinander verbindet. Ihre Folge ist der *getarnte Mensch.* Bloch selbst gibt dafür die Stichworte ›Entfremdung‹ und ›Unsicherheit des Lebens‹: *Jedes kann nun von jedem erwartet werden gemäß der Tauschwirtschaft* (...), wie ja auch der Detektivroman seinen *letzten Clou darin haben kann und meist hat, daß die unerwartetste, die verdachtfreiste Person als Täter entlarvt wird.*[13] Dem entspricht der ›Sieg‹ des Detektivs. Siegfried Kracauer, der um 1925 eine wenn auch damals nicht gedruckte, so doch offensichtlich abgeschlossene und Adorno gewidmete Analyse des Detektivromans mit dem Untertitel »Ein philosophischer Traktat« verfaßt hat, legt den Akzent gerade auf die Hervorkehrung des intellektualistischen Charakters der Realität im Detektivroman, den er, als Kennzeichen des modernen bürgerlichen Intellektuellen, deutlich negativ beurteilt: *das Bild, das sie* (die Kriminalromane) *darbieten, ist erschreckend genug: es zeigt einen Zustand der Gesellschaft, in dem der bindungslose Intellekt seinen Endsieg erfochten hat.*[14] Das unterscheidet den Detektiv und den Lumpensammler. Wo sich das Bürgertum aus der entfremdeten Welt zurückzieht in die Privatheit, in die dann das Verbrechen einbricht, ins Interieur der *hochherrschaftlich möblierten Zehnzimmerwohnung*[15], voll mit *Rüschen, Deckchen, Etuis, Draperien*[16] – Benjamin: *auf diesem Sofa kann die Tante nur ermordet werden*[17] –, da zieht sich der Detektiv zurück auf den freien Intellekt, der ihn von der Polizei unterscheidet: *In dem einen Fall das Apriori des Gesellschaftsinteresses, das den Intellekt anschirrt, ohne sich ihm durchaus zu überlassen, in dem andern das freie Walten des Intellekts selber, dessen Eigenmacht sich gewiß nicht ohne weiteres den Gesellschaftszwecken untertan weiß.*[18] Die Entwirrung des Rätsels allerdings, der beide – Polizei und Detektiv – verpflichtet sind im Bemühen, den Täter zu überführen, kann nur auf einen Beweis hinauslaufen: auf die Rekonstruktion des entscheidenden Augenblicks.

II

Daß der Augenblick, die Plötzlichkeit, der Chok Kennzeichen der Moderne sind und dabei – von Kierkegaard über Nietzsche zu Benjamin – eine eigene Traditionslinie bilden, ist eine nicht völlig neue, aber in den letzten Jahren verstärkt wiederaufgegriffene Erkenntnis.[19] In ästhetischer Hinsicht hat diese Überlegung schon Baudelaire formuliert: *Er ist der Maler des Augenblicks,* heißt es über Constantin Guys, den ›Maler des modernen Lebens‹, denn die ›Modernität‹ – ein Ausdruck, den Baudelaire einführt, weil es *kein besseres Wort gibt, um die zur Diskussion stehende Idee auszudrücken* – ist *das Vorübergehende, das Flüchtige, das Ungewisse:* jene *Hälfte der Kunst, deren andere das*

Ewige und Unabänderliche ist, dabei jedoch nur die Differenz bezeichnet, in der der ›Maler des modernen Lebens‹ mit demjenigen ewiger oder auch nur dauerhafterer Dinge nicht mehr verglichen werden kann – denn er ist der Maler jenes Augenblicks, der im Flüchtigen *das Ewige nur suggeriert* und, in der Erfahrung der großstädtischen Menge, *herauszulösen* versucht, was die Mode an *Poetischem in der Geschichte* und an *Ewigem im Vorübergehen* enthält.[20] Mode, Gegenwart – in dieser doppelten Attraktion Ausgangspunkt für Baudelaires Ästhetik – verlegen das Ewige ins Vergängliche, denn *fast unsere gesamte Originalität rührt von dem Stempel her, den die Zeit* – der Augenblick – *unseren Empfindungen eindrückt.*

In der Tat sind sich das ›Indizien-Paradigma‹ (das ›Spurenlesen‹) und die Erfahrung des Augenblicks, die Versenkung in den Einzelfall, von dem aus sich die Totalität erschließt, und die Auflösung des Zeitkontinuums zugunsten des Flüchtigen (auch dies eine typische Großstadterfahrung) außerordentlich nahe; eine Verwandtschaft übrigens, die klar wiederum Walter Benjamin gesehen und nicht nur auf die *chock*-artige Erfahrung des Kunstwerks, sondern auch auf die historische Analyse bezogen und für sie theoretisch fruchtbar zu machen versucht hat: *In den Gebieten, mit denen wir es zu tun haben, gibt es Erkenntnis nur blitzhaft,* lautet die erste der erkenntnistheoretischen Notizen des »Passagen-Werks«, *der Text ist der nachrollende Donner.*[21]

Eine mindestens genauso wichtige, wenn nicht noch zentralere Rolle als bei Walter Benjamin spielt das Konzept des Augenblicks jedoch bei Ernst Bloch, ist dort *Ausgangspunkt,* wenn auch *nicht Hauptpunkt*[22] aller Überlegungen, und zwar deswegen, weil sich erst von hier die für Blochs Denken so zentrale Zeitdimension mit ihren Überlegungen zur Gleichzeitigkeit, zur Un- und Übergleichzeitigkeit – also zum in der Gegenwart Befangenen, zum über sie Hinausweisenden, aber auch zum Rückwärtsgewandten – erschließt und in diesem Bezugsrahmen eine historische wie prospektive Utopie erst begrifflich sinnvoll ermöglicht. Es gibt ein interessantes Gespräch mit Jürgen Rühle, in dem gerade dieser Punkt des Ausgehens vom *gelebten Augenblick* – gleichsam in didaktischer Absicht früher Geschriebenes und Bekanntes wiederholend – in einen größeren Zusammenhang gestellt wird; Ernst Bloch hat es ausdrücklich als einen eigenen Text in den Ergänzungsband der Gesamtausgabe aufgenommen. *Sie haben einmal gesagt, der Grundgedanke einer Philosophie müsse sich klar und lapidar erklären lassen, so bunt, anschaulich und spannend wie ein Kindermärchen. (...) Was ist der Grundgedanke Ihrer Philosophie? – Was sehr nah ist, was unmittelbar vor meinem Auge aufragt, kann ich nicht sehen. Es muß ein Abstand da sein. Dann erst kann es gegenständlich sein. (...) Ich sehe den Prozeß, den Geschichtsprozeß und den Weltprozeß als den Versuch, herauszubringen, was in dem X des Unmittelbarsten gärt und treibt, tendiert und latent ist.*[23] Auch in anderen Texten, gerade des Spätwerks im Umkreis von »Experimentum Mundi«, wird diese bereits in der Frühzeit, in »Geist der Utopie« und den »Spuren« formulierte Überlegung wiederaufgenommen; »Gesprächskontext zum Dunkel des gerade gelebten Augenblicks und seinen utopischen Grundumreißungen« und »Zur Nähe als dem eigentlichen Ort der Utopie« heißen zwei der darauf bezogenen Texte der siebziger Jahre, wobei der erste – aus dem Abstand von mehr als fünfzig Jahren – gerade »Geist der Utopie« problematisierend zusammenfaßt.[24]

Allerdings sind hier unterschiedliche Argumentationsebenen, auf denen Blochs Augenblickskonzept eine Rolle spielt, deutlich zu unterscheiden. Denn zum einen besitzt der Augenblick eine eher anthropologische Qualität. Daß *ich bin,* aber mich *nicht habe,*[25] die jedem vertraute Erfahrung, gerade das, was *unmittelbar vor meinem Auge aufragt*[26], nicht sehen/erleben zu können, entstammt den Überlegungen einer Lebensphilosophie, wie sie den frühen Bloch (aber nicht nur ihn, sondern praktisch alle Vertreter eines kritisch-linksbürgerlichen Denkens, einschließlich Benjamins, Adornos, Kracauers und Lukács') entscheidend beeinflußt hat, sich bei Bloch in eigener Ausformulierung ansatzweise bereits in der frühen Arbeit über die Erkenntnistheorie Rickerts findet (jenen Rickert, über den Bloch promovierte und bei dem Lukács zweimal habilitieren wollte),[27] und so kennzeichnenderweise als einziges an Bloch bei dessen *zunächst schlecht* beginnendem Besuch Georg Simmel zu beeindrucken vermochte und ihm den Zugang zu dessen Privatkolloquium und indirekt die Bekanntschaft mit Lukács verschaffte.[28] Dieses ›sein‹, aber ›sich nicht haben‹ liegt am ›Zu nahe daran‹: *Wir sehen jedenfalls nicht, was wir leben,* heißt es im späten und systematisch intendierten »Experimentum Mundi«, und, darin den für »Experimentum Mundi« zentralen Begriff der ›Drehung‹ aufnehmend und deutlich zwischen Er lebtem und nur Ge lebtem unterscheidend: *Was gesehen werden soll, muß vor uns gedreht werden. (...) Das nur Gelebte, nicht Erlebte und so auch Erblickbare ist uns am dunkelsten, ist buchstäblich am wenigsten heraus-gebracht. (...) Erleben selber setzt die Drehung des zu Erlebenden vor uns voraus.*[29]

Weit folgenreicher ist jedoch die Wendung dieser Überlegung ins Geschichtsphilosophische. Auch der Geschichtsprozeß hat seine Augenblicke, wenn auch qualitativ andere als die der punktuellen Unmittelbarkeit des gerade gelebten Lebens: ›angestückte‹, wie es im »Experimentum Mundi« heißt, also zu einem größeren zeitlichen Zusammenhang ausgedehnte, in dem – wie ausdrücklich im Begriff der Moderne – im Extremfall *wenigstens formell Vater, Sohn und Enkel sich zugleich und nebeneinander aufhalten können*[30]. Die Verschiebung der Zeitdimension, die Bloch hier vornimmt, ist offensichtlich, doch hat sie einen klaren Zweck: nämlich den, die Zeiterfahrung des Einzelnen mit derjenigen der Gesellschaft zu vermitteln. Was im individuellen Leben über das Dunkel des gelebten Augenblicks kaum hinausweist (am deutlichsten im Unglücksfall wie in »Schlitten in Kopfhöhe«: *keiner übersah die winzige Spanne Zukunft*[31]), das ist in der kollektiven und ›angestückten‹ Zeiterfahrung der Gegenwart, weil zusammengesetzt und vermittelt, aufgehoben und dort auch (wenigstens grundsätzlich) sicht- und analysierbar. Die Konzeption einer materialistischen Geschichtsschreibung, wie Bloch sie versteht, setzt methodologisch genau an dieser Stelle ein – eine Konzeption nämlich, die (mit dem Vorbild Marx') aus *aktuellster Kenntnis der Triebwerke*[32] der Geschichte nicht nur die Vergangenheit, sondern auch die Gegenwart als historisch bedingt und von antagonistischen Interessenlagen bestimmt zu analysieren vermag und sich gerade darin von der traditionellen Geschichtsschreibung unterscheidet, *sieht doch der Bourgeois* – gerade in der Flucht vor der Aktualität einer, seiner, herrschenden Klasse in den Historismus – *nicht weiter als bis zu seiner Nase und gerade diese sieht er derart nicht.* (...) *So enden fast alle bürgerlichen Geschichtswerke, sobald sie sich Gegenwärtigem annähern und es behandeln, dilettantisch.*[33]

Es ist eine enorme Radikalisierung des Augenblicksbegriffs, die hier zum Ausdruck kommt, die über den in »Erbschaft dieser Zeit« implizit erhobenen Anspruch und die im »Prinzip Hoffnung« explizit gewordene Forderung der ›durchschauten Gegenwart‹ noch hinausgeht und (so klar allerdings erst in »Experimentum Mundi«, der späten ›Kategorienlehre im offenen System‹) in der Forderung nach einer Neuformulierung der traditionellen Vorstellung des Zeitstrahls kulminiert. (...) *die übliche Folge und Ordnung der Zeitmodi,* heißt es dort, muß *selber erscheinungsgeschichtlich geändert werden, sie heißt nicht Vergangenheit-Gegenwart-Zukunft. Einzig das Jetzt ist der Beginn, so wie seine sich noch abstandslose Nähe überall der Beginn ist.*[34]

Es ist unschwer zu erkennen, welch weitreichende Folgen diese Überlegung für jede Geschichtsschreibung haben muß, untergräbt sie doch einen Großteil der Funktionszuschreibungen, die seit jeher die Legitimationsbasis historiographischer Diskurse ausgemacht haben, insbesondere den Anspruch, durch die Rekonstruktion von Vorgeschichte die Gegenwart sinnvoll erfahren und damit für sie/sich selbst etwas wie eine historisch begründete Identität aufbauen zu können. Was Bloch dagegensetzt, ist die Konzeption von Historiographie als eine Art von ›Gegengeschichtsschreibung‹ (zur vorherrschenden bürgerlichen), für die historische Erkenntnis keinerlei Selbstzweck ist, sondern die ihren Bezugspunkt stets in der Gegenwart findet, gleichsam dem Aktualisierungspostulat der Gegenwart und ihrer Probleme unterliegt, deswegen auf die ›Erzählung‹ linearer Entwicklungslinien verzichtet und – in diametralem Gegensatz zu einer klassischen Geschichtstheorie, die doch gerade versucht, einen möglichst totalisierenden Kausalnexus zu imaginieren – als ›Erbschaft‹ einer Zeit jene im gleichen historischen Moment vorhandenen Entwicklungsstufen herauszuarbeiten versucht, die Bloch als ›ungleichzeitig‹ (das heißt: hinter dem sozusagen durchschnittlichen Entwicklungsstand zurückgeblieben und deswegen aufklärungsbedürftig) beziehungsweise ›übergleichzeitig‹ (das heißt: ihrer Zeit vorauseilend) bezeichnet. Das erklärt in theoretischer Hinsicht auch eine Vorgehensweise, wie sie vor allem für das ›Münzer‹-Buch, aber auch für die – überhaupt noch nicht angemessen gewürdigten – Leipziger philosophiegeschichtlichen Vorlesungen der »Zwischenwelten« (GA, Bd. 12) kennzeichnend ist: nämlich (im Sinne bürgerlicher Geschichtsschreibung) ganz ›unhistorisch‹, überhistorisch zu argumentieren in einer Art, die beispielsweise kaum auf konkrete Daten der Bauernkriege rekurriert, sondern statt dessen zwei Auffassungen – sozusagen zwei Diskurse –, diejenigen Luthers und Müntzers, gegeneinandersetzt.[35] Der Augenblick (wie auch das Spurenlesen) ist es, der das Kontinuum der Geschichte zerstört und jene Bruchstellen schafft, an denen eine im Sinne Blochs materialistische Analyse der Geschichte einsetzt – eine, die anders als bei dem zitierten Bourgeois, der nur bis zur Nase und diese nicht sieht, vor allem auch Möglichkeiten des Eingreifens in die Gegenwart in die Betrachtung einbezieht, sucht, wohingegen die bürgerliche, kontemplative Haltung zur Geschichte, die, die gerade abzuschaffen ist, nur ein Bewußtsein *post festum* entwickelt, und *nicht in der Gegenwart; diese ist ihr vielmehr wissenschaftlich leer.*[36]

Man wird darüber streiten können, ob eine Position wie die Blochs sich problemlos in denjenigen der ›vier Typen des historischen Erzählens‹ integrieren läßt, für die Jörn Rüsen innerhalb einer umfassenderen Theorie der Historik die Bezeichnung ›kritisch‹ vorgeschlagen und damit gemeint hat, daß sie *die Kontinuitätsvorstellungen des traditionalen und exemplarischen Erzählens gegen den Strich*[37] bürstet. Wichtig zu sehen ist jedoch, daß Überlegungen wie die dargestellten sich nicht nur, wie man meinen könnte, bei Ernst Bloch finden, sondern daß in ihrem grundsätzlichen Ansatzpunkt Parallelen bei mehreren Autoren eines sozusagen linksbürgerlich-kritischen Philosophierens der späten zwanziger Jahre vorhanden sind, beim frühen Lukács (wenn auch dort später ›widerrufen‹) ebenso wie bei (dem viel zu lange schon unterschätzten) Siegfried Kracauer und vor allem bei Walter Benjamin. Es ist auffallend, wie sehr sich Blochs Forderung nach einer antikontemplativen Geschichtsauffassung und seine Kritik am Historismus mit den Überlegungen Benjamins zum Verhältnis von Kontinuität und Diskontinuität in der Geschichte trifft, wenn er etwa in den Vorstudien zu seinen »Geschichtsphilosophischen Thesen« eben dies der *landläufigen Darstellung* der Geschichte vorwirft, daß ihr die *Herstellung einer Kontinuität am Herzen* liege und für sie deswegen jene Elemente bestimmend seien, die sich historisch durchgesetzt, das heißt letztlich: gewonnen haben.[38] *Das Kontinuum der Geschichte ist das der Unterdrücker,*[39] heißt es in einem jener später gestrichenen Textentwürfe, die jedoch gegenüber der endgültigen Fassung den Vorzug weit zugespitzterer Formulierungen besitzen; wo es doch demgegenüber darauf ankommt, auf die Geschichte der Unterdrückten zu rekurrieren, der gerade das Diskontinuum als *Grundlage echter Tradition*[40] entspricht: *Das destruktive oder kritische Element in der Geschichtsschreibung kommt in der Aufsprengung der historischen Kontinuität zur Geltung*[41]; deswegen kommt es – diese Formulierung ist in die letzte Fassung der Thesen übernommen – darauf an, *die Geschichte gegen den Strich zu bürsten – und müßte er,* der Historiker, *die Feuerzange zu Hilfe nehmen,* wie der Satz im früheren Entwurf weiterging.[42]

Ernst Bloch hat gerade diese Überlegungen Benjamins aus den »Thesen zum Begriff der Geschichte« (soweit sie in den zunächst gedruckten Text eingegangen waren) programmatisch kommentiert. In dem in Leipzig 1956 – also ein Jahr nach der Adornoschen Veröffentlichung von Benjamins Schriftenauswahl – entstandenen Text »Über Gegenwart in der Dichtung« wird unter dem Zwischentitel »Das jeweilige Jetzt in verschiedenen Zeiten« die 16. der Benjaminschen Thesen zitiert, die sich mit dem *Begriff einer Gegenwart, die nicht Übergang ist* beschäftigt und in der es in auffälliger Sexualmetaphorik heißt, der Revolutionär und der historische Materialist überließen es *anderen, bei der Hure »Es war einmal« im Bordell des Historismus sich auszugeben. Er bleibt seiner Kräfte Herr: Manns genug, das Kontinuum der Geschichte aufzusprengen...* Daran wird dann die Folgerung geknüpft, ein Begriff von Jetztzeit bleibe *sinnlos punktuell,* wenn er nicht in den Rahmen einer ›objektiven Antizipation‹ gefaßt werde.[43] Dem destruktiven Moment, bei Benjamin im »Passagen-Werk« mit der *Atomzertrümmerung*[44] verglichen, entspricht gleichsam die Forderung nach einem sinnvollen Einsatz der dabei freiwerdenden Kräfte. Das Kontinuum der Geschichte aufzusprengen kann für Bloch keinesfalls bedeuten, auf eine andere Form der Kontingenz zu verzichten, nämlich die Tradition jener miteinander korrespondierender *Jetztpunkte,* in denen sich die ›Tendenz‹ der Geschichte manifestiert. Die Aporie einer Geschichtsphilosophie, die das Kontinuum sprengen und zugleich eine Tradition begründen will und die übrigens auch Benjamin bewußt war (*Grundlegende Aporie,* heißt es in den Vorarbeiten der »Thesen«: *Die Geschichte der Unterdrückten ist ein Diskontinuum – Aufgabe der Geschichte ist, der Tradition der Unterdrückten habhaft zu werden*[45]), wird hier – nochmals im Rekurs auf die Augenblickskonzeption als Ausgangspunkt der Geschichte – aufzulösen versucht, indem der Gegenwart aktuell verwandte historische Momente zugeordnet werden, deren ›utopischer Gehalt‹ – damit ist das entscheidende Stichwort gefallen – im Blick auf die Jetztzeit aktualisiert wird. *Aufsprengen also heißt hier nicht: punktualisieren, nicht einmal: monadisieren, es setzt vielmehr in der eigenen aufbrechenden Jetztzeit das Eingedenken aller k e r n v e r w a n d t e n utopischen Momente von vorher und nachher frei und ihre Anweisungen aufeinander. Nur dieser eigentliche Akzent und messianische Inhalt (wie Benjamin den stromhaft mündenden, ultimativen nennt) unterscheidet ja letzthin auch die Parteilichkeit wirklicher Jetztzeit-Pointen vom Historismus tot gesammelter, nochmals totgemachter Vergangenheiten.*[46]

III

Es ist bisher nur wenig von jener Dimension die Rede gewesen, die in der Spezifität ihrer Ausprägung und in der Konsequenz, mit der sie durchgehalten wird, Blochs Philosophie am stärksten kennzeichnet, nämlich die Reflexion des ›Noch-Nicht‹, jenes antizipatorische und utopische Moment, das – als *rotes Licht nach vorn* – über die kritische Analyse der Phänomene hinausgeht. Der Historiker, ist er an der Einschreibung der sozialen Entwicklungsmomente der Geschichte ins kollektive Gedächtnis interessiert, der sozialwissenschaftlich argumentierende ›Lumpensammler‹ (übrigens auch der philologisch argumentierende; Bloch selbst verweist dabei auf Methodenüberlegungen des Romanisten Erich Auerbach und an anderer Stelle auf Leo Spitzer),[47] und der Psychoanalytiker, der Kriminalist sie alle analysieren die Spuren, das ›Nebenbei‹ aus der *oft niedergelassenen Fußgängerperspektive,* eben des *philosophischen Detektivs;* sie lesen historische Entwicklungsmomente ab aus *Mosaiksteinchen oder Abfall,* wie Bloch an anderer Stelle seiner methodologischen Auseinandersetzung mit Benjamin die »Erkenntniskritische Vorrede« des Trauerspielbuchs paraphrasiert.[48] Doch gerade dies kann für Bloch nur eine Seite der Medaille sein. Es ist Methode, nicht Gehalt; es bleibt (in der ihm eigenen metaphorischen Terminologie) ›Kältestrom‹ der Analyse, dem jedoch stets als notwendiges Komplement der ›Wärmestrom‹ der Utopie entspricht: nämlich als jene Tendenz/Latenz, die in sich noch nicht realisierte (auch: in ihrer Realisierung nicht verbürgte, doch omnipräsente) Hoffnung auf eine grundlegende Verbesserung aller gesellschaftlichen Verhältnisse enthält. Daß die Realität zukunftshaltig sei, ist – innerhalb eines komplexen und im Lauf der Jahrzehnte auch nicht vollkommen gleichbleibenden Begriffsgeflechts – der entscheidende Grundgedanke des Blochschen Utopiekonzepts. Was im individuellen Leben als Glücksmoment erscheint, das Gewohnte durchbricht und bei Bloch – vor allem auch in erotischer Hinsicht – begrifflich als ›Fest‹ bzw. ›Festlicher Alltag‹ gefaßt wird, ist die Befreiung von den Zwängen und Funktionszusammenhängen der Alltäglichkeit: der Augenblick wird dann Ereignis (wie hier, strenggenommen, ohnedies zwei differierende Augenblickskonzepte wirksam sind)[49] und findet auf der Ebene historischer Erfahrung seine Entsprechung in der Aufhebung der Klassengesellschaft und in der gleichsam ihr Endstadium erreichenden Utopie einer konflikt- und herrschaftsfrei zusammenlebenden Menschheit bei eingelöstem Glücksversprechen. Es ist der ›erfüllte Augenblick‹, der das erleben läßt, was auf Dauer (noch) nicht möglich ist; *S ist noch nicht P,* wie Blochs berühmtgewordene Formel lautet und in »Experimentum Mundi« in jenen zentralen Satz gefaßt ist, der sich groß sogar auf dem Umschlag der kartonierten Originalausgabe findet: *Das Reale enthält in seinem Sein die Möglichkeit eines Seins wie Utopie, das es gewiß noch nicht gibt, doch es gibt den fundierten, fundierbaren Vorschein davon und dessen utopisch-*

prinzipiellen Begriff.[50] Sowohl dem historischen Moment als auch dem gelebten Augenblick ist jenes Noch-Nicht innewohnend, das sich subjektiv als das noch nicht Bewußte, objektiv als das noch nicht Gewordene, in beiden Fällen aber grundsätzlich Hervorbringbare manifestiert: eben jene Dimension des ›utopischen Gehalts‹, der in seiner Grundstruktur nichts anderes ist als die weitreichende gedankliche Ausfüllung des berühmten Marxschen Diktums aus dem frühen Brief an Ruge vom ›Traum von einer Sache‹ (so die erste Stufe), die nur ihrer Bewußtwerdung (so die zweite) bedürfe, um (so die dritte:) real und endgültig besessen werden zu können – jenem Diktum, das in die Publikationsgeschichte der »Deutsch-Französischen Jahrbücher« gehört, deren nichts geringstes Programm es war, die Ergebnisse zweier Revolutionen auf ihre Brauchbarkeit für deutsche Verhältnisse zu überprüfen.

Allerdings: dieser Prozeß erfolgt nicht von alleine. Daß *S noch nicht P* ist, impliziert nicht nur die Frage nach der grundsätzlichen Überführbarkeit des einen in den anderen Zustand, das heißt: die nach der Vermittlung zwischen den beiden Polen, sondern auch diejenige nach der Rolle des Subjekts in diesem Prozeß, und es stellt – auf einer anderen Ebene – die Frage nach der Funktion der Kunst. In »Experimentum Mundi«, jenem Spätwerk, das gerade auf diese Fragen eine systematisch-theoretische Antwort geben sollte, hat Bloch entsprechend dem als Stufenfolge zu verstehenden Untertitel »Frage – Kategorien des Herausbringens – Praxis« insgesamt sieben Entwicklungsmomente, ›Stadien des Herausbringens‹ unterschieden[51] und dabei nachdrücklich und weit expliziter als in früheren Werken die Rolle des ›subjektiven Faktors‹ in der Geschichte unterstrichen. Es ist auffällig, wie sehr Bloch hier auf eine für den Marxismus der zwanziger Jahre so kennzeichnende Frage wie die nach der ›revolutionären Spontaneität‹ erneut zurückkommt – es bezeichnet sowohl den historisch-politischen als auch den theoretischen Anknüpfungspunkt, daß »Experimentum Mundi« *dem Andenken Rosa Luxemburgs* gewidmet ist –, und es ist kennzeichnend, daß sich an der zentral auf das Verhältnis von Individuum und historischem Augenblick, ›Gegenwart‹, bezogenen Stelle ein langes Zitat, nämlich aus Lukács' »Geschichte und Klassenbewußtsein« findet. Blochs Wende von der Lebens- zur Geschichtsphilosophie hängt – nicht nur in der Augenblickskonzeption – eng mit der Rezeption dieses Werks, jenes *außerordentlichen Buches, großartigen Buches* zusammen, *gar nicht zu vergleichen mit dem, was Lukács später geschrieben hat,* sondern *erstes frisches Wasser im Marxismus nach langer Zeit,* in dem – auch nach der bei seinem Erscheinen bereits erfolgten Abkühlung des persönlichen Verhältnisses beider Philosophen – Sätze stehen, *die ich hätte schreiben können,* wie Bloch voller Emphase noch 1974 im französischen Fernsehen betonte.[52] Für den in »Experimentum Mundi« herangezogenen Satz gilt diese Feststellung problemlos. Er faßt nämlich den Zusammenhang von Jetzt und Augenblick in ihrem Prozeßcharakter und verbindet dies mit der

Forderung nach praktischem Handeln; er lautet: *Das konkrete Hier und Jetzt, in dem es sich zum Prozeß auflöst, ist kein durchlaufender, unfaßbarer Augenblick mehr, die enthuschende Unmittelbarkeit, sondern das Moment der Entscheidung, das Moment der Geburt des Neuen. Solange der Mensch sein Interesse – anschauend kontemplativ – auf Vergangenheit oder Zukunft richtet, erstarren beide zu einem fremden Sein, und zwischen Subjekt und Objekt ist der unüberschreitbare »schädliche Raum« der Gegenwart gelagert. Erst wenn der Mensch die Gegenwart als Werden zu erfassen fähig ist, indem er in ihr jene Tendenz erkennt, aus deren dialektischem Gegensatz er die Zukunft zu schaffen fähig ist, wird die Gegenwart, die Gegenwart als Werden, zu seiner Gegenwart.*[53]

An dieser Stelle ist – in philosophisch-theoretischer Formulierung, aber ohne weiteres dechiffrierbar – das Entscheidende an Blochs Werk wie an dem des jungen Lukács gefaßt, nämlich der Zusammenhang zwischen besserer Zukunft und Gesellschaftskritik, das heißt praktisch-politischem Eingreifen. Nur die Veränderung des gesellschaftlichen status quo kann Realisierungsmöglichkeiten der ›Utopie‹ begründen, und andersherum: politisches Agieren ist bei Bloch kein Akzidenz der Philosophie, sondern aus den Prämissen des Philosophierens unmittelbar ableitbare Notwendigkeit. Nicht kontemplativ zu verharren, sondern verändernd die Gegenwart als Werden zu beeinflussen: so läßt sich die Bloch und Lukács bei allen Differenzen gemeinsame Grundüberzeugung zusammenfassen. Oder, mit dem skeptischen, aber nicht einmal unfreundlichen Bild von Adorno anläßlich seiner Besprechung der Neuausgabe der »Spuren«: *unermüdlich flattert der philosophische Falter gegen die Scheibe vorm Licht.*[54]

Der Traum von einer Sache: das kennzeichnet aber auch präziser als jede andere Bezeichnung, was Bloch zufolge das Wesen der Kunst ausmacht. *Kunst ist ein Laboratorium und ebenso ein Fest ausgeführter Möglichkeiten,* heißt es im »Prinzip Hoffnung« als *Lösung der ästhetischen Wahrheitsfrage;*[55] sie verweist auf die ›dreams of the better world‹, wie das »Prinzip Hoffnung« zunächst heißen sollte.[56] Im Begriff des ›Vor-Scheins‹, der auf den zentralen Terminus der idealistischen Ästhetik anspielt, ihn in seinem Verständnis jedoch grundlegend verändert und zugleich den ebenso zentralen Begriff der Wahrheit des Künstlerischen in sich aufheben will, wird das Moment des Zukunftweisenden, eben: des Utopischen als Funktion des Kunstwerks innerhalb des historischen Prozesses gefaßt. So, wie die Wirklichkeit unabgeschlossen und offen ist für die Entwicklungsmöglichkeiten des besseren Noch-Nicht, für die politisch gekämpft werden muß, so ist auch die Kunst offen gegenüber dem Utopischen: sie ist Vorschein, Vorwegnahme, symbolische Gestaltung des Besseren, *Phantasieexperiment der Vollkommenheit.* Was in Adornos ästhetischer Theorie, in der die Utopie die konsequente Negation des Bestehenden ist, unaufgelöst stehenbleibt, die zentrale *unter den gegenwärtigen Antinomien,* daß nämlich *Kunst Utopie sein muß und will,* daß sie aber letzten Endes *nicht Utopie sein darf:*[57] *In Adornos ästhetischer Theorie rettet das Kunstwerk in der Negation die Utopie*[58], das wird bei Bloch (und übrigens auch beim späten Marcuse)[59] im Zusammenhang von Glücksversprechen und Kritik am Augenblick, von alltäglichem Fest und Generalstreik, auf die Zukunftsperspektive hin aufgelöst: *Kunst* ist *vor-scheinende Gestaltung eines noch ausstehenden Gelingens und damit Stimulans revolutionärer Praxis*[60]; in der ebenso radikalen wie zutreffenden Verkürzung Gert Uedings: *Literatur ist Utopie.*[61]

IV

Literatur als Utopie – nicht als literarische Gattung, sondern als durchgehaltener Grundzug der ästhetischen Wertung –, ›dreams of a better life‹: das bedeutet jedoch keinesfalls ›das Positive‹, die Ausfabelung der gesellschaftlichen Idylle. Im Gegenteil: wo Kunst – mit der komplizierten Bestimmung aus dem »Prinzip Hoffnung« – nur dort nicht bloßer Schein bleibt, *wo die Exaggerierung und Ausfabelung einen im Bewegt-Vorhandenen selber umgehenden und bedeutenden Vor-Schein von Wirklichem darstellen,* und die Kunst, derart wie die Geschichte an die Gegenwart angebunden, ihre Funktionsbestimmung darin erhält, *in Bildern eingehüllte, nur in Bildern bezeichenbare* ›Ahnung künftiger Freiheit‹ zu vermitteln,[62] kann sie keine plakativen Wunschbilder entwickeln, sondern muß sich künstlerischer Chiffren – der Ausdruck ›in Bildern eingehüllt‹ wird hier ganz doppeldeutig – bedienen, und sie muß formal auf der Höhe ihrer Zeit sein, muß gerade deren Widersprüche auch in der Form aufnehmen. Dies ist letztlich Blochs entscheidendes Argument zur Verteidigung der Avantgarde gegenüber der entgegengesetzten Position, wie sie vor allem Lukács im Expressionismusstreit vertritt, nämlich der Forderung, gegenwärtige Erfahrung an den Realismus des 19. Jahrhunderts, also sozusagen an eine historische ästhetische Form anzubinden.

Ausformuliert finden sich solche Erwägungen ansatzweise bereits in »Geist der Utopie« und dann, konzentriert, an der Problematik von Avantgarde und Marxismus, von politischer Lage und Rolle des Intellektuellen orientiert, in einer langen, zwanzig Druckseiten umfassenden und zunächst im »Neuen Merkur« (7, 1923/24) erschienenen Besprechung eines Werkes eben von Lukács. Schon der Titel von Blochs Auseinandersetzung mit »Geschichte und Klassenbewußtsein«, nämlich »Aktualität und Utopie«, verweist programmatisch auf die beiden Pole von Gegenwart und Zukünftigem und meint damit zentral auch den unterschiedlichen Entwicklungsstand von Kunst und Gesellschaft. Da ist zum einen die Analyse der politischen Situation; auffallend, wie sie zugleich den Standort des Intellektuellen im historischen Prozeß und damit den Ausgangspunkt des Schreibens mitumreißt: 1923, in dem Jahr, in dem Bloch sich gerade zur Aufnahme einer verstärkt tagespublizistischen Tätigkeit – als *Stratege im Literaturkampf*, wie Benjamin das Ziel umreißt – entschließt, deswegen von München nach Berlin übersiedelt, in die *stets neue* Stadt, in der alle Widersprüche am deutlichsten durchschlagen, *spätbürgerlich ganz vorn*;[63] in dem Jahr, in dem als erstes Ergebnis des Generalvertrags mit dem profilierten Verlag Cassirers die als großer biografischer Einschnitt empfundene zweite Fassung von »Geist der Utopie« erscheint, bewertet Bloch die politische Situation und die Einflußmöglichkeiten der Intellektuellen – also auch seine eigenen – merkwürdig ambivalent. Denn auf der einen Seite heißt es, in offen zutagetretender Frustration politischer Partizipationsansprüche, daß trotz der Tatsache, daß ›wir‹ *uns gar viel* regen, alles *auf dem alten Fleck* bleibt, und daß in einer Situation, in der die *proletarische Bewegung Deutschlands siecht in dem sumpfigen Zustand dieses Landes* mit seinen *endlosen Krisen* der *archimedische Punkt* nicht erkennbar ist (›wir‹ ihn *nicht haben*), *der diese ebenso drückende wie ganz unwirkliche Welt aus den Angeln hebt.*[64] Das ist jedoch nur eine Hälfte der Einschätzung. Ihr steht auf der anderen Seite und (auch im Text) merkwürdig unvermittelt die Meinung gegenüber, daß dennoch die Lage *dauernd revolutionär* sei, und das heißt, nicht nur im Blick auf den sowjetischen Weg und zumindest ex negativo: *hier geht nichts mehr zurück.* Aktualität, also Gegenwart, bedeutet ein Unentschieden, gleichsam eine historische Situation im Stillstand. Gerade dies gilt für die Kunst jedoch nicht, nicht mehr. In der Kunst – und das ist die entscheidende Differenz zwischen der historischen und der ästhetischen Situation – ist dieser Konflikt bereits entschieden. *Der eigentliche Untergang liegt grundsätzlich bereits hinter uns;* in der unmittelbaren Gegenwart, in den zwanziger Jahren setzt Bloch die entscheidende Zeitenwende an, und zwar eine solch entscheidende, daß von hier aus ganze Teile der Kultur historisch überholt erscheinen: *So gewaltig ist der Riß zwischen Leibl und Chagall, Wagner und Schönberg, Keller und Döblin, wie vielleicht noch niemals einer war innerhalb der ›Kultur‹ der Neuzeit, ja innerhalb des kulturellen Gesamtkomplexes von Athen bis zum Klassizismus (...). Ganz gleich, wie man dies neu Gekommene bereits einschätzt: Chagall, Schönberg, Döblin und andere sind fühlbar nicht von der Art des Alten, sind nicht Niedergang, Abendrot, Auflösung eines vordem Geformten, enthalten vielmehr noch nie dagewesene Elemente in ihrem Werk.*[65]

Es ist auffallend, wie eng Bloch hier den unbefriedigenden gesellschaftlichen Zustand und die weit entwickeltere Situation der Kunst miteinander korreliert, wie sehr sie gleichsam – über das ganze Arsenal von Argumenten hinaus, mit dem Bloch den Gedanken des Bruchs der Kontinuität, der Zeitenwende und des Beginns der endlich eingetretenen Moderne befestigt, vom Topos der *völlig anderen, frischen Zeit* bis hin zur Verwendung der Gänsefüßchen beim Auftauchen des (noch im Sinne des vorherrschenden bürgerlichen Verständnisses gebrauchten) Begriffs Kultur – als Vorreiter der gesellschaftlich noch nicht durchgesetzten, noch nicht durchsetzbaren Revolution aufgefaßt wird. Chagall, Schönberg, Döblin – in anderen Aufsätzen der Zeit ergänzt um Braque, Picasso, Kandinsky, vor allem Max Ernst,[66] in späteren durch Proust, Joyce (das *Monument der ›Surrealisten‹*[67], um den es zum entscheidenden Streit mit Lukács kommt), Paul Klee mit dem mehrfach evozierten »Angelus Novus«-Bild, dem berühmten ›Engel der Geschichte‹ aus dem Besitz Benjamins: die Namensreihe ist Programm. Was Bloch an ihnen imponiert, ist zunächst ihre Kraft der Destruktion; die Zerstörung der kulturellen Kontinuität durch die Avantgarde. Es ist der ›Glaube an die Farbe‹, der zerstört werden muß (wie es Picasso und Kokoschka tun[68] und wie die Zerstörung auch der ›Zeichnung‹ noch Programm bleibt);[69] es ist – in der Musik – die Zerstörung der Melodik, des Glaubens an die schöne Konsonanz, die vorangetrieben werden muß. So wie Bloch in »Geist der Utopie«, einer der frühesten Ästhetiken der Avantgarde, am Kubismus rühmt, daß er die Gegenstände zerlegt und durch das Aufklappen zuvor nicht sichtbarer Flächen in die Bildebene mittels der Zerstörung der Zentralperspektive einen neuen Raumeindruck und ganz neue Wahrnehmungsmöglichkeiten verschafft, so gehört Bloch zu den frühesten Verteidigern Schönbergs, dessen fis-moll-Quartett von 1907/08 (op. 10, teilweise nach George) er ausführlich analysiert und dabei die Fülle *herrlichster und interessantester Dissonanzen*[70] bewundert. Es ist nicht direkt ausgesprochen, aber es ist evident: einer Zeit, in der die alten gesellschaftlichen Verkehrsformen rettungslos zusammengebrochen sind, muß Bloch zufolge eine ›zerbrochene‹ Kunst entsprechen, die auf das Fragment, nicht auf die Totalität setzt. Übrigens wird dies noch der zentrale Vorwurf an Lukács während der Expressionismusdebatte sein: daß Lukács deswegen auf ›alte‹ Kunst setze, nämlich die *des unzerfallenen Bürgertums,* weil er einen Hang zur Totalität, zur Kohärenz der *geschlossen zusammenhängenden Wirklichkeit* besitze, vor dem dann zwangsläufig selbst Cézanne künstlerisch zweifelhaft werden müsse[71] – während doch im Gegenteil schon die Wirklichkeit *voller Unterbrechungen* sei[72]. Wird der gegen Lukács gerade begrüßte destruktive Charakter des Expressionismus zunächst – in der ersten Fassung von »Geist der Utopie« – noch rein als ›Aufbruch‹ im künstlerisch revolutionären Subjekt verankert (bezeichnend, wie Bloch noch in der Rückschau davon in militärischen Termini spricht: *Eine Kunst, die weder mit den überlieferten Formen noch vor allem mit dem ringsum Gegebenen einverstanden war, überzog damals die Welt mit Krieg. Dieser Krieg hatte freilich keine anderen Waffen als Pinsel und Tube* (...). *Und die kriegführende Macht bestand aus dem puren Subjekt)* (...)[73], so wird dies zwar im Laufe der Jahre zurückgenommen und der subjektive Faktor als weniger entscheidend eingeschätzt, doch bleibt die zentrale Überlegung einer aus der Destruktion begründeten grundlegend veränderten Funktionsbestimmung von Kunst erhalten: nämlich die von der Avantgarde vorgenommene radikale Ablösung vom nur Schmückenden (gerade auch im Blick auf das wilhelminisch-bürgerliche Intérieur, auf das Sofa, ›auf dem die Tante nur ermordet‹ werden kann und das mit Spitzendeckchen den gesellschaftlichen Entwicklungsstand der industriellen Technik verschleiert) und statt dessen – über die Stufe der rein stilistischen Selbstkritik der Kunst hinaus, wie sie Bloch zeitweilig noch im Impressionismus repräsentiert sieht – die Begründung einer Kunst, deren Produkte unmittelbarer Ausdruck des antagonistischen Verhältnisses von Künstler und Welt sind; nicht mehr *objets d'art (...) sondern Expressionen,* wie Bloch viel später und in ganz anderem Zusammenhang – nämlich anläßlich der Eröffnung der 3. Documenta (1964) – rückblikkend und dabei den »Blauen Reiter« zitierend formulieren wird.[74]

Gerade hierin liegt ihr utopischer Gehalt. Denn das, was den Expressionismus in Blochs Verständnis von den (von allen) vorhergegangenen Kunstepochen unterscheidet, ist, daß es hier eben nicht mehr um einen differierenden Stil geht, sondern um den Versuch der Aufhebung der traditionellen Differenz von Kunst und Lebenspraxis und ihre Rückführung in eine gemeinsame Einheit. Daß Kunst ›Expressionen‹ ausdrücke, ist nur eine andere Formulierung dafür, daß sie sich nicht mehr wie bisher im Sinne der bürgerlich-idealistischen Ästhetik als autonom und von der Lebenspraxis abgelöst versteht (Bloch paraphrasiert hier eine genau auf diese Haltung zielende Bemerkung Schopenhauers: das Leben sei hart, aber die Kunst bleibe schön), sondern im Gegenteil als direkt mit ihr vermittelt. Das ist auch der radikalste Kritikpunkt an der unmittelbar vergangenen Kunstepoche der ›Gründerzeit‹, zu der sich gerade der entscheidende Bruch vollzieht: daß hier nämlich zum einen eine völlig andere Realität – die einer klassengebundenen, tauschwertfixierten Industriegesellschaft – sozial entscheidend ist als diejenige, die in der Mehrzahl der Kunstwerke wahrgenommen wird, daß statt dessen der vorhergegangene Gesellschaftszustand konserviert und die soziale Problematik damit gerade ausgeblendet wird, beziehungsweise daß die ästhetische Form der Darstellung sich keineswegs an der ihr entsprechenden ›industriellen‹ Situation, sondern an früheren und früher ›erfolgreichen‹, von außen kommenden und rein stilistischen Maßstäben orientiert, die der neuen gesellschaftlichen Lage gerade nicht angemessen sind. Die Suche nach einer dem ›industriellen Denken‹ adäquaten Kunst und einem ihr entsprechenden Schönheitsbegriff – die programmatisch auch noch an einem ganz und gar nicht künstlerisch selbstverständlichen, nämlich ausdrücklich ›kunstgewerblichen‹ Objekt eines alten Kruges vorgenommen wird (damit sich unmittelbar auf eine entsprechende Reflexion Georg Simmels beziehend)[75] – und die Kritik an der ›falschen Lösung‹ des Konflikts vor 1914, vor dem Expressionismus, sind der eigentliche Gehalt von »Geist der Utopie«. Das ist der Grund, weshalb auch gerade das – wenn auch anders, nämlich vorwiegend produktionsästhetisch argumentierende – Programm des »Blauen Reiter«, entstanden übrigens in einer Zeit, in der Bloch auch örtlich – in Garmisch und München – der Bewegung nahestand, auf

Bloch einen entscheidenden Einfluß ausübte: durch ihre Begründung der künstlerischen Äußerung nicht mehr aus wie auch immer gearteten mimetischen Prämissen, sondern aus dem unmittelbaren Kontakt zu den Gegenständen: als ein *Schrei, der nicht erst durch eine goldene Harfe sauste*[76]. Beim »Blauen Reiter« führte dies zu einer entscheidenden Ausweitung der betrachteten Kunstobjekte, nämlich gerade denen, die von der bürgerlichen Kunstauffassung aus ihrem Wertekanon traditionell ausgeschieden und äußerstenfalls anthropologisch, nicht ästhetisch gewürdigt werden: die Kunst der Eskimos, die der Südsee, die Zeichnungen der Kinder und Nervenkranken. Daß Bloch – und typischerweise, wenn auch aus völlig anderer Perspektive, Hermann Hesse – zu den wenigen gehörte, die Carl Einsteins Buch über die Negerplastik positiv bis enthusiastisch rezensierten, paßt in diesen Zusammenhang.[77] Hier wie dort strebt Kunst am ehesten zum *vermittelten, aber unabgelenkten Objekt*, zum *geheimen Menschengesicht*, wie es in der Lukács-Rezension mit ungebrochener Emphase als Aufgabe der Kunst formuliert wird, nämlich *hier oder nirgends* das *alles bewegende, alles verbergende Dunkel des gelebten Augenblicks zum vermittelten, aber unabgelenkten Objekt* zu machen; *von allen Seiten der Erlebniswirklichkeit her, sie auf den transzendentalen Menschen hin deformierend, informierend, galt es und gilt es, die Subjekt-Objekt-Deckung des geheimen Menschengesichts selber zu gewinnen.*[78] Der Bruch der Kontinuität, die Unabgeschlossenheit und Offenheit des Kunstwerks, die der Realität selbst entspricht: in immer neuen und wechselnden begrifflichen Anläufen ist dies das eigentliche Element, das es für Bloch für eine nähere Analyse interessant macht.

V

Allerdings: die Zeiten ändern sich. Was in Benjamins zwanzig Thesen zur »Analytischen Beschreibung von Deutschlands Untergang« gefaßt wird als die Periode zwischen der *Einführung von Halbpfennigrechnung (durch die Postbehörde: 1916)* bis zur *Geltung der Tausendmarknote als kleinster Rechnungseinheit (1923)*,[79] das findet seine Entsprechung in der Blochschen Periodisierung *von der Markstabilisierung 1924 bis zur Hitlerstabilisierung 1933*[80] und hat ästhetisch zwei Folgen: die des Alterns der Avantgarde und die der Veränderung ihrer Mittel. Ist in »Geist der Utopie« (und damit entsprechend dem Produktionsstand eines frühen Expressionismus – womit Bloch stets den »Blauen Reiter« meint –) der klassische Werkbegriff noch nicht grundsätzlich, sondern im ›Kunstgewerbe‹ erst indirekt in Frage gestellt – dem alten Krug, der zwischen den Kategorien der industriellen Produktion und dem Schönheits-, Wahrheits-, Wertanspruch der Avantgardekunst vermittelt ((...) *der alte Krug hat nichts Künstlerisches an sich, aber mindestens so müßte ein Kunstwerk aussehen, um eines zu sein* (...)[81]) –, so wird diese Überlegung in der Folge noch konsequenter zur Konzeption eines nicht-auratischen Werks radikalisiert. Im weitgefaßten Begriff der ›Montage‹ ist das der Avantgarde zugrundeliegende ästhetische Verfahren zentral ausgedrückt. Die Montage verdeckt nicht mehr scheinhaft ihren Produktionsprozeß, sondern sie reflektiert die sichtbar gewordene Experiment-Beschaffenheit der Objekte, macht sich als Kunstprodukt und Versuch der Stiftung neuer Zusammenhänge kenntlich. Der offene Experimentalcharakter der Montage ist es auch, in dem der utopische Gehalt avantgardistischer Kunst am deutlichsten zur Geltung kommt. Die Destruktion des Bestehenden, die in der fünfzehn Jahre vor der Expressionismusdebatte des Exils verfaßten Lukács-Besprechung so emphatisch als Zeitenwende beschworen wird, ist kein *Zerfall um seiner selbst willen,* sondern *Sturm durch diese Welt, um Platz für die Bilder einer echteren zu machen;*[82] das unterscheidet in Blochs Verständnis Expressionismus und Surrealismus von der von ihm abgelehnten, weil sich zu sehr der Forderung der Industrieproduktion ergebenden ›falschen Avantgarde‹ der Sachlichkeit. Was als Montage bei Klee, Chagall, Marc den Traum von einer besseren Welt in Form ihrer *Traumfische, Kälbchen im Leib ihrer Mutter, Tiere im Wald*[83] repräsentiert, das findet sich, rationaler, auch bei Brecht in Form der *Hervorhebung eines Menschen aus seiner bisherigen Situation* und Hineinstellung in eine neue, in der *Ausprobierung,*[84] und bei Döblin: *Da gibt es Verständigungen, zwischen Bildern wie der »Belle jardinière«, den »Malheurs des immortels« von Max Ernst und dem mehr als kaleidoskopischen Verwandlungsgedränge Döblinscher Romane (bis hin zu »Berge, Meere und Giganten«),* heißt es in dem 1927 geschriebenen Artikel »Über Naturbilder seit Ausgang des 19. Jahrhunderts«.[85] Wenige Jahre später, in der Entgegnung auf Hans Günthers Verriß von »Erbschaft dieser Zeit« in der »Internationalen Literatur« von 1936, ist Bloch darauf noch einmal zurückgekommen: *Die Dadaisten hatten vor Jahren einen schwarzen Kleiderstock ausgestellt; zwischen den Beinen hatte der ein Gebiß, auf der linken Hand einen Spirituskocher, auf der rechten Messer und Gabel. Das war allerhand Montiertes und dem Beschauer zog es krumm durchs Gemüt; wäre aber sonst nichts zum Spiel hinzugekommen oder in ihm darin, dann könnte nicht nur Joyce, sondern auch die Kommunisten Heartfield und Brecht ihre Künste wieder einpacken.*[86]

Entscheidend ist hier auch die Vergangenheitsform der Aussage. Nicht erst 1936, nach der erzwungenen Unterbrechung der Avantgardekunst durch den Nationalsozialismus, sondern schon dreizehn Jahre zuvor in der Lukács-Besprechung wird bei Bloch die Erfahrung thematisiert, daß auch die Avantgarde zeitgebunden und historisch überholbar ist, daß schon 1923 die Woge jenes Aufbruchs, den Bloch unter Expressionismus versteht und der sich mit dem literatur- und kunsthistorischen Terminus nur partiell deckt (Heckel, Kirchner, Otto Mueller beispielsweise nicht einbezieht) deutlich *abgeflacht*[87], fast schon vorüber war. Das Altern der Avantgarde verändert notwendig aber auch deren Aneignung. Denn was nun aus dem Stadium der aktuellsten Kunst der Gegenwart langsam ins Historische rutscht, enthält in sich ebenso noch Uneingelöstes, noch nicht völlig Vorübergegangenes und Abgelebtes wie der ›utopisch aufgeladene‹ Geschichtsmoment und wird qualitativ gleich mit jenen, zeitlich noch weiter zurückliegenden und unter möglicherweise ganz anderen gesellschaftlichen Bedingungen entstandenen Kunstwerken wie etwa den griechischen Statuen (an denen sich bekanntlich parallele Überlegungen Marxens kristallisierten), deren ganz andere Form von ›Aktualität‹ ebenfalls mit der Erfindung des *Preßbengels nicht notwendig*[88] aufgehört hat. Spätestens hier zeigt sich auch deutlich der enge Zusammenhang von Ästhetik und Geschichtsphilosophie und die daraus resultierende Auffassung, die die Kunst- und Literaturgeschichte grundsätzlich als sozusagen einen Sonderfall der allgemeinen Geschichte versteht und nach den gleichen Kriterien beurteilt. Hier wie dort kann es nicht darum gehen, ein historisches Kontinuum herzustellen, sondern ›Augenblicke‹, Entwicklungsmomente, ›Zukunft in der Vergangenheit‹ zu aktualisieren.

Was sich hinter diesen Überlegungen verbirgt, ist eines der umstrittensten Probleme materialistischer Kunst- und Literaturtheorie, nämlich der Konflikt zwischen der ›Erbe‹-Auffassung, die sich bemüht, auch bürgerliche und vorbürgerliche Kunstwerke und -konzepte für eine nichtbürgerliche Kunsttheorie zu ›retten‹, und eine Theorie direkter Widerspiegelung, die davon ausgeht, daß eine ›faule‹ spätbürgerliche Kultur grundsätzlich nur ›faule‹/dekadente Ergebnisse zeitigen könne. Dann allerdings, wenn man für ein Kunstwerk einen ihm innewohnenden utopischen Gehalt annimmt, wenn man voraussetzt, daß in ihm nicht alles in seiner Zeit abgelebt ist, daß es ›ungleichzeitig‹, weil ›übergleichzeitig‹ sein kann und – eben wie bei Bloch – symbolisch einen politisch noch zu realisierenden Gesellschaftszustand vorwegnimmt, kann die Lösung dieser Frage nicht uneindeutig sein. In den beiden großen Artikeln, die 1937 und 1938 in der »Weltbühne« erschienen und beide als Dialog zwischen Bloch und Hanns Eisler organisiert waren, nämlich »Avantgarde und Volksfront« und »Die Kunst zu erben«, wird dieses Thema theoretisch abgehandelt, und zwar gegen Alfred Kurella (mit Pseudonym: ›Ziegler‹) und gegen Lukács – nun nicht mehr denjenigen von »Geschichte und Klassenbewußtsein«, sondern den unter den Zeitereignissen orthodox gewordenen der Expressionismusdebatte.[89] Dann allerdings, wenn der ›utopische Gehalt‹, also das dem Zeitgenössischen im Blick auf eine bessere Zukunft ästhetisch Querstehende, über die Aktualisierbarkeit und damit letztlich: über den Wert eines Kunstwerks entscheidet, dann kann es auch nur noch eine Differenz der Qualität, nicht mehr eine aufgrund der bürgerlichen Hierarchisierung geben. Dann beruht der Unterschied zwischen Lehár und Mozart – auch wenn ihn die Boulevardpresse zudeckt –[90] oder zwischen Lehár und Beethoven darauf, daß auch Kunstmittel altern können und dann epigonal werden, eben nicht mehr auf der Höhe ihrer Zeit sind – wie der verminderte Septimakkord, der heute *nur noch in leichter Unterhaltungsmusik* auftaucht:

Was bei einem Beethoven Ausdruck des höchsten Schmerzes war, erscheint bei Lehár als – ebensolcher.[91] Die alte Dichotomisierung zwischen ›hoher‹ und ›niederer‹, ›Höhenkamm‹- (Šklovskij) und Volkskultur kann hingegen dann nicht mehr greifen: Unabgegoltenes, weiter Gültiges kann bei Beethoven ebenso existieren wie in der ägyptischen Kunst, bei der Negerplastik und der Kinderzeichnung, wie bei Karl May und dem Detektivroman.

VI

Blochs ästhetische Konzeption der späten zwanziger und frühen dreißiger Jahre antwortet auf eine Situation, die Georg Simmel als ›Tragödie der Kultur‹ bezeichnet hat und die ihm zufolge als *typische problematische Lage* für den *modernen Menschen* kennzeichnend ist, nämlich das *Gefühl, von einer Unzahl von Kulturelementen umgeben zu sein, die für ihn nicht bedeutungslos sind, aber im tiefsten Grunde auch nicht bedeutungsvoll*[92] – und die deswegen *eine Diskrepanz zwischen der objektiven Kultursubstanz* und *der Kultur der Subjekte*[93] konstituiert. Der Erfahrungsschwund in der Krise der bürgerlichen Kultur wird hier zum Symptom eines weit umfassenderen Wertezerfalls und zur Voraussetzung der historistischen Aneignung des Ästhetischen. Anders gesagt: die kulturelle Vergangenheit kann gerade deswegen aktuell einflußlos bleiben *(im tiefsten Grunde nicht bedeutungsvoll)* und als Bildungsgut – und zwar gerade in jenem klassengebundenen bildungsbürgerlichen Sinne der Klassikerausgaben mit Goldschnitt – genossen werden, weil ihr Verhältnis zur Gegenwart ungeklärt bleibt und es nicht mehr gelingt, *einem Wirklichkeitsinhalt den Charakter des Historischen zu verleihen.*[94] Gerade dieses Problem stellt sich für Bloch, aber auch für Benjamin und Kracauer so nicht: auch sie gehen aus von einem Mißverhältnis zwischen gesellschaftlichem und ästhetischem Produktionsstand, zwischen Gesellschaftsordnung und subjektiver Erfahrung, doch machen sie gerade dies fruchtbar. Denn zum einen wird ihnen der *Komplexitätszuwachs der Kultur* (Habermas)[95] organisierbar durch den Rückgriff auf eine dezidierte Geschichtsphilosophie, zum anderen reflektieren sie in ihren Überlegungen auch den Wandel der künstlerischen Produktion, das heißt: den Einfluß der Kulturindustrie. Was bei Benjamin gefaßt ist in den Überlegungen zur Reproduzierbarkeit des Kunstwerks und der damit verbundenen grundsätzlichen Veränderung der Rezeptionshaltung – denn wo wäre die Aura, wo wäre das Original gegenüber einer einzelnen von zehntausend Schallplatten oder einer massenhaft verbreiteten Fotografie? –, was bei Bloch den Überlegungen zu einem dem ›industriellen Denken‹ adäquaten Schönheitsbegriff entspricht, das formuliert – theoretisch vermutlich am konsequentesten – Kracauer in seinen Überlegungen zum ›Ornament der Masse‹ am Beispiel der ›Tiller-Girls‹ als *Produkte der amerikanischen Zerstreuungs-* (schon nicht mehr Kultur-)*fabriken*[96]: eine ästhetische Vorstufe sowohl zur Revue und dem amerikanischen Musicalfilm, als auch zur Ästhetisierung der Politik im Massengeschehen und Massenaufmarsch.

In der Anbindung an ein Geschichtsmodell ästhetische Erfahrungen der Vergangenheit als ›Erbe‹ wieder verfügbar zu machen, es politisch zu verstehen (als auf künftige Entwicklungen – die nur revolutionär sein können – verweisend) und dieses Erbe mit der kulturellen Erfahrung der unmittelbaren Gegenwart, der Avantgarde, zu verknüpfen, das ist die innere Logik der Blochschen Überlegungen. In einer Situation der *allgemeinen Ratlosigkeit bei dem Thema Kunst und Philosophie*, die Hans Michael Baumgartner zufolge *nicht nur die Künstler selbst, sondern auch ihre Interpreten und diejenigen, die sich wie wir mit Interpretationen befassen*[97], befallen habe – insbesondere also einer philosophischen Ästhetik, die sich nicht primär *als allgemeine Wissenschaftstheorie der Kunst- und Literaturwissenschaft*[98] versteht und der schon Adornos »Früher Einleitung« zu seiner »Ästhetischen Theorie« zufolge *ein Eindruck des Veralteten*[99] anhaftet – könnten Blochs Überlegungen zu einer Kritik der idealistischen Ästhetik, die nicht inneridealistisch argumentiert,[100] bei kritischer Aufarbeitung neue Impulse geben.

1 Ernst Bloch, »Philosophische Ansicht des Detektivromans«, in: »Literarische Aufsätze« (GA, 9), S. 242–263; 246, 247. — **2** Charles S. Peirce, »Collected Papers«, Cambridge, Mass. 1931ff., Bd. 5, S. 181; vgl. zum Gesamtzusammenhang Thomas A. Sebeok/Jane Umiker-Sebeok, »Du kennst meine Methode: Charles S. Peirce und Sherlock Holmes«, Frankfurt/M. 1982, v. a. 36ff. — **3** Bloch, a.a.O., S. 248, 247. — **4** Alfred Lorenzer, »Der Analytiker als Detektiv, der Detektiv als Analytiker«, in: »Psyche« 39 (1985), Heft 1, S. 1–11; so übrigens auch bereits Bloch, der (a.a.O., S. 252) Freuds psychoanalytische Theorie zu den *Detektions-Gebilden sui generis* zählt. — **5** Carlo Ginzburg, »Spurensicherungen. Über verborgene Geschichte, Kunst und soziales Gedächtnis«, Berlin 1983 (der hier v. a. herangezogene Aufsatz »Spurensicherung« ist mit ungekürztem Anmerkungsteil erstgedruckt in »Freibeuter«, Hefte 3 und 4). — **6** So Walter Benjamin anläßlich der Besprechung von Siegfried Kracauers Buch »Die Angestellten« (GS III, 225: »Ein Außenseiter macht sich bemerkbar«). — **7** Benjamin, »Passagen-Werk«, J 59a, 5 (GS, V, 1, S. 465). Vgl. zum Gesamtzusammenhang Irving Wohlfarth, »Et cetera? Der Historiker als Lumpensammler«, in: Norbert Bolz/Bernd Witte (Hg.), »Passagen. Walter Benjamins Urgeschichte des 19. Jahrhunderts«, München 1984, S. 70ff. und zum Bild und Herkommen des Lumpensammlers in der französischen Literatur die ausgezeichnete Studie von Dietmar Rieger, »Diogenes als Lumpensammler«, München 1982. — **8** Benjamin, »Passagen-Werk«, N 3,4 (GS, V, 1, S. 578). — **9** Ebd., N 1,6 (= S. 571). — **10** Ebd., N 2,5 (= S. 575). — **11** Ebd., N 3,2 (= S. 578). — **12** Vgl. dazu Benjamins Aufsatz »Über einige Motive bei Baudelaire« (GS I, 2, S. 605ff., v. a. S. 618ff.); das Engels-Zitat stammt aus der »Lage der arbeitenden Klasse in England« und wird (ebd., S. 619) von Benjamin zitiert. — **13** Bloch, a.a.O., S. 251. — **14** Siegfried Kracauer, »Der Detektiv-Roman«, in: »Schriften«, Bd. 1, Frankfurt/M. 1971, S. 105f., Hervorhebung von mir; der Text ist am Ende datiert *Beendet: 15. Februar 1925*, wurde jedoch in dieser Ausgabe erstveröffentlicht. — **15** So Benjamin in der »Einbahnstraße« (GS IV, 1, S. 88f.); Bloch zitiert die Stelle a.a.O., S. 250f. — **16** Bloch, a.a.O., S. 251. — **17** Benjamin, a.a.O., S. 89; *Hinter den schwergerafften Kelims feiert der Hausherr seine Orgien mit den Wertpapieren, (...) bis jener Dolch im silbernen Gehänge überm Divan eines schönen Nachmittags seiner Siesta und ihm selber ein Ende macht:* eine Wohnkultur, *Stück des bürgerlichen Pandämoniums,* das *nach dem namenlosen Mörder zittert, wie eine geile*

Greisin nach dem Galan. — **18** Kracauer, a.a.O., S. 150f. — **19** Vgl. v. a. Karl Heinz Bohrers vieldiskutierte Studie »Plötzlichkeit. Zum Augenblick des ästhetischen Scheins«, Frankfurt/M. 1981 und den Sammelband »Augenblick und Zeitpunkt« (hg. v. Christian W. Thomasen und Hans Holländer), Darmstadt 1984. — **20** Charles Baudelaire, »Le peintre de la vie moderne«, in: »Œuvres complètes« (hg.v. Claude Pichois), Paris 1976, Bd. 2, S. 694f. (»La modernité«). — **21** Benjamin, »Passagen-Werk«, N 1,1 (GS V, 2, S. 570). — **22** Gespräch mit Jürgen Rühle, 1964 (»Hoffnung mit Trauerflor«, in: »Tendenz-Latenz-Utopie«, Ergänzungsband der GA, S. 340). — **23** Ebd. — **24** Vgl. Ergänzungsband, S. 380ff. bzw. S. 414ff. — **25** So der »Zugang« zur »Tübinger Einleitung in die Philosophie«, in fast identischer Formulierung auch in »Experimentum Mundi«. — **26** Gespräch mit Rühle, S. 340. — **27** Vgl. neben den entsprechenden biographischen Angaben in »TEXT + KRITIK« 39/40 (Georg Lukács) nun auch: Gerhard Sauder, »Von Formalitäten zur Politik: Georg Lukács' Heidelberger Habilitationsversuch«, in: »LiLi-Zeitschrift für Literaturwissenschaft und Linguistik« 53/54 (1984), S. 79–107; der erste Versuch, bei Rickert zu habilitieren, war noch während dessen Freiburger Zeit angestrebt. Teile der Dissertation Blochs (ohne das 1. Kapitel) nun im Ergänzungsband der GA. — **28** Arno Münster (Hg.), »Tagträume vom aufrechten Gang. Sechs Interviews mit Ernst Bloch«, Frankfurt/M. 1977, S. 34f. (Gespräch mit José Marchand für das Französische Fernsehen, 1974). — **29** »Experimentum Mundi« (GA, Bd. 15), S. 13. — **30** Ebd., S. 85. — **31** »Schlitten in Kopfhöhe«, in »Literarische Aufsätze« (GA, Bd. 9), S. 223; ähnlich auch der ›unerträgliche Augenblick‹. — **32** »Experimentum Mundi«, S. 86. — **33** Ebd. — **34** Ebd., S. 89; Hervorhebung T. B. — **35** Es wäre interessant zu sehen, muß aber hier unterbleiben, wie Blochs Konzept der Geschichtsdarstellung mit vergleichbaren Überlegungen v. a. in der neueren französischen Historiographie übereinstimmt, und zwar nicht nur in der »Annales«-Tradition der Sozialgeschichte, sondern beispielsweise und vor allem bei Michel Foucault. — **36** »Experimentum Mundi«, S. 86. — **37** Jörn Rüsen, »Die vier Typen des historischen Erzählens«, in: Reinhart Koselleck u. a. (Hg.), »Formen der Geschichtsschreibung«, München 1982, S. 514ff., hier: S. 539. — **38** Walter Benjamin, »Über den Begriff der Geschichte«, GS I, 3, S. 1242. — **39** Ebd., S. 1236. — **40** Ebd. — **41** Ebd., S. 1242. — **42** Ebd., S. 697 bzw. 1241; vgl. auch S. 1249. – Auf die z. T. sehr engagierte Diskussion der ›Thesen‹, v. a. zwischen ihrem materialistischen und messianischen Gehalt, kann hier nicht eingegangen werden; vgl. aber Peter Bulthaupt (Hg.), »Materialien zu Benjamins ›Thesen zum Begriff der Geschichte‹«, Frankfurt/M. 1979. — **43** GS, I, 2, S. 702. — **43** »Literarische Aufsätze«, S. 155; das Benjaminzitat findet sich GS, I, 2, S. 702. — **44** GS V, 1, S. 578, im Zusammenhang von Blochs Kommentar von der ›Marke von Scotland Yard‹. — **45**»Thesen«, GS, I, 3, S. 1236. — **46** »Literarische Aufsätze«, S. 155; Hervorhebung T.B. — **47** »Philosophische Aufsätze«, S. 258 (»Marxistische Propädeutik und nochmals das Studium« – 1949, *kurz vor Übernahme des Lehrstuhls in Leipzig* entstanden, ebd., S. 255). — **48** Ebd., S. 257. — **49** Nämlich ein eher alltäglich-kontinuierlicher und ein darin einbrechender, wie zuerst wohl Hans-Ernst Schiller (»Metaphysik und Gesellschaftskritik«, Königstein 1982, S. 28) gesehen hat. — **50** »Experimentum Mundi«, Frankfurt/M. 1975, Umschlag. — **51** Vgl. ebd., S. 254. — **52** »Tagträume« (vgl. Anm. 28), S. 45. — **53** Georg Lukács, »Geschichte und Klassenbewußtsein« (GA 2), Neuwied 1968, S. 392; vgl. »Experimentum Mundi«, S. 89. — **54** Theodor W. Adorno, »Blochs Spuren«, in: »Noten zur Literatur« (II), Frankfurt/M. 1981, S. 233. — **55** »Prinzip Hoffnung«, S. 249. — **56** So im Brief an Klaus Mann v. 31. 7. 1938; vgl. auch »Philosophische Aufsätze«, S. 169. — **57** Adorno, »Ästhetische Theorie«, S. 55. — **58** Ernst Osterkamp, »Utopie und Prophetie. Überlegungen zu den späten Schriften Walter Benjamins«, in: Gert Ueding (Hg.), »Literatur ist Utopie«, Frankfurt/M. 1978, S. 104. — **59** So zentral in der »Permanenz der Kunst« (München 1978), wenn es heißt: *Die Utopie, die in großer Kunst zur Erscheinung kommt, ist niemals die bloße Negation des Realitätsprinzips, sondern seine Aufhebung, in der noch ein Schatten auf das Glück fällt* (S. 77); ähnliche Überlegungen im »Eindimensionalen Mensch« in der Diskussion des Begriffs ›Romantik‹. — **60** Gert Ueding, Vorwort zu Ernst Bloch, »Ästhetik des Vor-Scheins«, Bd. 1, Frankfurt/M. 1974, S. 22. — **61** Vgl. Anm. 58 Uedings Buchtitel. — **62** »Prinzip Hoffnung«, S. 247. — **63** »Erbschaft dieser Zeit«, S. 212. — **64** »Philosophische Aufsätze«, S. 598f. — **65** Ebd., S. 600. — **66** Hinzuweisen ist hier vor allem auf die Arbeit von Roland Bothner (»Kunst im System«, Bonn 1982), der – wenn auch fast ausschließlich deskriptiv – als erster auf die Analogien gerade zu Ernst (wie zum Surrealismus überhaupt) hingewiesen hat. — **67** »Erbschaft«, S. 224. — **68** So »Geist der Utopie«, Erste Fassung (GA 16), S. 43ff. — **69** So deutlich erst in der zweiten Fassung von 1923 (GA 3, S. 43); das in beiden Fassungen parallele Kapitel trägt hier eine eigene Überschrift (»Das Bild der innersten Gestalt«); so auch einzeln erstgedruckt im »Kunstblatt« 1923. — **70** »Geist der Utopie«, 1. Fassung, S. 189ff., S. 191. — **71** »Erbschaft dieser Zeit«, S. 269f. — **72** Ebd., S. 253 im zeitgleichen Aufsatz zu Brecht, »Ein Leninist der Schaubühne«. — **73** Ebd., S. 258, aus dem Artikel »Der Expressionismus, jetzt erblickt«, dem zweiten der Debatte. — **74** »Literarische Aufsätze«, S. 570 (»Über bildende Kunst im Maschinenzeitalter«). — **75** Georg Simmel, »Der Henkel«, in: »Philosophische Kultur«, Leipzig 1911, jetzt in: Neuauflage Berlin 1983, S. 99ff. und in: »Das individuelle Gesetz«, hg. v. Michael Landmann, Frankfurt/M. 1968, S. 96ff. — **76** »Erbschaft«, S. 261. – Zum Verhältnis Blochs zum »Blauen Reiter« vgl. auch die Studie von Bothner, S. 13ff. — **77** Vgl. Carl Einstein, »Werke«, Bd. 1, hg. v. Rolf-Peter Baacke, Berlin 1980, S. 245ff. mit den Rezeptionsdokumenten S. 505ff. Erstaunlicherweise ist der Ausgabe Blochs Besprechung (»Literarische Aufsätze«, GA 9, S. 190–196) unbekannt geblieben. — **78** »Philosophische Aufsätze«, S. 599f., Hervorhebung T. B. — **79** Walter Benjamin, »Analystische Beschrijving van Duitslands's Ondergang«, ursprünglich veröffentlicht in der holländischen Zeitschrift »i 10«, 1 (1927), Heft 2, S. 50–55 (hier zit. nach einem Berliner Raubdruck). Der Text stammt von 1923 und ist in der Moskauer »Roten Garde« nicht, wie geplant, erschienen. Ähnliche Formulierung: GS, Bd. IV, 2, S. 927 (»Einbahnstraße«). — **80** »Erbschaft dieser Zeit«, S. 213. — **81** »Geist der Utopie«, 2. Fassung (GA 3), S. 19. — **82** »Erbschaft dieser Zeit«, S. 260 (»Der Expressionismus, jetzt erblickt«, 1938). Nicht geleistet werden kann hier die Analyse der interessanten Parallele zu Benjamins Begriff des ›destruktiven Charakters‹; vgl. hierzu Irving Wohlfarth, »Der ›Destruktive Charakter‹. Benjamin zwischen den Fronten«, in: Burkhardt Lindner (Hg.), »Links hatte noch alles sich zu enträtseln«, Frankfurt/M. 1978, sowie meine Besprechung des Bandes in »Das Argument«, Beiheft 1981. — **83** Ebd. — **84** Ebd., S. 253; so erscheint bei Brecht die Montage als *Theorie-Praxis-Manöver auf der Bühne*. — **85** »Literarische Aufsätze«, S. 461. — **86** »Philosophische Aufsätze«, S. 49; Hervorhebung von mir. – Eine sehr detaillierte Analyse des Montagebegriffs bei Bloch gibt die zitierte Arbeit Bothners (S. 73ff.), allerdings mit einem entscheidenden Nachteil: hier wird übersehen oder jedenfalls nicht thematisiert, daß die zentralen Belegstellen, in denen v. a. das Verhältnis von Sachlichkeit und verschiedenen Montageformen diskutiert wird, teilweise zur ›erweiterten Ausgabe‹ von »Erbschaft dieser Zeit« gehören und erst aus dem Abstand von dreißig Jahren, nämlich in den frühen sechziger Jahren entstanden sind, während andere der von Bothner zitierten Belege aus den zwanziger und dreißiger Jahren stammen. — **87** »Philosophische Aufsätze«, S. 599. — **88** Karl Marx, »Grundrisse der Kritik der politischen Ökonomie«, Berlin 1974, S. 31. — **89** Jetzt im Ergänzungsband der Gesamtausgabe, S. 158ff., S. 165ff. — **90** »Lehár-Mozart« (1928), eine von Blochs brillantesten Pressepolemiken, in: »Literarische Aufsätze«, S. 21ff. — **91** »Die Kunst zu erben«, Erg.-Bd. d. GA, S. 167f. — **92** Georg Simmel, »Der Begriff und die Tragödie der Kultur«, in: »Das individuelle Gesetz«, hg. v. Michael Landmann, Frankfurt/M. 1968, S. 144. — **93** Georg Simmel, »Die Zukunft unserer Kultur«, in: »Das Individuum und die Freiheit«, Berlin 1984, S. 92f. — **94** Vgl. »Das Problem der historischen Zeit«, in: »Das Individuum und die Freiheit«, ebd., S. 48ff. — **95** Jürgen Habermas, »Simmel als Zeitdiagnostiker«, Nachwort zu G. S., »Philosophische Kultur«, Berlin 1983, S. 248. – Vgl. zu dem ganzen Argumentationszusammenhang Christa Bürger, »Umrisse einer neuen Ästhetik: Konstruktion statt Totalität«, in: Willi Oelmüller (Hg.), »Kolloquium Kunst und Philosophie 2«, Paderborn 1982, S. 13ff., sowie speziell zu Simmel den Sammelband »Georg Simmel und die Moderne«, hg. v. Hein-Jürgen Dahme und Otthein Rammstedt, Frankfurt/M. 1984, der gerade auf dem Zusammenhang von Modernitäts- und Großstadterfahrung bei Simmel insistiert, sowie Hartmut Scheible, »Georg Simmel und die ›Tragödie der Kultur‹«, in: »Neue Rundschau« 91 (1980), Heft 213, S. 133ff. — **96** Siegfried Kracauer, »Das Ornament der Masse«, Frankfurt/M. 1977, S. 50 (dort übrigens ebenfalls – S. 209ff. – eine detaillierte Auseinandersetzung mit Simmel); vgl. auch den TEXT + KRITIK-Band 68, »Siegfried Kracauer«. — **97** Hans Michael Baumgartner, Diskussionsbeitrag in: »Kolloquium Kunst und Philosophie 2« (Anm. 95), S. 247. — **98** Walter Ch. Zimmerli, ebd., S. 250. — **99** Theodor W. Adorno, »Ästhetische Theorie«, S. 493. — **100** Vgl. hier zentral eines der wichtigsten Werke philosophischer Ästhetik der letzten Jahre, Peter Bürgers »Kritik der idealistischen Ästhetik«, Frankfurt/M. 1983, die ihre Provokation und Begrenzung schon im ersten Satz – es gehe um die idealistische Ästhetik *von Kant bis Adorno* (S. 9) – enthält. –

Dieser Text entfaltet einiges (wenige) Material zu einer Situierung der Blochschen Ästhetik und Geschichtsphilosophie zwischen Idealismus und Materialismus, zugleich auch zwischen Benjamin und Kracauer. Auf eine breitere Diskussion ist hier zugunsten des Materials verzichtet; ›hinzuzudenken‹ sind v. a. Blochs Kant- und Kierkegaard-Rezeption (auch diejenige Nietzsches), die Verfolgung des Spurenparadigmas, die Rolle des Augenblicks für die Ästhetik Adornos und eine Analyse des (in seiner Relevanz kaum zu unterschätzenden) »Ornaments der Masse« Kracauers, wie auch die von vergleichbaren Ausgangspunkten her argumentierenden Überlegungen etwa Carl Einsteins und Max Raphaels.

Jochen Vogt

Nicht nur Erinnerung: »Hitlers Gewalt«

Ernst Blochs Beitrag zur Faschismustheorie

La classe ouvrière,
Le Front populaire,
Et le Président Lebrun,
Dans l'usine on grève,
Tout le monde rève
De voir la mer à Saint Aubin …

Michel Sardou: »Les années trente«

I

Im April 1924 – also kurz nach dem Hochverratsprozeß gegen Hitler – veröffentlicht Bloch in der Münchner Zeitschrift »Das Tage-Buch«, einem Sprachrohr der unabhängigen Linken, eine Betrachtung über »Hitlers Gewalt«. Sie betont, daß die Erfolglosigkeit des Putsches vom November 1923 und die Verurteilung seines Anführers keineswegs eine ernsthafte, dauerhafte Krise der faschistischen Bewegung anzeige. (Diese Einschätzung wird noch im gleichen Monat durch Erfolge der radikalen Rechten bei den bayerischen Landtagswahlen bestätigt.) Bloch konstatiert zugleich eine Überlegenheit faschistischer Massenagitation über die Propaganda der Linken: *Der Tribun Hitler ist zweifellos eine höchst suggestive Natur, leider um gar vieles vehementer als die echten Revolutionäre, die Deutschland 1918 zitiert haben.* Er registriert eine fortdauernde Attraktivität der Nationalsozialisten für bestimmte Bevölkerungsgruppen: *Siebzehnjährige brennen Hitler entgegen.* Und appelliert an die Linke: *So ist nicht gering anzuschlagen, wie Hitler die Jugend hat. Man unterschätze nicht den Gegner, sondern stelle fest, was so vielen eine psychische Gewalt ist.*[1]

Bemerkenswert, daß Bloch gerade in dem Augenblick, da Hitlers äußere Gewalt abgeblockt scheint, ans Fortwirken der psychischen Gewalt erinnert, die von ihm ausgeht. Die entscheidende Rolle der Propaganda auf dem faschistischen Weg zur Macht wird hier erkannt, noch bevor sie Hitler selbst (in »Mein Kampf«) programmatisch artikuliert. Hitlers psychische Gewalt – das ist zu verstehen als die Summe all der ideologischen und affektiven Formierungsprozesse, mit denen die Nationalsozialisten unterschiedliche Bevölkerungsgruppen zu gewinnen suchen. Die konkrete Analyse dieser Formierungsversuche, zugleich die strategische Suche nach Widerstandsformen, Möglichkeiten von ›Gegengewalt‹, bestimmt danach Blochs Arbeitsprogramm in

Sachen Faschismus. Ausgeführt wird es in einer vielfältigen, breiten – und letzten Endes vergeblichen – publizistischen Aktivität: Das Buch, in das jener frühe Aufsatz ausdrücklich als *Erinnerung* an Hitlers Gewalt aufgenommen wird (man darf vermuten: im wenig tröstlichen Bewußtsein, recht behalten zu haben), das Buch also wird erst 1935 und es muß im Exil erscheinen. Unter dem Titel »Erbschaft dieser Zeit« ist es aus Einzelbeiträgen so montiert, daß ältere Texte wie jener frühe Aufsatz neben anderen stehen, die eigens für das Buch verfaßt wurden. So stammt etwa das theoretische Zentralkapitel über »Ungleichzeitigkeit und Pflicht zu ihrer Dialektik« aus dem Jahr 1932. In die Neuausgabe von 1962, die auch der heute greifbaren Ausgabe in der Bibliothek Suhrkamp zugrunde liegt, hat Bloch überdies noch spätere Arbeiten, z. B. seine Beiträge zur sogenannten Expressionismusdebatte – aus den Jahren 1937, 1938, 1940 – einmontiert. Das ist theoretisch und formal, eben als Montage, zweifellos vertretbar, wirkt aber doch ein wenig verwirrend, wenn man den zeitgenössischen Entstehungskontext zu rekonstruieren sucht.[2] Neben »Erbschaft dieser Zeit« bleibt für diesen Zusammenhang eine umfangreiche Folge von zeitkritischen Aufsätzen zu berücksichtigen, die seit den späten zwanziger Jahren bis gegen 1943 entstanden sind. Der Suhrkamp-Verlag hat sie um 1970, nach seinem bewährten Prinzip ›divide et publica‹, also mit beträchtlichen Textüberschneidungen, in den Bänden »Politische Messungen, Pestzeit, Vormärz« und »Vom Hasard zur Katastrophe« gesammelt.[3] Eine Erörterung von Blochs Faschismusanalyse muß diese Arbeiten als zusammengehörigen Komplex diskutieren.

Nach Form und Wirkungsabsicht stehen viele dieser Beiträge in zwei verschiedenen Zusammenhängen; und eben dies ist wohl für eine gewisse Schwierigkeit der Einordnung und Einschätzung verantwortlich: Zum einen zählen diese Beobachtungen, Analysen und Appelle, besonders in ihrer ursprünglichen Erscheinungsweise, unmittelbar zur kämpferisch-radikaldemokratischen Publizistik der Weimarer Republik und der ersten Exiljahre. In der »Weltbühne« Carl von Ossietzkys, von der Bloch sagte, dort habe sich *U.S.P. (...) und Besseres*[4], also die linkssozialistische Position gehalten, sind manche der frühen Aufsätze erschienen, auch im »Tage-Buch« Leopold Schwarzschilds; später in den Prager Nachfolgeblättern, dem »Neuen Tage-Buch« und der »Neuen Weltbühne« Willi Schlamms (!); ab 1936 auch in den Moskauer Emigrantenzeitschriften, im »Wort« und in der »Internationalen Literatur«. Hier finden sich dann vor allem solche Beiträge, die Bloch in Auseinandersetzung mit offiziösen Parteipositionen zeigen: im Streit um Expressionismus und Realismus, aber auch bei der Verteidigung von »Erbschaft dieser Zeit«[5]. In den Kontext dieser streitbaren Publizistik rückt Bloch auch aufgrund einer Schreibweise, die konkrete Beobachtungen, Tagesereignisse und Alltagsphänomene zunächst beschreibt, sie sodann politisch und theoretisch analysiert, um schließlich Handlungsanweisungen für den antifaschistischen Kampf daraus abzuleiten.

Im einzelnen beweisen diese Texte eine erstaunliche Weite und Vielfalt – sowohl des beobachtenden Blicks wie der literarischen Mittel. Sie reicht von der Schilderung eines Tanz-Marathons als latentem Vorausbild der Nazi-Herrschaft, die an Kischs Reportagen[6] erinnert, bis zum antifaschistischen Appell in der Art Heinrich Manns. Die Selbstcharakteristik im Vorwort zur »Erbschaft« gilt für die anderen Aufsätze ebenso, vielleicht noch mehr: Das *Buch*, schreibt Bloch dort, *ist ein Handgemenge, und zwar mitten unter Anfälligen, ja mitten im Feind, um ihn gegebenenfalls auszurauben.*[7] Das enthält nicht nur den Hinweis auf den antifaschistischen Verwendungszweck, sondern – auffällig genug versteckt – auch eine Berufung auf das theoriegeschichtliche Fundament des kritischen Verfahrens. Von den *deutschen Zuständen* des Jahres 1843 nämlich sagt Marx in einem frühen Text: *Sie stehn unter dem Niveau der Geschichte, sie sind unter aller Kritik, aber sie bleiben ein Gegenstand der Kritik, wie der Verbrecher, der unter dem Niveau der Humanität steht, ein Gegenstand des Scharfrichters bleibt.* (...) *Die Kritik, die sich mit diesem Inhalt befaßt, ist die Kritik im Handgemenge, und im Handgemenge handelt es sich nicht darum, ob der Gegner ein edler, ebenbürtiger, ein interessanter Gegner ist, es handelt sich darum, ihn zu treffen.*[8]

Die Metapher vom Handgemenge ist verdecktes Zitat aus der »Kritik der Hegelschen Rechtsphilosophie«, also jener Arbeit des jungen Marx, die – nach Engels' Urteil – *die Reihe seiner sozialistischen Schriften (...) eröffnete*[9]; es zeigt verweisend an, daß Bloch sich bewußt und dezidiert in die Marxsche Tradition polemischer Kritik, präziser noch: in den Zusammenhang einer Revolutionstheorie bzw. einer Theorie des revolutionären Bewußtseins stellt. Das mag überspitzt klingen und soll deshalb, der Deutlichkeit wegen, noch weiter zugespitzt werden zu der These: Blochs Theorie und Analyse des Faschismus ist wesentlich eine Theorie ›anstatt‹, und zwar anstatt einer Revolutionstheorie. Man kann sich das konkret veranschaulichen wiederum an einer Stelle aus dem frühen Text über »Hitlers Gewalt«: *Immerhin*, sagt Bloch dort, *trägt die Hitlerjugend zur Zeit die einzige ›revolutionäre‹ Bewegung in Deutschland, nachdem das Proletariat durch die mehrheitssozialistischen Führer um seine eigene, um die einzig gültige, widerspruchsfreie Revolution gebracht worden ist. Ein Teil des Faschismus in Deutschland ist gleichsam der schiefe Statthalter der Revolution, ein Ausdruck dessen, daß die soziale Lage auf keinen Fall statisch ist. Die echten Volkstribunen aber fehlen oder bewähren für sich das kluge Wort Babels: Die Banalität ist die Gegenrevolution.*[10] Zwei wesentliche Momente, miteinander verklammert, sind daran abzulesen: erstens wird dem Faschismus die faktische Fähigkeit attestiert, antikapitalistische Regungen zu mobilisieren und für seine – letztlich prokapitalistische Politik – eine Massenbasis zu schaffen; und zweitens wird diese Tatsache historisch als Folge des Versagens der Arbeiterbewegung, ihrer Propaganda und praktischen Politik, damit aber auch als Folge falscher Theorie verstanden. Insofern geht es

Bloch vor allem darum, konkret zu zeigen, wie der Faschismus die Massen agitieren, das heißt: aufregen und in Bewegung setzen kann; – zugleich aber geht es auch um die Bestimmung einer neuen antifaschistischen Strategie, sowohl praktisch als Lernen vom Gegner und als Revision der Bündnispolitik, wie auch theoretisch als Überprüfung und Korrektur von theoretischen Ausgangspositionen insbesondere der KPD.

II

Daß »Erbschaft dieser Zeit« einen gewichtigen und grundsätzlichen Beitrag zur marxistischen Theorie, insbesondere zur Theorie des Klassenbewußtseins, darstellt, kann auf den ersten Blick gerade wegen der aktuellen Bezüge und der publizistischen Färbung der Texte übersehen werden. Die theoretischen Streitfragen werden eher implizit als explizit behandelt, häufig im Nebenbei, beim Leser auch einige Vorkenntnis voraussetzend. Klarer kann man sich den theoretischen Stellenwert machen, wenn man »Erbschaft dieser Zeit« zurückbezieht auf ein Werk, das die Diskussion der Linken in den zwanziger Jahren stark geprägt hat, auf »Geschichte und Klassenbewußtsein« von Georg Lukács.[11] Die einzelnen Abhandlungen dieses Bandes sind zwischen 1919 und 1922 entstanden und tragen – mit wechselnden Akzenten – die Spuren sowohl einer emphatischen Revolutionsgewißheit als auch erster Niederlagen (Gegenrevolution in Ungarn); 1923 im Malik-Verlag erschienen, hat »Geschichte und Klassenbewußtsein« heftige Debatten ausgelöst, parteioffizielle Kritik provoziert und ist etwa von Ernst Bloch – gewiß auch aus persönlich-freundschaftlichen Motiven – verteidigt worden.[12] Gegen skeptische Partei-Einschätzungen – *Ein verrückter Hegelianer macht noch keinen Kommunisten*[13] – setzt Walter Benjamin noch 1929 sein apodiktisches Urteil: *Das geschlossenste philosophische Werk der marxistischen Literatur.*[14] Es ist cum grano salis zu verstehen: Aus den Grundlinien der Marxschen Politischen Ökonomie (aber noch in Unkenntnis seiner »Ökonomisch-philosophischen Manuskripte«, die 1932 publiziert wurden) leitet Lukács eine Logik des gesellschaftlichen Antagonismus, des gleichzeitigen Widerspruchs von Kapital und Arbeit, Kapitalistenklasse und Proletariat ab. Einerseits führe die zunehmende Durchkapitalisierung der Gesellschaft zur Verdinglichung immer weiterer Lebensbereiche, andererseits aber treibe der Kapitalismus seinen historischen Widerspruch in Gestalt des klassenbewußten Proletariats notwendig hervor. Die Kategorie des proletarischen Klassenbewußtseins soll dabei die Erkenntnis der gesellschaftlichen Totalität, die Aufhebung klassenspezifischer Erkenntnisschranken und zugleich die Vorbedingungen, wenn nicht gar den Vollzug der Revolution, der freien Tathandlung des Proletariats bezeichnen. Dabei nimmt dieses proletarische Klassenbewußtsein – wenig überraschend – die Form einer Konstruktion, man darf sogar sagen: eines Idealtypus an; Lukács setzt ein reines, ein zugerechnetes Klassenbewußtsein, ohne Rücksicht auf das tatsächliche vorfindliche, das empirische oder psychologische Bewußtsein des Proletariats.

Eine detaillierte Analyse des Buches vermag zu zeigen, daß es in Wahrheit sehr verschiedenartige philosophische Motive, Denkformen und politische Erfahrungen amalgamiert – zweifellos in beeindruckender Art und Weise. Theoretisch verbindet es Elemente von Marxens politischer Ökonomie mit Hegelschen Kategorien (Totalität) und konstruktiven Kategorien der Weber-Schule (Idealtypus, Zurechnung).[15] Politisch markiert »Geschichte und Klassenbewußtsein« den Übergang eines an Rosa Luxemburg orientierten Spontaneitätstheoretikers zur zentralistischen Kaderpolitik[16]: Das Auseinanderbrechen der ungarischen Räterepublik, das er mit Recht der Haltung der SPU zuschrieb, hatte Lukács zum Luxemburgianer werden lassen, der einzig noch auf die spontane Tathandlung des kämpferischen (das heißt kommunistischen) Proletariats hoffen mochte; die mitteldeutsche Märzniederlage von 1921 ließ freilich diese Hoffnung als idealistische Überhöhung einer bloß putschistischen – und insofern erfolglosen – Politik erkennen. Diese Einsicht schlägt sich in einer deutlichen Aufwertung von Funktion und Rolle der Partei bzw. Parteiführung nieder: die Spontaneität der Proletarier wird dementsprechend abgewertet zum bloß empirischen, sprich: vorrevolutionär-unzureichenden Bewußtsein, dem das zugerechnete Klassenbewußtsein als Postulat und Erziehungsaufgabe konfrontiert wird, hinter dem sich wiederum leicht genug die Partei-Zentrale als einzig reales Substrat erkennen läßt. Das führt in eine doppelte Aporie: die Aktionen der deutschen KP-Führungen in den zwanziger Jahren sind nicht weniger putschistisch und realitätsblind als die ›spontanen‹ Aktionen. Das blutige Hamburger Debakel im Jahre 1923, das nachfolgende Parteiverbot und die nicht abreißenden Fraktionskämpfe der folgenden Jahre belegen das deutlich genug.[17] Andererseits aber erweist sich auf dem Weg in die dreißiger Jahre immer nachdrücklicher das von Lukács großzügig beiseite gesetzte psychologische, das Alltagsbewußtsein der Proletarier (vor allem der sozialdemokratisch orientierten) und der proletarisierten Zwischenschichten als fataler *Wetterwinkel*[18], wie Bloch sagt, massenhafter Faschisierung.

Die Erkenntnis dieser Entwicklung macht für Bloch – wie in ähnlicher Weise auch für Wilhelm Reich[19] – vor aller Spekulation über das proletarische Klassen-Bewußtsein die Erkundung von Strukturen und Elementen proletaroiden Massen-Bewußtseins vordringlich, die zunächst phänomenologische Beschreibung, sodann theoretische Klärung erfordert und aller Voraussicht nach ein differenziertes, gar widersprüchliches Bild zutage fördern dürfte. Für dieses Vorhaben ideologiekritischer Differenzierungen freilich kann Bloch nicht weniger als Lukács sich auf Marx berufen. Hatte Lukács die Generallinie des sich zuspitzenden Konflikts von Kapitalistenklasse und Proletariat zum Rahmen seiner Analyse gewählt, so geht Bloch nun gerade von – marxistisch schon festgestellten – Besonderheiten der Entwicklung aus. In der »Kritik der Hegelschen Rechtsphilosophie« spricht Marx bereits von der Zurückgebliebenheit deutscher Zustände, und: Deutschland habe die Stufen der *politischen Emanzipation nicht gleichzeitig mit den modernen Völkern erklettert*[20]. Im Zentralkapitel der »Erbschaft« wendet Bloch zitierend die Marxsche Beobachtung über das *unegale Verhältnis der Entwicklung* verschiedener Produktionszweige auf die deutsche Sozialgeschichte (der ostelbische Feudalismus als anachronistisches *Museum*[21] bereits im industrialisierten Kaiserreich!). Und schließlich rekurriert er in der späteren Debatte mit seinem komintern-offiziellen Kritiker Hans Günther, als es um Klassiker-Legitimation geht, auf Marx/Engels und die »Deutsche Ideologie«: *Da diese Entwicklung* (der Geschichte als Abfolge von Produktionsweisen, Verkehrsformen – J. V.) *naturwüchsig vor sich geht, d. h. nicht einem Gesamtplan frei vereinigter Individuen subordiniert ist, so geht sie von verschiedenen Lokalitäten, Stämmen, Nationen, Arbeitszweigen etc. aus, deren Jede anfangs sich unabhängig von den anderen entwickelt und erst nach und nach mit den andern in Verbindung tritt. Sie geht ferner nur sehr langsam vor sich; die verschiedenen Stufen und Interessen werden nie vollständig überwunden, sondern nur dem siegenden Interesse untergeordnet und schleppen sich noch jahrhundertelang neben diesem fort. Hieraus folgt, daß selbst innerhalb einer Nation die Individuen auch abgesehen von ihren Vermögensverhältnissen ganz verschiedene Entwicklungen haben, und daß ein früheres Interesse, dessen eigentümliche Verkehrsform schon durch die einem späteren angehörige verdrängt ist, noch lange im Besitz einer traditionellen Macht in der den Individuen gegenüber verselbständigten scheinbaren Gemeinschaft (Staat, Recht) bleibt (...).*[22]

Der so verstandene Begriff der Ungleichzeitigkeit bildet den tragenden geschichtsphilosophischen Erklärungsgrund für Blochs Faschismusanalyse, insbesondere für die Erklärung der faschistischen Massenbasis. Er wird theoretisch entwickelt, zugleich sozialgeschichtlich konkretisiert und damit – potentiell – antifaschistisch verwendbar gemacht in dem Kapitel »Ungleichzeitigkeit und Pflicht zu ihrer Dialektik« (Mai 1932). Der Stellenwert dieses Kapitels wird schon äußerlich klar: steht es doch als zentrale Achse, um die erläuternde, veranschaulichende Kapitel symmetrisch geordnet sind. Der Begriff der Ungleichzeitigkeit verweist sozialgeschichtlich auf ein Moment nationaler Sonderentwicklung: *Deutschland überhaupt, dem bis 1918 keine bürgerliche Revolution gelungen war, ist zum Unterschied von England, gar Frankreich das klassische Land der Ungleichzeitigkeit, das ist, der unüberwundenen Reste älteren ökonomischen Seins und Bewußtseins.*[23] Solche ökonomisch-ideologischen Ungleichzeitigkeiten registriert Bloch einmal beim Bauerntum, *wirtschaftlich wie ideologisch (...), mitten im wendigen kapitalistischen Jahrhundert, älter placiert;* sodann bei der alten, weithin verelendeten Mittelschicht der Kleingewerbetreibenden: sie *will zurück in den Vorkrieg, wo es ihr besser ging;* aber auch bei der neuen Mittelschicht der Angestellten mit ihrer selbsttäuschenden *Lust* (...), *nicht proletarisch zu sein;* schließlich bei der Jugend mit ihrem *Ruck ins romantische Rechts.*[24] (In weiteren Beiträgen – die nicht in »Erbschaft dieser Zeit« aufgenommen sind – geht Bloch den Weg einer gruppensoziologisch spezifizierenden Analyse weiter, wenn er etwa die Situation der Frauen, der studentischen Jugend, der Intellektuellen und Wissenschaftler, des Klerus vor und im Dritten Reich diskutiert und ihre ambivalenten Haltungen deutlich zu machen sucht.)[25]

Was nun aber die drei wichtigsten Gruppen: Bauern, Kleinbürger, Jugendliche angeht, so ist ihnen – laut Bloch – gemeinsam die dumpfe, meist rückgewandte Opposition zur kapitalistischen Gegenwart, die objektiv in zunehmender Rationalisierung und Entfremdung besteht, subjektiv als Existenzbedrohung, Perspektivlosigkeit erfahren wird. Solche Opposition aber macht die Klassensituation, die Lukács noch als einfachen, sich verschärfenden, quasi frontalen Widerspruch verstehen konnte, widersprüchlicher, oder wie Bloch sagt, mehrschichtig. *Die Arbeiter sind mit sich und den Unternehmern nicht mehr allein.* Gewiß bleibt ihr Interessenkonflikt maßgebend für den gesellschaftlichen Grundwiderspruch, *der objektiv gleichzeitige Widerspruch der Zeit oder ihr exakter Klassengegensatz.* Aber: *Der andere Gegensatz, der zwischen Kapital und den ungleichzeitig verelendeten Klassen, lebt neben dem gleichzeitigen, wenn auch nur als diffus. So erzeugt er in der ›geschichtslosen‹ Klasse des Kleinbürgertums Angst und gestaute Wut, kein eigenes, präsentes, gar durchgearbeitetes Klassenbewußtsein. Er macht den Stoß des Konflikts darum äußerlich und stumpf, nur gegen Symptome, nicht gegen den Kern der Ausbeutung gerichtet; der Konfliktinhalt selbst ist romantisch –, auch sozusagen ›archaisch‹-antikapitalistisch.*[26] Dieser Sachverhalt gibt Anlaß, eine Gefahr – von rechts – zu konstatieren und zugleich ein Programm – nach links – zu formulieren.

Gefährlich für die Arbeiterbewegung ist, daß jener schiefe, stumpfe antikapitalistische Impuls aus ungleichzeitiger Energie *dem Kapital* eben *nicht gefährlich* wird. *Im Gegenteil, das Kapital gebraucht das ungleichzeitig Konträre (...) zur Ablenkung von seinen streng gegenwärtigen Widersprüchen; es gebraucht den Antagonismus einer noch lebenden Vergangenheit als Trennungs- und Kampfmittel gegen die (...) Zukunft.*[27] Es gelingt insbesondere der faschistischen Agitation, die hier also weit mehr als bloßes Instrument des Kapitals ist, nämlich eine ihrer »Ideologiefabriken« (Reich), die antikapitalistischen Impulse umzupolen, sie zumindest so zu besetzen, zu organisieren und zu formieren, daß sie nicht Anschluß an den gleichzeitigen Widerspruch finden können. Daß sie vielmehr einerseits befriedigt, andererseits aber entschärft, gar ›umgedreht‹ werden (am deutlichsten in der antibolschewistischen Stoßrichtung des Nationalsozialismus); daß also, wie Benjamin mit einer prägnanten Formel sagt, die *Massen* zwar *zu ihrem Ausdruck, beileibe* aber *nicht zu ihrem Recht* kommen[28]. Wie solche Besetzung konkret stattfindet, welche Besetzungsinhalte und kommunikativen Techniken verwendet werden, um auch die Integration dieser Gruppen zu sichern, bleibt konkret noch zu prüfen. Aber die präzise Bestimmung der faschistischen Gefahr ist zugleich, dialektisch umgewendet, Bestimmung antifaschistischer Politik. *Es gilt nun, im Widerspruch auch dann eine mögliche Kraft zu sehen, wenn er über den ungleichzeitigen Riß nicht hinauskommt.* (...) *Aufgabe ist, die zur Abneigung und Verwandlung fähigen Elemente auch des ungleichzeitigen Widerspruchs herauszulösen, nämlich die dem Kapitalismus feindlichen, in ihm heimatlosen, und sie zur Funktion in anderem Zusammenhang umzumontieren.*[29] Und diese Aufgabe, als umfassende einer kommunistischen Propaganda, läßt sich konkretisieren im Hinblick auf die antifaschistische Bündnispolitik. Darauf ist später noch zurückzukommen.

III

Bislang wurde die geschichtsphilosophische Ebene angesprochen, auf der Bloch seinen zentralen Begriff der Ungleichzeitigkeit entwickelt, sodann die sozialgeschichtliche Ebene, auf der er ihn im Blick auf das Deutschland der zwanziger und frühen dreißiger Jahre konkretisiert. Auf einer dritten Ebene untersucht Bloch nun die Ideologieangebote und die Symbolverwendung, also die massenkommunikativen Strategien, mit deren Hilfe die Nazis aus der beschriebenen sozialen Situation Nutzen schlagen konnten. (Dabei ist stets zu bedenken, daß Bloch beim Aufbau seines Buches diese Ebenen nicht derart klar trennt, sondern sie nach dem Prinzip der Montage ineinander schachtelt. Man könnte am ehesten sagen, daß »Erbschaft dieser Zeit« wie ein Kaleidoskop gebaut ist, das bei jeder Drehung andere Muster und Konstellationen zeigt, die allerdings immer auf das gleiche Zentrum bezogen bleiben.) Immerhin: relativ zusammenhängend werden die Techniken und Strategien der faschistischen Bewußtseinsverbildung – Bloch sagt *Berauschung* – in verschiedenen Kapiteln und Aufsätzen diskutiert, die jeweils andere Zielgruppen und ideologisch-symbolische Zusammenhänge ansprechen. Exemplarisch seien vorerst zwei genannt, die zentral erscheinen.

Das Kapitel »Inventar des revolutionären Scheins« (1933) demonstriert, wie die Nazis zumindest in ihrer Aufstiegsphase sich auch propagandistisch als *schiefe Statthalter der Revolution* darstellen, indem sie *lauter revolutionären Schein entwickeln, ausstaffiert mit Entwendungen aus der Kommune*[30]. Es geht darum, daß traditionelle Symbolzusammenhänge, ästhetische Formen der Selbstdarstellung, also einsozialisierte und positiv besetzte Ausdrucks- und Wahrnehmungsformen der organisierten Arbeiterbewegung imitiert und ausgebeutet werden, um auf diesem Wege die Massen nach rechts hinüberzuziehen. *Man stahl zuerst die rote Farbe, rührte damit an. Auf Rot waren die ersten Kundgebungen der Nazis gedruckt, riesig zog man diese*

Farbe auf der schwindelhaften Fahne aus. Die Plakate wurden allmählich immer blasser, so daß sie den Geldgeber nicht mehr schreckten. Die Fahne selbst trug ohnehin von Anfang an ihr schief gewickeltes, schräg verdrehtes Zeichen, und nach ihm, nicht nach der Farbe, ist sie ja benannt. Doch als ein tüchtiger Arbeiter das Hakenkreuz aus ihr herausschnitt, blieb meterweise roter Schein an dem Tuch noch übrig. Nur mit einem Loch in der Mitte, aufgerissen wie ein Maul und völlig leer.

Dann stahl man die Straße, den Druck, den sie ausübt. Den Aufzug, die gefährlichen Lieder, welche gesungen worden waren. Was die roten Frontkämpfer begonnen hatten: den Wald von Fahnen, den Einmarsch in den Saal, genau das machten die Nazis nach. Der Tag von Potsdam, am 21. März 1933, lenkte das revoluzzelnde Bild wieder mehr ins gewohnte, militärische, doch der 1. Mai 1933 holte mit gestohlenem Zauber desto schamloser auf. In Offenbach errichtete man den Maibaum, das alte jakobinische Freiheitszeichen, tanzte um ihn weißgardistisch, ja Hindenburg persönlich feierte den Weltfeiertag des Proletariats.[31]

Es mag vielleicht die ›Originalität‹ Blochs, keineswegs aber die Schärfe seines politisch-physiognomischen Blicks relativieren, wenn man darauf hinweist, daß die von ihm markierte Propagandastrategie der deutschen Faschisten vorher schon in ebenso wünschenswerter Klarheit wie schwer erträglicher Breite formuliert war und – bis 1933 – in immerhin 820 000 Exemplaren von »Mein Kampf« hätte nachgelesen werden können. Vor allem im zweiten Teil des Buchs, im Rückblick auf die »Kampfjahre der Bewegung«, und dort wieder im 7. Kapitel: »Das Ringen mit der roten Front« werden die Leitlinien und Akzente jener Strategie deutlich genug ausgesprochen. Nachdem Hitler zuvor schon die *Erfolge des Marxismus durch Rede* – und erst in zweiter Linie durch Parteipresse, Schrifttum usw. begründet sieht, entwickelt er *aus dem Studium marxistischer und bürgerlicher Versammlungstechnik* das ebenso autoritäre wie suggestive Ritual der nationalsozialistischen Massenversammlung, um schließlich in aller Breite das Fehlen eines *Parteizeichens*, einer *Parteiflagge* zu diskutieren, also *eines Zeichens (...) das den Charakter eines Symbols der Bewegung besaß und als solches der Internationale entgegengesetzt werden konnte. Welche Bedeutung aber einem solchen Symbol psychologisch zukommt, hatte ich schon in meiner Jugend öfter als einmal Gelegenheit zu erkennen und auch gefühlsmäßig zu verstehen. Nach dem Krieg erlebte ich dann in Berlin eine Massenkundgebung des Marxismus vor dem Kgl. Schloß und Lustgarten. Ein Meer von roten Fahnen, roten Binden und roten Blumen gab dieser Kundgebung, an der schätzungsweise hundertzwanzigtausend Personen teilnahmen, ein schon rein äußerlich gewaltiges Ansehen. Ich konnte selbst fühlen und verstehen, wie leicht der Mann aus dem Volke dem suggestiven Zauber eines solchen grandios wirkenden Schauspiels unterliegt.*

Die Farben des untergegangenen Kaiserreichs und der untergehenden Republik kommen – aus ganz verschiedenen Gründen – nicht in

Frage. Der nationalsozialistische Führer aber *hatte unterdes nach unzähligen Versuchen eine endgültige Form niedergelegt: eine Fahne aus rotem Grundtuch mit einer weißen Scheibe und in deren Mitte ein schwarzes Hakenkreuz. (...) Und dabei ist es dann geblieben. (...) Und ein Symbol ist dies wahrlich! Nicht nur, daß durch die einzigen, von uns allen heißgeliebten Farben, die einst dem deutschen Volke soviel Ehre errungen hatten, unsere Ehrfurcht vor der Vergangenheit bezeugt wird, sie war auch die beste Verkörperung des Wollens der Bewegung. Als nationale Sozialisten sehen wir in unserer Flagge unser Programm. Im Rot sehen wir den sozialen Gedanken der Bewegung, im Weiß den nationalistischen, im Hakenkreuz die Mission des Kampfes für den Sieg des arischen Menschen und zugleich mit ihm auch den Sieg des Gedankens der schaffenden Arbeit, die selbst ewig antisemitisch war und antisemitisch sein wird.* Dabei rückt, wenn die Fahne in Funktion tritt, zumindest in der frühen Rekrutierungsphase der NSDAP, das gestohlene Rot noch eindeutig in den Vordergrund, wie eine Episode zeigt, die die Vorbereitungen zur ersten Massenversammlung im Münchner Zirkus Krone betrifft: *Zwei Lastkraftwagen, die ich mieten ließ, wurden in möglichst viel Rot eingehüllt, darauf ein paar unserer Fahnen gepflanzt und jeder mit fünfzehn bis zwanzig Parteigenossen besetzt; sie erhielten den Befehl, fleißig durch die Straßen der Stadt zu fahren, Flugblätter abzuwerfen, kurz, Propaganda für die Massenkundgebung am Abend zu machen. Es war das erstemal, daß Lastkraftwagen mit Fahnen durch die Stadt fuhren, auf denen sich keine Marxisten befanden. Das Bürgertum starrte daher den rot dekorierten und mit flatternden Hakenkreuzfahnen geschmückten Wagen mit offenen Mäulern nach, während in den äußeren Vierteln sich auch zahllose geballte Fäuste erhoben, deren Besitzer ersichtlich wutentbrannt schienen über die neueste ›Provokation des Proletariats‹. Denn Versammlungen abzuhalten, hatte nur der Marxismus das Recht, genau so, wie auf Lastkraftwagen herumzufahren.*

All dies zielt – als symbolische Angleichung, Werbung und Provokation zugleich – auf die Vereinnahmung der Arbeiterschaft: *Wir haben die rote Farbe unserer Plakate nach genauem und gründlichem Überlegen gewählt, um dadurch die linke Seite zu reizen, zur Empörung zu bringen und sie zu verleiten, in unsere Versammlungen zu kommen, wenn auch nur, um sie zu sprengen, damit wir auf diese Weise überhaupt mit den Leuten reden konnten.*[31a] Eben dies gelang, wie man weiß, mehr und mehr, wenn auch in erster Linie bei bestimmten proletarischen Gruppen: bei Jugendlichen, bei Arbeitslosen und Nichtorganisierten; wesentlich weniger schon beim Stamm der beiden großen Arbeiterparteien. Allerdings tritt diese zunächst so forcierte pseudosozialistische Stoßrichtung der Propaganda auch zunehmend in den Hintergrund, besonders nachdem im Juni 1934 die innerparteiliche Linke um Röhm und die Brüder Strasser liquidiert wurde.

Eine andere, dann stärker hervortretende propagandistische Tendenz wäre als pseudonationale bzw. pseudoreligiöse zu charakterisieren. Auch ihre Vor- und Urbilder, sagt Bloch, sind entwendet: *man muß dem Gauner nicht nur auf die Finger sehen, sondern auf das, was er darin hält. Besonders wenn er es gestohlen hat, wenn die verdreckte Sache einmal in besseren Händen war.*[32] Er versucht dann, sehr materialreich, ideengeschichtlich nachzuweisen, daß scheinbare eigenständige Ideologeme des Nationalsozialismus, eben das Dritte Reich, das Tausendjährige Reich, auch die Führer-Idee, gerade nicht eigenständig sind, sondern verdrehte, pervertierte Vor- und Wunschbilder aus dem Arsenal älterer Utopien. Daß z. B. *das Dritte Reich den sozialrevolutionären Idealtraum der christlichen Ketzerei bezeichnet: den Traum von einem Dritten Evangelium und der Welt, die ihm entspricht.*[33] Auch die verwandte Idee des Tausendjährigen Reiches als eines irdischen Friedenszustandes, in dem Herrschaft ebenso aufgehoben ist wie Geschichte, läßt sich auf chiliastische Traditionen bis zur Prophezeiung Jesajas zurückführen; ähnlich die Idee des Führers: *Das erste Führerbild im menschlich großartigen Sinn stellt Moses dar; er ist zugleich ein Führer der Unterdrückten und einer ins gelobte Land.*[34]

Aber wozu nun dies antiquarisch anmutende Ausholen? Soll da eine Art Geistesgeschichte der Nazis geschrieben werden, die nebenbei auch die Gelehrsamkeit des Verfassers ins rechte Licht rückt? Ein befreundeter, aber dennoch reservierter Leser, eben Walter Benjamin, hat offensichtlich genau diesen Verdacht gehegt. Einem Freund schreibt er jedenfalls: *Der schwere Vorwurf, den ich dem Buch mache (wenn auch nicht dem Verfasser machen werde), ist daß es den Umständen, unter denen es erscheint, in garkeiner Weise entspricht, sondern so deplaziert auftritt wie ein großer Herr, der, zur Inspektion einer vom Erdbeben verwüsteten Gegend eingetroffen, zunächst nichts eiligeres zu tun hätte als von seinen Dienern die mitgebrachten – übrigens teils schon etwas vermotteten – Perserteppiche ausbreiten, die – teils schon etwas angelaufnen – Gold- und Silbergefäße aufstellen, die – teils schon etwas verschossenen – Brokat- und Damastgewänder sich umlegen zu lassen. Selbstverständlich hat Bloch ausgezeichnete Intentionen und erhebliche Einsichten. Aber er versteht es nicht, sie denkend ins Werk zu setzen. Seine übertriebnen Ansprüche hindern ihn daran. In solcher Lage – in einem Elendsgebiet – bleibt einem großen Herrn nichts übrig als seine Perserteppiche als Bettdecken wegzugeben und seine Brokatstoffe zu Mänteln zu verschneiden und seine Prachtgefäße einschmelzen zu lassen.*[35]

Zweifellos kann der Eindruck einer gewissen Bildungshuberei entstehen, wenn Bloch über viele Seiten hinweg die überlieferte und die zeitgenössische Kultur, Kunst und Philosophie durchmustert (vor allem auch im Teil über »Großbürgertum, Sachlichkeit und Montage«, der hier unberücksichtigt bleibt). Aber wesentlich hieran ist eine unterschiedliche Einschätzung der bürgerlich-kulturellen Überlieferung in der historischen Konfrontation mit dem Faschismus. Benjamin sieht, daß dies bürgerliche Erbe vielfach mißbrauchbar war und mißbraucht worden ist, daß seine Träger dem Faschismus bewußt oder unbewußt in die Hände gespielt haben. Seine Position ist insofern radikal, als er – zumindest programmatisch – die Aufopferung der so diskreditierten Überlieferung verlangt und – bestenfalls – auf eine neue, an Gebrauchswerten orientierte proletarische Kultur setzt: *positives Barbarentum.*[36] Auch Bloch sieht die dubiose Funktion bürgerlicher Traditionen, doch scheint es ihm nicht nur möglich, sondern für den antifaschistischen Kampf unabdingbar, um das Traditionserbe zu kämpfen. Er ist so gesehen nicht einfach der große Herr in verwüsteter Gegend, auch nicht Museumswächter bürgerlicher Tradition, – eher könnte man ihn mit einem Altwarenhändler vergleichen, der die kulturellen Gebrauchs- und Schmuckgegenstände auf ihre Wiederverwendbarkeit prüft, der sie – oder Bruchstücke davon – neu aufarbeiten und in andere Hände geben will. In dieser Haltung jedenfalls mustert er das Arsenal faschistischer Vorstellungen, wie zu sehen war, will vor allem ihre deformiert utopischen oder kryptorevolutionären Gehalte ›retten‹. Neben solchen Antiquitäten aber sammelt er auch den jeweils modernsten Schrott, oder ernsthafter: diskutiert er philosophische und ästhetische Tendenzen spätbürgerlicher Observanz, *Relativismen und Leer-Montage*, die *Philosophien von Unruhe, Prozeß, Dionysos,* auch *Denkende Surrealismen*[37] unter dem Gesichtspunkt ihrer Neu- und Wiederverwendbarkeit. Das ist – gemessen an linken Gepflogenheiten – überraschend, ja frech. Daß dieser *deutsche Philosoph der Oktoberrevolution*[38] keinerlei Angst vor dem *Handgemenge* (also einer Form der intimen Berührung) mit präfaschistischen Gegnern hat, muß ihm den Tadel derer eintragen, die jene Revolution parteiamtlich verwalten. Ihnen will es *scheinen, als ob Ernst Bloch zu seiner durchaus unmarxistischen Theorie, man könne die heutige, reaktionäre Bourgeoisie beerben, gekommen ist aus einer gewissen Angst vor einer leeren Zukunft, in der das ganze reiche Erbgut der Vergangenheit unausgenützt bleibe. Nur daß der Kommunismus einem solchen ›Sektierertum‹, einem solchen Barbarismus nie gehuldigt hat. Vielmehr war hier gerade die scharfe Ablehnung der ›spätbürgerlichen‹ Ideologie stets untrennbar verbunden mit der Anerkennung der bürgerlich-revolutionären Geisteserrungenschaften als eines politisch brauchbaren Erbes.* Hans Günther, der dies 1936 in der »Internationalen Literatur« schreibt, verteidigt nicht nur die Parteilinie, sondern auch sein eigenes Buch »Der Herren eigner Geist«[39], das die *Ideologie des Nationalsozialismus* und seiner spätbürgerlichen Wegbereiter kritisch analysieren will. 1935 in Moskau und Leningrad erschienen, ist es dem Anspruch nach in engster Konkurrenz zu Blochs »Erbschaft« zu sehen, mit der es Berührungspunkte auch im behandelten Material aufweist. Man vergleiche allerdings die unterschiedlichen Resultate – etwa bei der Behandlung Nietzsches oder Spenglers![40] Nicht zufällig ruft Günther in der Kontroverse übers Erbe Georg Lukács als Kronzeugen auf: zwischen diesem und Bloch verläuft die Frontlinie ganz analog, was bekanntermaßen an der Einschätzung des Expressionismus bzw. der künstlerischen Avantgardebewegungen überhaupt deutlich wird.[41]

Andererseits nun, in der aktuellen Dimension, prüft Bloch, wie schon gesagt, nicht nur die ideologischen Inhalte, sondern vor allem auch die Rede- und Wirkungsstrategien faschistischer Propaganda, etwa in dem Aufsatz »Zur Methodenlehre der Nazis« (1936). Dort versucht er, anhand von Beispielen, die *Formen der braunen Lüge*[42] zu typologisieren und zugleich zu entlarven. Zielpunkt seiner faschismuskritischen Arbeit ist von daher eine kritische Rhetorik der faschistischen Propaganda. Rhetorik heißt dabei wie bei den Sophisten: Kunst zu überreden; wobei hier natürlich nicht nur von Rede, Sprache auszugehen ist, sondern der massenkommunikative Prozeß unter Einschluß verschiedenster Medien gemeint ist (Bilder, Symbole usw.). – Überredung, Täuschung, Verführung ist zweifellos die Intention faschistischer Propaganda, *ihre oberste Lügentechnik,* wie Bloch sagt. Verführung (oder auch *Schwindel*) ist zugleich eine wichtige Säule faschistischer Herrschaft neben *Terror* und *Schrecken,* – also die psychische Gewalt (1924!) neben der physischen.

Warum aber diese nicht zufällige, sondern notwendige und zentrale Rolle der Verführung? Und warum ihr unzweifelhafter Erfolg? Bloch antwortet zusammenfassend in der »Methodenlehre«: *Der Klasseninhalt der Nazis ist nicht schön genug, um ihn zu sagen: nämlich als Schutz des in wenigen Händen konzentrierten Kapitals, als Vorbereitung des Zweiten Weltkrieges. So griff die Bourgeoisie – nach gründlicher Vorbereitung – zur schwarzen Magie, zum Einsatz falscher irrationaler Elemente, zum Mißbrauch der sozusagen echten. Der Nazi nahm ja nicht nur die schlicht-ökonomische Verzweiflung seiner Bauern und Kleinbürger auf. Das Dritte Reich versprach ihnen auch, was sie als Entmenschte, Entseelte, Mechanisierte, als die Entäußerten entbehrten (...). Faschistische Propaganda hat derart sehr viel menschliche Vermissung zum Faktor seiner Verführungslüge gemacht: hier vor allem machte der Nazi Eindruck, hier vor allem gab er sich als Retter und einzig wahren Jakob aus. Das aber hätte nicht entfernt im gleichen Maß gewirkt, hätten die echten Revolutionäre dies Feld besetzt gehalten, wären sie einer spezifischen und sehr komplizierten, wenn auch minderen Wirklichkeit geneigter gewesen: der des falschen Bewußtseins.*[43]

Demgegenüber verfehlt Hans Günther eine angemessene Einschätzung der Nazi-Propaganda, die er mit Hitler-Zitaten nur als Massen-Verdummung zu definieren sucht. Zwar kann auch er im Jahr 1935 vor den sichtbaren Erfolgen faschistischer Agitation die Augen nicht schließen. Aber seine *Feder sträubt sich,* wie er ausdrücklich mitteilt, bei der Notwendigkeit, dies *zu schreiben.* Und konsequenterweise reduziert er, der den Nazis doch die *Inhaltsleere* ihrer Propaganda vorhält, deren Wirkung selbst *auf das Wissen von der Massenpsyche in ihren primitivsten Regungen, genauer: auf das rein technische Wissen einer ›sozialpsychologischen‹ Massenbeherr-*

schung!![44] Offensichtlich ist hier die Wahrnehmungssperre: es kann nicht sein, was nicht sein darf. Nur die Marxisten haben die Gegenwart und Zukunft für sich, deshalb wird der *wahrhaftige Inhalt ihrer Propaganda* letztlich zum *Erfolg* führen. Dogmatisch verhärtete Geschichtsteleologie verstellt den Blick, der nicht annähernd so »breit« und dabei genau differenzierend ist wie derjenige Blochs. Gewiß ist richtig, daß den Nazis ihre Propaganda ausschließlich *Mittel zum Zweck*[45], eine Sache der Erfolgsmöglichkeit ist, wie Günther Goebbels zitiert. Weil aber der Klasseninhalt faschistischer Politik nicht ausgesprochen werden kann (was ja auch Bloch ausdrücklich betont), so folgert Günther, könne auch der ideologische Inhalt der Nazi-Ideologie *in überhaupt keiner Beziehung mehr zur Realität*[46] stehen. Das würde nur dann zutreffen, wenn man allein die ökonomische Klassenlage der proletarisierten Massen als Realität akzeptierte, nicht aber ihre Wünsche, Bedürfnisse, Hoffnungen: *sehr viel menschliche Vermissung*! Daß es hingegen gerade die täuschende Ansprache und Verwendung solch affektiver Realität ist, die der Nazi-Propaganda ihre Wirkung – und nicht nur *zeitweilige Wirkungen*[47] – garantiert, ist für Günther nicht mehr vorstellbar. Eben diese paradoxe Struktur der faschistischen Formierung des Massenbewußtseins wird hingegen für Bloch zum zentralen Untersuchungsgegenstand. In seiner Kritik an den propagandistischen Versäumnissen der *echten Revolutionäre* spricht er zugleich das praktische Motiv solcher Untersuchung aus: Es heißt antifaschistische Politik.

IV

Leitlinien, also strategische Bestimmungen antifaschistischer Praxis, sind dialektisch sowohl aus der Analyse faschistischer Politik und Propaganda wie auch aus der – solidarischen – Kritik linker, insbesondere kommunistischer Propaganda zu gewinnen. Denn daß die überkommenen Träume, halbbewußten Wünsche und Phantasien von einer besseren Welt mobilisiert und formiert, damit aber die Massen ›bewegt‹ werden können, sagt Bloch kritisch, *hat der Feind besser als die Freunde bemerkt*. Und er fährt fort: *Es ist fällig, einiges Alte wieder zum Eigenen zu schlagen, das Gebot der Stunde drängt dazu.*[48] Zusammenfassend heißt es in einem späten, 1943 in USA gehaltenen Vortrag »Über Wurzeln des Nazismus«: *Die Weimarer Republik ist nicht bloß an ihrer Schwäche und Halbheit, sie ist auch an ihrer Phantasielosigkeit zugrunde gegangen. Und manche deutschen Sozialisten haben mit ihrem mechanistischen Intellektualismus die verzweifelten Menschen erst recht zu den Nazis gestoßen; dort erhielten sie zwar keine Erkenntnis, aber eine – wie immer lumpige und betrügerische – Sprache für ihren obdachlosen, ungleichzeitigen, berauschbaren bloßen Gefühlsstand. Der Mensch lebt nicht von Brot allein, besonders dann nicht, wenn er keines hat; dieser Lehrsatz ist unumstößlich. Er gilt auch für politisch geschultere Länder als Deutschland, das heißt, es ist überall notwendig, die Traumgebiete der Phantasie konkret zu besetzen, statt sie abstrakt auszukreisen und den interessierten Verstandesfeinden zum Betrug zu überlassen.*[49]

Moniert wird also die ausschließlich rational argumentierende, starr ökonomistische Propaganda insbesondere der KPD um 1930; weniger die der SPD, der Bloch ohnehin kaum mehr als verstreute Gehässigkeiten zukommen läßt. Wenn er nun allerdings konstatiert: *Nazis sprechen betrügend, aber zu Menschen, die Kommunisten völlig wahr, aber nur von Sachen*[50], so ist zwar die Stoßrichtung dieser Kritik deutlich, ihre milde Fassung jedoch erstaunlich. Denn die positive Bewertung der linken Situationsanalysen steht in eklatantem Widerspruch zu deren realpolitischen Konsequenzen – man denke nur an die verhängnisvolle These vom ›Sozialfaschismus‹ als dem Hauptgegner der KPD. Nicht erst bei der kommunikativen Umsetzung sachlich ›wahrer‹ Analysen, so möchte man Blochs Kritik zuspitzen, versagt die kommunistische Agitation; bereits diese analytische ›Sachlichkeit‹ selber ist borniert und defizitär, weil sie alle Beobachtungen ausgrenzen muß, die nicht in die jeweiligen Absichten des von ständigen Cliquenkämpfen geschüttelten Partei-Apparates und vor allem der für deutsche Belange weithin blinden Komintern-Zentrale in Moskau passen.[51]

Dies macht allerdings die Kritik Blochs nicht überflüssig. Sie zielt, wie gesagt, auf das Schematische, Schlecht-Rationale der kommunistischen Agitation, die einen konstruierten Träger ›reinen‹ (proletarischen) Klassenbewußtseins anspricht, den es außerhalb der engsten Kader nicht gibt. Das empirische Klassenbewußtsein der Proletarier, gemischt, unklar und widersprüchlich – so wie es von Lukács großzügig beiseite gesetzt wurde – ist jedenfalls nicht angesprochen. Bloch seinerseits hat diese frühe Kritik nachträglich und gesprächsweise an zwei Beispielen erläutert. Das eine zeigt die Schwächen der Linken: *Ich war einmal im Sportpalast, es war kurz vor dem Sieg Hitlers, wo zwei Propagandisten gesprochen haben, ein Kommunist und ein Nazi. Es gab zwischen beiden Herren einen höflichen Wettstreit, wer zuerst sprechen soll. Der chevalereske – scheinbar chevalereske – Nazi hat den Kommunisten gebeten, zuerst zu sprechen, was der als Auszeichnung empfunden hat, der Dummkopf; und fing nun an zu reden. Da kam alles vor: der Grundwiderspruch und die Durchschnittsprofitrate, die schwierigsten Partien aus dem »Kapital« und immer neue Zahlen. Die Versammelten aber verstanden kein Wort und hörten ihm nur sehr gelangweilt zu. Der Beifall war mäßig und mehr als matt. Dann kam der Nazi, der sprach am Anfang sehr höflich: ›Ich danke dem Herrn Vorredner für seine lichtvollen oder für die meisten hier nicht so sehr lichtvollen Ausführungen. Und daraus können Sie schon etwas gelernt haben, bevor ich gesprochen habe. Was tun Sie denn, soweit Sie zum Mittelstand, zum kleinen Mittelstand gehören, in Büros arbeiten, z. B. als Buchhalterinnen oder Buchhalter, – was tun Sie denn den ganzen Tag? Sie schreiben Zahlen, addieren, subtrahieren usw., und was haben Sie heute gehört von dem Herrn Vorredner? Zahlen, Zahlen und nichts als Zahlen. So daß der Satz unseres Führers wieder eine neue Bestätigung gefunden hat, von einer unerwarteten Seite: Kommunismus und Kapitalismus sind die Kehrseiten der gleichen Medaille.‹ Dann eine wohleinstudierte Pause. Als die zuende war – sie hat ziemlich lange gedauert –, reckte sich der Bursche auf, in Nachfolge Hitlers hat er das gemacht, warf mit einem Mal die Arme in die Höhe und schrie mit Stentorstimme ganz langsam ins Publikum hinein: ›Ich aber spreche zu Euch in höherem Auftrag!‹ Sofort war der Stromkreis geschlossen: der Übergang zu Hitler.*[52]

In »Mein Kampf« wird diese Eigenart nationalsozialistischer Versammlungs-Rhetorik zwar nicht so sehr im Kontrast zur Linken als vielmehr zu den Versammlungen der bürgerlich-nationalen Parteien betont. Deren *Referenten* (...) *redeten, oder besser, sie lasen meist Reden vor im Stil eines geistreichen Zeitungsartikels oder einer wissenschaftlichen Abhandlung, mieden alle Kraftwörter und brachten hie und da einen schwächlichen professoralen Witz dazwischen, bei dem der ehrenwerte Vorstandstisch pflichtgemäß zu lachen begann; wenn auch nicht laut, also aufreizend zu lachen, so doch vornehm gedämpft und zurückhaltend.* (...) *Die sogenannte Rede, die sich gedruckt vielleicht ganz schön ausgenommen hätte, war in ihrer Wirkung einfach fürchterlich. Schon nach dreiviertel Stunden döste die ganze Versammlung in einem Trancezustand dahin, der nur unterbrochen wurde von dem Hinausgehen einzelner Männlein und Weiblein, dem Geklapper der Kellnerinnen und dem Gähnen immer zahlreicherer Zuhörer.* Dagegen – und prinzipiell auch gegen entsprechende Praktiken der linken Parteien – noch einmal die erste Massenversammlung der NSDAP im Zirkus Krone: *Ich begann zu sprechen und redete gegen zweieinhalb Stunden, und das Gefühl sagte mir schon nach der ersten halben Stunde, daß die Versammlung ein großer Erfolg werden würde. Die Verbindung zu all diesen tausend einzelnen war hergestellt. Schon nach der ersten Stunde begann der Beifall in immer größeren spontanen Ausbrüchen mich zu unterbrechen, um nach zwei Stunden wieder abzuebben und in jene weihevolle Stille überzugehen, die ich später in diesem Raume so oft und oft erlebt habe und die jedem einzelnen wohl unvergeßlich bleiben wird. Man hörte dann kaum mehr als den Atemzug dieser Riesenmenge, und erst als ich das letzte Wort gesprochen, brandete es plötzlich auf, um in dem in höchster Inbrunst gesungenen ›Deutschland‹-Lied seinen erlösenden Abschluß zu finden.*[52a]

Gegen solche Suggestionsrhetorik nun setzt Bloch sein zweites Beispiel, das auf zu wenig genutzte Möglichkeiten linker Rhetorik verweist: *Ich kannte den Bruno von Salomon, der Kommunist war, kommunistischer Agitator, ein kluger Mann und von seinem Bruder, dem Rathenau-Attentäter, völlig verschieden. Der machte sowohl in Thüringen Propaganda als auch in Oberhessen. In Thüringen sprach er Münzer-Texte, vierhundert Jahre alte Texte von Thomas Münzer, fast ohne Kommentar. Und die Bauern in zurückgebliebenen, oder besser, entlegenen Gebieten haben ihn verstanden. In Hessen, vor allem in Ober-*

hessen, las er aus Georg Büchner vor, aus dem ›Hessischen Landboten‹, zu der Zeit immerhin über 100 Jahre alt, und die Bauern haben ihn verstanden. Also eine alte Sprache, die der alten Ungleichzeitigkeit entspricht, während die andere, die übliche Parteisprache (das Parteichinesisch, wie es damals sehr bedeutungsvoll genannt worden ist) keinen Zuhörer, kein Verständnis, keinen Adressaten gefunden hat.

Insofern ist klar, wohin Bloch zielt. Propagandistische, kommunikative Strategie der Linken müßte es sein, gerade auch die irrationalen Regungen, die Alltagserfahrungen, Phantasien und Wünsche verschrobener Art, wie sie bei den ungleichzeitig verelendeten Schichten vorfindlich sind, aufzugreifen oder – wie Bloch so gern psychologisch und militärisch formuliert – zu besetzen. Denn nur deshalb können die Nazis *so ungestört (...) betrügen, weil eine allzu abstrakte (nämlich zurückgebliebene) Linke die Massenphantasie unterernährt hat. Weil sie die Welt der Phantasie fast preisgegeben hat, ohne Ansehung ihrer höchst verschiedenen Personen, Methoden und Gegenstände.*[53] Hinweise, wie diese neue Strategie ins Werk gesetzt werden könnte, gibt Bloch freilich nur begrenzt. Er plädiert einerseits für ästhetisch-rhetorische Hilfsmittel: *der warme Ton, das aufreizende Zeichen, das Bild (als Imago, als Nimbus um eine Sache), das kraftvolle Urbild.* Sie sollen es möglich machen, endlich *zu Menschen völlig wahr von ihren Sachen zu sprechen.*[54] Andererseits, auf Seite der Inhalte, benennt er Vorstellungskomplexe ungleichzeitigen Bewußtseins, die von der Linken aufgenommen werden müßten und auch mit Erfolg besetzt werden könnten: Heimat, Folklore, Familie, Nation, selbst Volksgemeinschaft und die religiösen Sehnsüchte und Symbolkräfte.[55]

Das könnte man als konzeptlose Anpasserei mit zweifelhaften Chancen verstehen, wenn nicht zugleich konstatiert würde: *Aufgabe ist, die zur Abneigung und Verwandlung fähigen Elemente auch des ungleichzeitigen Widerspruchs herauszulösen, nämlich die dem Kapitalismus feindlichen, in ihm heimatlosen, und sie zur Funktion in anderem Zusammenhang umzumontieren.*[56] Es geht also nicht nur um ein ästhetisch-rhetorisches Verfahren, einen propagandistischen Kniff. Vielmehr: solche Verfahren sind Voraussetzung und Bestandteil einer neuen antifaschistischen Bündnispolitik. *Bleibt folglich,* schreibt Bloch im Frühjahr 1932, *der ›Dreibund‹ des Proletariats mit den verelendeten Bauern und dem verelendeten Mittelstand, unter proletarischer Hegemonie; der echt gleichzeitige Widerspruch hat das Amt, (...) auch die echt ungleichzeitigen Widersprüche aus der Reaktion zu lösen und an die Tendenz heranzubringen.*[57]

Deutlich genug stellt Bloch eine Volksfrontstrategie zur Debatte, auch wenn er diesen Begriff erst in späteren Texten (1937/38)[58] verwendet. Sein Vorschlag darf allerdings nicht – wie manche parteioffiziellen Verlautbarungen – als Ausdruck eines taktischen Schwenks, sondern muß nach dem bisher Gesagten als politische Konsequenz einer soziologischen Analyse verstanden werden, die Klassenlage und Bewußtsein der ungleichzeitig verelendeten Mittelschichten als den sozialpolitischen *Wetterwinkel* der Weimarer Republik erfaßt hat. Sein Vorschlag wird weiterhin zu einem Zeitpunkt vorgebracht, als solche Überlegungen bei KPD und SPD noch tabu sind oder nur von einzelnen Außenseitern angestellt werden: im gleichen Jahr 1932, als Bloch die einschlägigen Partien verfaßt, bekräftigt etwa Thälmann die unselige Kampffront gegen die Sozialdemokraten/-›faschisten‹ als primäre Leitlinie kommunistischer Politik. Die Wendung der illegalen und Exil-KPD vollzieht sich dann, wie Wolfgang Abendroth berichtet, wesentlich erst 1934 im Sog der französischen Entwicklung.[59] 1935 wird die Bildung einer Aktionseinheit der Arbeiterklasse und weitergehend einer antifaschistischen Volksfront zunächst vom VII. Weltkongreß der Kommunistischen Internationalen (Juli in Moskau), sodann von der sog. Brüsseler Parteikonferenz der KPD (Oktober bei Moskau) als vordringliche und offizielle Maßnahme zum Sturz des Hitler-Regimes proklamiert[60]; schon im Juni hatte in Paris der Internationale Kongreß zur Verteidigung der Kultur entsprechende Positionen für die kultur- und speziell literaturpolitische Aktivität abgesteckt.[61] Es handelt sich mithin um eine Wendung, die der KP durch die faschistische Überwältigung erst aufgezwungen und in ihrer Verspätung nur noch bedingt wirksam wurde; ironischerweise aber gibt sie Bloch die Möglichkeit, sich 1936, als Günther ihn wegen allerlei methodischer Ketzereien kritisiert, im Rückgriff auf höchstinstanzliche Urteile zu verteidigen: er zitiert aus Dimitroffs Referat vor dem VII. Weltkongreß der KI, um nicht nur seine Volksfrontstrategie (die ja inzwischen Parteilinie darstellt), sondern auch die zugrundeliegende Theorie der Ungleichzeitigkeit und sogar seine Kritik der linken Propaganda zu stützen.[62]

V

Unter solchen Umständen macht auch die Gewißheit, schon damals recht gehabt zu haben, nicht froh. Blochs »Nachschrift 1962« zum Vorwort von »Erbschaft dieser Zeit« klingt überraschend gedämpft, um nicht zu sagen resignativ. Weder in der westlichen Wirtschaftswunderwelt noch im *inhuman verformten* Realsozialismus, in den *Francoländern der Ostseite*,[63] sind jene *Übergänge* zum gesellschaftlich Besseren auszumachen, die das Buch in den zwanziger Jahren aufzufinden und zu theoretisieren suchte. Müssen demnach auch Blochs Analyse der ungleichzeitigen Widersprüche, seine Kritik der linken Propaganda, sein Bündnis-Konzept kurzerhand ins Theoriekabinett linker Vergeblichkeiten eingestellt werden? Der naheliegende Argwohn legt seinerseits nahe, nach Rezeption, erneuertem Interesse, womöglich fortdauernder Aktualität von »Erbschaft dieser Zeit« und der zugehörenden Arbeiten zu fragen.

Mit gutem Recht konnte Wolfgang Emmerich noch 1977 sagen, Blochs eigenständige Ansätze seien *von der offiziösen Faschismusforschung so gut wie gar nicht rezipiert worden, und auch die Linke hat sie bis vor kurzem ignoriert*[64]. Zur Begründung dessen kann man die mehrfache Exilsituation des Autors heranziehen, sein Beharren auf eigenständigen Positionen bei aller prinzipiellen Solidarität mit der organisierten Linken; als Professor in Leipzig war er für die westdeutsche Forschung so indiskutabel wie schon bald, und vor dem Schritt nach Tübingen, für die der DDR. Methodisch gesehen machte vor allem die Dominanz der ökonomistischen Faschismuserklärung in Dimitroffs Tradition blind für Blochs Fragestellung, in der DDR wie auch in von dorther geprägten westdeutschen Diskussionszusammenhängen. Hinzu kommen zweifellos auch Eigenarten Blochschen Denkens und Schreibens selbst; der scheinbar unakademische Duktus des Ganzen, das emphatisch besetzte und durchgehaltene Montageprinzip seines Buches, die ›unseriöse‹ Grenzgängerei zwischen Theorie und Feuilleton lag in der Bundesrepublik quer zum Wissenschaftsverständnis der etablierten Geschichtsforschung wie auch der neuen akademischen Linken. Aber auch der unverwechselbare Bloch-Ton, die gleichermaßen bildhafte und begriffliche Sprache, einerseits über-rhetorisiert, andererseits an alltagssprachliche Topoi, Formen kollektiver Sprachverwendung anschließend, mag vielfach – entgegen Blochs Intention – eher rezeptionshemmend gewirkt haben.

Dennoch hat in den siebziger Jahren eine Rückbesinnung auf Blochs Faschismus-Analysen eingesetzt. Oskar Negt hat sie ebenso vorangetrieben wie die Initiativen der Zeitschrift »Ästhetik und Kommunikation« zur Erforschung faschistischer Öffentlichkeit; Annette Leppert-Fögens Buch über das Kleinbürgertum hat Deutungsansätze Blochs historisch-soziologisch untermauert. Auch eines der meistdiskutierten Theoriebücher der siebziger Jahre, »Öffentlichkeit und Erfahrung« (1972) von Negt und Alexander Kluge, ist hier zu nennen: als »Organisationsanalyse von bürgerlicher und proletarischer Öffentlichkeit« unter gegenwärtigen Bedingungen ist es, wie schon ein Blick in die Vorrede zeigt, Blochschen Fragestellungen und Erkenntnisinteressen auch da verpflichtet, wo es sich nicht ausdrücklich auf sie bezieht. In der Literaturwissenschaft hatte zwar Helmut Lethen 1970 (und erneut 1975) Bloch als bürgerlichen Theoretiker der Neuen Sachlichkeit präsentiert und Hans Günthers parteioffizielle Kritik erneuert; dagegen ist aber vor allem Wolfgang Emmerichs Studie über »Massenfaschismus und die Rolle des Ästhetischen« (1977) korrigierend und anregend wichtig geworden.[65] Ihr verdankt auch meine Darstellung allerhand.

Aber versuchen wir ein wenig zu ordnen. Zunächst ist Blochs Buch nach wie vor unerläßlich, unumgänglich für jeden Versuch, die Weimarer Republik von der Gegenwart her zu verstehen. Ein heller Kopf hat dies schon 1962 zur Neuausgabe notiert: *Mit Blochs Werk wird ein Hauptbuch jener Epoche wieder aufgeschlagen, im rechten Augenblick. Es ist ein Beispiel dafür, daß große Zeitkritik nicht mit ihren Anlässen hingeht, sondern zur Geschichtsschreibung von innen her werden kann. Die Haßliebe, mit der sie ihre Gegenstände versucht, sorgt dafür, daß sie uns mehr beibringt als der unbeteiligte Blick des nachgeborenen Forschers.*[66] In gewisser Beziehung steht »Erbschaft dieser Zeit« als Norm und unerreichbares Muster auch hinter neueren Versuchen, derartige *Geschichtsschreibung von innen* zu betreiben, hinter Erfolgsbüchern der späten siebziger und frühen achtziger Jahre, – auch und gerade, wenn sie Bloch nur en passant erwähnen. So ist etwa, wie Lothar Baier mit Recht festgehalten hat, *fast alles,* was Klaus Theweleit in seinen »Männerphantasien« den *Marxisten an Blindheiten gegenüber der Wirklichkeit des Faschismus vorrechnet,* (bei dem) *Marxisten Bloch, und zwar nicht post festum, sondern in actu* (...) *selbstkritisch vorweggenommen*[67]. Und auch durch den *Epochenspiegel*[68], den Peter Sloterdijk unserer Gegenwart vorhalten will, schimmern zumindest die konstruktiven Grundlinien des Blochschen *Hauptbuchs jener Epoche* hindurch.

Im Bereich der historisch-soziologischen Faschismusforschung wiederum haben sich in den allerletzten Jahren wichtige Umorientierungen ergeben, die gewiß nicht nur oder nicht einmal überwiegend durch Bloch angeregt sind, die aber sehr wohl die Linie seiner Faschismus-Theorie ausziehen. Zunächst hat sich, gegen die Dominanz der ökonomischen Fragestellung nach dem objektiven Klassencharakter der Nazi-Herrschaft einerseits – und die Fixierung auf personalistische oder institutionenanalytische ›Erklärungen‹ andererseits, die Frage nach den Bedingungen und Faktoren der faschistischen Massenbasis verstärkt zur Geltung gebracht. Die allenfalls partielle Erklärungskraft jener Ansätze wurde zunehmend deutlich, so wie Bloch schon 1935 gewarnt hatte: *Es geht nicht an, dicke Bücher über den Nationalsozialismus zu schreiben, und nach der Lektüre ist die Frage, was das sei, das so auf viele Menschen wirke, noch dunkler als zuvor.*[69] Eine Neubesinnung der Faschismusanalyse, die vor allem eine stichhaltige Erklärung für die Massenhaftigkeit der faschistischen Bewegung in Deutschland geben müsse, hat im Anschluß daran Eike Hennig gefordert (1975) – und in einzelnen Projekten zur Funktion faschistischer Öffentlichkeit, etwa zur Wahlpropaganda der Nazis, materiell vorangetrieben.[70] Auch von Seiten der Literatur- und Kunstwissenschaften wird zunehmend präziser der Funktions- und Wirkungsweise ästhetischer Medien im System der nationalsozialistischen Massenformierung nachgefragt, wobei – wenig überraschend – der Film ein besonderes Interesse findet.[71]

Weiterhin ist, verstärkt seit etwa 1980, ein grundsätzlicher Paradigmawechsel in der historischen Forschung unübersehbar. Daß weder die herkömmliche bürgerliche Geschichtswissenschaft noch die politökonomisch argumentierende Forschung ein konkret-differenziertes, anschauliches – und von daher auch die Nachgeborenen interessierendes – Bild der alltäglichen Realität, des Lebens unter dem und im Faschismus zu entwerfen versteht, oder an solchen Bildern einfach desinteressiert ist, wird zunehmend als Defizit erfahren. In erstaunlich kurzer Zeit ist diese Lücke nun – zumindest quantitativ – geschlossen worden. Es liegt heute eine Fülle von wissenschaftlichen, pädagogischen und populär-publizistischen Darstellungen des alltäglichen Faschismus vor,[72] die wesentlich auf Berichte, Erinnerungen von Zeitzeugen und die Untersuchung lokal begrenzter Verhältnisse zurückgehen – und die Subjektivität solcher Zeugenschaft nicht als Trübung wissenschaftlicher Objektivität bedauern, sondern als wesentliches Element des real erlebten Faschismus in ihre Präsentation und Analyse einbeziehen. Zweifellos sind dabei grundsätzliche, nicht allein auf den Faschismus bezogene Umorientierungen wirksam: das Verfahren der oral history soll beispielsweise die *Lebenswirklichkeit* von sozialen Gruppen erfassen, die von einer bürgerlichen Geschichtsschreibung der Haupt- und Staatsaktionen ebenso vernachlässigt werden wie von einer linken Wissenschaft, die sich exklusiv an der *Organisationsgeschichte und den Programmdebatten der Arbeiterbewegung* orientiert.[73]

Für die Faschismusforschung ist diese methodologische Neuorientierung aber besonders relevant. Zum einen ist die Herrschaft der Nazis fast schon die letzte Epoche, die von heute aus in einiger Breite den miterlebenden und überlebenden Subjekten ›abgefragt‹ werden kann. Zum zweiten, darauf weist Lutz Niethammer hin, sind gerade durch den deutschen Faschismus Traditionen abgebrochen worden, die sich zentral auf Kategorien subjektiv artikulierter Lebensgeschichte stützen (Arbeiterautobiographien, biographisch orientierte Sozialwissenschaft). Wenn heute die *Frage nach dem empirischen Arbeiterbewußtsein und nach der Subjektivität dieser Massen*[74] methodisch wieder aufgenommen wird, so ist dies nicht nur als eiliger Zugriff auf ein verschwindendes Erfahrungspotential zu sehen, sondern auch als ein Akt symbolischer ›Wiedergutmachung‹. Zu denken ist hier an Adornos Wort, die Ermordeten sollten durch die organisierte Abwehr der Erinnerung, wie sie für unsere Nachkriegszeit bezeichnend war und oft genug noch ist, *um das einzige betrogen werden, was unsere Ohnmacht ihnen schenken kann, das Gedächtnis*[75].

Daß dem Vorhaben, die fast verlorene Vergangenheit und ihre subjektiven Gehalte erinnernd einzuholen, die *makrosoziologischen Deutungsmuster aus den Traditionen Webers und Marx'* und ihr Fortwirken in bestimmten linken Theorielinien blockierend im Weg standen, dürfte einleuchten und gilt nicht nur für Deutschland.[76] So ist überaus bezeichnend, wenn Luisa Passerini in ihrer analytischen Dokumentation über »Arbeitersubjektivität und Faschismus« in Italien sich gegen die Tendenz zur Vernachlässigung der *Subjektivität einzelner Individuen* und ihrer Ambivalenzen abgrenzt, die sie in marxistischer Geschichtsschreibung dominant und in Lukács' »Geschichte und Klassenbewußtsein« (!) theoretisch fundiert sieht. Demgegenüber schließt sie nicht an Bloch, wohl aber an Hinweise Togliattis und Reichs an, die solche Ambivalenzen verantwortlich machen für *die zwiespältige Bereitschaft* der proletarischen/proletaroiden Massen, *sowohl den Weg des Umsturzes einzuschlagen als auch die eigenen*

Bedürfnisse durch Faschismus und Kapitalismus befriedigen zu lassen.[77] In solcher Erinnerungsarbeit scheint mir eine erneuerte Aktualität von Blochs prinzipiellem Zugriff, wenn nicht durchgehend seiner konkreten Befunde, unübersehbar. Im Rückgang auf individuell und gruppenspezifisch erlebte Geschichte und die subjektiven Modi ihrer Vergegenwärtigung wird eben das angezielt, was Bloch in eigenwilliger und manchmal befremdlich scheinender Weise interpretierend den Zeitphänomenen abzulesen suchte: Das Geheimnis des faschistischen Erfolgs, wie es unterhalb jeder abstrahierenden Klassenanalyse in den besonderen Lebenszusammenhängen, in soziologischen und sozialpsychologischen Realitäten faßbar wird. Daß Blochs Beobachtungen und Deutungen dafür nicht ausreichen, daß sie vor allem wohl um die Dimension der Sozialisationsgeschichte erweitert werden müssen, tut ihrem grundsätzlichen Anregungswert wenig Abbruch.

Die *Zeit, aus der das vorliegende Buch kam,* notiert Bloch in der »Nachschrift 1962«, *steht immer noch lebhaft in der Luft.*[78] Wie aber heute, da es fast ein halbes Jahrhundert alt ist? Ist über die fortdauernde Bedeutung, die es für die Erforschung und Erklärung jener Zwischenkriegszeit weiterhin besitzt, auch eine unmittelbare Relevanz für unsere Gegenwart zu erkennen?

Die *überragende Bedeutung von ungleichzeitigen Entwicklungsstrukturen* hält Negt 1975 im Blick auf die gegenwärtige Gesellschaftsstruktur fest. Dabei ist der Gegner, der aus solchen Entwicklungen Nutzen zieht, gewiß nicht mehr der Faschismus in seiner historischen Erscheinungsform. *Die irrationalen Hoffnungen müssen nicht mehr ausschließlich mit Blut und Boden oder noch zu erobernden Rittergütern, sondern können mit greifbareren Dingen, mit Waren besetzt werden, wenigstens, solange sie in ausreichendem Maße verfügbar sind.*[79] Die Funktion solcher Formierung und *Einbeutung* (Brecht) des Bewußtseins und der Affekte ist aber der faschistischen durchaus vergleichbar, woraus ein neues, besser: erneuertes Problem der Propaganda als politisch-strategisches resultiert: *Es scheint,* schreiben Negt und Kluge, *als habe die Linke ein Monopol auf die rationale Sprache, die Fähigkeit des Begriffs, der Analyse und der Abstraktion. Die politische Rechte und die ihr angeschlossenen Publikationsorgane scheinen dagegen ein Monopol auf die Mythen, Träume und Bilder, d. h. auf die wichtigsten Organisationsmittel zu haben, in denen sich Anschauung, Erfahrung, Wünsche miteinander befriedigend vermitteln.*[80] In diesem Sinne konnte man Blochs Kritik der linken Propaganda noch vor wenigen Jahren, angesichts der Weltfremdheit selbsternannter K-Parteien oder auch der DKP-Lagermentalität, für unverändert aktuell halten. Die *brüllende Einöde (...) der roten Presse*[81] war vielleicht etwas leiser, aber seit den zwanziger Jahren kaum fruchtbarer geworden.

Inzwischen allerdings wäre erneut und genauer zu prüfen und zu diskutieren, was sich in der letzten Zeit, sagen wir im Jahrzehnt seit der Publikation von »Öffentlichkeit und Erfahrung«, geändert hat.

Dabei scheint mir die politische Ambivalenz ungleichzeitiger Lebenszusammenhänge und Bewußtseinsformen (wie sie analog ja Blochs zentrales Problem war) deutlich genug hervorzutreten; nicht weniger deutlich aber der analytische Wert der Kategorie Ungleichzeitigkeit, die freilich nicht schlagwortartig gehandhabt, sondern in genauem Sachbezug auf den jeweils gegebenen Zusammenhang inhaltlich gefüllt und funktional differenziert werden muß.

Es ist ja nicht zu leugnen, daß sich in den vergangenen Jahren – ungeachtet der Fortwirkung der von Negt und Kluge beschriebenen Programm- und Bewußtseinsindustrien und gegen sie – ein beträchtliches und offenbar weiter wachsendes Protestpotential in den verschiedenen Gruppierungen der sogenannten ›neuen sozialen Bewegungen‹ gesammelt, wenn auch nicht im traditionellen Sinn ›organisiert‹ hat. Und zwar gesammelt nicht primär aufgrund rational-analytischer Einsichten, sondern ausgehend von ›subjektiven Erfahrungen‹, ›Bedürfnissen‹, getrieben auch von – allerdings rational begründbaren – Ängsten und von (oft genug illusorischen? oder doch auch utopischen?) Hoffnungen. Dabei erweisen sich beispielsweise ökologische Forderungen, zunächst einmal ungleichzeitig zum ökonomischen, technologischen und sozialtechnologischen Entwicklungsstand unserer Gesellschaft, immer deutlicher und schneller als zukunftsweisend, ja Zukunft erst ermöglichend – und insofern, in einer manchmal irrational anmutenden Wendung gegen ökonomische Rationalität, als vernünftig.

Blochs alte Diagnose: Unterernährung an sozialistischer Phantasie[82] scheint überholt durch die vielfältig konkreten, anschaulichen und phantasievollen Ausdrucks- und Aktionsformen, die in alternativen und ökologischen Zusammenhängen, von Gruppierungen verschiedenster Art entwickelt und praktiziert werden. Manches von dem, was er einst von einer ›alternativen‹ linken Propaganda forderte, scheint da verwirklicht zu sein – und zwar nicht mehr als propagandistisch-rhetorische Beeinflussung und Organisation von Massen (ein Modell, das ja auch Blochs Politikbegriff prägt), sondern als Selbst-Artikulation zumindest von Gruppen. Viel eher müßte ein Bloch heute wohl nach dem sozialistischen Charakter solcher Phantasie, nach der Orientierung auf ein *Endziel* fragen – seine kritische Optik also um 180 Grad drehen und wenden: Einen Theoretiker des Ummontierens und die, die einiges von ihm gelernt haben, dürfte dies nicht schrekken. Es versteht sich allerdings, daß auch Begriff und Sache des Sozialismus selbst einer kritischen Prüfung unterzogen werden muß: soll er noch einmal als ernsthafte Alternative in der gesellschaftspolitischen Kontroverse zur Geltung kommen, so wäre er zunächst selber (analog zur kapitalistischen Ratio) aus seiner ökonomischen Fixierung und Fesselung zu befreien, als Entwicklung gerade auch der nichtökonomischen, ja subjektiven Produktivkräfte zu fassen – durchaus im Sinne seiner ehrwürdigen (utopischen? illusionären?) Bestimmung als einer *Assoziation, worin die freie Entwicklung eines jeden die Bedingung für die freie Entwicklung aller ist*[83].

Andererseits nun, wieder im Blick auf unsere Gegenwart, bewährt sich weiterhin Blochs Beobachtung, *das Kapital* gebrauche *das ungleichzeitig Konträre, wo nicht Disparate zur Ablenkung von seinen streng gegenwärtigen Widersprüchen*[84]. Dabei scheint es derzeit, nach der politischen ›Wende‹ von 1982, als ob die propagandistische Strategie der wieder staatstragenden Rechten sich nicht mehr, oder doch nicht mehr ausschließlich, auf die überkommenen Irrationalismen stütze. Es sind vielmehr die Normvorstellungen und das Vokabular der protestantischen Leistungsethik und eines verkürzten Sozialdarwinismus – also Denk- und Verhaltensmuster, die wesentlich im 18. und 19. Jahrhundert wurzeln und ungleichzeitig genug zur gegenwärtigen Technologie und Sozialstruktur stehen –, die das Gefühl einer neuen Sekurität schaffen sollen, in der jedem das Seine schon zukommen werde. Solch volltönender Neokonservatismus ist mit Blochs historisch-konkreten Befunden gewiß nicht mehr, wohl aber ist er mit seiner kritischen Optik zu fassen, die neben der exakten Bestimmung gesellschaftlicher Ungleichzeitigkeiten auch die Analyse des Wechselspiels von unbewußten Massen-Wünschen und gezielter Wunsch-und-Schwindel-Rhetorik fordert. Die biedermännischen Glücksversprechen und Heile-Welt-Klischees des derzeitigen Bundeskanzlers, seine Neigung, komplexe und globale Probleme auf quasi-familiale Situationen und Verhaltensweisen zu reduzieren (*seine Hausaufgaben machen* (...)) – all dies ist mehr als wohlfeiler Stoff für Parodisten, es wäre durchaus die eine oder andere Analyse aus Blochschem Geist wert. Neokonservatismus als die, oder jedenfalls eine wichtige aktuelle Form der Massentäuschung bzw. des massenhaft ersehnten Getäuschtwerdens, das die reale Gefahr und die ihr entspringende Angst ersticken und verdrängen soll: das ist ein neuer, lohnender, dringlicher Gegenstand mehrschichtiger Dialektik.

Erinnern wir uns, daß der letzte Text des großen Autors, der einst mit dem »Geist der Utopie« debütierte, ein Statement gegen die Neutronenbombe war. Und lesen wir Bloch, wie jener helle Kopf es vorgeschlagen hat, daraufhin von neuem:

Denn wo *wäre der Kritiker, der uns die Erbschaft unserer fünfziger Jahre beschriebe, so wie Bloch die seiner Zeit, satt von Anschauung und Erinnerung und hungrig vor Hoffnung. Er ist nirgends zu sehen. Lesen wir also in den alten Scherben. Sie zählen mit, bei dem Gericht, das über uns gehalten wird.*[85]

Erweiterte Fassung eines Vortrags an der Universität Essen; Fragestellung und manche Anregungen gehen auf ein Bloch-Seminar zurück, das 1978 in Dringenberg tagte. Seinen Teilnehmerinnen und Teilnehmern möchte ich den Text widmen – in Erinnerung an unseren damals bewährten Leitsatz: *Nur Leute, die am Tag nichts getan haben, sind abends geistreich.* (»Erbschaft dieser Zeit«, S. 36)

1 Ernst Bloch: »Erbschaft dieser Zeit«, Erweiterte Neuausgabe (1962), Frankfurt/M. 1973 (Bibliothek Suhrkamp), S. 162. — **2** Vgl. die Erstausgabe: Zürich 1935 (Verlag Oprecht &

Helbling). — **3** Ernst Bloch: »Politische Messungen, Pestzeit, Vormärz«, Frankfurt/M. 1970 (Gesamtausgabe Bd. 11); ders.: »Vom Hasard zur Katastrophe. Politische Aufsätze aus den Jahren 1934–1939«. Mit einem Nachwort von Oskar Negt, Frankfurt/M. 1972 (edition suhrkamp 534). — **4** EdZ, S. 39. — **5** Vgl. HK, S. 42 ff. — **6** Vgl. »Wut und Lachlust« (1929), in: EdZ, S. 46, mit Kischs Reportage vom Berliner Sechstagerennen: »Elliptische Tretmühle«, in: Egon Erwin Kisch: »Reportagen«. Auswahl und Nachwort von Erhard Schütz, Stuttgart 1978, S. 219 ff. — **7** EdZ, S. 18. — **8** MEW, Bd. 1, S. 380 f. — **9** MEW, Bd. 19, S. 97. — **10** EdZ, S. 164. — **11** Georg Lukács: »Geschichte und Klassenbewußtsein. Studien über marxistische Dialektik« (1923), Neuwied u. Berlin 1970 (Sammlung Luchterhand 11). — **12** Vgl. die Dokumentation »Geschichte und Klassenbewußtsein heute. Diskussion und Dokumentation«, Amsterdam 1971, in der auch Blochs Rezension abgedruckt ist. — **13** Kolportiert von Antonia Grunenberg: »Bürger und Revolutionär. Georg Lukács 1918–1928«, Köln u. Frankfurt/M. 1976, S. 47. — **14** Walter Benjamin: »Bücher, die lebendig geblieben sind« (1928), in: W. B.: Gesammelte Schriften, Bd. 3, Frankfurt/M. 1972, S. 171. Vgl. auch Benjamins Brief an Gerhard Scholem vom 16. 9. 1924. Inwiefern Benjamin sich von gewissen linksradikalen Positionen in seiner antirevisionistischen (später auch antistalinistischen) Gesinnung bekräftigt fühlte, wäre einmal – auch im Blick auf die »Geschichtsphilosophischen Thesen« – genauer zu überdenken. — **15** Vgl. hierzu Antonia Grunenberg: »Bürger und Revolutionär«, S. 185 ff., 221 ff.; weiterhin Werner Jung: »Wandlungen einer ästhetischen Theorie – Georg Lukács' Werke 1907 bis 1923«, Köln 1981, besonders S. 88 ff.) — **16** Antonia Grunenberg: »Bürger und Revolutionär«, S. 99 ff. — **17** Vgl. Ossip K. Flechtheim: »Die KPD in der Weimarer Republik«, Frankfurt/M. 1969, S. 182 ff. — **18** EdZ, S. 16. — **19** Vgl. Ernst Parell (d. i. Wilhelm Reich): »Was ist Klassenbewußtsein? Ein Beitrag zur Diskussion über die Neuformierung der Arbeiterbewegung« (1934), Reprint Amsterdam 1981. — **20** MEW, Bd. 1, S. 386. — **21** MEW, Bd. 13, S. 640; Bloch: EdZ, S. 114. — **22** MEW, Bd. 3, S. 72 f. — **23** EdZ, S. 113 f. — **24** EdZ, S. 105–111. **25** Vgl. u. a. die Aufsätze »Die Frau im Dritten Reich« (PM, S. 106 ff.; HK, S. 129 ff.), »Forscher Betrüger, Schandpragmatismus« (PM, S. 117 ff.), »Hitlers ›Kulturkampf‹, Herrenpfaffen und Christen« (PM, S. 122 ff.). — **26** EdZ, S. 104, 122 f. — **27** EdZ, S. 118. — **28** Walter Benjamin: »Das Kunstwerk im Zeitalter seiner technischen Reproduzierbarkeit«, in: W. B.: »Illuminationen. Ausgewählte Schriften«, Frankfurt/M. 1961, S. 175 (Nachwort). — **29** EdZ, S. 123. — **30** EdZ, S. 70. — **31** EdZ, S. 70 f. — **31a** Adolf Hitler: »Mein Kampf«. Zweiter Band: »Die nationalsozialistische Bewegung«. 16. Aufl. München 1933, S. 528 ff., 539 ff., 551 ff., 559, 542. — **32** EdZ, S. 126. — **33** EdZ, S. 127. — **34** EdZ, S. 128. — **35** Walter Benjamin an Alfred Cohn (6. 2. 1935), in: W. B.: »Briefe«. Herausgegeben von Gershom Scholem und Theodor W. Adorno, Frankfurt/M. 1966, Bd. 2, S. 648 f. — **36** Vgl. Walter Benjamin: »Erfahrung und Armut«, in: W. B.: »Illuminationen«, S. 314 f. Hierzu jetzt instruktiv: Burkhardt Lindner: »Positives Barbarentum – aktualisierte Vergangenheit. Über einige Widersprüche Benjamins«, in: »alternative« H. 132/133 (1980), S. 130 ff. — **37** So lauten klassifizierende Zwischentitel im dritten Teil (»Großbürgertum, Sachlichkeit und Montage«) von EdZ. — **38** Vgl. Oskar Negt: »Ernst Bloch – der deutsche Philosoph der Oktoberrevolution. Ein politisches Nachwort«, in: HK, S. 429 ff. — **39** Jetzt wieder greifbar in einer Neuauflage: Hans Günther: »Der Herren eigner Geist. Ausgewählte Schriften«, Berlin u. Weimar 1981. — **40** Vgl. die einschlägigen Kapitel S. 145 ff., 158 ff. — **41** Vgl. die Dokumente: »Die Expressionismusdebatte. Materialien zu einer marxistischen Realismuskonzeption«. Herausgegeben von Hans-Jürgen Schmitt, Frankfurt/M. 1973. — **42** Vgl. PM, S. 176. — **43** PM, S. 183. — **44** Vgl. Hans Günther: »Der Herren eigner Geist«, S. 204. — **45** Vgl. S. 206. — **46** Vgl. S. 205. — **47** Vgl. S. 207. — **48** EdZ, S. 146. — **49** PM, S. 320 f. — **50** EdZ, S. 153. — **51** Vgl. Ossip K. Flechtheim: »Die KPD in der Weimarer Republik«, S. 182 ff. — **52** Ernst Bloch: »Über Ungleichzeitigkeit, Provinz und Propaganda«, in: Rainer Traub/Harald Wieser (Hg.): »Gespräche mit Ernst Bloch«, Frankfurt/M. 1975, S. 197 f. — **52a** Adolf Hitler: »Mein Kampf«, S. 538 f., 561. — **53** EdZ, S. 149. — **54** HK, S. 197. — **55** Vgl. EdZ, S. 159. — **56** EdZ, S. 123. — **57** EdZ, S. 123. — **58** Vgl. etwa EdZ, S. 147, 269. — **59** Ossip K. Flechtheim: »Die KPD in der Weimarer Republik«, S. 269 f.; Wolfgang Abendroth: »Ein Leben in der Arbeiterbewegung«, Frankfurt/M. 1976, S. 162 ff. — **60** Vgl. Institut für Marxismus-Leninismus beim Zentralkomitee der SED: »Geschichte der deutschen Arbeiterbewegung. Kapitel 10: Januar 1933 bis August 1939«, Berlin/DDR 1969, S. 101 ff. — **61** Vgl.: »Paris 1935 – Erster Internationaler Schriftstellerkongreß zur Verteidigung der Kultur. Reden und Dokumente«. Herausgegeben von der Akademie der Wissenschaften der DDR, Berlin 1982. — **62** Vgl. »Bemerkungen zur ›Erbschaft dieser Zeit‹« (Juni 1936), in: HK, S. 53. — **63** EdZ, S. 21. — **64** Wolfgang Emmerich: »›Massenfaschismus‹ und die Rolle des Ästhetischen. Faschismustheorie bei Ernst Bloch, Walter Benjamin, Bertolt Brecht«, in: Lutz Winckler (Hg.): »Antifaschistische Literatur. Programme Autoren Werke«, Bd. 1,

Kronberg/Ts. 1977, S. 229. Nicht mehr berücksichtigen konnte ich die Studie von Heinz-B. Heller: »›Ungleichzeitigkeiten‹. Anmerkungen zu Ernst Blochs Kritik des ›Massenfaschismus‹ in ›Erbschaft dieser Zeit‹«, in: »Exilforschung. Ein internationales Jahrbuch« 1 (1983), S. 343 ff. — **65** Oskar Negt: »Ernst Bloch – der deutsche Philosoph der Oktoberrevolution« (1972), vgl. Anm. 38; ders.: »Erbschaft aus Ungleichzeitigkeit und das Problem der Propaganda«, in: »Ernst Bloch zum 90. Geburtstag: Es muß nicht immer Marmor sein«, Berlin 1975, S. 9 ff.; Eike Hennig: »Faschistische Öffentlichkeit und Faschismustheorien. Bemerkungen zu einem Arbeitsprogramm«, in: Ästhetik und Kommunikation, H. 20 (1975), S. 107 ff.; »Faschistische Öffentlichkeit«, Ästhetik und Kommunikation, H. 26 (1976); Annette Leppert-Fögen: »Die deklassierte Klasse. Studien zur Geschichte und Ideologie des Kleinbürgertums«, Frankfurt/M. 1974; Oskar Negt/Alexander Kluge: »Öffentlichkeit und Erfahrung. Zur Organisationsanalyse von bürgerlicher und proletarischer Öffentlichkeit«, Frankfurt/M. 1972; Helmut Lethen: »Neue Sachlichkeit 1924–1932. Studien zur Literatur des ›Weißen Sozialismus‹«, Stuttgart 1970, 2. Aufl. 1975, S. 109 ff.; Wolfgang Emmerich: »›Massenfaschismus‹ und die Rolle des Ästhetischen. Faschismustheorie bei Ernst Bloch, Walter Benjamin, Bertolt Brecht«, S. 223 (vgl. Anm. 64). — **66** Hans Magnus Enzensberger: »Ernst Blochs ›Erbschaft dieser Zeit‹«, in: Der Spiegel, Nr. 27/1962, wiederabgedruckt in: »Ernst Blochs Wirkung. Ein Arbeitsbuch zum 90. Geburtstag«, Frankfurt/M. 1975, S. 49. — **67** Vgl. Klaus Theweleit: »Männerphantasien«, 2 Bde. Frankfurt/M. 1977; dazu Lothar Baier: »In den Staub mit allen Feinden der Frau«, in: FAZ, 18. 4. 1978, (Beilage). — **68** Peter Sloterdijk: »Kritik der zynischen Vernunft«, 2 Bde. Frankfurt/M. 1983; vgl. Bd. 1, S. 183: *... das ›Weimarer Symptom‹ beschreiben als den zeitlich nächsten Epochenspiegel, in den wir blicken können...* — **69** EdZ, S. 155. — **70** Eike Hennig: »Faschistische Öffentlichkeit und Faschismustheorien«, vgl. Anm. 65. — **71** Vgl. Rainer Stollmann: »Faschistische Politik als Gesamtkunstwerk. Tendenzen der Ästhetisierung des politischen Lebens im Nationalsozialismus«, in: Horst Denkler/Karl Prümm (Hg.): »Die deutsche Literatur im Dritten Reich«, Stuttgart 1976; im gleichen Band u. a. auch die Beiträge von Karsten Witte (zum Film) und Gerhard Hay (zum Rundfunk). Weiterhin: Ralf Schnell (Hg.): »Kunst und Kultur im deutschen Faschismus«, Stuttgart 1978. — **72** Beispielsweise: Lutz Niethammer (Hg.): »›Die Jahre weiß man nicht, wo man die Leute hinsetzen soll‹. Faschismuserfahrungen im Ruhrgebiet«, Berlin u. Bonn 1983; Johannes Beck u. a. (Hg.): »Terror und Hoffnung in Deutschland 1933–1945. Leben im Faschismus«, Reinbek 1980; Harald Focke/Uwe Reimer: »Alltag unterm Hakenkreuz«, 2 Bde., Reinbek 1979 f.; Dieter Galinski/Ulla Lachauer (Hg.): »Alltag im Nationalsozialismus 1933 bis 1939. Jahrbuch zum Schülerwettbewerb Deutsche Geschichte«, Braunschweig 1982. — **73** Lutz Niethammer: »Einführung«, in: L. N. (Hg.): »Lebenserfahrung und kollektives Gedächtnis. Die Praxis der ›Oral History‹«, Frankfurt/M. 1980, S. 7. — **74** »Einführung«, S. 10 f. — **75** Theodor W. Adorno: »Was bedeutet: Aufarbeitung der Vergangenheit«, in: Th. W. A.: »Eingriffe. Neun kritische Modelle«, Frankfurt/M. 1963, S. 128. — **76** Lutz Niethammer: »Einführung«, S. 11. — **77** Luisa Passerini: »Arbeitersubjektivität und Faschismus. Mündliche Quellen und deren Impulse für die historische Forschung«, in: Lutz Niethammer (Hg.): »Lebenserfahrung und kollektives Gedächtnis«, S. 216 ff. — **78** EdZ, S. 20. — **79** Oskar Negt: »Erbschaft aus Ungleichzeitigkeit und das Problem der Propaganda« (vgl. Anm. 65), S. 29. — **80** Oskar Negt/Alexander Kluge: »Öffentlichkeit und Erfahrung«, S. 293 f. — **81** HK, S. 198. — **82** Vgl. HK, S. 197. — **83** MEW, Bd. 4, S. 482. — **84** EdZ, S. 118. — **85** Hans Magnus Enzensberger: »Ernst Blochs ›Erbschaft dieser Zeit‹« (vgl. Anm. 66), S. 50.

Florian Vaßen

›Krumme Wege‹ und ›schräger Querschnitt‹

Ernst Blochs literarisch-philosophische Schreibweise in »Erbschaft dieser Zeit«

Das Buch ist ein Handgemenge[1] – Ernst Blochs »Erbschaft dieser Zeit« steht in einem widersprüchlichen Zusammenhang mit der ›zersprungenen‹ Realität der Weimarer Republik und des Faschismus. Die verschiedenartigen Schreibanlässe und Erstveröffentlichungen einzelner Abschnitte wie auch die Komposition und sprachliche Konstitution des gesamten Textes verweisen auf Widersprüche: Bruchstellen und scharfe Kanten neben Entsprechung und Verflechtung. »Erbschaft dieser Zeit«, *Zeitbuch,* Produkt einer *Übergangsphase* und entsprechend literarisch und philosophisch organisiert, sucht mit seiner Diagnostik den Prozeß der Faschisierung zu erklären und damit Eingriffe neuartiger Form in die gesellschaftliche Wirklichkeit des Faschismus zu ermöglichen. Diese Intention ist jedoch keineswegs nur Bloch eigen; er steht vielmehr in dem Kontext von literarischer Philosophie und philosophischer Literatur der Weimarer Republik. Wenn auch in vielem, auch Grundsätzlichem unterschiedlich, versuchen Intellektuelle wie Walter Benjamin, Siegfried Kracauer, Bertolt Brecht[2] und eben auch Ernst Bloch gleichermaßen zu vermeiden, was Max Horkheimer in seinem Buch »Dämmerung« kritisch skizziert: die Tatsache nämlich, daß sich *bei den linken Intellektuellen, angefangen von den politischen Funktionären bis zu den Theoretikern der Arbeiterbewegung, die beiden Momente der dialektischen Methode: Tatsachenerkenntnis und Klarheit über das Grundsätzliche, isoliert und zerstreut (finden). Die Treue an der materialistischen Lehre droht zum geist- und inhaltslosen Buchstaben- und Personenkult zu werden, sofern nicht bald eine radikale Wendung eintritt.*[3]

Von besonderem Interesse sind dabei heute weniger die Detailergebnisse dieser Intellektuellen als ihre Vorgehensweise, ihr methodischer Ansatz, ihre ästhetische Arbeit. Gerade die sprachliche Konstitution dieser literarisch-philosophischen Texte – in »Erbschaft dieser Zeit« vor allem die Metaphorik, der erzählende Gestus und die Montage – entscheidet über ihre Lebendigkeit und damit über ihre Aktualität, verstanden in einem nicht oberflächlich journalistischen Sinne. Die Kritik des ›Zu-spät‹ – in der politischen Konstellation der 30er Jahre durchaus berechtigt – relativiert sich damit aus heutiger Sicht: gegen Wissenschaftsgläubigkeit und Fortschrittsdenken wird hier Uneingelöstes ästhetisch ›aufgehoben‹.

Ernst Bloch hat mit »Erbschaft dieser Zeit« eine Möglichkeit dieser *radikalen Wendung*, wie Horkheimer sie fordert, realisiert; er arbeitet mit einer Methode, die *Tatsachenerkenntnis* und *Klarheit über das Grundsätzliche* nicht trennt, sondern von einem phänomenologischen Ansatz aus das ›Wesen‹ der gesellschaftlichen Wirklichkeit erschließt. *Von vornherein ist gar nichts zu wissen. Man muß in die Sache selbst herein, in jede, fast von Fall zu Fall. Falsch, einen Stoff zu fingern, bis er in die vorgepaßte Form paßt. Noch falscher, nur die Form vorzutragen und sich das Dickicht der immer neuen lernenden Arbeit zu ersparen.*[4] Bloch wendet sich also gegen ›Ableitungsdenken‹, gegen mechanische Deduktion und abstrakte Reduzierung. Er geht nicht ausgrenzend vor, entsprechend einem festgefügten System, sondern sein ›Denken nebenbei‹ *streunt* (...) *umher*[5] in scheinbar nebensächlichen, banalen Räumlichkeiten; das *Denken des Versuchs* geht auf Spuren-Suche. Diese *Mikrologie linkster Hand* einer *philosophischen Detektivkunst*, wie Ernst Bloch Walter Benjamins Vorgehensweise und implizit auch seine eigene charakterisiert, bedarf *anschauliche(r) Begriffe*[6], soll sie die Spur nicht verlieren. Institutionalisierte Wissenschaftssprache und deren tradierte Begrifflichkeit verstellt dagegen, was entdeckt werden soll, denn – wie Bloch sagt – *der Begriff* (muß) *spürsam wie eingedenkend sein* (395). Bloch versucht die Trennung von Wissenschaft und Literatur, ein Erbe des szientistischen 19. Jahrhunderts, mit Hilfe begriffener, *exakte(r) Phantasie* (408) aufzuheben und den ästhetischen Aspekten der Wissenschaftsproduktion wieder ihren angestammten Platz zu geben.[7] Nicht daß jetzt Poesie allein dominiere, schon gar nicht ein *dunkles Raunen*.[8] Bild und Begriff befinden sich in engstem Kontakt, häufig im Handgemenge, ohne daß jedoch ihre Differenz in falscher Harmonie eingeebnet würde. Gerade die Verbindung von Denken und Vorstellen, von Erfahrung und Reflexion – oft in einem Wort – löst, Empirieglauben und Objektivitätsdenken überschreitend, assoziative Denkprozesse aus, ist Anstoß für Phantasieproduktion.

Dieses dialektische Verhältnis realisiert sich bei Bloch in einer Sprachform, die den Blick frei gibt auf Unbekanntes: Es bedarf des metaphorischen Sprechens[9], um der Denkweise der Utopie, der Konzentration auf das Noch-Nicht-Bewußte Ausdruck zu verleihen. Dabei geht es selbstverständlich nicht um die kaum mehr wahrgenommene, in die Alltagssprache integrierte Metaphorik – auch nicht die der Wissenschaftssprache, sondern um die poetische Metapher und ihren polyvalenten Verweischarakter. Keineswegs ist die Metaphorik dabei eine Vorstufe oder gar ein Behelf begrifflichen Denkens, sie besitzt vielmehr selbst begriffliche Qualität; es gibt keine Hierarchie von eigentlichem und uneigentlichem Sprechen. Die besondere Qualität ihres Erkenntnis vermittelnden Prozesses zeigt sich vor allem darin, daß sie *den Reichtum ihrer Herkunft* bewahrt, *den die Abstraktion verleugnen muß*.[10] Diese Befreiung von Wörtern aus ihrem determinierenden Kontext, aus ihren festen Bedeutungen entspricht Blochs nichtdeterminierendem Denken. *Die Heimatlosigkeit der Metapher in einer durch disziplinierte Erfahrung bestimmten Welt wird am Unbehagen faßbar, dem alles begegnet, was dem Standard der auf objektive Eindeutigkeit tendierenden Sprache nicht genügt.*[11] Die Metapher setzt Entferntes überraschend in Beziehung, kombiniert Getrenntes, macht Ähnlichkeiten erkennbar, visualisiert Unsichtbares und läßt abstrakte gesellschaftliche Verhältnisse erfahrbar werden. Zwar wird von Bloch unsystematisch-kreativ, sozusagen ›links‹ gedacht[12], aber es bleibt doch eine kontrollierte Metaphorik, die nicht verdeckt, sondern aufdeckt, selbst noch, wenn er entsprechend dem Dunkel der Realität *aus Genauigkeit – verhangen spricht*[13].

Die Qualität und Funktion Blochscher Metaphorik läßt sich exemplarisch und besonders eindringlich an dem zentralen Wortfeld der Bewegung bzw. des Stillstands zeigen: Schiff, Fahrt, Wind bzw. Staub und Muff. Das *Schiff* als nautische Daseinsmetapher[14] steht bei Bloch nicht für ein Scheitern des Lebens (Schiffbruch). Stattdessen ist das Schiff als Mittel für die *Fahrt* die zentrale Metapher für Bewegung, Veränderung und Prozeßhaftigkeit. So schließt das Vorwort von 1934 mit dem Ausblick: *Er* (der Bürger – F. V.) *hat nur noch ein Schiff; denn es ist die Zeit des Übergangs. Das Buch trage seinen Teil dazu bei, Länge und Breite der bürgerlichen Endfahrt zu bestimmen, damit sie wirklich eine Endfahrt sei.* (20) Sogar der Gegensatz, das *Haus*, diese Metapher für erst noch zu gewinnende *Heimat*, für unentfremdete Geborgenheit wird in dem Wort *Schiffshaus* (229), Metapher für Entwurzelung der bürgerlichen Gesellschaft, ›aufgehoben‹. Ergänzend zu *Schiff* steht die Bewegungsmetapher *Fahrt* bzw. als Antrieb der *Wind*; in positivem Kontext als *frische Luft* (27), im negativen als ›Staub‹ in den verschiedenen Potenzen. *Hier ist die Luft vielleicht nicht mehr so dick wie früher. Doch sie weht noch nicht, sie staubt nur.* (28) Als Ergänzung zu *Staub* und als dessen Steigerung in statischer Form ist schließlich der *Muff*, die *verbrauchte Luft* zu verstehen. Diese Metaphernbeispiele sind typisch für die Raumgebundenheit der Blochschen Denk- und Schreibweise. Zeitliche Entwicklung und gesellschaftliche Prozesse wie hier der erwartete Untergang des Bürgertums, selbst Historizität werden verräumlicht. Mit der Metaphorik des offenen Raums setzt Bloch den abstrakten Zeitaspekt zu intensiver Anschaulichkeit um, ohne daß sein Raumdenken in Verdinglichung erstarrt. *So ist Raumschema doch nicht nur Äußerlichkeit der Verdinglichung, sondern letzthin, ja zuweilen mitten darin auch mögliche Entschlossenheit der Gestalt, hin zu bewegter Form, die als solche lebend sich entwickelt und derart die schöpferische Zeit mit der Fülle-Form eines schöpferischen Raums homogenisieren läßt.*[15]

In der Metapher findet Ernst Blochs Denkmethode ihren adäquaten sprachlichen Ausdruck. Diese poetische Wortebene bliebe jedoch unproduktiv isoliert, fände sie nicht ihre Entsprechung in Blochs Syntax. Die Nähe zum Gegenständlichen in seinen Denk- und Wortformen bedarf des erzählenden Gestus; der mündliche Erzählton anstelle schriftgebauter Syntax entspricht am konsequentesten dem fabelnden Denken[16]: *Der als solcher blühende, in die literae noch eintönende Sprechduktus ist nicht keine Vernunft, sondern eine eigene, wo nicht eigentliche Musik von Vernunft.*[17] Wie die lebendig mündliche Kommunikation verschiedene Sprachebenen mischt, so auch Bloch in »Erbschaft dieser Zeit«; hier sind es: umherschweifendes Fabulieren neben lapidarer Kürze, parataktische Alltagssprache, häufig in Form des Anakoluth, Sprichwörter und Redensarten neben poetischer Metaphorik und hypotaktischer Wissenschaftssprache. Auch das Erzählen ist immer schon in Reflexion gebrochen, sichtbar u. a. an der Exemplarität der Zeitform des Präsens, ohne jedoch die gestische Plastizität zu verlieren. Denken auf *krummen Wegen*[18] gehört ebenso hierher wie die *sprechende Orakelsprache*[19] der berühmten Blochschen Anfangssätze: *Wir sind noch. Aber es gelingt nur halb. Der kleine Mann hält zu vieles zurück. Er meint noch, für sich selber.* (25) Dieser erste, »Halb« überschriebene Abschnitt ist als – wenn auch politisch konkretisierte – Fortsetzung der ersten Sätze von »Geist der Utopie« (2. Fassung) – *Ich bin. Wir sind. Das ist genug. Nun haben wir zu beginnen* – sowie des Anfangs der »Spuren« zu sehen; er ist zugleich eingebettet in das ›ZUVOR‹ der Gesamtausgabe: *Wie nun? Ich bin. Aber ich habe mich nicht. Darum werden wir erst.*[20] In dem für eine politische ›Kampfschrift‹ wie »Erbschaft dieser Zeit« ungewöhnlich fremdartigen Anfang – denn wer ist *wir*, was heißt *noch*, was gelingt nur *halb*, was hält der *kleine Mann* ›zurück‹? – klingen gleichwohl die zentralen Fragestellungen von »Erbschaft dieser Zeit« an: das falsche Bewußtsein der Kleinbürger, was ihre eigenen Interessen betrifft, ihr zögerndes, beharrendes, noch verhinderndes Verhalten, die dadurch beeinflußte offene, widersprüchliche Situation und vor allem das gefährdete und in seinen Handlungen behinderte *wir* in seiner Mehrdeutigkeit – die Menschheit als Gesamtsubjekt der Gesellschaft, die politische Avantgarde, d. h. Arbeiterbewegung und linke Intellektuelle.

Der *kleine Anfang*[21] ist mit seiner extrem einfachen parataktischen Syntax und seinem radikal verdichteten Rätselcharakter[22] bewußt so konstituiert, daß auf der Rezeptionsebene ein Schock produziert wird und daraus resultierend produktive Neugier; der Leser soll staunen. Wie in der Musik ein Motiv kurz angespielt wird, um dann entfaltet zu werden, so bleibt jedoch auch Bloch nicht bei der kleinen Form stehen. Weder das Aperçu noch gar die Anekdote oder der Aphorismus allein entsprächen seinen Intentionen. Diese Anfangs-›Kernsätze‹ finden ihre eigentliche Füllung nämlich erst in der folgenden *enzyklopädischen Durchführung*[23]. *Mit Kleinem beginnt das, hört sich gleichsam erst hinein. Springt immer von neuem die Fälle an, schreitet unterbrechend fort, wie sich heute das gehört. So sprachlich wie gegenständlich, bis das Tempo erreicht ist, um die großen Fragestrecken selber zu durchmessen.* (18)

So wie auf der syntaktischen Ebene der Anakoluth[24] für Ernst Bloch nicht nur ein Mittel lebendiger Sprache darstellt, so reduziert sich die Montage, dieses wichtigste Strukturmittel der kompositorischen Ebene, nicht auf ein Konstitutionsmerkmal: beide finden ihren Bezug in der *Sach-Unterbrechung*[25] der Realität. Bloch selbst faßt den Montage-Begriff sehr weit und betont die gravierenden Unterschiede seiner je besonderen Realisierung, zu sehen auch als verschiedenartige Reaktion auf die *Montage-Zeit* (22)[26] – bestimmt von Bruchstellen, Rissen und Hohlraum. Auf die zerfallene Realität, der immer noch – auch von marxistischer Seite – die Maske der Totalität übergestülpt wird, reagiert Bloch mit der Arbeit des *Zerfällens.* Diese ist Voraussetzung für die Methode des Montierens, jenem bewußt eingesetzten ästhetischen Konstitutionsprozeß von Realitätsfragmenten; der verworfene *Eckstein*[27] als das Vergessene, Nebensächliche, als Abfall, Splitter, die auf den utopischen Horizont verweisen. Da die Erbschaft nur noch in Form von Scherben vorliegt und der *Lack* der Oberfläche gesprungen ist, erscheinen *sonderbare Dinge,* (...) *die nie sichtbar waren und auch viel zu entlegen erschienen, um sichtbar zu sein. Es entsteht, zum Beispiel, die Montage, die Kunst, die macht, daß Gegenstände, Themen, die weit voneinander entfernt liegen, plötzlich ganz nahe zusammenrücken und einander berühren, und umgekehrt, daß das, was ganz nahe zusammenliegt, weit auseinandergeht in ganz entfernte Gegenden:* (...).[28] Die Diskontinuität des ›Facettenblicks‹, das Fragmentarische mit Mut zu Lücken, die kalkulierte Unterbrechung[29] strukturiert weitgehend den Erzählablauf von »Erbschaft dieser Zeit«. Ein typisches Beispiel ist das Einleitungskapitel »Staub«, das aus *eine(r) Folge von Tafeln*[30] besteht – sichtbar von einander getrennt. Der Text bricht immer wieder ab und setzt neu ein. Das immanente Prinzip der Blochschen Montage ist aber nicht etwa die Kollision wie bei Eisenstein, vorherrschend ist die Form des assoziativen Mosaiks, ein Netz von Verweisungen mit scharfen Schnittlinien, aber auch Übergängen. So folgen als Charakteristik der Kleinbürgersituation in enger Beziehung zueinander auf »Halb« als Einstimmung und Grundlegung der »Muff« der Lebensatmosphäre (in der Fassung von 1935 »Verbraucht«), die boshafte Kommunikation, »Der Klatsch«, die Lust- und Denkfeindlichkeit (»Wissende Augen«, »Aus Nah und Fern«), die Lüge des »Schreibenden Kitschs« und zum Abschluß der Verlust der sicheren Position, »Haltlos« (25–28).

Montage als ästhetische Kategorie ist zugleich Methode und Gegenstand von »Erbschaft dieser Zeit«. Grundsätzlich stellt die konkrete Phantasie der Kunst, die, da das Bewußtsein noch fehlt, auf dem Tag-Traum basiert[31], bei Bloch ein heuristisches Modell dar; sie dient als *Laboratorium und ebenso* (als) *Fest ausgeführter Möglichkeiten.*[32] Kunst ist also weder Surrogat noch scheinhafte Wunscherfüllung oder gar leere Illusion, vielmehr Vor-Schein des Wesenhaften, *Wirklichkeit plus Zukunft in ihr*[33]. Als besonders gut geeignet um die konkrete Utopie literarisch zu antizipieren, gilt Bloch die Montage; aus der Analyse ihrer unterschiedlichen Arten läßt sich seine eigene Vorstellung von Montage destillieren: Abgrenzung von bürgerlicher Leermontage (222), Kritik und bedingtes Lob der expressionistischen *Traum-Montage* (223), Beachtung der *konstitutive(n) Montage* der Surrealisten (225), positive Wertung von Brechts Montage als *Produktivkraft* (226), als *Experiment* der *Umfunktionierung* des *Daseins* (227; vgl. 250 ff.) und von Walter Benjamins *philosophischen Querbohrungen* (227, vgl. auch 368 ff.).

Metaphorik und Montage prägen jedoch unterschiedlich stark Sprache und Komposition von »Erbschaft dieser Zeit«. Die beiden ersten Kapitel, der klein anhebende Abschnitt »Staub« und der ebenfalls vorbereitende Teil »Angestellte und Zerstreuung« sind typisch für diese Schreibweise. In ihnen wird der kleinbürgerliche *Muff* bzw. die kleinbürgerliche *Zerstreuung – Staub hoch zwei* (34) – in ihrer fließenden Bewegung als Begierde nach neuen Dingen (vgl. 41) bildlich sichtbar. Das wesentlich größere zweite Kapitel thematisiert die zentrale Thematik von »Erbschaft dieser Zeit«, Erbe und Ungleichzeitigkeit, – *Staub hoch drei* (156): *Der Staub, den die Explosion des Ungleichzeitigen aufwirbelt, ist dialektischer als der der Zerstreuung; er ist selber explosibel.* (203) Überschrift, Untergliederung und stärker hervortretende diskursive Sprachelemente verweisen auf den eher wissenschaftlich-philosophischen als literarisch-philosophischen Charakter dieses zweiten Teils. In dem umfangreichsten, dritten Teil »Großbürgertum, Sachlichkeit und Montage«, gegliedert in vier Kapitel (Kunst, speziell das Problem der Montage; zwei verschiedene Richtungen der bürgerlichen Philosophie; »Denkende Surrealismen«) verliert sich der *Handgemenge-* und Kampfcharakter von »Erbschaft dieser Zeit« vor allem in den mittleren Abschnitten in philosophiekritischen Erörterungen. Der *Staub hoch vier* der kapitalistisch-sachlichen Montage (213) steht den *rote(n) Geheimnisse(n) in der Welt* (409) gegenüber.

Diese inhaltliche Tendenz drückt sich gleichermaßen im Problem der Komposition aus. Besonders der letzte Teil mit seinem tendenziell enzyklopädischen Umfang zeigt einen linearen Ablauf: statt Montage-Bezug Aneinanderfügung, statt bewußter ästhetischer Konstitution einfache Reihung. Ernst Blochs Texte sind nie fertig, denn nur Fragmente – so Bloch – verweisen auf Utopie[34]; sie durchlaufen verschiedene Produktionsstationen, sind in ständiger Veränderung. *Was immer wir machen, es könnte anders sein. Ein Bild ist nie fertig gemalt, ein Buch nie zu Ende geschrieben. An dem soeben ausgedruckten ließe sich noch der Schluß ändern. Und wäre es soweit, dann finge die Mühe von vorne an.* (250) Diese Offenheit erfährt in »Erbschaft dieser Zeit« durch die immanente Historizität des Buches (1924–1935) ihre besondere Ausprägung und stößt in der veränderten Neuauflage von 1962 an ihre Grenzen: Der Montage-Aufbau löst sich verstärkt auf in additiven, allein thematisch begründeten Ergänzungen (vgl. 70–93, 126–156, 160–164, 250–278, 387–396).[35] Die inhaltliche Relevanz dieser Erweiterungen dominiert deutlich gegenüber der Textkonstitution durch Montage, der enzyklopädische Anspruch steht dem Montageprinzip und seinem intermittierenden Rhythmus entgegen.

Dieses Formproblem verweist auf Blochs Erkenntnistheorie, seinen teleologischen Ansatz: die zersprungene Realität, die *Sach-Unterbrechung* als Bezugspunkt der literarischen Montage wird letztlich doch aufgehoben in einem Totum, das selbst dann zum Vereinnehmen und Einebnen tendiert, wenn das Ganze offen ist, wie es am Ende von »Erbschaft dieser Zeit« betont wird. *Wenn das Ganze nicht die Wahrheit ist, so nur nicht das all zu fertig geschlossene Ganze, wohl aber das offen gehaltene. (...) Das Ganze dieser Einheit ist also nicht das bereits umfassend Wahre, sondern einzig das noch ausstehend Wahre; dies Totum gibt es noch nicht, außer in utopischer Experiment-Beschaffenheit.* (394) – das Prinzip Hoffnung als das Zentrum der konkreten Utopie.

Nicht diese enzyklopädische Ausweitung ist jedoch Gegenstand der zeitgenössischen kommunistischen Kritik an Ernst Bloch, sondern – läßt man in unserem Zusammenhang die inhaltliche Auseinandersetzung um Blochs Erbeauffassung und sein Theorem der Ungleichzeitigkeit beiseite – seine Metaphern-Sprache und sein Montage-Aufbau. Hans Günther, Blochs ernsthaftester kommunistischer Kritiker, gesteht zwar ein: *Gewiß enthält die Sprache auch manche Schönheiten. Sie erfrischt durch eine Fülle treffender Vergleiche. Sie ist intensiv. Und sie ist reich an Variationen: bald ruhige Analyse, bald pathetische Beschwörung, bald treffende Satire.* Er betont aber zugleich: *Oft aber, allzuoft wird sie geschnörkelt, verklausuliert, gespreizt und absonderlich, kurz, um ein Lieblingswort des Autors* (Ernst Bloch – F. V.) *zu gebrauchen: vertrackt.* Neben Hegel und Nietzsche hätten *Expressionismus und neue Sachlichkeit ihre Spuren hinterlassen, und gelegentlich krakauert es dann doch ziemlich kräftig.*[36] Zusammenfassend denunziert Günther Blochs Sprache als *sektiererisch,* da der *Mittelständler* sie nicht verstehe[37], ein Anspruch, den Bloch auch nicht erhebt. Anders als die Kommunistische Partei ist der ›Mittelstand‹, der ›kleine Mann‹ zwar das zentrale Objekt seiner Analyse, aber nicht deren Adressat.

Desgleichen werden die fehlende Systematik, die Lücken und Wiederholungen negativ vermerkt und die Montage – abgesichert mit Lukács und Lenin – als agnostizistisch verfemt[38], weil sie *den wirklichen Zusammenhang*[39] mit subjektiv ausgewählten Bruchstücken verdecke. Blochs fremdartiger und schwieriger Versuch, ungewohnte Denkweisen, sozusagen diabolisch in Feindesland, in einer neuen literarischen Technik auszudrücken, wird von Günther in seiner neuen Qualität nicht verstanden und abgelehnt. Von seiner politischen Position aus kann er nicht akzeptieren, daß hier erprobt wird, die verdinglichte ›Parteisprache‹, die allzuviel der kapitalistischen Realität schuldet, durch ein poetisches Verfahren zu ersetzen, das an sinnliche

Erfahrungen anknüpft. *Doch das Buch ersparte sich, mit überlegter Absicht, einzelne Aufzeichnungen, Miniaturen, Satiren, die gegebenenfalls genaue Untersuchung nicht; es konstruierte das Anathema nicht idealistisch aus, sozusagen von der Idee des Monopolkapitalismus her. Das Buch wollte keine Schema über dürftigem und völlig unzureichendem Material, gar über einem ad hoc bereits ausgewählten. Es wollte die Routine nicht, wonach jede Untersuchung, mit ihren absolut negativen Werturteilen, bereits erledigt ist, bevor sie anfängt; wonach jeder Kenner das Schema vorher schon weiß, was als semper idem nachher herauskommt. Es klebten keine Etiketten im Begriffsgefängnis und machte seinerseits mit dem Anathema freiwilliger Unwissenheit Schluß.*[40]

Ein anschauliches Beispiel für die Fehler der kommunistischen Propaganda, ihren routinierten Schematismus, gibt Bloch in seinem »Gespräch über Ungleichzeitigkeit«, in dem er berichtet, wie auf einer politischen Veranstaltung zuerst ein Kommunist über den *Grundwiderspruch und die Durchschnittsprofitrate, die schwierigsten Partien aus dem* K a p i t a l *und immer neue Zahlen* sprach. Der Nazi reagiert auf seinen Vorredner, indem er geschickt dessen Abstraktheit hervorhob und direkt die Büroangestellten ansprach: *Zahlen, Zahlen und nichts als Zahlen. So daß der Satz unseres Führers wieder eine neue Bestätigung gefunden hat, von einer unerwarteten Seite: ›Kommunismus und Kapitalismus sind die Kehrseiten der gleichen Medaille.‹*[41] Als positives Gegenbeispiel nennt Bloch – aber eher als Ausnahme – den Kommunisten Bruno von Salomon, der sich jeweils auf seine Zuhörer einstellte und z. B. auf die sinnlich anschauliche Sprache Thomas Münzers bzw. auf die des »Hessischen Landboten« zurückgriff. Diese sprachliche Abstraktheit der Kommunisten korrespondiert mit inhaltlichen Leerstellen, wie Bloch sie in einer solidarischen, aber scharfen Attacke gegen die kommunistische Propaganda in dem Kapitel »Amusement Co., Grauen, Drittes Reich« präzisiert: *Indem der marxistischen* P r o p a g a n d a *aber jedes* G e g e n l a n d *zum Mythos fehlt, jede Verwandlung mythischer Anfänge in wirkliche, dionysischer Träume in revolutionäre: wird am Effekt des Nationalsozialismus auch ein Stück Schuld sichtbar, eine nämlich des allzu üblichen Vulgärmarxismus.*(66) Rückblickend in der »Nachschrift« von 1962 betont Bloch schließlich zusammenfassend, daß es gerade der *sektiererische Aufkläricht* gewesen sei, der *gegen die betrügerische Berauschung so hilflos, dazu aber gegen eine Experimentierkunst so verständnislos machte.* (22)

Gravierender als die verständnislose Kritik der Kommunisten wiegt der anfangs schon erwähnte E i n w a n d d e s *Z u - s p ä t, wie Horkheimer es selbstkritisch in der »Vorbemerkung« von »Dämmerung« (1934) anmerkt.*[42] Explizit erhebt Walter Benjamin in einem Brief an Alfred Cohn den *Vorwurf*, daß »Erbschaft dieser Zeit« *den Umständen, unter denen es erscheint, in garkeiner Weise entspricht.* Zur Begründung der Deplaziertheit verwendet Benjamin das Bild eines großen Herrn, *der, zur Inspektion einer vom Erdbeben verwüsteten Gegend eingetroffen, zunächst nichts eiligeres zu tun hätte als von seinen Dienern die mitgebrachten – übrigens teils schon vermotteten – Perserteppiche auszubreiten, die – teils schon etwas angelaufnen – Gold- und Silbergefäße aufstellen, die – teils schon etwas verschossenen – Brokat- und Damastgewänder sich umlegen zu lassen.* Ein Bild, in dem sich offensichtlich die Kritik an Blochs *Sprach-Prunk* mit der Kritik an seiner Methode – Blochs *ausgezeichnete Intentionen und erhebliche(n) Einsichten* seien nicht *denkend ins Werk* gesetzt – verbindet[43]. Zu verstehen ist diese Ablehnung Benjamins vor dem Hintergrund einer völlig anders gearteten Auseinandersetzung mit dem Nationalsozialismus: der Produktionsgedanke in »Der Autor als Produzent« und der Versuch der Politisierung der Literatur in »Das Kunstwerk im Zeitalter seiner technischen Reproduzierbarkeit«.

Zu fragen wäre nach Ernst Blochs Intention, nach seiner Selbsteinschätzung in Bezug auf die Wirkung von »Erbschaft dieser Zeit« im Erscheinungsjahr 1935, dem Zeitpunkt der Stabilisierung des Nationalsozialismus. Zum einen scheint Bloch – beeinflußt von der offiziellen Politik der KPD – immer noch die illusionäre Vorstellung vom absehbaren Niedergang des deutschen Faschismus und von der folgenden Revolution zu haben. Zum anderen – gleichfalls unrealistisch – der Überzeugung zu sein, die Politik der KPD mit »Erbschaft dieser Zeit« beeinflussen zu können. Die Kommunisten, der eigentliche Adressat also, reagierten jedoch befremdet und ablehnend: Blochs Erbe-Gedanke und seine Ungleichzeitigkeitstheorie übten keinerlei Einfluß auf Theorie und Praxis von KPD und Komintern aus.

Heute, 50 Jahre später jedoch verweist »Erbschaft dieser Zeit« eher auf das Problem des Zu-früh.[44] Er überrascht uns mit seinem ungewöhnlichen Wissenschaftsbegriff, seiner Denk- und Schreibweise, mit seiner Erzählform und Komposition. Es fordert uns heraus mit einem *Katalog des Ausgelassenen, jener Inhalte, die im männlichen, bürgerlichen, kirchlichen Begriffssystem keinen Platz haben,* d. h. *gegen den abstrakten* Rationalismus mit *existentielle*(*n*) *Inhalte*(*n*) (392); eine Herausforderung, die bis heute lebendig ist, gerade wegen der literarisch-philosophischen Qualität ihrer Bilder des Nach- und Voraus-Denkens.

1 Ernst Bloch: »Erbschaft dieser Zeit«, Frankfurt/M. 1962, S. 18; im folgenden werden die Zitate aus diesem Text mit der Seitenzahl in Klammern hinter dem Zitat zitiert; aus rezeptions-praktischen Gründen wurde nach der Ausgabe in der Bibliothek Suhrkamp zitiert, die textidentisch ist mit Bd. 4 der Gesamtausgabe, Frankfurt/M. 1962. Die erste Ausgabe von »Erbschaft dieser Zeit«, Zürich 1935, wird nur bei dem besonderen Problem der Differenz herangezogen. — **2** Vgl. z. B. Max Horkheimer: »Dämmerung. Notizen in Deutschland«, Zürich 1934; Walter Benjamin: »Einbahnstraße«, Berlin 1928; Siegfried Kracauer: »Die Angestellten. Aus dem neuesten Deutschland«, Berlin 1930; Bertolt Brecht: »Geschichten vom Herrn Keuner«, Berlin 1930ff. — **3** Max Horkheimer: »Dämmerung«, S. 129. — **4** Ernst Bloch: »Bemerkungen zur ›Erbschaft dieser Zeit‹«, in: E. B.: »Vom

Hasard zur Katastrophe. Politische Aufsätze aus den Jahren 1934–1939«, Frankfurt/M. 1972, S. 42; Erstveröffentlichung in: »Internationale Literatur«, H. 6, Juni 1936, S. 122. — **5** Ernst Bloch: »Lichtenbergsches Herauf, Herab«, in: E. B.: Gesamtausgabe Bd. 9, »Literarische Aufsätze«, S. 201; vgl. auch *Leise, wie es sich auf krummen Wegen gehört, wenigstens auf schief und quer gebohrten* (ebd.); vgl. auch Blochs frühen Aufsatz »Über das Problem Nietzsche« bei Rüdiger Schmidt: »Ernst Blochs Nietzsche-Aufsatz von 1906«, in: »Bloch-Almanach«, 3. Folge 1983, S. 69–75. — **6** Ernst Bloch: »Erinnerungen«, in: »Über Walter Benjamin«, Frankfurt 1968, S. 18 f.; vgl. auch Blochs Charakterisierung der Hegelschen Sprache: *Hegels Sprache zeigt überall dort, wo der Leser die eigenwillige Terminologie durchdrungen hat, Musik aus Lutherdeutsch, versehen mit der jähesten Anschaulichkeit. Mit der Anschaulichkeit, wie sie ein Blitz, aus keineswegs wolkenleerem Himmel, verleiht, wenn er mit einem Schlag die ganze Landschaft erleuchtet, präzisiert, zusammenfaßt.* Ernst Bloch: »Subjekt – Objekt. Erläuterungen zu Hegel«, in: E. B.: Gesamtausgabe Bd. 8, Frankfurt/M. 1962, S. 19. — **7** Vgl. Brechts Versuch von der Literaturproduktion aus diese Trennung gleichfalls zu überwinden; besonders sind auf die »Geschichten vom Herrn Keuner« hinzuweisen, die nicht zufällig im Kontext der Lehrstücke entstanden sind. Deren Sprache siedelt Brecht auf einer »mittleren Abstraktionsebene« an; bei Blochs Sprache könnte dementsprechend von einer »mittleren Konkretisationsebene« gesprochen werden. — **8** Vgl. Ernst Bloch: »Zerstörte Sprache – Zerstörte Kultur«, in: E. B.: Gesamtausgabe Bd. 11, »Politische Messungen, Pestzeit, Vormärz«, Frankfurt 1970, S. 277 ff. — **9** In der Literatur zu Bloch wird zurecht immer wieder auf die enge Verbindung Blochs zum Expressionismus hingewiesen, die sich besonders in seinem Frühwerk – gerade auch sprachlich manifestiert. Nicht weil diese Affinität in »Erbschaft dieser Zeit« schon stark reduziert ist, sondern weil der Begriff Expressionismus als literaturgeschichtliches Etikett grundsätzlich problematisch ist und außerdem ein Vergleich in unserem Zusammenhang nicht produktiv schien, wurde diese Diskussion hier nicht fortgesetzt. Vgl. Theodor W. Adorno: »Blochs Spuren. Zur neueren erweiterten Ausgabe 1959«, in: Th. W. A.: »Noten zur Literatur«, Frankfurt/M. 1981, S. 233–250; Hans-Heinz Holz: »Logos spermatikos. Ernst Blochs Philosophie der unfertigen Welt«, Darmstadt/Neuwied 1975. — **10** Hans Blumenberg: »Schiffbruch mit Zuschauer. Paradigma einer Daseinsmetapher«, Frankfurt/M. 1979, S. 80. — **11** Ebd., S. 83. — **12** Vgl. Ernst Bloch: »Lichtenbergsches«, S. 204; EZ 368 ff. — **13** Ernst Bloch: »Subjekt – Objekt«, S. 21. — **14** Vgl. Hans Blumenberg: »Schiffbruch«. — **15** Ernst Bloch: »Experimentum Mundi«, in: E. B.: Gesamtausgabe Bd. 15, Frankfurt/M. 1975, S. 109; vgl. *Auch das noch so einsame Jetzt kommt niemals ohne ein Hier vor, dicht dabei.* (...); *erst recht verlaufen die weiteren zeitlichen Zustände und Äußerungen in einem richtigen Außen, nämlich räumlich. Es besteht beim Raumdenken immer die Gefahr, daß man im Objektivieren verdinglicht, daß sich dieses selber verdinglicht. Das heißt dann, man verabsolutiert die Geborgenheit, wie sie dem Raumdenken scheinbar so vielmehr als der Zeit eignet, man übersieht über der Gewordenheit das Bewegte, Energetische, schließlich Produzierende,* S. 107 und 108. Vgl. dazu Eberhard Simons: »Das expressive Denken Ernst Blochs. Kategorien und Logik künstlerischer Produktion und Imagination«, Freiburg/München 1983, S. 187 ff. — **16** Vgl. Ernst Bloch: »Spuren«, in: E. B.: Gesamtausgabe Bd. 1, Frankfurt/M. 1969, S. 16. — **17** Ernst Bloch: »Gesprochene und geschriebene Syntax; das Anakoluth«, in: »Literarische Aufsätze«, S. 563. — **18** Ernst Bloch: »Lichtenbergsches«, ebd., S. 201. — **19** Ernst Bloch: »Gesprochene und geschriebene Syntax; das Anakoluth«, S. 563. — **20** Ernst Bloch: »Geist der Utopie. Bearbeitete Neuauflage der zweiten Fassung von 1923«, in: E. B.: Gesamtausgabe Bd. 3, Frankfurt/M. 1964, S. 11; »ZUVOR« in »Spuren«. — **21** Vgl. Ernst Bloch: »Tübinger Einleitung in die Philosophie«, in: E. B.: Gesamtausgabe Bd. 13, Frankfurt/M. 1970, S. 210: *Wie geht es an? Denken muß wo beginnen. Dies Wo hat gewechselt, zuweilen wurde mittendrin angesetzt, recht voll bereits, auch von oben herab. Aber ein Denken, das weit zu gehen hat und worin sich etwas entwickelt, setzt klein ein, scheinbar wenigstens, und gering. Das, womit angefangen wird, muß wachsen können. Nur von unten hebt sichs an.* Vgl. auch Blochs Hegel-Interpretation, in: E. B.: »Subjekt – Objekt«, S. 165. — **22** Auf inhaltlicher Seite greift der Schlußsatz von »Erbschaft dieser Zeit« das Rätselhafte des Beginns wieder auf: *Doch es gibt auch rote Geheimnisse in der Welt, ja nur rote.* (409). — **23** Ernst Bloch: »Tübinger Einleitung in die Philosophie«, S. 220. — **24** Vgl. Ernst Bloch: »Gesprochene und geschriebene Syntax; das Anakoluth«. — **25** Ebd., S. 566. — **26** EZ 22; vgl. auch Ernst Bloch: »Tübinger Einleitung«, S. 170: *die Welt ist Unterbrechung.* — **27** Ernst Bloch: »Erinnerungen«, S. 17. — **28** Ernst Bloch: »Die Welt bis zur Kenntlichkeit verändern« (1974). Interview mit José Marchand, in: »Tagträume vom aufrechten Gang. Sechs Interviews mit Ernst Bloch«, hg. v. Arno Münster, Frankfurt/M. 1977, S. 62. — **29** Ernst Bloch: »Lichtenbergsches«, S. 208: *Aber erst durch Unterbrechendes wird Zusammenhang;* vgl. auch EZ 278. — **30** Bertolt Brecht: »Der Film im epischen

Theater«, in: B. B.: Gesammelte Werke Bd. 15, »Schriften zum Theater 1«, Frankfurt/M. 1967, S. 283. — **31** Vgl. Ernst Bloch: »Prinzip Hoffnung«, in: E. B.: Gesamtausgabe Bd. 5, Frankfurt/M. 1959, S. 105. — **32** Ebd., S. 249. — **33** Ernst Bloch: »Marxismus und Dichtung«, in: E. B.: »Literarische Aufsätze«, S. 143. — **34** Ernst Bloch: »Nachwort zu Hebels »Schatzkästlein«, in: E. B.: »Literarische Aufsätze«, S. 178 und »Prinzip Hoffnung«, S. 255. — **35** Die sprachlichen Veränderungen von der ersten zur zweiten Fassung sind besonders für eine historisch vergleichende Analyse von Relevanz, weniger für unsere Fragestellung. — **36** Hans Günther: »Erbschaft dieser Zeit«?, in: H. G.: »Der Herren eigener Geist. Ausgewählte Schriften«, hg. v. Werner Röhr, Berlin/Weimar 1981, S. 339; erste Veröffentlichung in: »Internationale Literatur« 6 (1936), H. 5, S. 85 ff. — **37** Ebd., S. 340. — **38** Ebd., S. 364. — **39** Ebd., S. 368, vgl. auch Hans Günthers Reaktion auf Blochs Erwiderung: »Antwort an Ernst Bloch«, in: »Internationale Literatur« 6 (1936), H. 8, S. 112–124. Mit dem Buch »Der Herren eigner Geist. Die Ideologie des Nationalsozialismus«, Moskau/Leningrad 1935, schrieb Hans Günther nahezu gleichzeitig mit Bloch die einzige umfangreiche Untersuchung zur NS-Ideologie von marxistisch-leninistischer Position aus. — **40** Ernst Bloch: »Bemerkungen zu Erbschaft dieser Zeit«, S. 44. — **41** Ernst Bloch: »Gespräch über Ungleichzeitigkeit«, in: »Kursbuch« 39, 1975, S. 2 f.; vgl. *Das ist ein seltsamer, ein unheilvoller Zirkel: gerade der kapitalistische Betrieb staut ›Seele‹, und sie will abfließen, ja, gegen die Öde und Entmenschung explodieren; gerade der Vulgärmarxismus aber, dem die Angestellten zuerst begegnen, und der in der Tat nicht selten ist, kreist ihnen ihre ›Seele‹ nochmals aus, auch theoretisch, treibt sie folglich zu einem reaktionären ›Idealismus‹ zurück* (EZ 58); vgl. auch *Damit er* (der Mann – F. V.) *zuhört, muß er von seiner eigenen Lage her gepackt sein, und zwar zunächst von seiner Lage, wie sie sich ihm spiegelt. Erst dann hat das Weitere Aussicht, gehört und verstanden zu werden, erweckt Vertrauen. Das aber gelingt nie von außen oder oben her, als überlegen nahendes Selberwissen.* Ernst Bloch: »Erinnerung (Bei Gelegenheit der Kontaktfrage Student – Masse): Sokrates und die Propaganda«,' in: E. B.: »Politische Messungen«, S. 402. — **42** Max Horkheimer: »Dämmerung«, S. 7. — **43** Walter Benjamin: »Briefe«, hg. v. Gershom Scholem und Theodor W. Adorno, Bd. 2, Frankfurt/M. 1966, S. 648 f. — **44** Vgl. Arno Münster: »Utopie, Messianismus und Apokalypse im Frühwerk von Ernst Bloch«, Frankfurt/M. 1982, S. 250–259.

Hans-Thies Lehmann

»Sie werden lachen: es muß systematisch vorgegangen werden«

Brecht und Bloch – ein Hinweis

Sucht man in den Texten, Arbeitsjournalen und Briefen Brechts nach Spuren seiner Beziehung zu Ernst Bloch und seinem Werk, so ist man erstaunt, wie selten der Name Bloch Erwähnung findet. Immerhin haben beide – Brecht freilich, ohne seine Thesen zu publizieren – in der Debatte über Expressionismus und Realismus ähnliche Positionen vertreten, als sie Fragment, Zerfall und Ungeschlossenheit gegen Lukács, Kurella und andere als legitime Formmomente moderner Literatur verteidigten; ganz abgesehen von den biographischen Fakten, dem gemeinsamen Marxismus, dem politischen und kulturellen Antifaschismus, von Exil und DDR-Erfahrung, hat Bloch nicht wenig zum Verständnis der Brechtschen Verfremdungspraxis und -theorie beigetragen, hat früh vielen die Augen geöffnet für die besondere Qualität Brechtscher Gesänge durch seine zündende Interpretation des Lieds der Jenny aus der »Dreigroschenoper«, hat sich aufschlußreich zu »Mahagonny« schon 1930 geäußert. Bloch dechiffrierte Brecht mit einer einprägsamen Formel als *Leninist der Schaubühne,* freilich mit mangelndem Sinn für die abgründige ästhetische Problematik der Lehrstücke.

Umgekehrt erscheint Bloch dagegen in Brechts Schriften kaum, figuriert höchstens als einer der Tuis in den USA-Notizen oder als Empfänger eines Geburtstagsbriefs später in der DDR, als Brecht zweifellos in ihm einen Verbündeten im Kampf gegen bürokratische Bevormundung sah. In diesem Zusammenhang dürfte auch stehen, wenn Brecht sich 1955 bei Peter Huchel für das Sonderheft der Zeitschrift »Sinn und Form« bedankt und neben wenigen anderen Namen auch Bloch erwähnt mit dem Wunsch, von dessen Erläuterungen zu Hegel *auch noch mehr* in der Zeitschrift zu lesen.[1] In einem anderen Brief nennt er ihn als einen von mehreren Professoren, die Leipzig zu einer *guten Universität* machten.[2] All das ergibt kein rechtes Bild. Um so schwerer wiegt ein höchst aufschlußreicher Brief Brechts an Ernst Bloch vom Juli 1935, der sich auf »Erbschaft dieser Zeit« bezieht und bislang nicht recht beachtet wurde; vielleicht, weil er seine überaus strenge Kritik in einer sehr lockeren Sprache vorträgt.[3] Vielleicht aber auch hat man sich überhaupt zu sehr daran gewöhnt, Bloch und Brecht (nach Bedarf ergänzt durch einen Teil-Benjamin) vor allem als gegenseitige Kronzeugen für ein grundsätzlich identisches Verständnis links-avantgardistischer Kunsttheorie in Anspruch zu nehmen. Der Verfasser von »Geist der Utopie« stand seit den frühen zwanziger Jahren in einem (später freilich recht problematischen) engen Verhältnis zu Benjamin; Brecht, Bloch und Benjamin spielten eine bedeutende Rolle bei der geistigen Formierung der Neuen Linken; der gemeinsame biographische Einschnitt des Faschismus kommt hinzu. So ist die Forschung zu leicht geneigt, über dem politisch-humanistischen Einklang die Gegensätze der Positionen – auch zwischen Brecht und Bloch – zu übergehen: ein Thema, auf das Brechts Brief aus dem Jahr 1935 ein Schlaglicht wirft.

Ende Mai 1935 war Brecht von seiner Reise in die UdSSR zurückgekehrt, im April war sein Essay »Fünf Schwierigkeiten beim Schreiben der Wahrheit« erschienen. Walter Benjamin, zu dem Brechts Kontakt um diese Zeit besonders eng war (Gershom Scholem hat immer wieder Benjamins Abhängigkeit von Brecht in dieser Zeit beklagt), schätzte die Schrift ganz besonders: *Die ›Fünf Schwierigkeiten beim Schreiben der Wahrheit‹ haben die Trockenheit und daher die unbegrenzte Konservierbarkeit durchaus klassischer Schriften. Sie sind in einer Prosa geschrieben, die es im Deutschen noch nicht gegeben hat.*[4] Ihn wie Brecht interessierte um diese Zeit vor allem das zugleich politische und kunstphilosophische Problem eines eingreifenden Denkens. Vom 21. bis zum 25. Juni 1935 fand dann in Paris der Schriftstellerkongreß zur Verteidigung der Kultur statt, auf dem Brecht und Benjamin sich trafen und zweifellos auch über Blochs gerade erschienenes Buch »Erbschaft dieser Zeit« gesprochen haben; schon im Januar 1935 hatte Benjamin bei Brecht brieflich angefragt, ob er Blochs Buch kenne, er sei darin *behandelt*[5]. Soweit der Zusammenhang.

Auch Bloch hatte an der Pariser Tagung teilgenommen. Brechts witziger (und, wie sich zeigen wird, sehr polemischer) Brief nimmt zunächst auf ein kurzes und offenbar unterbrochenes Treffen zwischen beiden während des Schriftstellerkongresses Bezug. Brecht entschuldigt sich für seine *Flatterhaftigkeit in Paris* und eröffnet sein Schreiben mit einer Bemerkung über *unser Colloquium interruptum*. Mit ähnlich sarkastischer Schärfe wie Benjamin in mehreren Äußerungen macht er sich über den Schriftstellerkongreß lustig, über das *Röhren der großen Geister* und leitet von der Beobachtung, es sei nicht leicht, überhaupt vernünftig miteinander zu reden, *wenn um jeden Preis die Kultur gerettet werden soll* (die Verteidigung der Kultur war ja das Motto des Pariser Treffens gewesen), direkt zu Blochs Buch über mit der auffallenden Formel: *Ihre Eulenspiegeleien eines großen Herren* – auffallend, weil sie direkt anschließt an Benjamins überaus scharfe Kurzkritik in einem Brief an Alfred Cohn vom 6. Februar, wo eben dieser Vergleich mit einem *großen Herrn* formuliert wird: *Das neue Buch von Bloch, das ich Dir geschickt habe, wirst Du bekommen haben. Ich wäre Dir dankbar, wenn Du mich etwas darüber hören ließest. Die undankbare, äußerst schwierige Aufgabe, ihm darüber zu schreiben, habe ich mit vielen Kunstgriffen immer wieder hinausgeschoben, werde sie nun aber nicht mehr lange umgehen können. Der schwere Vorwurf, den ich dem Buch mache (wenn auch nicht dem Verfasser machen werde) ist daß es den Umständen, unter denen es erscheint, in garkeiner Weise entspricht sondern* so deplaziert auftritt wie ein großer Herr, *der, zur Inspektion einer vom Erdbeben verwüsteten Gegend eingetroffen, zunächst nichts eiligeres zu tun hätte als von seinen Dienern die mitgebrachten – übrigens teils schon etwas vermotteten – Perserteppiche ausbreiten, die – teils schon etwas angelaufenen – Gold- und Silbergefäße aufstellen, die – teils schon etwas verschossenen – Brokat- und Damastgewänder sich umlegen zu lassen.*[6]

Zwar gesteht Brecht mit dem Eulenspiegel-Vergleich Bloch ein größeres Maß an plebejischem Engagement zu: Bloch versteht es, mit raffinierten Täuschungs- und Überrumpelungsmanövern der herrschenden Kultur die gegen sie gerichteten utopischen Obertöne abzulauschen, das Bürgertum auf diese unerwartete und im Haushalt der Kultur Verwirrung stiftende Weise zu beerben. Indessen bleibt es auch in seinem Verständnis das Vorgehen eines großen Herrn, der vornehm unbetroffen in den Kulturschätzen herumliest, seinen Scharfsinn, seine stilistische Brillanz, sein Wissen ausbreitet wie der Benjaminsche Seigneur seine Perserteppiche, ohne nach der Funktion zu fragen, die all das im antifaschistischen Kampf haben könnte. Benjamin wirft denn auch Bloch vor, auf das Erdbeben des Faschismus in seinem Buch nicht mit einer *entsprechenden* Orientierung der Gedanken zu antworten: *Selbstverständlich hat Bloch ausgezeichnete Intentionen und erhebliche Einsichten. Aber er versteht es nicht, sie denkend ins Werk zu setzen. Seine übertriebenen Ansprüche hindern ihn daran. In solcher Lage – in einem Elendsgebiet – bleibt einem großen Herrn nichts übrig als seine Perserteppiche als Bettdecken wegzugeben und seine Brokatstoffe zu Mänteln zu verschneiden und seine Prachtgefäße einschmelzen zu lassen.*[7]

Die politisch-aktuelle Umschmelzung, Funktionsänderung und Nutzbarmachung von Einsichten und Absichten, die Benjamin hier, die von Brecht später übernommene Wendung vom *großen Herrn* noch einmal aufgreifend, verlangt, aber nicht ausführt, wird in Brechts Brief an Bloch in einer nur auf den ersten Blick spaßigen Attacke zur Forderung umgewendet, der Philosoph dürfe sich nicht literarisch-verspielt geben, sondern habe seine politisch-theoretische Aufgabe genau auf dem Feld der systematischen Philosophie. *Indigniert* reagiert der Marxist Brecht auf das, was er das *regelwidrige Benehmen* Blochs als Philosoph nennt, und was sich sogleich als das Fehlen der gebotenen *Trockenheit* und philosophischen systematischen Strenge zu erkennen gibt. Deuten muß man Brechts Vorwurf wohl so, daß Bloch ins *Dichtergewand* geschlüpft ist, obwohl ihm das Kleid des Philosophen anstünde:

Ich verlange keinen Bratenrock, wenigstens nicht unbedingt, d. h., warum eigentlich nicht einen Bratenrock verlangen? Auch beim Philosophieren nämlich, mein Herr, da kann ich keine Ausnahme machen, wohin käme ich da, muß der Arsch am Hosenboden bleiben. Es gibt da solche gewisse Grundregeln, und wenn der Mast auch bricht. Sie werden lachen: es muß systematisch vorgegangen werden.

Mit seiner bewußten stilistischen Schnoddrigkeit und Unbeholfenheit deutet Brecht auf den wunden Punkt: das seiner Ansicht nach gegebene Zuviel an ›Dichtung‹, an womöglich selbstgefälligem Demonstrieren der sprachlichen und kulturellen Verfügung (das Benjamin ganz ebenso moniert hatte) in »Erbschaft dieser Zeit«. Bloch als allzugut ausgestatteter Erbe mit kultureller conspicuous consumption? Jedenfalls fährt der Brief mit dem Gedanken fort, daß bei *Weltuntergängen* (Benjamins Erdbeben) die *Nachlaßverwalter* (eine respektlose Umformulierung des Blochschen Erbschafts-Gedankens, zumal wenn man bedenkt, daß Brecht Lukács und seine Parteigänger in seinen Notizen zur Realismusdebatte als dekretierende *Erbverwalter* kennzeichnet) fleißig, korrekt und ins einzelne gehend das bürgerliche Denken zu destruieren hätten – nicht im großen poetischen Schwung. Anders läßt sich der folgende Passus kaum auffassen:

Die maßgebenden Leute begehen ihre letzten Fälschungen, alles bereitet sich auf den entscheidenden Mißgriff vor, und Sie ziehen den Bratenrock aus, sind Sie besoffen, Herr? (...) Glauben Sie mir, der allertrockenste Ton ist der richtige. Keine Langeweile vorgeschützt!

Kein Zweifel, daß in dieser formalen, stilistischen Kritik der gleiche politische Vorwurf erhoben wird, den Benjamin Blochs Buch (nicht dem Verfasser) vorhielt. (Zugleich hört man noch die langjährige Auseinandersetzung des neusachlich und marxistisch-leninistisch geprägten Brecht mit dem Expressionismus heraus, dem Blochs Stil verpflichtet ist.) Brecht will die *schönen Sachen,* die er durchaus in »Erbschaft dieser Zeit« gefunden hat und anerkennt, *sozusagen nicht mehr an einem solch lockeren Ort antreffen:* nicht als Literatur, will das sagen, sondern als Teil einer wissenschaftlichen Kritik. Daß all dies *nicht nur Spaß* sei, hätte Brecht nicht eigens hinzufügen müssen. Denn im zweiten Teil des Briefs gebraucht er nicht nur den Begriff des *abendländischen Berufsdenkens* ohne kritischen Unterton, sondern beklagt das *erstaunliche Taedium philosophiae* (...), *von dem auch Ihr Buch Zeugnis ablegt, ja, auch Ihr Buch.* Er schlägt Bloch eine Abhandlung über das *Absacken* der großen Philosophie vor und redet förmlich auf ihn ein:

Aber Sie müssen das Buch, dieses Buch unter allen Umständen im akademisch-philosophischen Jargon schreiben, ja, in diesem Gaunerwelsch. Sie verstehen: in wissenschaftlichem Ton.

Bloch dürfte die Schärfe der Kritik nicht entgangen sein. Indem Brecht mit dem Eulenspiegel-Vergleich einsetzt, bestreitet er von Anfang an den philosophischen Anspruch auf *Objektivität* für die Analysen von »Erbschaft dieser Zeit«. Wie Eulenspiegel bekanntlich gleich allen subversiven Witzbolden und Störenfrieden mit Doppelsinn der Worte und Spekulation auf die Dummheit der anderen rettend-witzig Hilfen gegen Unterdrückung aufspürt und bösartig am Bestehenden rüttelt, so droht der fragmentarischen Spurensuche nach positiver Erbschaft die Gefahr, bloß funkelndes Blendwerk zu bleiben. Brechts Zweifel am Gestus des Blochschen Buchs erweist sich als einer an dessen philosophischer Konsistenz. Indem Brecht Systematik, ja Wissenschaftlichkeit einfordert im Ton, deckt er zugleich eine gewisse Ortlosigkeit des Blochschen Denkens auf und klagt ein Philosophieren ein, daß sich als Eingriff und *Intervention* auf bestimmten diskursiven Feldern ausweist – gerade weil *Gauner* auf diesem Gebiet so viel zu sagen haben. Und eine auf die *Ethik* – wohlgemerkt: wie bei Benjamins Kritik die Ethik des Textes, nicht der Person – gemünzte Kritik ist die Formel vom großen Herrn obendrein.

Bloch antwortete am 16. 12. 1935 mit einer aufschlußreichen Retourkutsche, indem er die Legitimität des eigenen Denkstils mit der von ihm umgekehrt durchaus konzedierten Berechtigung einer theoretisch werdenden Dichtung à la Brecht begründete:

Es halten sich Spaß und Ernst in Ihren freundschaftlichen Zeilen ununterscheidbar die Waage. Unterscheidender antworte ich: Wenn ein bedeutender Dichter sich heutzutage aus guten Gründen ›literarisiert‹ oder ›theoretisiert‹, vielleicht hat es dann auch seinen überlegten Sinn, wenn umgekehrt Philosophen den Bratenrock ausziehen (...).[8]

Die hier in lockerer Form aufgeworfene Kontroverse über die politisch-historischen Bedingungen des philosophischen Diskurses überhaupt haben keine faßbare Fortsetzung gefunden, es blieb ein *colloquium interruptum*. Nicht nur die Tatsache, daß Brecht und Benjamin sich an diesem Punkt so nahe wie selten in ihrer Argumentation finden, Brecht sogar eine ursprünglich Benjaminsche Wendung übernommen und sich angeeignet hat, machen Brechts Brief vom Juli 1935 zu einem aufschlußreichen Bloch-Kommentar. Er bietet auch neue Aspekte zur Diskussion der Beziehung zwischen ästhetischem und philosophischem Diskurs, die zu entfalten nicht mehr die Aufgabe dieses Hinweises ist.

1 Bertolt Brecht, »Briefe«, hg. von Günter Glaeser, Frankfurt/M. 1981, S. 614. — **2** Ebd., S. 723. — **3** Ebd., S. 255 ff. — **4** Walter Benjamin, »Briefe«, hg. von Gershom Scholem und Theodor W. Adorno, Frankfurt/M. 1966, Bd. 2, S. 658. — **5** Ebd., S. 642. — **6** Ebd., S. 648 f. — **7** Ebd., S. 649. — **8** Brecht, a.a.O., Anmerkungsband S. 966.

Ernst Bloch

Briefe an Klaus Mann*

Nr. 1

20. Sept.[ember] [19]33
Küsnacht bei Zürich,
Schiedhaldensteig 12

Lieber Klaus Mann,

freute mich sehr mit Ihren Zeilen. Ich habe Ihnen noch nichts geschickt, weil ich das Buch-Manuskript[1] gar nicht hier habe, sondern bei der Stenotypistin, die die Verbesserungen überträgt. Daher kommen Stravinskij[2] usw. erst später.

Dagegen schicke ich Ihnen hier zwei Sachen, den Gotthelf-Aufsatz[3] mit. Ich sehe eben, daß der Aufsatz: Imago am Menschen[4] (eine Auseinandersetzung mit Jung) viel zu groß ist, 25 Maschinenseiten.

Sie sind fürs nächste Buch[5] gedacht, vertragen aber schon vorherigen Abdruck. Politisch freilich sind beide nicht oder nur sehr mittelbar.

Auch ich möchte Sie sehr gern wiedersehen. Hätten Sie nicht Lust, vor Ihrer Abreise einmal hierher zu kommen? Wir könnten uns noch besser unterhalten als im Café, vielleicht in den Wald gehen, und meine Freundin[6] möchte Sie sehr gern kennenlernen. Schiedhaldensteig (nicht *-Weg*), leicht zu finden, vom Bahnhof gradeaus aufwärts, von der Omnibus-Haltestelle (der Omnibus geht von Bellevue ab): *Schiedhaldensteig* nur wenige Schritte abwärts.

Das Buch-Manuskript werde ich direkt an den Querido-Verlag[7] schikken. Es wäre mir eine Freude, wenn Sie etwas hineinsehen wollten. Ich werde auch die Aufsätze angeben, die eventualiter vorher in der »Sammlung«[8] erscheinen könnten.

*Herausgegeben und mit Anmerkungen versehen von Hanna Gekle.

Bevor Sie (leider) von Zürich abreisen, möchte ich mit Ihnen auch noch etwas Kollegialisches wegen der Zeitschrift sprechen, die [Wieland] Herzfelde[9] herausgeben will und an der Sie, wie ich sehe, ja ebenfalls Mitarbeiter[10] sein werden. Ich halte es für wichtig, daß Ihre Zeitschrift und die Prager[11] keine »Konkurrenzen« werden, sondern sich genau ergänzen. Vielleicht sind Sie da meiner Meinung und wir stimmen überein wie wohl noch oft.

Da ich kein Telefon habe, bitte ich um eine Eilkarte, wann wir uns noch sehen können; ob hier in Küsnacht oder aber in Zürich.

Die herzlichen Grüße
Ihres Ernst Bloch.

1 »Erbschaft dieser Zeit«, heute GA Bd. 4. — **2** Der Aufsatz aus »Erbschaft dieser Zeit« mit dem Titel: »Zeitecho Stravinskij«, a.a.O., S. 232–240. — **3** Das Inhaltsverzeichnis der »Sammlung« führt keinen Aufsatz von E. B. über Gotthelf. Gemeint sein könnte jedoch der später in die »Literarischen Aufsätze« (GA Bd. 9) aufgenommene Aufsatz mit dem Titel: »Hebel, Gotthelf und bäurisches Tao«, a.a.O., S. 365–384. Dieser Aufsatz ist allerdings auf 1926 datiert, aber das ist kein unumstößliches Indiz. — **4** Dieser Aufsatz wurde – wohl gekürzt – später in »Erbschaft dieser Zeit« aufgenommen unter dem Titel »Imago als Schein aus der ›Tiefe‹«, a.a.O., S. 344–351. (Der ganze Satz steht als Einfügung am Briefrand.) — **5** Es ist nicht ganz klar, woran Bloch hier denkt. Das nächste Buch, das er nach »Erbschaft dieser Zeit« tatsächlich schrieb, war »Das Materialismusproblem, seine Geschichte und Substanz« (GA Bd. 7). Dieses Buch ist zu großen Teilen 1936/37 in Prag entstanden. In diesen Umkreis können die erwähnten Aufsätze jedoch auf keinen Fall gehören. E. B. spricht noch in diesem Briefwechsel mit K. M. von einem Buch mit dem Titel: »Besetzte Gebiete im Irrationalen« (vgl. Brief Nr. 8, Anm. 4); sollte es je ein Manuskript dieses Inhalts gegeben haben, so muß es als Ganzes verlorengegangen sein, denn es gibt weder ein solches Buch, noch sind Teile davon in anderen Werken Blochs zu identifizieren. — **6** E. B.'s spätere Frau Karola Piotrkowska-Bloch. — **7** Eigentlich: Querido's Uitgeverij N. V. Von dem niederländischen Schriftsteller Emanuel Querido 1915 in Amsterdam gegründeter Verlag, in dem 1933–40 und 1945–48 Werke der deutschen Exilliteratur erschienen. Der Verlag wurde 1971 mit dem Buchverlag der N. V. Arbeiderspers. vereinigt. Fritz Landshoff (*1901), der zuvor in Berlin einer der Lektoren des Kiepenheuer-Verlages gewesen war, gründete 1933 in Amsterdam im Querido-Verlag die deutsche Abteilung dieses Verlages für Exilliteratur. Landshoff gehörte zu den besten Freunden von K. M. — **8** K. M. gründete mit der »Sammlung« die erste antifaschistische literarische Monatsschrift der Emigration und wurde somit zu einer zentralen Figur der Publizistik im Exil. »Die Sammlung« erschien von September 1933 bis August 1935 im Querido-Verlag unter dem Patronat von Heinrich Mann, Aldous Huxley und André Gide; wurde intensiv mitbetreut vom Lektor Fritz Landshoff. (Vgl. Anm. 7). — **9** Eigentlich Herzfeld, Publizist und Schriftsteller, geb. 1896, Bruder von John Heartfield, gründete 1917 den Malik-Verlag, in dem Zeitschriften der kriegsgegnerischen Künstler und der Berliner Dada-Gruppe erschienen und der bald auch zum Verlag für kommunistische und sozialistische Literatur wurde. 1933 emigrierte Herzfelde nach Prag, führte den Verlag dort weiter und gab die Exilzeitschrift »Neue Deutsche Blätter« sowie die literarische Monatsschrift »Das Wort« heraus. 1939 ging er über die Schweiz in die Vereinigten Staaten; 1949 kehrte er zusammen mit E. B. in die DDR zurück und lehrte Literatursoziologie an der Universität Leipzig. Dort wurde die Verbindung zu E. B., mit dem er befreundet war, schwächer. — **10** K. M. veröffentlichte in der Tat einige Beiträge in dieser Zeitschrift. — **11** Vgl. Anm. 9. Mit den ›Pragern‹ könnte jedoch außerdem noch die Zeitschrift »Die Neue Weltbühne« gemeint sein: »Wochenschrift für Politik, Kunst, Wirtschaft«.

Nr. 2

4. Okt.[ober] [19]33
Küsnacht-Zürich,
Schiedhaldensteig 12

Lieber Klaus Mann,

Sie erschrecken hoffentlich nicht, wenn Sie das Buch-Manuskript[1] erhalten. Ich sandte es heute an Sie, per Adr.[esse] Querido-Verlag[2], ab. Gewiß haben Sie mit der Zeitschrift[3] schon viel zu tun, und Ihre eigene lebendige Arbeit kommt ohnehin wohl, gegenwärtig, zu kurz.

Aber ich bitte Sie, einen Blick hineinzuwerfen ins Zugeschickte. Ein sehr zeitnaher Weg zu den »roten Geheimnissen«[4] und einer mit Handgemenge. Es dürfte das erste größere Buch aus der Emigration sein, und eines, das es sich nicht leicht macht. Ich bitte um Ihre freundliche Verwendung. Ihnen gegenüber, dem Kollegen und einem meiner frühesten Leser, fällt mir diese Bitte leicht.

Zu Vorabdruck ist vielleicht ganz oder im Auszug (darüber müßten wir uns verständigen) brauchbar: »Echo Stravinskij«; »Romane der Wunderlichkeit und montiertes Theater«; »Imago als Schein aus der ›Tiefe‹«; »Hieroglyphen des neunzehnten Jahrhunderts«. Vielleicht auch einiges aus Teil III (Ungleichzeitigkeit); aus »Rauhnacht in Stadt und Land« oder aus »Mythos Deutschland und die ärztlichen Mächte«.[5]

Alles Gute weiter
Ihr Ihnen aufrichtig ergebener
Ernst Bloch.

1 Vgl. Brief Nr. 1, Anm. 1. — **2** Vgl. Brief Nr. 1, Anm. 7. — **3** Vgl. Brief Nr. 1, Anm. 8. — **4** E. B. spielt hier auf die von ihm propagierte Verbindung von Marxismus und Metaphysik an, die den platten Aufklärungsglauben des damaligen orthodoxen Marxismus überwinden sollte, ohne wiederum dem Irrationalismus zu verfallen. — **5** Bei den angegebenen Titeln handelt es sich durchweg um Aufsätze aus »Erbschaft dieser Zeit« (GA Bd. 4); die Theorie der Ungleichzeitigkeit gehört jedoch nicht in Teil III dieses Buches, sondern in Teil II.

Nr. 3

11. Okt.[ober] [19]33

Lieber Klaus Mann,

danke Ihnen für das zweite Heft. Bitte schicken Sie mir umgehend noch eine Zeile, ob Sie meine Sendung[1] erhalten haben. Sie ging am 4. ds.[2] eingeschrieben an Sie ab. Vorkommnisse der letzten Zeit machen mich stutzig.

Wohlgedacht Ihr George-Brief.[3] Aber ich glaube, der Übergang wird nicht zu hindern sein. Ist auch gar keiner, wenn man nicht an den apollinischen, sondern an den »römischen« George[4] denkt. An den Dichter der fasces[5], bevor das Kapital die noch notwendig hatte. Ich glaube, der Meister zelebriert bald Fahnenweihe. Und zögert er noch, dann nicht wegen Goering[6], sondern wegen des Massengeruchs, wegen des »Sozialismus«, wegen des »Pöbels«. –

Bitte bestätigen Sie mir bald den Empfang. Bin aus bestimmten Gründen unruhig.[7]

Mit Korrodi[8] übrigens pflege ich wegen der »Sammlung«[9] und eines kuriosen Fischer-Briefs[10] an ihn einen kleinen Briefwechsel.

Herzlichst ergeben Ihr Ernst Bloch.

1 Vgl. Brief Nr. 2, Anm. 1. — **2** Vgl. Brief Nr. 2; ›ds‹ ist ein Kürzel für ›dieses Monats‹. — **3** »Das Schweigen Stefan Georges« von K. M. erschien in »Die Sammlung«. 1. Jahrgang, 2. Heft, Oktober 1933; wiederabgedruckt in: K. M.: »Prüfungen – Schriften zur Literatur«. Herausgegeben von Martin Gregor-Dellin, München 1968. — **4** Bis zu seinem Werk »Das neue Reich« von 1929 hatte George als Prophet eines neuen Griechentums gegolten, weil er hymnisch den Gedanken, der Leib sei der Gott verkündete; seit diesem Buch jedoch war George verdächtig, zum Propheten des Dritten Reichs der Nationalsozialisten geworden zu sein, weil er auf ein geistiges Germanien als Wiedergeburt eines neuen Hellas hoffte. Auf diese – wenn überhaupt – zeitlich frühe Vorwegnahme spielt E. B. an mit seiner Bemerkung vom Dichter der fasces, *bevor das Kapital die noch notwendig hatte.* — **5** Von den Liktoren, den Amtsdienern der römischen Magistrate, getragene Rutenbündel, aus denen ein Beil hervorragte: Abzeichen der Strafgewalt der höchsten römischen Magistrate über die Bürger. Innerhalb Roms mußten die fasces entfernt werden, zum Zeichen, daß hier das Strafrecht der Magistrate von der Zustimmung des Volksgerichts abhängig war. Unter Bedingungen der Diktatur wurde diese Zustimmungspflicht vorübergehend aufgehoben; deshalb führte der Diktator 24 fasces, der König nur 12. — **6** E. B. spielt hier wohl auf den Goering unterstellten Reichstagsbrand am 27. 2. 1933 an, der am nächsten Tag eine vom Reichspräsidenten erlassene »Verordnung zum Schutz von Volk und Staat« zur Folge hatte und Goering die Handhabe bot, 4000 kommunistische Funktionäre zu verhaften und die gesamte kommunistische und sozialdemokratische Presse zu verbieten. — **7** Diese Unruhe könnte mit den im nächsten Brief (Anm. 4) erwähnten 13 000,– Mark zusammenhängen. — **8** Eduard Korrodi, schweizerischer Publizist (1885–1955); von 1914–51 Feuilletonredakteur der »Neuen Zürcher Zeitung«. — **9** Vgl. Brief Nr. 1, Anm. 8. — **10** Welcher Brief hier gemeint sein könnte, war nicht zu klären.

Nr. 4

12. Nov.[ember] [19]33
Küsnacht-Zürich,
Schiedhaldensteig 12

Lieber Klaus Mann,

möchte Ihnen zuerst die besondere Freude schreiben, die ich an Ihren polemischen Glossen empfinde. So an der letzten im Tagebuch[1]; »das alte Europa«[2] und so mehr. Es ist das ein neuer Stil, den ich an Ihnen nicht kannte; der Gegenpol zur Liebe und Verehrung, und es überrascht nicht, daß er grade deshalb wohl gelingt. Und den Benn[3] haben Sie ja ebensogut wie wichtig abfallen lassen.

Was nun meine Umtriebe wegen der 13 000 M[ar]k[4] angeht, so möchte ich unterscheiden. Ein Anderes ist ein Aufsatz dezidiert und namentlich contra Hitleri personam; ein Andres eine Untersuchung zur Reaktion. Der Jung-Aufsatz[5] zum Beispiel: ich habe ihn nicht mehr genau im Kopf, aber ich denke, er kann »objektiv« verstanden werden. Der pseudonyme Zustand[6] ist mir ohnehin höchst ekelhaft, und ich würde ihn, wenn das Buch *jetzt* erscheinen könnte, aufgeben, trotz der äußerst schneidenden Geldkonsequenzen[7]. Ich möchte den Standpunkt (wenn man ihn so nennen kann) auch für größere theoretische Aufsätze nicht beibehalten. Bitte Sie allerdings rechtzeitig um Korrektur.

Herr Landshoff[8] hat mir geschrieben, er will das Manuskript im Lauf der nächsten Wochen lesen. Vom Malik-Verlag[9] bin ich immer noch ohne definitiven Bescheid. Ich glaube jetzt fast, daß der Amsterdamer Verlag[10] das richtigere Publikum fände. Das Buch ist fürs »anfällige und gebildete Bürgertum« geschrieben, nicht nur für exilierte Jugend und kommunistische Avantgarde. Ich habe Landshoff noch einige Worte geschrieben und hoffe, daß sie auf freundlichen Boden fallen.

Alles Gute Ihnen und unserer Arbeit
Ihr Ernst Bloch.

1 Gemeint ist: »Das Neue Tagebuch«; Herausgeber: Leopold Schwarzschild, Jahrgang I–VIII, Nederlandsche Uitgeverij, Paris, Amsterdam, 1. Juli 1933 bis 11. Mai 1940. — **2** Glosse von K. M., 1933 erschienen. — **3** E. B. bezieht sich hier auf den Essay von K. M.: »Gottfried Benn oder die Entwürdigung des Geistes« in: »Die Sammlung«, 1. Jahrgang, 1. Heft September 1933. Vorangegangen war dem ein Brief von K. M. an Benn, in dem er ihn ehrerbietig nach seiner Beziehung zum Nationalsozialismus gefragt hatte, worauf Benn scharf in Form eines Offenen Briefes, den er am Rundfunk verlas, geantwortet hatte. Alles wiederabgedruckt in: K. M., »Prüfungen – Schriften zur Literatur«. Herausgegeben von Martin Gregor-Dellin, München 1968. — **4** Vgl. Brief Nr. 3, Anm. 7. — **5** Vgl. Brief Nr. 1, Anm. 4. — **6** Da E. B. seit 1933 wegen ›Verächtlichmachung der Reichsregierung‹ politisch in Nazideutschland verfolgt war, mußte er unter Pseudonym veröffentlichen, wenn er in deutschen Zeitungen gedruckt werden wollte. Pseudonyme von E. B. waren: Ferdinand Aberle, Jakob Bengler, Jakob Knerz, Karl Kneß, Dr. Fritz May, Eugen Reich, Dr. Schönfeld. Vgl.: »Bloch-Almanach«, 2. Folge, Ludwigshafen 1982, S. 99. — **7** Wäre das Buch unter E. B.s Namen in Nazideutschland erschienen, hätte kein Verlag ihm das Honorar über die Grenze schicken können. Vgl. Brief Nr. 9, Anm. 5. — **8** Vgl. Brief Nr. 1, Anm. 7. — **9** Vgl. Brief Nr. 1, Anm. 9. — **10** Gemeint: Querido-Verlag vgl. Brief Nr. 1, Anm. 7.

Nr. 5

25. I. [19]34
Zürich 8/Zollikerstraße 257

Lieber Klaus Mann,

habe wieder, wie leider schon oft, eine Bitte an Sie.

Landshoff schreibt mir gestern, er lese grade mein Buchmanuskript.[1] Die nächsten Tage will er mir Antwort geben. Direkt nun will ich ihm Folgendes nicht schreiben, da es, zwischen Verleger[2] und Autor, kurios aussehen könnte. Vor allem, nachdem der Verleger sich ja überhaupt noch nicht geäußert hat. Aber würden Sie mir den Freundschaftsdienst tun und Landshoff meine Gefühle, sozusagen, übermitteln? Ich wäre Ihnen sehr dankbar.

Meine Gefühle sind die: es besteht Gefahr, daß das Buch überhaupt nicht gedruckt wird. Herzfelde hält mich bis heute hin, wohl aus Geldmangel. Landshoff dürfte vielleicht das Risiko scheuen, ein stellenweise schweres Buch zu übernehmen; er ist durch den ganz anders möglichen Absatz von Romanen verwöhnt. Aber dies Buch, eines der rechtzeitigsten, darf sich nicht als historisches Gemälde in meinem Nachlaß vorfinden. Daher bin ich, gegebenenfalls, bereit, vorerst auf jedes Honorar zu verzichten, ja, mit dem bischen [sic] Geld, das ich noch habe, eine Art Risikoprämie zu übernehmen. Erst wenn die Druck- und Verlagskosten gedeckt sind, will ich Anspruch auf Honorar erheben. Und gewiß finden Sie eine Form, das Herrn Landshoff mitzuteilen. Sollte es nicht nötig sein, desto besser. Aber ich fürchte eben: hoc rerum statu[3] ist so etwas nötig. Trotz des Novums, das dieses Buch in der »Emigrationsliteratur« darstellt und des durchgearbeiteten Ernstes, das es aufweist. Bitte legen Sie auch sonst ein gutes Wort ein.

Einen kleinen Aufsatz schreibe ich für die Sammlung: Über »Emigrantenpsychologie«[4]. Er gerät hoffentlich: Wie ist es mit der Großen Verschwendung[5]? Und: wenn Sie den Gotthelf[6] nicht brauchen, vielleicht überlassen Sie ihn mir für die Neue Schweizer Rundschau oder so ähnlich.[7]

Geht es sonst gut? Kommen Sie zu einer eignen größeren Arbeit? Ich wünsche es Ihnen herzlich. Es ist doch auf die Dauer für unsereinen das einzig Senkrechte.

Ihr Ihnen herzlich ergebener
Ernst Bloch.

1 »Erbschaft dieser Zeit«. — **2** Gemeint ist wohl Emanuel Querido, vgl. Brief Nr. 1, Anm. 7. — **3** Lat.: bei diesem Stand der Dinge. — **4** Ein Aufsatz von E. B. über dieses Thema ist nie in der »Sammlung« erschienen, vgl. Brief Nr. 6, Anm. 3. — **5** Der Essay von

E. B.: »Aus der Geschichte der großen Verschwendung« erschien unter dem Pseudonym Jakob Knerz in: »Die Sammlung«, 1. Jahrgang, 6. Heft, Februar 1934, S. 305–308. Dieser Aufsatz findet sich auch in »Erbschaft dieser Zeit«, GA Bd. 4, S. 86–90. — **6** Vgl. Brief Nr. 1, Anm. 3. — **7** Es ist nicht ganz klar, was E. B. meint, könnte jedoch eine Kontamination sein von: »Neue Zürcher Zeitung« – vgl. Brief Nr. 6, Anm. 2 – und: »Neue Rundschau – Kulturzeitschrift«, gegründet 1890; sie erschien bis 1944 in Berlin, 1945–49 als Vierteljahresschrift in Stockholm, seit 1950 in Frankfurt/M.

Nr. 6

23. II. [19]34
Zürich/Zollikerstraße 257

Lieber Klaus Mann,

hier eine kleine Besprechung.[1] Habe sie für die Zürcher Ztg.[2] geschrieben, die sie aber schon vergeben hatte. Vielleicht können Sie sie brauchen. Wenn sie nicht in den Rahmen paßt, wörtlich genommen, so widerspricht sie ihm keinesfalls.

Die kleine Emigrantenpsychologie[3] möchte ich noch nicht schreiben. Und zwar hat mir Ihre ganz ausgezeichnete, bedeutende und erfahrene Erzählung[4] im letzten Heft das Konzept wünschenswert erschwert. So muß einem das Problem durch und durch gehen wie dieser Frau (»ohne mich, Lieber«) und ihrem Autor. Ich stehe ihm zu sehr jenseits, zu entronnen und also zu untersuchend »gegenüber«.

Landshoff hat bis heute, trotz Ankündigung, noch kein Sterbenswörtchen geantwortet. Fürchte also, es wird auch nichts als ein Sterbenswörtchen kommen. Das Buch[5] bleibt dann ungedruckt. Wollen Sie nicht die Sache über Jung[6] bringen?

Alles Gute für den Roman[7]. Und herzliche Grüße
Ihres ergebenen Ernst Bloch.

1 Es ist nicht eindeutig zu identifizieren, was E. B. hier meint. Außer der schon erwähnten »Geschichte der großen Verschwendung« (vgl. Brief Nr. 5, Anm. 5) – erschienen zwischen März und November noch folgende Beiträge von ihm: Erstens nur mit den Initialen E. B. gezeichnet: »Nazi-Filme oder Der Zauber der Persönlichkeit« (Rezension zu dem Film »Der Flüchtling aus Chikago«). In: »Die Sammlung«, 1. Jahrgang, 8. Heft, April 1934, S. 444–445. Zweitens nur mit den Initialen E. B. gezeichnet: »Die erste deutsche Rassenphilosophie«. In: »Die Sammlung«, 1. Jahrgang, 11. Heft, Juli 1934, S. 612f. Diese beiden Aufsätze wurden wieder abgedruckt in: »Vom Hasard zur Katastrophe – Politische Aufsätze aus den Jahren 1934–1939«, Frankfurt/M. 1972, S. 7–16. Das gilt nicht für folgende Besprechung, die E. B. 1934 noch in der »Sammlung« drucken ließ: »Summe der Theologie von Thomas von Aquino. Zusammengefaßt, eingeleitet und erläutert von Josef Bernhart. Bd. 1, Gott und Schöpfung. Alfred Kröner Verlag, Leipzig 1934«. In: »Die Sammlung«, 2. Jahrgang, 3. Heft, November 1934, S. 165–167. Außerdem erschien noch im Jahre 1935 ein letzter Essay von E. B.: »Neue Sklavenmoral der Zeitung«. In: »Die Sammlung«, 2. Jahrgang, 5. Heft, S. 263–267, Januar 1935, ebenfalls wiederabgedruckt in: »Vom Hasard zur Katastrophe«. — **2** »Neue Zürcher Zeitung«, abgekürzt »NZZ«, schweizerische freisinnige Tageszeitung, gegr. 1780. Chefredakteur war 1933–1967 W. Bretscher; Feuilletonchef war Eduard Korrodi von 1914–51, vgl. Brief Nr. 3, Anm. 8. — **3** Vgl. Brief Nr. 5, Anm. 4. — **4** K. M., »Letztes Gespräch (Erzählung)«. In: »Die Sammlung«, 1. Jahrgang, 6. Heft, Februar 1934, S. 297–305. — **5** »Erbschaft dieser Zeit«, GA Bd. 4. — **6** Vgl. Brief Nr. 1, Anm. 4. — **7** Gemeint ist »Flucht in den Norden«, 1934 erschienen im Querido-Verlag.

Nr. 7

15. IV. [19]34
Zürich 8, Zollikerstr. 257

Lieber Klaus Mann,

eine kleine Sache[1] beifolgend, zur Ansicht.

Aus dem Großen ist leider doch »eine Art Sterbenswörtchen« geworden.[2] Weiß gar nicht, was vom Fall zu halten. Herr Landshoff erklärt, wie bedeutend er das Buch halte. Danach verlangt er von mir nicht nur Verzicht aufs Honorar und eine kleine verschwiegene Beisteuer sozusagen. Sondern Erstattung der Druckkosten, als wäre ich ein kleiner Anfänger aus vermögendem Haus. Unsinn aller Art wird gedruckt; das geht immer und bleibt sich gleich. Verwunderlich aber, daß die vielen Landshoff nichts lernen, und daß unser Landshoff nicht den Ehrgeiz zu haben scheint, den ich ihm zutraute. Den einfachen nämlich: ein Buch von mir ist nicht nur augenblicklich, sondern der Name trägt es und wird es tragen. Fünfzig Bücher werden auch über dieses Buch einmal geschrieben werden; – nur jetzt findet es keinen Verleger. Die Sache ist noch langweiliger als traurig und beschämend.

Was nun? Ich frage Sie um Rat. Landshoff bin ich um einen neuen Vorschlag angegangen. Nach seiner Gewohnheit werden Wochen verstreichen, bis er antwortet. Bitte, seien Sie mir nicht böse, wenn ich Sie wieder um eine Vermittlung bemühe. Und bitte Diskretion über den Fall. Vielleicht finden Sie Zeit zu einer baldigen Antwort. Ich wäre Ihnen sehr verbunden.

Herzliche Grüße, der Ihre
Ernst Bloch.

1 Eine genaue Identifikation des Gemeinten ist nicht möglich; vgl. jedoch Brief Nr. 6, Anm. 1. — **2** Gemeint sind E. B.s Verhandlungen mit Landshoff und dem Querido-Verlag wegen »Erbschaft dieser Zeit«. Vgl. die Briefe Nr. 1, 4 und 6.

Nr. 8

13. VI. [19]34
Zürich, Zollikerstr. 257

Lieber Klaus Mann,

leider mit einigen Korrekturen. Aber die Sache[1] sieht so besser aus.

Es geht Ihnen hoffentlich gut (und dieses wohl am Meer). Wieweit stehen Sie mit dem Roman[2]? Ist er aus dieser Zeit?

Die »Erbschaft« wird wohl im September erscheinen. Aller Wahrscheinlichkeit nach bei Oprecht[3]; er ist im Begriff, einen Mäzen zu finden. Schade, daß bei Querido nichts geworden ist. Ich danke Ihnen dennoch für alle Ihre Freundschaftsdienste. Es lag nicht an Ihnen, vermutlich auch nicht an Landshoff. Vielleicht wird dort etwas Besseres mit dem nächsten Buch. Dies wird Herbst fertig, heißt »Besetztes Gebiet im Irrationalen«[4] oder so ähnlich.

Alles Gute. Ihr Ihnen herzlich ergebener
Ernst Bloch.

[An den Rand geschrieben:] Dr. Joachim Schumacher[5] bittet mich, nach dem Schicksal seiner Céline-Anzeige[6] zu fragen.

1 Nicht sicher identifizierbar, vgl. Brief Nr. 6, Anm. 1. — **2** Vgl. Brief Nr. 6, Anm. 7. — **3** »Erbschaft dieser Zeit« ist in der Tat bei Oprecht in Zürich erschienen. Was das Erscheinungsdatum betrifft, vgl. Brief Nr. 11, Anm. 5. — **4** Weder gibt es ein Buch von E. B. mit diesem Titel, noch ist im Herbst 1934 ein anderes Buch von ihm fertig geworden. Vgl. Brief Nr. 1, Anm. 5. — **5** Enger Freund und Schüler von E. B.; 1904–1983, seit 1937 in den USA lebend. — **6** Der Aufsatz ist nicht auffindbar.

Nr. 9 — 30. Juni [19]34
Zürich, Zollikerstr. 257

Lieber Klaus Mann,

herzlichen Glückwunsch zum beendeten Roman.[1] Wie ist das Thema? Etwas so Schönes und Ergreifendes wie in der Emigranten-Novelle?[2]

Gerne schreibe ich Ihnen von Zeit zu Zeit eine Glosse.[3] Diese kurze Ausschweifung ist unter der sehr schweren Arbeit, die ich an der Fertigstellung des neuen Buchs[4] habe, angenehm. Nachdem ich das Geld aus Deutschland bekommen habe, liegt ein Grund zum Pseudonym[5] nicht mehr vor. Freilich hätte ich den Namen lieber unter größeren Aufsätzen als unter dem Apophthegma[6] einer Glosse.

Ich schlage Ihnen bei dieser schicklichen Gelegenheit zugleich den Abdruck des Jung-Kapitels[7] aus der »Erbschaft dieser Zeit« vor. Das Kapitel hat Ihnen ja gefallen; Druckvorlage könnte ich einsenden. Für den Abdruck wäre ich Ihnen auch deshalb verbunden (und für eine Bemerkung: aus dem demnächst erscheinenden usw.), weil das Erbschaftsbuch einen Hinweis wohl dringend nötig hat. Ist es doch keine leicht einladende Kost.

Herzlich danke ich Ihnen für Ihren Willen eines eigenen Hinweises.[8] Kommt es mir zu, hier eine Bitte auszusprechen und ist diese erfüllbar: so würde ein eigener »groß gedruckter« Aufsatz von Ihnen mich besonders erfreuen. (So wie Sie ihn schon einige Male wichtigeren Erscheinungen angedeihen ließen.) Das sieht offenbar anders drein als eine Notiz im Glossenteil (der grade bei Ihnen, völlig sinngemäß, mehr der Kritik- und Negationsraum ist). Die Aushängebogen gehen Ihnen sofort zu.

Viel Sonne an der See! Hier regnet es seit vierzehn Tagen erklecklich; wie sehr dann wohl in Holland. In acht Tagen gehe ich nach Maloja[9], wo ich fern vom deutschen Fremdenchor ganz am Ende des Dorfs ein stilles Zimmer beim Schulmeister des Orts erlangt habe. Nächstens schicke ich einen größeren Aufsatz: »Dichtung und kommunistische Gegenstände«[10].

Herzliche Grüße Ihres Ernst Bloch.

[Am rechten Rand:] Was Lukács' Aufsatz[11] anbelangt, so finde ich ihn – wegen der Auslassung des malerischen Expressionismus – nicht vollständig. Außerdem ist das Klischee »kleinbürgerliche Opposition« ein Kamm, über den offenbar schon zu viel und zu Verschiedenes gleich geschoren worden ist.

[Am linken Rand:] Adresse Benjamins[12]: Paris, Hotel Floridor, Place Denfert Rochereau. Allerdings ist Benjamin schon nach Dänemark abgereist.

1 E. B.s Anfrage muß sich auf den 1934 im Querido-Verlag erschienenen Emigrantenroman »Flucht in den Norden« beziehen. Im Roman verbindet sich eine Liebesgeschichte zwischen einem Bürgermädchen aus Deutschland und einem Finnen mit einer subtilen Darstellung der äußeren und inneren Schwierigkeiten, die das Exil mit sich brachte. K. M. verband die Entschlossenheit zu Kampf und Sieg schon damals mit heute fast prophetisch anmutender Skepsis, was die historischen Resultate angeht. Vgl. Brief Nr. 6, Anm. 7. — **2** Vgl. Brief Nr. 6, Anm. 4. — **3** Es ist nicht klar, worauf sich das bezieht. Vgl. das Inhaltsverzeichnis der »Sammlung« mit den Beiträgen von E. B., Brief Nr. 6, Anm. 1. — **4** Vgl. Brief Nr. 1, Anm. 5 und Brief Nr. 8, Anm. 4. — **5** Vgl. Brief Nr. 4, Anm. 6 und 7. — **6** Kurzer treffender Sinnspruch, geflügeltes Wort. — **7** Vgl. Brief Nr. 1, Anm. 4. — **8** Vgl. den Text von K. M. in diesem Heft. — **9** Ort in der Schweiz nahe der italienischen Grenze. Hier muß in diesem Jahr der Aufsatz von E. B. mit dem Titel »Maloya-Chiavenna-Drift« entstanden sein, der auf 1934 datiert ist. Vgl. »Literarische Aufsätze«, GA Bd. 9, S. 498–503. — **10** Es handelt sich hierbei um E. B.s Beitrag für den »Congrès pour la Défense de la Culture«, der 1935 in Paris stattfand. Dieser Beitrag wurde später unter dem Titel: »Marxismus und Dichtung« in die »Literarischen Aufsätze« übernommen (GA Bd. 9, S. 135–143). Vgl. dazu auch Anm. 2, Brief Nr. 11. — **11** Gemeint ist der Aufsatz von Lukács »Größe und Verfall des Expressionismus«, erstmals erschienen in: »Internationale Literatur«, 1, Moskau 1934, S. 153–173; wieder in: Lukács, »Werke 4, Probleme des Realismus I. Essays über Realismus«, Neuwied 1971, S. 109–149. — **12** Benjamin war in der Tat im Juni 1934 in Brechts Haus nach Svendborg in Dänemark übersiedelt. Vgl. W. Fuld, »Walter Benjamin – Zwischen den Stühlen«, München 1979, S. 242.

Nr. 10 | 15. VII. [19]34
Flims-Dorf (Graubünden, Schweiz)
bei Olgiati

Lieber Klaus Mann,

eine Glosse[1] anbei. Das Buch[2] erscheint so Ende September oder Anfang Oktober. Aus einem älteren Brief sehe ich, daß Sie auch den Stravinskij-Aufsatz[3] neben dem über Jung[4] in Erwägung gezogen hatten. Die Korrekturen gehen Ihnen jedenfalls sofort zu.

Hier nun bin ich noch nicht beim Schulmeister in Maloja. Sondern bei einem jungen Schweizer Architekten, der mit Karola[5] bekannt ist und uns auf sein Häuschen geladen hat. Der Schulmeister hat noch vier Wochen an eine ganze Basler Familie vermietet, mit der wir nicht konkurrieren können. Hier nun ist es sehr still, der Regen rauscht bayrisch. Bei so verhangenem Himmel gibt es sogar schon die »tiefe Freudigkeit des früh hereinbrechenden Dunkels«, in die ich damals, als ich den Geist der Utopie schrieb, die ganze Philosophie der Musik eingetragen habe.[6]

Ja, Hitlern stößt bald etwas zu. Aber dem Bald muß man wahrscheinlich noch die Länge eines Jahrs geben. Freilich wird dies Jahr dem Nationalsozialismus das bringen, was man in Heidelberg eine Strukturveränderung[7] nennt. Eine immer haltlosere, immer weiter künstliche, bis die Wirklichkeit des Kommunismus nicht mehr zu hindern ist, durchzubrechen. Den Hunden ist jetzt schon das Herz schwarz im Leibe.

Grüßen Sie Ihre Schwester[8].
Gute Zeit am Meer.

Ihr Ihnen herzlich ergebener Ernst Bloch.

1 Es ist wiederum nicht klar, worauf sich das bezieht. Vgl. Anm. 1, Brief Nr. 6. — **2** »Erbschaft dieser Zeit«, GA Bd. 4. — **3** Vgl. Brief Nr. 1, Anm. 2. — **4** Vgl. Brief Nr. 1, Anm. 4. — **5** Vgl. Brief Nr. 1, Anm. 6. — **6** Zitat aus »Geist der Utopie«, GA Bd. 3, S. 185. — **7** Dies dürfte sich auf die von Karl Mannheim vertretene These stützen, nach der die strukturelle Soziologie aus *Statik* besteht, die sich mit dem Problem des Gleichgewichts aller sozialer Faktoren in einer gegebenen Sozialstruktur beschäftigt, und *Dynamik*, die diejenigen Faktoren behandelt, die sich in ihren Tendenzen widersprechen und schließlich zu Störungen des Gleichgewichts und dadurch zu sozialem Wandel führen. Nach: »Klassiker des soziologischen Denkens II«. Hg. von Dirk Käsler, München 1978, S. 327. — **8** Erika Mann (1905–1969), war 1925–28 mit Gustaf Gründgens verheiratet, emigrierte 1933, nachdem sie noch in München das antinationalsozialistische Kabarett »Die Pfeffermühle« gegründet hatte, mit dem sie dann in die Schweiz ging und häufige Gastspielreisen unternahm. 1935 heiratete sie den englischen Dichter W. H. Auden und ging 1936 in die USA. Nach ihrer Rückkehr wohnte sie bis zu ihrem Tod in Kilchberg bei Zürich.

Nr. 11 Wien, den 13. Nov.[ember] [19]34
Pension Tatlock[1], Ebendorferstr. 6

Lieber Klaus Mann,

ich beeile mich, Ihnen meine Wiener Adresse anzugeben. Sie bleibt zwar auch nicht lang, denn ich werde wahrscheinlich in Bälde nach Paris[2] fahren und von da nach Spanien[3]. Doch wäre ich Ihnen gerade deshalb für eine kurze Antwort, das eingesandte Manuskript[4] betreffend, dankbar. Das Buch »Erbschaft«[5] ist leider noch immer nicht ausgeliefert, doch hoffe ich es die nächsten Tage in Ihrem Besitz. Allerdings geht das Exemplar an Ihre Amsterdamer Adresse, falls Oprecht Ihre Zürich-Küsnachter nicht wissen sollte.

Mit lebendigem Anteil habe ich Ihren Roman[6] gelesen. Schon rein stofflich mit lebendigem; denn die Welt, worin er spielt, ist mir genau bekannt. Meine erste Frau[7] war aus Riga, aus derselben Soziologie, baltisch-schwedische Junkerbeziehungen spielten hin und wieder, ich kenne solche Landgüter und Landmenschen sehr genau, bis auf die fabelhafte alte Dame und ihr ausgezeichnet gesetztes »Sankt Petersburg«. Überhaupt sind die ausgefallenen Figuren Ihres Romans mir besonders einprägsam gewesen, die Mutter, die Fliegenmutter, mit den Händen, die Uralte, weiß, weiß, weiß, die verrückte Kokotte, selbst das kräftig verdauende Untier. Weniger real dagegen wurden mir die Realitäten, und ich weiß selbst nicht wieso, vielleicht irre ich mich. Karin, so kräftig gemalt am Steuer, versinkt bald in ihrer Trauer; das Jünglingsmädchen selbst hat es schon deshalb nicht leicht, weil es – mit Recht – eine *symptomatische* Erscheinung ist, weil es dem erkannten Auftrag seine Liebe opfert, weil im Buch schon, an manchen entscheidenden Stellen, etwas von dem Schatten der Hotelzimmer hereinfällt, die die Umgebung sein werden. Der Geliebte wieder, in seiner rauh-schönen Verdrossenheit, in seiner flachen Tiefe, – jawohl, was hat er angefangen mit seinen dreißig Jahren, was fängt er weiter an, der adlige Kulak mit dem verdrossenen Gewissen und der griechischen Schönheit, die ein acht Jahre älteres Geld heiratet. Er selber wirkt nicht als Verführung oder Ablenkung, erst recht nicht als Alternative zum Weg, den Johanna geht; denn er ist der Klassenfeind objektiv, der naive, dabei schlechte Holzverkäufer, mit einem Knacks noch in seinem Jungherrentum. Er wirkt auf die Dauer nicht so interessant wie seine Exposition und sein erster vornehm-nachlässiger Eindruck, mit der schmutzigen Oxfordhose zum Dinner; er wird zu bald übersichtlich. Einprägsam dagegen die Landschaften und die ziellos-trostlose Glücksfahrt der beiden durchs ebenso unbestimmte Nordland, mit nichts als dem Eismeer als Grenze und dem Todestelegramm am richtigen Ort. Hier, in dieser Fahrt, ist etwas von der mir nicht vergeßlichen Luft Ihrer letzten Novelle[8] (ich meine die im Pariser Hotelzimmer). Ich habe die Hoffnung, als empfänglicher Leser, daß die darstellende Kraft und ernste Erfahrenheit dieser Novelle Zeit und Raum gewinnen. Und vielleicht auch liegt die Novelle mir näher, weil hier das Mädchen complicationis persona[9] ist, weil vom Mann auf das Mädchen gesehen wird und nicht vom Jünglingsmädchen (dessen Leib in der Liebe kaum erscheint) auf Körper und Seele des Manns. Johanna in den Hotelzimmern und was mit ihnen zusammenhängt, die extravertierte Glaubenspsychologie Johannas, ihrer Menschen und Aufträge – wäre das nicht das Thema eines zweiten Romans und eines, der die höchst geradlinige Sorge der Novelle aufnimmt und überwindet?

Haben Sie herzliche Grüße Ihres stets ergebenen
Ernst Bloch.

1 Dieser Brief trägt den eingedruckten Briefkopf des »Hotel Post« in Wien I, Fleischmarkt 24. — **2** E. B. meint wohl den dort stattfindenden internationalen antifaschistischen Kongreß zur Verteidigung der Kultur; vgl. Anm. 10, Brief Nr. 9. — **3** Nach Aussage von Karola Bloch ist aus dieser geplanten Reise nichts geworden. — **4** Hier könnte es sich um den schon erwähnten Aufsatz: »Dichtung und kommunistische Gegenstände« handeln (vgl. Anm. 10, Brief Nr. 9). — **5** »Erbschaft dieser Zeit« ist also nicht, wie in der GA angegeben, 1935, sondern bereits 1934, genauer am 27. 10. 1934 erschienen. Vgl. auch die beiden folgenden Briefe an K. M. — **6** Vgl. Brief Nr. 9, Anm. 1. — **7** Else Bloch-von Stritzky (1883–1921). — **8** Vgl. Brief Nr. 6, Anm. 4 und Brief Nr. 9, Anm. 2. — **9** Lat.: Person der Komplikation.

Nr. 12

3. Dez.[ember] [19]34
Wien I/Herrengasse 6–8
Stiege 1, Stock 8, Tür 39

Lieber Klaus Mann,

gern komme ich Ihrem Wunsch nach (der auch der meine ist). Werfel[1] habe ich sogleich geschrieben. Einliegend der Durchschlag meines Briefs an ihn. Über das Weitere werde ich Sie, wenn Werfel nicht direkt schreibt, auf dem Laufenden halten.

Ihren letzten Brief habe ich leider nicht erhalten. Will in meiner vorigen Wohnung[2] reklamieren. Natürlich hätte es mich sehr interessiert, ob und worin Ihnen mein größerer Aufsatz[3] zusagt. Verstehe auch durchaus, wenn Sie unter den Umständen, die gerade den Brief an Werfel nötig machten, die Veröffentlichung noch etwas hinausziehen wollen. Glauben Sie allerdings, daß das noch relativ *lange* Zeit dauern kann, so wäre die Frage: ob Herzfeldes Zeitschrift[4] nicht praktischer wäre. Es ist das nur wegen der Zeitfrage; denn regional scheint mir, wie ich schon schrieb, die »Sammlung«[5] für den Aufsatz richtiger. Ich bitte hier um Rat und Auskunft.
Haben Sie das Buch[6] erhalten? Es ist dem Buchbinder und ähnlichen

Mächten leider gelungen oder fast gelungen, aus einem Werk eine Broschüre zu machen. Aber ich hoffe: die innere Dimension der Sache tritt dennoch nicht unerfreulich und nicht ohne Gewinn hervor.

Bitte grüßen Sie Ihre Schwester[7]. Ihnen stets herzlichst
Ihr Ernst Bloch.

1 Franz Werfel, Schriftsteller; geb. in Prag 1890, gestorben in Beverly Hills (Kalifornien) 1945. Er besuchte die deutsche Universität in Prag, war mit Franz Kafka und Max Brod befreundet. Von 1911–1914 betreute er das Lektorat des Kurt-Wolff-Verlags in Leipzig und München; nach dem Ersten Weltkrieg wohnte er in Wien, bis er 1938 nach Frankreich emigrierte und von da über die Pyrenäen zunächst nach Spanien und dann über Portugal in die Vereinigten Staaten floh. Werfel konnte zum Vermittler werden, weil er damals schon großes Ansehen genoß und kein Kommunist war, sondern als persona grata galt. Vgl. die folgende Beilage mit dem Brief an Werfel. — **2** Vgl. Brief Nr. 11, Anm. 1. — **3** »Dichtung und kommunistische Gegenstände« – vgl. Brief Nr. 9, Anm. 10 und Brief Nr. 11, Anm. 4. — **4** Vgl. Brief Nr. 1, Anm. 9. — **5** Vgl. Brief Nr. 1, Anm. 8. — **6** Vgl. Brief Nr. 11, Anm. 5 und Brief Nr. 13, Anm. 8. — **7** Vgl. Brief Nr. 10, Anm. 8.

Beilage zu Brief Nr.12: Bloch an Werfel

3. Dez.[ember] [19]34
Wien I/Herrengasse 6–8,
Stiege 1, Block 8,
Tür 39

Lieber Franz Werfel,

ich bekomme von Klaus Mann einen Brief, dessen Inhalt ich Ihnen weitergeben möchte. Er bezieht sich auf das Verbot der »Sammlung«[1] in Österreich und im selben Atem darauf, daß das Verbot eigentlich gar nicht besteht. Herr Mann bittet mich um eine Vermittlung in dieser Sache; wenn ich mich an Sie wende, so geschieht es, weil wir über das Niveau der Zeitschrift wohl einig sind und auch darüber, daß die vertriebene deutsche Intelligenz auf die Dauer nicht nur durch das Neue Tagebuch[2] in Österreich vertreten sein möge. Aus diesem Grund auch komme ich der Bitte Klaus Manns um eine Vermittlung gerne nach; führe sie nun zu einem Rat oder zu einer (halbdetektivischen) Hilfe.

Der Fall ist nach Klaus Manns Darstellung dieser (ich wiederhole seine Worte): »Es ist sehr ärgerlich und schädlich für uns, daß die »Sammlung« immer noch in Wien verboten ist – das heißt, *praktisch* verboten; denn theoretisch ist das Verbot schon seit vielen Wochen aufgehoben. Diese Aufhebung hatte ein Herr von der österreichischen Gesandtschaft in Paris, der Legationsrat Wasserbäck, für uns erwirkt. Er ließ mich schon vor Monaten wissen, er habe positiven Bescheid von der zuständigen Wiener Instanz: die Zeitschrift sei frei. Es gelang uns jedoch leider nicht, diesen Bescheid aus Wien bestätigt zu bekommen.

Es muß irgendwo ein Feind sitzen, der den Bescheid absichtlich verzögert.« – Soweit Herr Mann; er schließt den Brief ab: »Das Verbot – dies nur, damit Sie im Bild sind – erfolgte seiner Zeit wegen eines Artikels über die Februarkämpfe.[3] Inzwischen haben wir nichts Anstößiges mehr gebracht – wie der Legationsrat bestätigt hat –; die Politik im direkten Sinn spielt ja überhaupt eine untergeordnete Rolle in der Zeitschrift.«

Dies wäre der Fall und das Indizium zugleich zu seiner Beseitigung. Vielleicht können wir uns einmal darüber unterhalten. Auf alle Fälle gebe ich die Adresse Klaus Manns an, da ich Sie, in eigener Sache, nicht direkt bemühen wollte: Amsterdam, Keizersgracht 333.

Mit herzlichen Grüße[n] Ihnen und Ihrer verehrten Frau[4], auf Wiedersehen[5].

1 Vgl. Brief Nr. 1, Anm. 8. — **2** Vgl. Brief Nr. 4, Anm. 1. — **3** Von 11.–16. Februar 1934 gab es blutige Straßenkämpfe in Wien und anderen Städten zwischen dem »Republikanischen Schutzbund« und der Regierung. Anschließend wurden alle anderen Parteien außer der »Vaterländischen Front« verboten. Wegen des im April 1934 anonym in der »Sammlung« veröffentlichten, von Stefan Grossmann verfaßten Aufsatzes »Unabhängiges Österreich« war ein Verbot der »Sammlung« für Österreich ausgesprochen worden. – Nach diesem Brief von E. B. muß die Vermittlung von Joseph Roth doch erfolgreich gewesen sein: Roth hatte an den im Brief erwähnten Legationsrat Erwin Wasserbäck von der österreichischen Gesandtschaft in Paris geschrieben mit der Bitte um Aufhebung des Verbots der »Sammlung« in Österreich. Vgl. H.-A. Walter »Deutsche Exilliteratur 1933–1950«, Band 7 (Exilpresse I), Darmstadt und Neuwied 1974, S. 242 und Anm. 5, S. 388. — **4** Alma Mahler-Werfel (1879–1964): Tochter des Landschaftsmalers Emil J. Schindler, heiratete 1902 Gustav Mahler (gest. 1911). Nach einer kurzen Beziehung zu Oskar Kokoschka vermählte sie sich 1915 mit W. Gropius, von dem sie sich 1918 trennte. Sie war seit 1929 mit Franz Werfel verheiratet. — **5** Da es sich um den Durchschlag des Briefes handelt, trägt er keine Unterschrift.

Nr. 13

10. 4. [19]35
Wien I, Herrengasse 6–8,
Stiege 1, Tür 39

Lieber Klaus Mann,

prompt und schön kommt die Sammlung an. Hoffentlich ist sie jetzt hier auch erlaubt.[1]

Der Aufsatz Crevels[2] ist stellenweise überraschend. Una cosa non di cartone[3], wie man in Dantes Sprache sagt. Desto weniger erfreulich aber erscheint mir der erste, von Schönberner[4], mit dem vielen Geist, den er nennt, und dem nicht so vielen, den er hat. Welch abgedroschene Kategorien, welche belanglose Halbwahrheiten, welche Banalität und Ungenauigkeit bis in die Sprache. (Erster Satz des letzten

Abschnitts z. B. auf S. 398; so zeilenreporterhaft, so im Denkstil freisinniger Käsblätter von 1890 schreibt man in der »Sammlung« nicht.) Nun wird uns gar noch – »Gott behüte« – eine Fortsetzung[5] dieses »von aller kapitalistischen Entstellung gereinigten Geistes wahrer sozialer Demokratie« verheißen, den (nach Meinung des Verfassers) ausgerechnet das »geistige Bürgertum« neu hätte beleben sollen und können. »Ich habe heute morgen noch nichts verdient«, sagt der Wolf in einer Erzählung Diderots[6]. Kurz, auch ich, der ich nicht ganz ein Vulgärmarxist bin, kann mich mit den Ansichten dieses Autors nicht identifizieren. Sondern diesem Autor wäre ratsam, daß er erst bei Vulgärmarxisten in die Klippschule geht, bevor er das wirtschaftliche Moment als – »Inseratenteil« definiert. Ebenso wäre ihm nützlich, bevor er sich meldet, er lernte beim ersten besseren Journalisten Deutsch, bevor er die Spalten der »Sammlung« mit dem »Brustton der Verachtung« (S. 402) – wie macht man das? – erfüllt.

Ganz unabhängig von solchen Phänomenen bitte ich Sie um einen Rat, auch um eine aufklärende Hilfe. Ich komme mit einer Frage zu dem erklärten Freund einer gemeinsam gewordenen Sache. Wie ist es möglich, so lautet die Frage, daß der Problem- und Sachgehalt der »Erbschaft dieser Zeit« ein halbes Jahr[7] nach Erscheinen des Buchs weder in der kleinen noch in der großen Diskussion über die Situation des Geistes unserer Zeit eine Rolle spielt. Ich meine damit keine Buchbesprechung, meine nicht, daß Weltbühne[8] und Neue Deutsche Blätter[9] meines Wissens nicht einmal von dem Buch bisher Notiz genommen haben, dem Totschweigen nach also in einer Front mit Organen wie die N.Z.Z.[10] stehen. Sondern das dringendere Problem ist eben: wieso das Nicht-Notiznehmen von den *Problemgehalten* des Buchs? Der Überfluß an solchen Büchern ist doch nicht so drückend. Und der Markt ist so eingeschränkt, daß ein Buch dieser Art gar nicht übersehen werden kann, am wenigsten im Leser- und Schriftstellerkreis der »Sammlung«. Dennoch regt sich nichts, auch hier nichts, trotz Ihrer starken Rezension[11]. Das Buch bildet bis jetzt nicht einmal ein Körnchen, geschweige eine Grundlage der Diskussion. Wieso das? ich verstehe es nicht.

Ich spreche nicht als Person, nicht einmal als Autor. Daher habe ich weder persönliches Interesse noch ebensolche Hemmung, wenn ich überlege, ob man nicht wichtige Partien des Buchs zur redaktionellen Grundlage einer Diskussion machen könnte. Ich erinnere mich, daß der Neue Merkur[12] einmal ein ganzes Heft über Döblins – »Berge, Meere und Giganten«[13] herausgab. Der »Logos«[14] machte ein Heft über (und meistens wider) Spenglers Untergang.[15] Aber, um von diesen allzu literarischen Angelegenheiten sich tätig und wirklich zu entfernen: die Berliner Ortsgruppe des SDS[16] veranstaltete seinerzeit einen Diskussionsabend über – Brentanos Beginn der Barbarei.[17] Wäre schon irgendein Leben in der Bude, so brauchte ich den ersten und betroffensten Rezensenten[18] des Buchs ja nicht zu bemengen. Doch es ist eben keines oder schwebt in der Luft (wie etwa der Plan der Russen, von dem ich höre, eine Broschüre[19] über das Buch herauszugeben; wer weiß, wann). Und ich glaube, wir sind einig: das ist kein Buch, das mit der Rezension und dem üblichen Nichtgelesenwerden danach erledigt ist. Es ist eine Sammlung der Probleme, die uns auf den Fingern brennen, und eine versuchte Orientierung gerade im »Geist unserer Zeit«, in dem nicht fehlenden, sondern nur »schlecht verwalteten«. Daher die Anfrage: ließe sich nicht von der »Sammlung« eine Diskussion in Gang bringen, gerade im Zusammenhang mit der Geistdiskussion[20], die sie XXXXX[21]. Ließe sich nicht *sogar ein Heft denken,* das (für und wider) mit den Problemen des Buchs, also der Zeit, mit Ungleichzeitigkeit[22], mit der mannigfachen Montage[23], mit rotem Geheimnis[24] sich in Bezug setzt? Ich glaube wohl. Und es wäre ein Anstoß mit Folgen. Ein Stück praktischer Theoretisierung der Emigration.

So meine ich das und bitte Sie um baldige Antwort.
Mit herzlichen Grüßen zugetan
Ihr Ernst Bloch.

1 Vgl. Brief Nr. 12 und Beilage zu Brief Nr. 12 (Brief an Werfel). — **2** René Crevel (1900–1935); surrealistischer französischer Schriftsteller, der durch Selbstmord endete und ein enger Freund von K. M. war. E. B. bezieht sich hier auf den Aufsatz über den Surrealismus, der im April 1935 erschienen war: R. Crevel: »An der Wegkreuzung der Liebe, der Dichtung, der Wissenschaft und der Revolution«. In: »Die Sammlung«, 2. Jahrgang, 8. Heft, S. 416–427. — **3** Verballhorntes Italienisch: eine Sache nicht von Pappe. — **4** Franz Schoenberner, liberaler Schriftsteller und Publizist. E. B. meint dessen Aufsatz mit dem Titel: »Selbstmord der Intelligenz (I). Größe und Niedergang des geistigen Bürgertums«. In: »Die Sammlung«, 2. Jahrgang, 8. Heft, S. 393–403. — **5** In der Tat erschien der zweite Teil dieses Aufsatzes von Franz Schoenberner unter dem Titel: »Selbstmord der Intelligenz (II)« bald darauf in der »Sammlung«, 2. Jahrgang, 9. Heft, S. 466–479. — **6** Denis Diderot (1713–1784); zusammen mit d'Alembert Herausgeber der monumentalen französischen Encyclopédie, Verfasser zahlreicher philosophischer Schriften, Kunsttheoretiker und Schriftsteller. — **7** Vgl. die Briefe Nr. 11, Anm. 5 und Nr. 12, Anm. 6. — **8** Vgl. Brief Nr. 1, Anm. 11. — **9** Von Wieland Herzfelde in Prag betreute deutsche Exilzeitschrift. Vgl. Brief Nr. 1, Anm. 9. Die »Neuen Deutschen Blätter« erschienen von September 1933 bis August 1935. — **10** »Neue Zürcher Zeitung«, vgl. Brief Nr. 6, Anm. 2. — **11** Vgl. Brief Nr. 9, Anm. 8. — **12** Kulturzeitschrift, erschien 1914–1916 und 1919–1925, herausgegeben von E. Frisch. — **13** Alfred Döblin (1878–1957) entstammte einer alten jüdischen Kaufmannsfamilie, studierte in Berlin und Freiburg Medizin und ließ sich 1911 als Kassenarzt in Berlin nieder. Mitbegründer und Mitarbeiter der Zeitschrift »Der Sturm«. Mit dem Roman »Berlin Alexanderplatz« schrieb er den wohl bedeutendsten deutschen Großstadtroman. 1933 emigrierte Döblin über Zürich und Paris, 1940 floh er nach Amerika. »Berge, Meere und Giganten« war 1924 erschienen. Das Buch ist die erste bedeutende, episch gestaltete naturwissenschaftlich-technische Utopie unseres Jahrhunderts. Es lebt von der Spannung zwischen der Rückkehr archaischer Saurierungeheuer und dagegen aufgebotenen menschlichen Giganten mit bösartigen Denkapparaten. Diese wehren zwar den Angriff der Saurier ab, doch erweisen sie sich als ebenso große Gefahr für die Menschheit wie diese. Döblin setzt gegen beide seine Hoffnung in die Natur, die sie vernichten und den alten Menschen wieder ins Licht heben kann. – 1930 veröffentlichte Döblin eine zweite Fassung unter dem Titel: »Giganten – Ein Abenteuerbuch«, in der er diese Hoffnung aufgegeben hat. — **14** »Internationale Zeitschrift für Philosophie der Kultur«, die von 1910 bis 1933 in Tübingen erschien. Herausgeber waren Georg Mehlir und Richard Kroner. — **15** Oswald

Spengler (1880–1936); nach einem Studium der Naturwissenschaften und Mathematik war er drei Jahre Oberlehrer in Hamburg und lebte schließlich als Privatgelehrter in München. E. B. bezieht sich hier auf Spenglers berühmtestes Werk »Der Untergang des Abendlandes« (erschienen 1923). — **16** »Sozialistischer Deutscher Studentenbund«. — **17** Der Lyriker und Erzähler Bernard von Brentano, 1901 in Offenbach/M. geboren, war 1925–1930 Korrespondent der »Frankfurter Zeitung« in Berlin. 1933 emigrierte er in die Schweiz. Seit 1949 bis zu seinem Tode 1964 lebte er in Wiesbaden. Er schrieb Familien- und Gesellschaftsromane (»Theodor Chindler«, 1936), biographische Werke aus dem Umkreis Goethes und der Romantik, aber auch Werke mit stark politischem Akzent wie die sozialökonomische Reportage »Der Beginn der Barbarei in Deutschland« (1932), in der er den Hitler-Terror vorausahnte, und »Prozeß ohne Richter« (1937), eine Anklage gegen jede Form der Diktatur. — **18** K. M., vgl. Brief Nr. 9, Anm. 8. — **19** Eine russische Broschüre von »Erbschaft dieser Zeit« ist wohl nie erschienen. — **20** E. B. spielt hier auf das Vorwort von K. M. im 1. Heft der »Sammlung« an, wo von einem »Organ der geistigen Sammlung« die Rede ist. Es ist die These von K. M., daß eine literarische Zeitschrift zwar nicht unmittelbar eine politische ist, jedoch unter den gegenwärtigen Verhältnissen der Geist aus Nazideutschland geflohen sei; ihn zu bewahren, heiße zugleich Widerstand zu leisten. — **21** »die sie xxxxxx«: fehlende Einfügung. Ursprünglich hatte es geheißen: »Geistdiskussion, die sie in Gang setzen will«. Das hat E. B. jedoch – vermutlich wegen der Wiederholung – gestrichen, die geplante Einfügung dann aber vergessen. — **22** Vgl. den zweiten Teil von »Erbschaft dieser Zeit«: mit dem Titel: »Ungleichzeitigkeit und Berauschung«, GA Bd. 4, S. 45–204. — **23** Vgl. den dritten Teil von »Erbschaft dieser Zeit«: »Sachlichkeit und Montage«, GA Bd. 4, S. 207–409. — **24** Vgl. Brief Nr. 2, Anm. 4.

Nr. 14 — 16. Mai [1935]
Ragusa (Dubrovnik), Jugosl.[avien]
Hotel Adria

Lieber Klaus Mann,

Ihre Zustimmung freut mich sehr. André Gide[1] sagte, wie ich soeben lese, die ihn verstehen, seien noch nicht geboren. Was wäre da über das Meine erst zu vermelden. Aber Sie waren einer der ersten Freunde.

Drüben ist es etwas anders wie in der »stur materialistischen« Emigration. Wenigstens höre ich, daß Lukács in der »Intern.[ationalen] Literatur«[2] nicht weniger als 35 Seiten über das Buch[3] veröffentlichen wird. Wird auch überwiegend »Kritik« dabei sein und diese aus einer Art Begriffsgefängnis, so erscheint doch wenigstens angemessenes, auch räumlich erfreuliches Echo.

Jawohl, Schumacher[4] ist noch in Zürich. Er wird sicher gern bereit sein.[5]

Hiller[6] hat die Erbschaft wahrscheinlich nicht bekommen. Er dürfte sie auch nicht zu lesen wünschen. Ganz gleich, wie ich mich zu ihm verhalte: er selber hat sich seit langem einen Schabbes[7] daraus gemacht, mein Feind zu sein. Die Gründe sind kaum persönliche (wir haben uns nie gesehen); Gott und Hiller allein wissen, welche es sind. Da er mich unter anderem als »Qualle«, auch (seiner Sprache gemäß) als »Bibliophilipp« zu bezeichnen die Freundlichkeit hatte, vermute ich, daß er keinen Satz von mir richtig gelesen, sicher keinen verstanden hat und im übrigen die »lateinische Klarheit« vermißt. Also wäre ratsam, hier nichts zu versuchen. (Die angeführten Hillerzitate stammen aus dem Ziel-Jahrbuch[8] 1920 oder 21) –.

Haben Sie herzlichen Dank und Grüße
Ihres Ernst Bloch.

1 André Gide (1869–1951); franz. Schriftsteller; hatte mit Heinrich Mann und Aldous Huxley zusammen das Patronat der von K. M. herausgegebenen »Sammlung« übernommen. — **2** Literarische Zeitschrift, die von Juni 1931 bis Dezember 1945 in Moskau erschien, Untertitel: »Zentralorgan der Internationalen Vereinigung der Revolutionären Schriftsteller (IVRS)«. Dieser Untertitel verschwand 1935 und lautete seit 1937 »Deutsche Blätter«. Neben der deutschen erschienen inhaltlich stark voneinander abweichende Ausgaben in russischer, englischer, französischer und ab Januar 1935 auch in chinesischer Sprache. Eine Zeitlang war Hans Günther Chefredakteur, 1933 übernahm Johannes R. Becher die Redaktion. — **3** »Erbschaft dieser Zeit«, GA Bd. 4. E. B. muß sich hier in seiner Ankündigung irren: Lukács scheint keine Rezension geschrieben, sondern die Auseinandersetzung Hans Günther überlassen zu haben. Vgl. Brief Nr. 15 mit Anm. 10 und 11. — **4** Vgl. Brief Nr. 8, Anm. 5. — **5** Es konnte nicht geklärt werden, worauf sich das bezieht. In der »Sammlung« jedenfalls hat Schumacher nichts veröffentlicht. — **6** Kurt Hiller (1885–1972), Schriftsteller. Er gab 1912 die expressionistische Anthologie »Kondor« heraus; ab 1916 »Das Ziel. Aufrufe zu tätigem Geist« und begründete die Bewegung »Aktivismus«; seit 1915 Mitarbeiter der »Weltbühne«. Nach KZ-Haft emigrierte er 1934 nach Prag, 1938 nach London und kehrte 1955 in die BRD zurück. — **7** Schabbes (jidd. aus hebr. schabbat): Sabbat, der siebte Wochentag als Tag der Arbeitsruhe und Freude; das Tragen der besten Kleider und mindestens drei Mahlzeiten sind positive Gebote. — **8** Vgl. Anm. 6.

Nr. 15 27. 1. [19]36
Prag XIX, Seberska-ul., Pension Sarka

Lieber Klaus Mann,

schon lang wollte ich Ihnen einige Worte schreiben. Gleich nach Ihrem hiesigen Vortrag.[1] War sehr von der Treue bewegt, die Sie dem Geist der Utopie[2] halten. Von der Energie, mit der Sie vor den Träumen der Jugend Achtung tragen. Kommt es mir zu, Ihnen für die Treue zu danken, so tue ich es. 1918 war die Utopie erschienen, und Sie, in der Knabenzeit, waren einer der ersten Leser. Fünfzehn und mehr Jahre lang hatten sich wenig andere gefunden. Man fuhr weiter auf einem ziemlich einsamen Boot, die Flagge an den Mast genagelt (oft schien sie nur wie ein Taschentuch mit einem Monogramm). Jetzt mehrt sich langsam eine andere Zeit, wo es kein Kunststück mehr ist usw. Ihnen aber danke ich für das frühe und gemeinsame Bekenntnis.

Das äußere Elend der Emigration merkt man hier fast stärker als in Paris. Habe zum Beispiel meinen alten Schulkameraden Burschell[3] in detestablen Umständen wiedergetroffen. Dieserhalb komme ich mit der Bitte um eine Empfehlung zu Ihnen. Der Impuls dazu geht von mir aus, nicht von dem fast zu Boden geschlagenen Burschell. Letzterer hat vor Jahren eine Reihe merkwürdiger Novellen um deutsche Dichter und Gelehrte[4] geschrieben; sie sind nirgends bisher veröffentlicht. Ich kenne einige davon, so die um Hölderlin, um Winckelmann, und finde sie ausgezeichnet. Nicht nur in der Gestaltung und außerordentlich melodiereichen Sprache, auch – was mich mehr interessiert – in der Problemstellung. Wäre da bei Querido[5] nicht etwas zu machen? Die Sachen sind greifbar und, bis auf die letzte Novelle, fertig. Außerdem hat Burschell einen Schillerroman[6] zur Hälfte beendet, der auf Grund wenig bekannter Tatsachen aus Schillers Leben und Lebenshaltung ein Bild ergibt, das mir wenigstens verblüffend und bedenkenswert war. Vielleicht besteht auch dafür Interesse.

Die Anregung, die ich jetzt gebe, ist selbstverständlich nicht die gesprenkelte wie im Fall Mühlestein[7]. (Haben Sie dessen Roman[8] gesehen? Enthält er nicht, bei allem Kitsch und Bombast, eine schwer kategorierbare Merkwürdigkeit?). Burschell selbstverständlich bringt nicht in die Verlegenheit wie der oft so peinliche Pubertätsonkel; sein Schrifttum ist vornehm, wenn es auch nicht »faustisch« ist. So wäre eine freundliche Intervention bei Landshoff, wie mir scheint, recht am Platze. Auch glaube ich: Burschell ist schon so bekannt, daß bei den Lesern Interesse für größere Publikationen seiner besteht.

Im Märzheft der Internationalen Literatur[9] erscheint, wie mir die Redaktion mitteilt, ein 32 Seiten langer Bericht Günthers[10] über die »Erbschaft«. Gleichzeitig bittet mich die Redaktion um eine Erwiderung im nächsten Heft[11] und stellt mir einen Bogen dafür frei. Die Diskussion marschiert also. Auch Sie werden in Günthers Kritik erwähnt; im Allgemeinen freilich ist die Kritik, bei allem Respekt, nicht allzu tiefsinnig. Aber, um zu Querido zurückzukehren, warum hat nur Landshoff ein Buch damals nicht genommen, das anderthalb Jahre nach Erscheinen immer weiter pflügt, und dessen Karriere jetzt offenbar erst beginnt. Das war kurzsichtig.

Ich hoffe, der Brief erreicht Sie in Amsterdam. Mit verspäteten Wünschen für viel gute Arbeit im neuen Jahr.

Ihr Sie stets herzlich grüßender
Ernst Bloch.

1 Es konnte nicht geklärt werden, um welchen der vielen Vorträge, die K. M. hielt, es sich hier handeln könnte. — **2** E. B.s erstes Buch, erschienen 1918, GA Bd. 3. — **3** Friedrich Burschell (1889–1969), Literaturhistoriker und Essayist. Mitarbeiter bei der »Neuen Weltbühne«, »Das Wort« sowie der Zeitschrift »Argonauten«; Jugendfreund von E. B. — **4** Eine Identifikation war nicht möglich. — **5** Das von E. B. hier erwähnte Werk ist erst sehr viel später veröffentlicht worden. Friedrich Burschell: »Schiller«, Reinbek bei Hamburg 1968. — **6** Vgl. Brief Nr. 1, Anm. 7. — **7** Hans Mühlestein, Mitarbeiter der »Sammlung«, Schweizer Schriftsteller. — **8** Eine Identifikation war nicht möglich. — **9** Vgl. Brief

Nr. 14, Anm. 2. — **10** Dieser Bericht von Hans Günther ist tatsächlich erschienen in: »Internationale Literatur«, 6. Jg. 1936; Heft 3, S. 90ff. — **11** Diese erschien in: »Internationale Literatur«, 6. Jg. 1936, Heft 6. Im August 1936 folgte dann eine weitere Erwiderung Günthers. E. B.s Entgegnung ist veröffentlicht in den »Philosophischen Aufsätzen«, GA Bd. 10, S. 31–53 unter dem Titel »Bemerkungen zur ›Erbschaft dieser Zeit‹«.

Nr. 16

31. Juli [19]38
Lake Road, Valley Cottage,
New York State, c/o Mrs. Peters

Lieber Klaus Mann,

ich höre, daß Sie wieder in Küsnacht sind. Hoffentlich erreichen Sie diese Zeilen.

Seit vierzehn Tagen bin ich hier, zum erstenmal. Die Lage in Prag war unhaltbar geworden, auch ökonomisch. Mit dem Geldrest, der die Einreise in USA und ein bis anderthalb Jahre Zuwarten ermöglichte, sind Karola, ich und ein Baby[1], das ein roter Admiral werden möchte, hierher gefahren. Karola denkt, als Architektin Arbeit zu finden. Quod ad me pertinet[2], so plane ich dadurch Zeit und Ruhe für das opus und die opera zu finden, die ich vor dem Abschluß habe, daß ich an der »Nation«[3] und einer literarischen Zeitschrift[4] mitarbeite und im Lauf der Zeit (d. h. bei besser beherrschtem Englisch) an einer Universität unterkomme. Vor allem aber plane ich ein Buch, das den Vorzug haben dürfte, recht amerikanisch zu sein und mich dennoch nicht einen Zoll aus dem Zentrum der wichtigsten Angelegenheiten zu entfernen. Das Buch soll heißen: »The dreams of the better life«[5]. Darin will ich die Tagträume erläutern, die Innen- und Außenarchitektur der Luftschlösser, die Kunstgeschichte der Luftschlösser, die Geschichte der fundierten Utopien, einige Probleme und Prinzipien meiner Philosophie. Konfrontationen mit Freud[6] und Jung[7], vor allem aber mit den letzten Arbeiten von William James[8] fehlen nicht.

Diese Mitteilungen sind vielleicht ganz interessant, aber leider muß ich Sie über dieses Kollegialische und Sach-Interesse hinaus belästigen. Denn ich bin in diesem Land ein Greenhorn und vermutlich auch völlig oder nahezu völlig unbekannt. So darf ich Sie um einen Rat bitten, an wen ich mich wenden kann. Sie haben hier gewiß einen Kreis, der auch von dem Meinen bewegbar wäre. Ich wäre Ihnen dankbar, wenn Sie den einen oder anderen aus dem Kreis auf mich aufmerksam machten, so daß ich einen Übergang habe und nicht – mit allerlei Ladungen verpackten Golds vor der Tür – als Bittsteller erscheine. Ich weiß z. B. nicht, an welchen Verlag ich ein Exposé meines Tag- und Wunschtraum-Buchs schicken könnte. Es war mir in Deutschland ein gewohnter, verständlicher und ruhig angenommener

Zustand, über einen begrenzten Freundeskreis mit meinen Sachen vorerst nicht durchzudringen, kurz eine Art Kirchenvater kommender Probleme und noch verdeckter Lösungs-Inhalte zu sein. Hier, wo ich in anderthalb Jahren nichts mehr zu leben habe, ist dieser Zustand unangenehm und gefährlich. Auch möchte ich hier etwas Geld auftreiben, um die Gesamtausgabe meiner gedruckten und besonders der ungedruckten Schriften zu ermöglichen, die der Malik-Verlag[9] veranstalten will.

Das sind die Gründe, weshalb ich Sie um eine Enterbrücke zu diesem Ihnen wohlbekannten Land bitte.[10]

Ihr Ihnen herzlich ergebener
Ernst Bloch.

1 Jan Robert Bloch, der 1937 in Prag geboren wurde. — **2** Lat.: was mich betrifft. — **3** E. B. meint »The Nation«, amerikanische Kulturzeitschrift, gegründet 1865 von E. L. Godkin, erscheint monatlich in New York. — **4** Es konnte nicht geklärt werden, woran E. B. hier denkt. — **5** Engl.: Träume vom besseren Leben; das war der ursprüngliche Titel des späteren »Prinzip Hoffnung« (GA Bd. 5). — **6** Vgl. die Auseinandersetzung mit Freud im »Prinzip Hoffnung«, GA Bd. 5, Kap. 11, 12, 14. — **7** Carl Gustav Jung (1875–1961), zunächst Schüler von Freud, bis es 1912/13 zur Trennung kam. Jung erweiterte den Begriff des Unbewußten ins Kollektive und machte daraus eine Art religiöse Weltanschauung. Vgl. E. B.s Auseinandersetzung damit in »Das Prinzip Hoffnung«, (a.a.O., Kap. 12, bes. S. 63–71). — **8** Amerikanischer Philosoph (1842–1910), Begründer des Pragmatismus. Aus dieser Ankündigung E. B.s ist nicht viel geworden; im »Prinzip Hoffnung« finden sich nur wenige Hinweise auf James, vgl. a.a.O., S. 338ff. — **9** Brief Nr. 1, Anm. 9 und Brief Nr. 4, Anm. 9. Es kam zu keiner solchen Ausgabe von E. B.s Schriften. — **10** Daß sich K. M., wenn auch ohne Erfolg, für E. B. einsetzte, geht aus einem Brief an Thomas Mann hervor.

Klaus Mann

Über »Erbschaft dieser Zeit«

Ernst Blochs brennend interessantes und eminent wichtiges Buch »Erbschaft dieser Zeit« hat zwei große Themen, die sich ineinander verschränken. Das erste ist: Was aus dem großen, wenngleich schadhaften Vorrat spätbürgerlicher Kultur wird hinüber zu retten sein in eine neue Menschheitsepoche? (Gemeint ist der Sozialismus.) Das andere Thema läßt sich zusammenfassen in der Frage: Welche Affekte, Stimmungen und Tendenzen haben sozialistische Taktik und Lehre übersehen und sich nicht zu Nutze gemacht? Welche Felder ließen sie unbesetzt? Vor welchen Menschheitsbedürfnissen haben sie versagt? – Beide Untersuchungen werden angestellt und durchgeführt von einem konsequenten Marxisten – der sich vom platt materialistischen Vulgärmarxisten unterscheidet wie das Genie vom Oberlehrer. Blochs untersuchender, deutender Stil ist von einer Intensität, einer intellektuellen Hochspannung, einer präzisen, glühenden Beredsamkeit, die noch mehr an Hegel als an Nietzsche geschult ist.[1] Seine Sprache hat oft Heftigkeit und Pathos der Beschwörung, neben vielen andren Registern, etwa neben denen eines vehementen Spottes oder einer unbarmherzig exakten Analyse.[2]

Das innere Zentrum des Buches ist der Satz: die »roten Geheimnisse« waren vernachlässigt worden. Deshalb – ja: hauptsächlich deshalb – lief die Jugend ins falsche Lager. Deshalb konnte es einer ganz kleinen Schicht Interessierter gelingen, »die revolutionäre Lage reaktionär zu formen«. Der Faschismus hatte sich jenes Stücks »älteren und romantischen Widerspruchs zum Kapitalismus« bemächtigt, »mit Verneinungen am gegenwärtigen Leben, mit Sehnsucht nach einem unklar anderen.« – »Es wird kaum genügend betont«, konstatiert Bloch sehr zu Recht, »daß der kommunistische Materialismus keine Gesinnung ist, sondern eine Lehre, daß er keine totale Ökonomie nochmals ist, sondern gerade der Hebel, um die beherrschte Wirtschaft an die Peripherie zu stellen und den Menschen erstmalig in die Mitte.« Ebenso ungenügend wurde betont – will mir scheinen –, daß auch der sozialistische Mensch, der von morgen, »religiös bedürftig« sein wird; daß die Frage nach dem Woher und Wohin weiterbrennen wird in der klassenlosen Gesellschaft. Das metaphysische Bedürfnis als solches für contrerevolutionär zu erklären (während doch nur die Kirchen unter gewissen Voraussetzungen es sind) war die eigentlich große, entscheidende Verschuldung des Sozialismus. In der Aufhebung und Überwindung dieses Kardinalfehlers sehe ich die erregende Bedeutung des Buches von Bloch – wie übrigens seiner ganzen, konsequenten geistespolitischen Haltung. Bei ihm geht es darum, »Irrationales – unschädlich, mehr, helfend zu machen.« Denn: »nicht alles noch Irrationale ist einfach auflösbare Dummheit.«

Das ist es gewiß nicht. Und wenn Bloch sich den mit Geheimnis geladenen Phänomenen zuwendet, so tut er es nicht nur mit der »diabolischen Absicht«, sie dem Klassenkampfe nutzbar zu machen, sie auf ihre soziale »Anfälligkeit« hin abzuhorchen; es geschieht auch aus einer unmittelbaren, gar nicht nur zweckgerichteten Sympathie. Er versteht etwas vom Märchen, dieser »Antizipation von Freizügigkeit, als Kampf und Sieg von Hänsel und Gretel, vom schlauen Soldaten über Hexen, Teufel, mystische Verstrickungen schlechthin.« Er versteht sehr viel von Musik, diesem Gebet und Sehnsuchtsruf des modernen Menschen: einige Abschnitte aus der »Erbschaft dieser Zeit« beweisen es ebenso glänzend, wie es unvergeßliche Partien aus dem »Geist der Utopie« bewiesen hatten. Diesmal bewundre ich vor allem die Charakterisierung Strawinskys, ein schriftstellerisches Bravourstück. – Der Marxist Bloch versteht etwas von der Kolportage, von mancherlei Abenteuer und »Berauschung«, die man dem Feinde nicht überlassen dürfte.

Aus seinem Buch wird eine kühne Bestandaufnahme unseres geistigen Besitzes – so weit er verwendbar sein wird für das große Morgen, in dem der Traum nicht vergessen sein will über der gerechten Wirtschaftsordnung. Unvermeidlich, daß die Bestandaufnahme keine komplette ist: es bleibt manches unerwähnt, was in jeder Zukunft gültig und wirksam sein wird. Unvermeidlich auch, daß Eigenwilligkeit des Blicks und permanente Hochspannung des Stils zuweilen Formulierungen ergeben, die wir als überpointiert – Urteile, die wir als schief empfinden. (Überpointiert, als Beispiel, ist die sehr geistvolle Wagner-Charakterisierung; nicht ganz ausgewogen scheint mir einiges, was über Nietzsche gesagt wird.) Bedenkt man aber die Fülle der Phänomene, die Bloch hier – immer exakt, immer tief bohrend, bei einer gewissen Gehetztheit – berührt, so ist sehr zu betonen, daß er keinem gegenüber oberflächlich oder flüchtig bleibt; (auch dort nicht, wo er polemisiert, wie in den Fällen Spengler, Klages, Jung); daß er nicht rafft, sondern ordnet; nicht ins Leere assoziiert, sondern noch die kuriose, scheinbar abseitige Nebenbemerkung der geistigen Gesamtkonzeption streng unterordnet. So findet sich nebenbei eine reiche Fülle schöner, neuer Analysen, sei es über literarische oder musikalische Gegenstände – über Proust, Julien Green, Kafka, Joyce, Brecht; über Alban Berg, Kurt Weill, Schönberg; sei es über philosophische – Bergson, Scheler, Heidegger, Jaspers –, oder über allgemein Kulturpolitisches. Wie ein Goldsucher geht dieser Rote Magier durch den Irrgarten der Probleme und der Figuren, die oft nur zeitgenössisch (»gleichzeitig«) scheinen, während sie eigentlich ganz anderen, vergangenen Zeitschichten zugehören oder doch mit Teilen ihres Wesens verbunden sind; und noch im Wunderlichen, Verstaubten, seltsam Demodierten will er den Zukunftsgehalt als die edelste Qualität erraten.

So sehen wir, was alles da ist, und trächtig ist, und wie reich wir sein könnten – wenn dieser Reichtum nicht mißbraucht würde; daß die Zeit nicht leer ist, sondern nur schlecht verwaltet; daß die schließliche Revolution nicht nur viel zu zerstören haben wird, sondern auch viel Erbschaft anzutreten.

1 Der handschriftliche Entwurf Klaus Manns fährt hier fort (durchgestrichen bzw. mit einem Fragezeichen am Rand versehen und im Druck fortgefallen): *(wenngleich der Nietzsche-Einfluß aus keiner untersuchenden deutschen Prosa wegzudenken ist, die nach ihm geschrieben wurde). Ja, ich wußte es, seit ich den »Geist der Utopie« gelesen hatte: die Erscheinung dieses Ernst Bloch ist einzigartig im deutschen Schrifttum der Jakobinerschaft. Er bringt den überrationalen Ton ins Lager der Linken, wo es so viel Trockenheit gab.* — **2** Handschriftlicher Entwurf: *Er ist der rote Magier – wir wußten es seit dem »Geist der Utopie«.* [Gestrichen] *Er verkündigt das rote Geheimnis. (»Es gibt auch rote Geheimnisse in der Welt, ja, nur rot.«)* [Am Rand mit Schlangenlinie versehen]. – Klaus Manns Text erschien im Rahmen einer Sammelbesprechung (u. a. auch zu Max Brods Heine-Biographie sowie zu René Schickeles D. H. Lawrence-Buch und zu Emil Ludwigs »Führer Europas«) unter dem Titel »Neue Bücher« in der von ihm herausgegebenen Exilzeitschrift »Die Sammlung« (2. Jahrgang, Heft 4) im Dezember 1934 und wurde seither nicht mehr wiedergedruckt; der hier zum Vergleich herangezogene handschriftliche Entwurf befindet sich in der Handschriftensammlung der Stadtbibliothek München. T. B.

Hermann Schweppenhäuser

Reale Vergesellschaftung und soziale Utopie

Ernst Bloch als Sozialphilosoph

I

Vor fünfundvierzig Jahren schrieb der Emigrant Walter Benjamin im Pariser Exil über eine Gruppe nach Amerika vertriebener deutscher Gesellschaftstheoretiker, daß ihre Erkenntnisse, Überlegungen und Formulierungen *Niederschlag einer (...) durchdringenden, unveräußerlichen Erfahrung* wären – einer Erfahrung, wie sie der Theorie der Gesellschaft das Siegel der Authentizität erst aufdrückt. *Sie besagt, daß die methodische Strenge, in der die Wissenschaft ihre Ehre sucht, ihren Namen nur dann verdient, wenn sie nicht nur das im abgeschiedenen Raume des Laboratoriums sondern auch das im freien der Geschichte bewerkstelligte Experiment in ihren Horizont einbezieht. Diese Notwendigkeit haben die letzten Jahre den aus Deutschland stammenden Forschern näher gelegt als sie sich's wünschen konnten.* (GS, III, 519) Unter ihnen stand – wie auch isoliert – Ernst Bloch an hervorragender Stelle. Keiner seiner Sätze, der mit der Erfahrung der Geschichte nicht durchtränkt wäre; der vom Experiment ihrer jüngsten Prozesse, ja vom »experimentum mundi« nicht zeugte. Keiner auch, dem er am Ende nicht interpolativ die methodische Strenge zu sichern gesucht hätte – die verpflichtendste, zu der der Geist es bringen kann, die philosophisch-systematische.

Unabgelenkte Erfahrung und metaphysische Durchkonstruktion: diese so hoffnungslos auseinandergetretenen und heterogenen Erkenntnisinstanzen brachten das Blochsche Werk bis zum Brechen noch einmal zusammen – zusammen zu einer Philosophie in einer Epoche, die dem angespanntesten Begreifen wie keine sich entzieht und in der, wie Adorno sagte, der Weltgeist längst nicht mehr mit dem Geist ist. Ebendas ist in dieser Philosophie erfahren. Wie aber kann sie da das begreifende Standhalten sein, wo das Widersacherische, der Gegengeist den Boden wegzieht? Die Zeit der faschistischen Diktaturen war dessen jüngste vehementeste Manifestation. Wie haben die, die ihnen widerstanden, diese Epoche erfahren? Bloch schrieb 1939: *So kostet der Emigrant die Depressionen und Gefahren der heutigen Friedlosigkeit konzentriert aus.* (GA, XI, 262) Konzentriert: also in einem Äußersten der Verstoßenheit, tödlicher Gefahr, die allenfalls entrinnen, kaum mehr widerstehen läßt; einem Maximum, dessen unentrinnlichste Instanz das Konzentrationslager selber war. Das wirft ein Licht auf die minder konzentrierten Instanzen. Der Häftling, der Emigrant, das Opfer sind die schauerlichen Paradigmen. Aber um sie, hinter ihnen breiten sich Heere von Friedlosen, Umgetriebenen, Desorientierten aus. *Befinden sich heute nicht die meisten Menschen* in diesem Depressions-, diesem Gefahrenzustand, fragt Bloch, und zwingt ihm den Begriff ab – den eines *Zwischenzustands,* der gerade das Zwischen, also das sich Entziehende, das Ungefaßte fassen läßt. *Leben nicht auch die seßhaftesten Einwohner auf einer Grenze, wenn nicht des Raums, so doch der Zeit?* Die Epoche nach 1918 ist die *der vollendeten Unsicherheit, kein Glück ist in der Welt, keine Ruhe oder mindestens keine mit Aussicht auf Dauer. Jeder Mensch lebt eine Grenzexistenz zwischen dem Alten, das er (...) nicht halten kann, und dem Neuen, das noch nicht wirklich wurde.* (a.a.O., 261) Eine Grenzexistenz. Das ist ein anders erhellender Begriff als der der ontologischen Grenzsituation. Er steht nicht für ein existentiales Apriori, sondern für eine Geschichtszeit, nämlich *Mischzeit* (a.a.O., 262). An einer Grenze stößt etwas mit etwas zusammen, hinter ihr ist sowenig Nichts wie vor ihr – schon gar nicht das existentielle. Grenzexistenz heißt eine, bei der unentschieden ist, was im Grenzbereich gegeneinandersteht. Grenze ist Front, die Linie, wo die Entscheidung fällt – Krisenlinie. Wie Raumfronten nationale, so sind Zeitfronten geschichtliche Krisenlinien. Das Zeitfeld, durch das sie laufen, ist multivers, ist geladen: die Zeitkrisis. Was an der Zeit ist, will heraus; was in ihr ist, darin bleiben. Was längst hinunter war, ohne seine Präsenz, sein Futurum gehabt zu haben, rumort unter der Decke der Aktualität: der chronologischen wie der finalen – heliotropisch gedreht nach der utopischen Sonne darüber.

Eine Mischzeit hat ihre eigene Physiognomie – eine cimmerische, wo im Dämmer über Nacht oder Tag nicht entschieden ist; eine hohlräumliche, mit Trümmern, die montiert und ummontiert werden; die der Pestzeit, auch Hirnpestzeit, wo niemand weiß, wie viele weggerafft werden und verfaulen; eine herodianische des prophylaktischen Mords, der den Messias nicht aufkommen lassen soll; eine vormärzliche mit Ahnung von ›Maibaumzeit‹. Hier zeigt sich das Konstitutivum historischer Erfahrung in Blochscher Philosophie. Sie bliebe leer, mißriete reinkonstruktivistisch, hielte sie sich an die abstrakttemporalen Fixpunkte des Vergangenen, Gegenwärtigen, Zukünftigen im berechenbaren Zeitkontinuum – blind gegen das quale, das Treibende in quantis, inter quanta; gegen die Maßresultante aus quale und quantum mit der je spezifischen Physiognomie. Eben sie, das Geworden-Werdende, wirft Bloch auf die Waagschale der Konstruktion – das Eigengewicht dessen, was dem Apriorismus sich widersetzt, die historische Erdenschwere, wogegen anzukommen dem Erkennenden nicht weniger schwer wird als die darin umgehenden Tendenzen selber. – Zweierlei hat der im Zwischen, in der Grenzexistenz Stehende freilich für sich: er weiß, wie es war, und er spürt in der Qual seines unausgemachten Bin oder Ist, wie er, wie es sein müßte. Ob, wie es sein müßte, auch sein wird (wie es doch könnte), bleibt aber ungarantiert. So lernt der in einer Mischzeit Lebende *Tapferkeit an der doppelten Grenzlinie, ungarantiertes Standhalten um des Prinzips willen*, das am Vergangenen und am Jetzt ihm sich entzifferte und *an die Grenze gebracht hat* (a.a.O.). Diese Tapferkeit – des Emigranten, generell des Umgetriebenen, in die Welt, die Geschichte, die Gesellschaft Verschlagenen –, diese Tapferkeit ist die Hoffnung: Licht im *Dunkel des gelebten Augenblicks* (V, 334).

Die Hoffnung ist also weder der Strohhalm der Verzweifelnden, noch die krankhaft durch nichts zu erschütternde Zuversicht. Die Hoffnung, die Bloch meint, ist die belehrte, geprüfte, die tief in die Kenntnis der Welt, der Geschichte gedrungene. Dieser, dem eigenen Leib hat sie die Sprache abgehört – die überwältigende Sprache des Mangels, des Hungers, der Qual, die von sich aus sagen: ich will Fülle, Sättigung, Freiheit von Schmerz; aber auch die Sprache prekären Glücks, vergehender Lust, die sagt: ich will Ewigkeit. Das erfahrene Nicht oder Nochnicht drückt an sich selbst aus, was es überhaupt, was es ganz, was es letzterdings sein will, und was es, der gleichen Erfahrung nach, doch so wenig hat sein oder auch nur werden dürfen. Die Hoffnung, die diesen Ausdruck aufnimmt, ja der sie i s t, sagt nichts, als was sein könnte, sein muß, ohne doch dieses Muß verbürgen zu können so wie das logische Muß. Sie ist nicht die Gewißheit des Geistes und möchte doch diese für die Materie sein. Aber die ist das vom Geist nicht zu Deckende, gar in ihn Auflösbare. Nicht Korrespondenz mit ihr, ist er vielmehr Respondenz auf sie – hervorgerufener, aus ihr herausgesetzter: Organon *des kosmischen Selbsterkenntnisprozesses* zum Zwecke der *noch nicht gefundenen Weltidee* (I, 426). Materie macht durch dieses ihr Organon, den Geist, sich studierbar. Sie hat sich zu entziffern gegeben. Schon spricht sie in tausend Prozeßgestalten und liegt in andern tausend noch stumm und unentschlüsselt da – in lauter *Proben aufs Exempel von einem* Ω des gewinnbaren Sinnes (VIII, 488). So ist sie auch im Menschen, als Mensch aufgegangen, das eigene Dämmern beträchtlich lichtend. Aber noch längst ist es nicht hell. Im Gegenteil scheint der Materieprozeß, vom herausgesetzten Menschen an, noch hinter das Dämmern zurückzulaufen, stets tiefer sich zu verfinstern – den gewinnbaren Sinn zu verlieren, den eigenen Grund wegzuziehen und den Ungrund darunter zu öffnen: das *große Umsonst* (XV, 237), Chaos und Tod als letztes Wort. Aber war denn in der Geschichte bis heute das *Vereitelnde* total? Noch schlug das *latente Umsonst* (IX, 391) nicht durch. Eben das dementiert die Hoffnung nicht: der Weltprozeß ist noch nicht entschieden. Es ist die *Ungarantiertheit* (a.a.O., 388), die nichts und niemanden von ihr dispensieren kann. Sie läßt dem teuflischen ›Was ist, was war, es ist so gut, als wär es nie gewesen‹ wenigstens nicht das letzte Wort.

Latenz des Umsonst und unverklärt angeschaute Geschichte vereiteln zwar jegliche Philosophie als idealistische, nicht aber eine, die den Geist, das Absolute als trügerisch vorweggenommene Gewißheit durchschaut – und beides gerade als Durchschautes rettet: als Sinn-Aufgebot eines Dennoch wider den realen Widersinn. Der Idealismus setzt den Sinn – letztlich die absolute Identität des Geists und des Wirklichen –, wo er sein müßte. Aber *Welt wie Vorwelt liefern von Vollkommenheit nichts* (...). Die *hochübersteigenden Füllebegriffe* des Idealismus *kommen per se ipsum in* (...) *einer fertig vorliegenden Weltkugel nicht unter* (VIII, 485). Als solche des Seins widerlegen sie sich selbst. Sie stehen *im Schwange, sind bestenfalls im Noch-Nicht-Sein objektivrealer Möglichkeit fundiert* (a.a.O.). Sie sind Utopica, die sich mit Topica verwechseln. Eben diese metaphysische Verwechslung macht ihre utopische Ehre aus. Den utopischen Sinn der Universalien beim Namen nennen heißt aber, den Idealismus als Kryptomaterialismus zurechtrücken. In ihrer wie immer gepanzerten Gestalt sind sie nichts als sehnsüchtige Antworten auf die fragende Sprache von Kontingenz, Unvollkommenheit, Gebrochen- und Korrumpiertsein des Wirklichen – des Mangels an Sein und des Hungers nach ihm. Sie drücken aus, was dieser Mangel will – also ein Praktisches, ihm Anzuschaffendes. Die Universalien sind Weltbegriffe, doch einer Welt, die noch nicht ist – Tendenzchiffren eines Ungewordenen, die dieses zu seiner Entfaltung, dem Geschaffenwerden anhalten. Die Strebungen im Weltprozeß gerade auch in den scheinhaft fertigen Prozeßgestalten aufzunehmen, nach dem sie zu wenden, wohin sie sie von sich aus wollen und worauf sie den Schein werfen, ist Aufgabe einer anderen Philosophie als der, die das Seiende mit Universalien gewissermaßen abspeist und so an der Fülle verhungern läßt – einer Philosophie des Brots statt der Steine, der Umdrehung des Verwechselten und den Geist erst verwirklichenden. Der Blochsche Materialismus ist die Ideologiekritik, die die Ideologie als Utopie rettet.

Wo immer der Geist als vollbrachter sich setzt, der Sinn dekretiert, behauptet oder ad hoc fabriziert wird, dementiert Wahrheit sich selbst. Sie verhüllt sich in ihrer eigenen Unwahrheit. Aber noch die schäbigste Sinngebung löscht sie nicht aus, vielmehr sie verstümmelt sie bis zur Kenntlichkeit. Keine Pervertierung ohne das *Original der Sache* (IX, 390). Gerade die Lebenslüge, die politische Lüge, der individuelle und der Massenwahn müssen die Wahrheit suggerieren, weil sie sie nicht ersetzen. Sie leben auf ihren Kredit – den aber nicht der Schwindel deckt, sondern solidarische Anstrengung im mühseligen historischen Prozeß. *Verum nondum index sui, sed sufficienter iam index falsi.* (a.a.O., 389) Alles hängt an diesem Nondum: ob es mit ideellem oder reellem Gewaltstreich ignoriert, oder als genetisches Kriterium der ausstehenden Wahrheit gerade an der geltenden und behaupteten begriffen wird. Als solches wird es zum Korrektiv an dem, das Korrektur nicht verträgt: dem lückenlos fügenden identischen Geist, der über den Bruch mit dem Wirklichen hinweglügt und diesen so wider Willen bezeugt. Der lästige Zeuge aber ist das Nochnicht. Es wäre kein Geist, kein theoretischer wie praktischer, wäre das Wirkliche selber wahr; und es wäre keine Wahrheits-, keine Vollbrachtheitsemphase auf dem

Geist, riefen die Verhältnisse, wie sie sind, nicht nach Beschwichtigung, ja nach Verleugnung – gierte das Elend nicht nach dem Glanz seiner Selbstverklärung. Die Vorspiegelung des Wahren, Guten und Schönen ist welthistorisch, dem noch verpuppten Gattungssubjekt nach, was moralisch, dem Einzelsubjekt nach, die Heuchelei ist: der Tribut des Lasters an die Tugend. Ihn entrichtet der höchste Verklärer nicht minder als der niedrigste Schänder, und gerade die Zeiten vollendeter Sinnlosigkeit halten die Wahrheit spiegelverkehrt fest. An ihnen geht die grauenvolle Welt als zu erlösende erst auf. Der Fluchtpunkt ihrer Geschichte ist Messianität, die die Geschichte auflöst – abbricht, wie Benjamin sagt. In dieser Perspektive – und in ihr allein – empfängt der Geist seine Wahrheit: als Utopie.

II

Ohne Geschichte käme der Geist nicht heraus, in der Geschichte kann er nicht bleiben. Ebendas lehrt die Dialektik von realer Vergesellschaftung und sozialer Utopie. Sie macht das Zentralthema der Blochschen Sozialphilosophie aus; läßt begreifen, wie es zu den historischen Gestalten der Vergesellschaftung kam, und wie es bei keiner von ihnen geblieben ist, per ipsum nicht bleiben konnte. Wirksam ist in diesem Fortgang – er ist alles andere als kontinuierlich – die Not: das hungrige, qualierende Grundagens der Weltmaterie in seiner humangeschichtlichen Besonderung – der des Tendierens zum summum bonum sociale.

Not lehrt arbeiten. Not lehrt Vergesellschaftung. Not lehrt aber auch beten. Hunger und Liebe, Trieb nach Vereinigung und integritas; Nichthaben, Nichtsein, die Steresis sind die reellen Grundkräfte, die das menschliche Dasein bewegen. Das gilt für das einzelne Wesen wie für die Gattung. Beide schaffen sich in dieser Bewegung wechselseitig heraus, und in beiden sind materielle und geistige Not gleich wirksam und gleich kräftig. Kein Fortschreiten zu Werkzeug und Maschine ohne das nackte Bedürfnis und ohne das tief gespürte Nicht-Wissen, das zum Antrieb für das Wissen- und das Erkennenwollen wird. So entstehen die Stufen der Reproduktion und der Produktion, so die Gestalten der Vergesellschaftung von der Horde über die Gemeinschaften bis zum Staat. So entstehen die Künste im allerrealsten Sinn: als Heilskünste der Beschwörung, Opferung, Anbetung; als mimetische Beherrschungs- und Repräsentationskünste – Tanzkunst, Darstellungskunst, Bildkunst; als deutende Künste – Sternkunst, mantische Kunst, Lese- und Schreibkunst; als praktische Künste – Feldkunst, Baukunst, Heilkunst, Erziehungskunst, Liebeskunst, Kochkunst, Redekunst, Kriegskunst, Staatskunst; – nie um ihrer selbst willen, noch in ihrer emanzipiertesten Gestalt nicht. Denn diese hat den Instanzen die Dienstbarkeit aufgekündigt, wo die Instanzen den Fortgang zur Humanität hintertreiben; auch l'art pour l'art ist im letzten l'art pour la vie entière. Hier liegt eine der Bruchstellen des geistigen

Triebs mit den versteinerten Institutionen, die einerseits den lange Zeit technisch und ökonomisch bedingten Mangel parteiisch regulieren, andererseits ihn da noch herrschaftlich verklären, wo er durch Überfülle hinfällig wird. Mit beidem, der Not als Mangel und der Not als Nötigung, findet die geistige, die soziale Triebkraft sich nicht ab. Das ist die Geburtsstunde der Utopien. Sie leisten stets beides: machen den Fortgang antecipando, der in den gesellschaftlichen Formationen versteinerte, und denunzieren deren Borniertes kraft des antizipierten Bilds und des universellen Begriffs. Sie deuten aufs real Mögliche und rauben dem Bestehenden das gute Gewissen. Nie nur Schein im Sinne des haltlosen, vorgegaukelten, scheinen sie – oft sehr hell – vielmehr über dem beschränkten Seienden hervor, über es hinaus, das derart beleuchtet seine Schründe, seine Härten, seine doppelte Not nicht mehr verstecken kann.

Es ist kein Zufall, daß die sozialen Wunschbilder stets wieder um zwei Grundmuster sich ordnen: den Glücks- und Freiheitsarchetyp und den Rechts- und Ordnungsarchetyp (vgl. VI, 4. Teil, insbes. 36. Kap.). Sie deuten auf zwei Grundschichten im gesellschaftlichen Urgestein selber, eine leibhaft-sinnliche und eine geisthaft-rationale – die beiden Potenzen des Humanum selbst also, die durch die gesamte Zivilisation hindurch bis heute die optimale Aktualisierung in ihrer Vereinigung suchen: im solidarisch-humanen Menschen, homo revelatus, der der glückliche und zugleich der würdige sein soll. Sein Wahrbild wirft Licht auf den bisherigen geschichtlichen Menschen, homo absconditus, als unglücklichen: Mühseligen und Beladenen, als entwürdigten: Erniedrigten und Beleidigten, und in beidem als Höhlenbewohner: Verirrten und Betrogenen. Zwang die geschichtliche Gestalt des Menschen ihn in die Dschungelordnung, wo homo homini lupus wird, so wird die ersehnte erst die Ordnung in Heimat verwandeln, wo homo homini homo ist.

In einer ganzen Anzahl von Sozialutopien mischen sich Erinnerungen und Vorgriffe: abgründig reflektieren darin die großen dramatischen Epochen der Vergesellschaftung sich selber, hetärisch-matriarchale und patriarchale, und beides, Gedächtnis- und Projektionsarbeit, bilden Wunschgestalten für sich und in der Durchdringung miteinander aus. So stehen schlaraffische, dionysische, hedonisch-promiskuäre und noch die kynischen Vorstellungen für Glückszustände, die rechtlichen, staatlichen, werktagshaft zivilisatorischen absagen, weil diese den Glücksimpuls umbiegen, verfälschen, ja austreiben, zumindest das Subjekt zur Heuchelei verhalten. Das ohnedies kurzwährende Leben sollte Fest, immerwährender Sonntag sein, wenigstens, wie bei den Kynikern, in einer Gegenkultur, als ungescheute Bettelei und mit hündisch schamlos enthemmten Trieben hingebracht werden – als Schmarotzen bei den glücklosen Reichen oder, wie bei den Vaganten und Landstreichern aller Zeiten und Zonen, an den bewachten und unbewachten Brüsten der Mutter Natur. Der geheime und offene Neid bei den Angepaßten, vor allem ihre schnell bereite

Verfolgungswut auf Streuner und Gaukler, Zigeuner und Dirnen, auf alles, was Seßhaftigkeit, Mein und Dein nicht respektiert, deutet auf den unabgegoltenen Glückstrieb, die Tendenz zur communio aller Wesen in ihnen selber. Auf der andern Seite stehen die Wunschbilder des Rechts, des Apollinischen, der Ordnung. Sie favorisieren den Zustand, wie er aus Logos und Weltgesetz, objektiver und subjektiver Vernunft sich herleiten lasse. Das Dasein sei nach Ansprüchen, nach Rechten regulierbares Darleben einer Natur, einer Vernünftigkeit überhaupt, die unverbrüchlich, unveräußerlich in den Einzelnen gesetzt ist und Maß und Gestalt jener Ansprüche vorschreibt. Es ist nicht die heteronome Vorschrift zufälliger Gesetze, die universell nie einleuchten, sondern der lichtvolle Zwang einer Evidenz für alle vernünftigen Wesen – der, dem alle beistimmen können, weil er der von Mathematizität, von notiones communes, von Universalien wie Gerechtigkeit, Äquivalenz, Reziprozität von Berechtigung und Verpflichtung selber ist. Gegen solche Evidenz kann das Sinnfällige der leiblichen, der nationellen, der sozialen Differenzen in ihrer Buntscheckigkeit zuletzt nicht aufkommen. Das durchschlagende Wesen – humanitas, die typische Menschengestalt, das Menschenantlitz, das Herren und Knechte, Weiße und Schwarze, Rote und Gelbe gemeinsam haben – heischt von sich aus nach seiner Durchsetzung und Bekräftigung in politicis: der Gleichheit aller zuletzt in der Kosmopolitie. Zunächst in Republik, Demokratie, bürgerlicher Gesellschaft. Vor dem Archetyp des solidarius in der klassenlosen arbeitet utopisches Bewußtsein den Citoyen-Archetyp heraus – mit den Charakteristiken des Männerstolzes vor Königsthronen, des Muthaft-Kühnen und Disziplinierten, des Gebietenkönnens nicht über andere, sondern sich selbst, über Affekt und Fleisch aus Vernunft; des honestum, der unantastbaren Menschheit im einzelnen Menschen. Bloch bemerkt, daß die Natur- und Vernunftrechtsutopien eine größere, deshalb auch propagandistische Nähe zur realen – will sagen: paternalen – Politik und Staatsgesellschaft haben als die sinnlichen Glücksbilder, deren realer – will sagen: maternaler – Gehalt zuweit von den Staats- und Mangelgesellschaften der späteren Geschichte abliegt, um ein ernstliches politisches Element in ihren Kämpfen zu werden. Sie werden desto aktueller, je übermächtiger menschliche Arbeit ihre Potentiale entfaltet und eine Ökonomie auf den Plan ruft, nach welcher die Güter nicht nur dem Recht und dem Anspruch, sondern auch dem materiellen Glück aller gemäß zu verteilen und zu erzeugen wären: in einer auf gewachsener – auch vernunftrechtlich gewachsener – historischer Stufenleiter wiederkehrenden, ja erst heimkehrenden goldenen Zeit, einer der communis possessio und der beata vita omnium.

Die finale Gestalt eines Reiches der Freiheit, in der Recht und Vernunft, Glück und Freiheit voneinander durchdrungen wären, und wohin die klassischen Sozialisten den real möglichen Weg wiesen, ist in wie immer tastenden, teils epochenbedingt kontrasthaften, teils durchgreifend antizipativen Mustern präludiert – Sozialarchetypen genossenschaftlicher, föderativer, demokratischer Freiheit, solchen objektiv-rechter, staatsarchitektonischer Ordnung und solchen subjektiv-objektiver integritas, des spirituellen Leibes der Menschheit als wahrer Kirche, als Reich, als Heimat alles auf Erden Fremden und Unversöhnten. Wiederum ist mit ihren Entwürfen, Konstrukten, Visionen vehement auf den problematischen Realisierungsgrad der historischen gesellschaftlichen Gebilde gedeutet, die mühsam im Prozeß sich hervorarbeiten und stets schon sich verkrusten, noch ehe das ihnen treibende Potential auch nur annähernd erschöpft wäre. Soweit die Sozialutopien dieses Potential aufnehmen, vermögen sie die zeitliche Aktualität der etablierten sozialen Gebilde der eigenen essentiellen Inaktualität zu überführen. Wegen ihres Tendenzsinnes haben sie oft größere Realität als die harten politischen Gefüge in der Wirklichkeit, die gerade durch ihre Unübersteiglichkeit irreal werden und zerbrechen. Sie trocknen daran aus, daß die politischen Zwecke in Mittel sich verkehrten, das ganze gigantische Gefüge zum politischen Mittel als Selbstzweck mißriet. Daher das sattsam bekannte Eifern aus Politik gegen Utopie. Es ist das Eifern aus schlechtem Gewissen über die verlorenen, verdrängten oder demagogisch entstellten großen politischen Zwecke – und selbst längst ein sozialer Archetyp, der etwa so weit auseinanderliegende Figuren wie den Despoten Dion und den Positivisten Popper in Feindschaft gegen den Utopisten Platon vereinigt. Wie problematisch immer der Platonische Staat konstruiert sein mag – entscheidend ist, daß er überhaupt konstruiert, nach objektiven Ideen entworfen ist, was doch nichts anderes besagt, als daß etwas so Folgenreiches wie eine Staatsverfassung an der Wahrheit selber sich muß messen lassen. Weil der Zufall sie nicht diktieren darf, die Verhältnisse nicht naturwüchsig, dschungelhaft bleiben und die Menschen Menschen statt Wölfe und deren Opfer sein sollen, deshalb ist die Anstrengung des Gedankens, der es zu ermöglichen trachtet, nichts weniger als gefährlicher oder verführerischer Wahn. Diesen produzieren vielmehr die falschen Ordnungen, die inhuman totalitären. Vor ihnen wollen die großen Ordnungsutopien warnen – davor, daß sie die Desintegration reproduzieren, wogegen sie aufgeboten werden; vor dem Ordnungsidol, also der Verwechslung der Ordnung mit regulierter Unordnung, dem durchorganisierten Notstand. Ordnungen als legalisierte Zwangsintegrationen sind ein Hohn auf die integritas, die Unverletzlichkeit und Unverletztheit bedeutet. Deren kompromißlose Idee haben am frühesten die religiösen Utopien in ihren Visionen des Reichs formuliert.

Gegenüber den charakteristischen Umdeutungen hält Bloch an ihrem unübersehbar weltimmanent-intendierten Sinn fest: so bei der vom Messianischen Reich, als dem Zustand etwa, in dem kein Stein auf dem andern bleibt, wenn der Gottgesandte kommt. So auch bei der Zionsvision, der eines Reichs Gottes auf Erden, das auch der *Menschensohn* (XVI, 385) meinte, wenn er von jener Welt sprach: dem künftigen Äon nämlich, der sich, in einer Art kosmischer Katastrophe, aus dem alten hervorbringt, apokalyptisch manifestiert – im Jerusalem des Lamms, der Leuchte der Welt, des Liebeskommunismus der Menschenbrüder und -schwestern, der Solidarität mit der Kreatur und des Zustands der zu Pflügen umgeschmiedeten Schwerter, den schon der Prophet weissagte. Weder soll das Reich in einer andern – jenseitigen – Sphäre liegen, noch aber auch die Staatshure Babylon bloß getauft sein. Nicht war an den paulinischen Kompromiß zwischen Herrschaft und Knechtschaft, äußerer Bedrückung und innerer geistlicher Freiheit, zwischen Zoll an den Kaiser und Zoll Gottes gedacht – auch nicht an die augustinische Arche einer civitas dei, die auf dem Blutmeer der civitas terrena treibt, bis sie der heilsgeschichtliche Strom sicher auf ewigen Grund setzt. Gemeint war, was erst die Joachiten wieder, die Täufer und Taboriten, was Münzer und noch die Ironsides, Diggers und Millenarier, was Tolstoi und Dichter wie Blok bewegte, der den bleichen Jesus einem Zug revolutionärer Soldaten voranziehen läßt – gemeint war das Reich diesseits, ohne Herrenwillkür, Schändung des Leibs und des Geistes, die Eintracht der Menschen und der Kreatur. Joachim von Fiore war es, der von ihm als dem dritten sprach, dem des Geistes und der Brüder, das dem des Herrn und der Furcht des Gesetzes und dem des Sohns und der Trennung der Kirche und Laien, der Erwählten und Verdammten, der Juden und Christen und Heiden folgen wird.

Diese Vision einer neuen, von Grund auf erneuerten Welt war so unhintertreiblich, daß ihr Durchschlagen im Säkularen und im Politischen nicht verwundern kann. Verworren spukte sie noch im deutschen Nationalsozialismus, dessen Führer und Demagogen die dumpfen millenarischen Erwartungen Ungezählter trickreich ausbeuteten und einen Desperado als Messias lancierten. Die herrschenden Machtgruppen hätten ihn nicht in das Kalkül einsetzen können, wären die depossedierten und absinkenden Massen auf unabgegoltene Wunschbilder nicht anzusprechen gewesen, die, wie der Traum vom dritten Reich, von lange her in den Seelen rumorten und unerledigte Geschichtszeit selber inmitten der Präsenzzeit am Werk zeigten (vgl. IV, 2. Teil). Hat sie der kapitalistisch-technische Progreß, der erbarmungslos über die Zurückgebliebenen, die bäuerlichen und kleinbürgerlichen Massen hinwegging und dabei ist, alle zu Abhängigen zu formieren; hat sie der Fortschritt nicht zu erfüllen vermocht – wieviel weniger haben es politische Imperien wie das dritte, das angeblich wider den Kapitalismus aufgerichtet war und die Elenden noch tiefer ins Unglück stürzte. Das widerlegt nicht das wie auch blutverschmierte Original, das woanders bewahrt ist als in fuchtelnder und drohender Demagogie – bei Lessing, bei Kant, bei Marx, der der Idee des Reichs mit einer real zu bewerkstelligenden klassenlosen Gesellschaft den Grund anwies, auf dem sie heimkäme. Bloch, der Marx tief Verpflichtete, ist hart mit den politischen Marxisten ins Gericht gegangen, die nicht nur jene gleichzeitigen Ungleichzeitigkeiten ignorieren, sondern die utopische Substanz insgesamt auf die ideologische

Schutthalde werfen, worin sie den nichtmarxistischen Praxis- und Wirklichkeitsfetischisten auffallend gleichen. Daher auch die Anfeindungen, die Bloch aus beiden Lagern erfuhr – dieser Philosoph, der ein jegliches an das längst nicht vollbrachte humanum und bonum sociale mahnte und der vor dem Chauvinismus aus dem Kaiserreich, vor den neuen Neronen aus dem dritten und vor der sturen Orthodoxie aus dem ersten deutschen sozialistischen Staat geflohen ist. Sein Urteil über das paradox Einheitliche in der gespaltenen Gegenwart hat er 1970 in die Worte gefaßt, daß *die Auslassung sprengender Utopie,* des Geistes in seiner verpflichtendsten Gestalt selber, *ein Verbindendes* ist, *worin der kapitalistische Westen mit seiner pluralistischen, der sowjetische Osten mit seiner monolithischen Langeweile zusammentreffen, kraft der Banalität, gar wenn sie als die beiderseits erreichte Selbstzufriedenheit auftritt* (XI, 473).

Kraft der Banalität. Sie hat viele Gesichter, und alle verschwimmen sie mit der Physiognomie der Epoche. Kaum einer hat so gut, so streng in ihren Zügen gelesen wie Bloch. Die Banalität ist die Gegenrevolution – daran hat er mit Isaak Babel bis zuletzt festgehalten (vgl. a.a.O., 472), ihr Böses, Widersacherisches in aller zur Regel, zur zweiten Natur gewordenen Barbarei – der Gewalt des Mechanischen und der mechanischen Gewalt – nicht weniger getroffen als in den fortschrittlich dawider ersonnenen pedantischen Kalkülen der Bureaukratie und Technokratie. Er hat sie an der Geistverlassenheit, der Theoriefeindschaft, an Kunsthaß und selbstzerstörerischer Libertinage so nachdrücklich denunziert wie am offenkundigeren mörderischen Schlendrian. Die Banalität ist gewissenlos, und lieber verkommt sie mit dem Verkommenen, als daß sie an diesem begriffe, warum es verkam; durchschaute, wer es lieber verkommen ließ als wahr zu machen daran, was durch Mißbrauch, Einverständnis und Schändung falsch erst wird. Die Banalität deckt die Lüge der Kultur und zersetzt, was diese sein könnte, in einem. Sie heuchelt sie und läßt dabei den Gedanken, das Kunstwerk, die Sprache verludern – gleich, ob sie als Ware sie verramscht und durch den ungehemmtesten Gebrauch denaturiert, oder ob sie aus ihnen propagandistisch das Alibi herauspreßt. Die Einsicht, auf die uns Blochsche Sozialphilosophie stößt, ist, daß die Zwangsformationen gleichwie die Libertinage die Verluderung der Ordnung und die der Freiheit da schon bedeuten, wo Ordnung und Freiheit noch gar nicht integer bestehen: die Freiheit den Halt nicht fand und die Ordnung die substantiierte Freiheit nicht ist – Reich von F r e i e n mit Freien in einem R e i c h –, sondern Integration Desintegration produziert und die Auflösung wieder nach Zwang ruft. Wer das utopische Gegenbild zum herrschenden Zustand nicht an sich heranläßt, macht diesem sich gleich; ignoriert das Utopische als eine im Gegebenen selber gelegene heilende Kraft. Das hat Bloch wieder und wieder vors nachlassende Bewußtsein gebracht. Dafür hat er mit seinem verfolgten und – wie um die Beweiskraft zu verdoppeln – erfüllten Leben gezeugt.

Hans-Ernst Schiller

Jetztzeit und Entwicklung

Geschichte bei Ernst Bloch und Walter Benjamin*

I

Zwischen dem Denken von Bloch und Benjamin besteht bei äußerster Nähe, die sich biographisch in einer langjährigen Freundschaft verwirklichte, eine Abstoßung, die es nahe legen mag, von den Aporien des einen in die des anderen zu flüchten. Nähe wie Abstoßung erschweren eine theoretische Konstruktion ihres Verhältnisses, welche vorzubereiten und zu versuchen nicht allein deshalb sinnvoll sein könnte, weil sie die wechselseitige Erhellung der beiden Theoriegestalten ermöglicht; vielmehr scheint sie notwendig, wenn an dem Projekt, das Bloch und Benjamin – wie im übrigen Horkheimer und Adorno – verfolgten, festgehalten, es also fortgesetzt werden soll. Der mehrfach variierten These, die ihrer Anstrengung zugrunde liegt, läßt sich die Formulierung geben, daß eine allseitige und radikale, auf Marxscher Theorie basierende Kritik der kapitalistischen Moderne gebunden bleibt an die Rettung metaphysisch-theologischer Intentionen, deren traditionell versuchte Erfüllungen gerade aufgrund der Marxschen Kritik vernünftigerweise nicht mehr zu restaurieren sind. Dieser Kritik aber ist wesentlich eine Reflexion auf die Eigentümlichkeit der Ära, vornehmlich ihrer Produktionsweise. Darum stellt die historische Problematik, innerhalb derer das Verhältnis von Bloch und Benjamin hier betrachtet werden soll, einen Brennpunkt für die Versuche dar, die vernünftige Einheit des Seienden als utopische zu konzipieren. Die historische Thematik ist dieser Brennpunkt als geschichtsphilosophische, weil nur, wenn Geschichte sub specie ihres möglichen Subjekts und Endes gedacht zu werden vermag, die utopische Einheit möglich ist.

II

Verbunden sind die Geschichtsbegriffe Blochs und Benjamins nicht allein in der Perspektive des Endes, sondern, unlösbar von ihr, durch die Richtung auf das Konkrete, die Emphase der Aktualisierung. Sie beruht auf der materialistischen Wendung des historischen Bewußtseins, wie sie von Marx, sodann von Lukács in »Geschichte und Klassenbewußtsein« inauguriert worden ist. Der neuen Auffassung zufolge sollte das vergangene Geschehen nur erkennbar sein, wenn der Antagonismus der Gegenwart im Horizont seiner praktischen Auflösung begriffen wird. Benjamin konkretisiert diese Wendung als *kopernikanische in der geschichtlichen Anschauung* (GS V, 490 f.) und versucht, die Prävalenz von Gegenwart und Praxis für die Bestimmung des historischen Gegenstands und die Methode seiner Darstellung fruchtbar zu machen. Seine Theorie korrespondiert dabei in wesentlichen Stücken mit der einzigen größeren Darstellung Blochs, die einer Sozialgeschichte gilt, dem 1921 erschienen Buch über Thomas Münzer. Nach Benjamin ist der historische Gegenstand, wie die Neukantianer es behauptet haben, als Individuelles, Einmaliges aufzufassen (vgl. These 5), nicht jedoch konstituiert durch unhintergehbare Leistungen des Bewußtseins, sondern in praktischem Kontext entgegengetreten, aufgeblitzt als Bild. Der Augenblick solch *unwillkürlicher Erinnerung* (GS I, 1243) sei das *Jetzt der Erkennbarkeit* des Vergangenen, das mit der Gegenwart in eine singuläre Konstellation tritt. (GS V, 577 f.) Benjamin definiert den historischen Augenblick als den der Gefahr, die den unteren Klassen je wieder droht, weil er die Einsicht reklamiert, daß die Kontinuität der Geschichte Schein ist als grundlegende, in sich ruhende, und daß aus der Sicht der Verfügenden dieser Schein nur bekräftigt werden kann. Im Festhalten und in der konstruktiv entwickelnden Darstellung des Bildes – der Rettung des Vergangenen – soll der historische Materialist der Tradition der Unterdrückten habhaft werden, sie auch stiften. (GS I, 1246)[1] Rettende Darstellung muß Benjamin zufolge monadologisch sein, weil das singuläre Bild nur bewahrt werden kann, wenn es in die Totalität des Historischen eingeht, diese aber pragmatisch oder narrativ, am Faden des Zeitverlaufs addierend, gar nicht auszuschreiten ist (vgl. 255). Monadologische Totalität ist das Bild, das aus dem Verlauf herausgesprengt und derart unverbunden mit anderen Begebenheiten ist, kraft einer *Synthesis* (GS V, 592), die es als *dialektisches Bild* qualifiziert. Synthetisiert sind die Bestandstücke, vorab die extremen, der historischen Individualität, diese wiederum mit zeitgenössischen Gestalten und den Data der Vor- und Nachgeschichte.[2] Die Elemente müssen einander zugeordnet, in Konfiguration gebracht oder geradewegs: montiert werden. (1030; GS I, 214) Wenn ferner der Geschichtsschein substantieller Kontinuität von der realen der Herrschaft selbst erzeugt wird – indem sie das Unterdrückte, das, wodurch sie und was anders ist, niederhält und auf mannigfache Weise ideologisch verleugnet –, dann ist die historische Erkenntnis an die Anstrengung gebunden, welche das Kontinuum aufsprengt und zu überwinden sucht, ist ihr Subjekt die kämpfende unterdrückte Klasse selbst (These 12), welcher der *historische Materialist* wenigstens politisch angehört. Seiner Geschichtsschreibung wird die Aufgabe zugedacht, die nächste Gegenwart als den Zeitort des Handelns, der revolutionären Aktion vorherzusehen. (GS I, 1237) In ihr eröffne sich als *Welt allseitiger und integraler Aktualität* der *Bildraum* (GS II, 309), und dergestalt vollziehe Rettung sich praktisch, ereigne sich Vergegenwärtigung im strengen Sinn, indem buchstäblich das Vergangene den Agierenden auf den Leib rückt. So gelangt es zu einer *höheren Konkretion* als der, die *im Augenblick seines Existierens* möglich war. (GS V, 495)

Auch der Historiograph Bloch schaut in seinem »Thomas Münzer« nicht bloß zurück: die Toten sollen verwandelt wiederkehren, ihre Taten mit den Lebenden nochmals werden. (II, 9) Wie für Benjamin ist ihm *das Werk der Vergangenheit nicht abgeschlossen* (GS II, 477) und die Aufgabe gestellt, *die unterirdische Geschichte der Revolution,* die *Tradition (...) gegen die Angst, Staat, Ungläubigkeit und alles Obere, in dem der Mensch nicht vorkommt* (II, 228) ans Licht zu bringen. Die Gegenwart, zu der die Bauernkriege in Konstellation treten, steht für Bloch im Zeichen der Oktoberrevolution. Münzer verwandte Tage seien in ihr wiedergekommen (109), lebe doch *gerade auch im bolschewistischen Vollzug des Marxismus der alte gotteskämpferische* (...) *Typus des radikalen Täufertums* wieder auf (94). Mehr freilich als an der Konstellation der Ereignisse – den russischen wenigstens ist Bloch zunächst schwerlich gerecht geworden – zeigt er sich an Münzers Lehre, dem Chiliasmus, interessiert, wobei Vor- und Nachgeschichte ihre Gültigkeit bezeugen sollen. Chiliastisch, wie jede sozialistische Idee (III, 332f.), ist bei Bloch die Utopie der Geschichte im engeren Sinn: als das von den Menschen herstellbare Reich des Friedens und der Gerechtigkeit, welches als notwendiges Stadium zwischen die bisherige herrschaftliche Vorgeschichte und das utopische Eschaton tritt. Dieses setzt Bloch in eins mit der Manifestation des im gelebten Augenblick umschatteten Daß-Seins aller Subjektivität. Weil dieser *Kern* nach Bloch noch exterritorial zum Seinsvernichtenden des Todes steht (vgl. V, 1385ff.), ist das *brennende Interesse,* das Benjamins historischer Materialist an der *Verflossenheit, dem Aufgehörthaben und gründlich Totsein* seines Gegenstandes nimmt, nicht das seine und ihm keineswegs Voraussetzung *für jede Zitierung* (Belebung) *von Teilen dieses Phänomens.* (GS V, 459) Dem barocken Melancholiker vergleichbar, der das Vergängliche nur als Entseeltes und Fragmentiertes der Ewigkeit, auf welche es im allegorischen Ausdruck deutet, meint gewinnen zu können (vgl. GS I, 359, 397), ist nach Benjamin das Vergangene nur als Stillgestelltes und aus dem Fluß der Zeit Gerissenes zu bewahren und zu vergegenwärtigen. Während unter diesem Aspekt der Raum den Primat erhalten muß – denn Simultaneität ist ohne räumliches Ensemble nicht möglich (vgl. XIII, 151) – ist das leibhafte Moment Blochscher Aktualisierung zeitlich-intentional, weil sie als Verwirklichung der utopischen Ziele Vergangener verstanden wird. In »Geist der Utopie« setzt Bloch die philosophische Betrachtung der Geschichte der einzelwissenschaftlichen darin entgegen, daß jene die Zeit als *Anschauungsform, Wirkungssphäre aktiver Lebendigkeit zentral* setzt, während diese nur die *raumhafte Erscheinung der Zeit,* die Aufreihung des *Nacheinander von Wirkungseinheiten* biete; sie habe es mit der *Welt unabhängig vom erlebenden, auffassenden Subjekt* zu tun, und diese Welt ist eben die des bloß noch Toten (III, 251f.). Die *Zukunft in der Vergangenheit* dagegen, ohne deren Vorhandensein nach dem *konkret-utopischen Lehrsatz* nicht mit Gewinn und Fruchtbarkeit zurückgegriffen werden kann (XV, 92), hat Vorrang als zu gestaltende. Zwar ruft Bloch im Münzer-Buch illusionslos und richtend das gräßliche Ende der Erhebung und ihres Führers ins Gedächtnis; dem immer gleichen Befund der Tortur in der Geschichte aber ist einzig der aufgeklärte Wille angemessen, die vergangene Hoffnung zu realisieren. Seinem Optimismus ist der Trauerflor angeheftet und der Impuls der Rache zugesellt (XIII, 241; V, 7). Zwar arbeitet Bloch die Individuierung der aufrührerischen Zeittendenzen in der Gestalt Münzers deutlich heraus, die Einmaligkeit des historischen Bildes tritt jedoch zurück hinter der – *in ein übergeschichtliches Feld* wirkenden (II, 14) – Zeugenschaft für *das stetig Gemeinte* (105). Es ist dies *Allbetreffende*, das *an Münzer, dem Mandatar, zum halbwegs möglichen Bild* (95) zusammenschießt. Mit Blick auf sein Verpflichtendes vollzogen, sieht die Bewahrung des Vergangenen keine Schwierigkeit, mit seiner Kritik zusammenzustimmen (vgl. GS I, 1246): einzelne quichotische Züge sind bei Münzer unverkennbar (II, 101). *Produktiv* ist das Blochsche *Schema des Eingedenkens* (14) gerade als Berichtigung und Konkretisierung der vergangenen Hoffnung; sein Begriff meint die mahnende Erinnerung des unabgegoltenen Versprechens, des gültig vorausgeträumten Ziels.[3]

Auch der, unter dem Einfluß Blochs gebildete, Traumbegriff Benjamins enthält ein Moment utopischer Antizipation. Dennoch trägt er im Unterschied zum Blochschen starke Züge des nächtlich Illusorischen und ideologisch Verschleiernden, von denen das *Erwachen* befreien soll (GS V, 1054). Die Epoche, auf die nach Benjamin jede Gegenwart träumend sich bezieht, scheint tatsächlich der Einschnitt zu sein, als welcher das Erwachen Telos des Traumes wäre. (46 f.; 1058) Indem das Noch-Nicht-Bewußte des utopischen Tagtraums, das bei Bloch in der Praxis konkretisierender Verwirklichung zu sich kommen soll, situationistisch umgeschmolzen wird, dient zugleich der Chiliasmus, den Benjamin an »Geist der Utopie« zu rühmen weiß, sofern er eine unmittelbar politische Bedeutung des utopischen Eschaton verneint, der Bestimmung von Praxis als ausschließlich destruktiver, nihilistisch genannter. (GS II, 203 f.) Die entsprechende Version vom Aufblitzen des historischen Bildes als einem, das mit der politischen Aktion strikt zusammenfalle (GS I, 1231), muß die Geschichtsdarstellung ihrer praktischen Bedeutung, die als *prophetische* des Augenblicks konzipiert war, berauben, und die Bestimmtheit dessen, was den historischen Augenblick auszeichnet, droht verloren zu gehen. Das allerdings hieße, den Akzent auf die Aktion als einer anarchischen, unvermittelten zu setzen (vgl. GS II, 307), eine Tendenz, gegen welche Bloch – trotz seines Pathos des Widergeschichtlichen, das er mit Benjamin teilt: *Wir haben genug Weltgeschichte gehabt* (...) (II, 229) – sich richtet: Die Bedingungen der zur Befreiung wendenden Tat sind weder bloß abzuwarten noch zu überspringen, sondern strategisch herzustellen. (vgl. III, 301; V, 677) Entsprechend ist historisch der Augenblick nicht als die *Chance einer ganz neuen Lösung im Angesicht einer ganz neuen Aufgabe* (GS I, 1231), sondern kraft gerade der gesellschaftlichen Wirkungszusammenhänge, in denen er ein entscheidendes Moment darstellt. So geht die notwendige Geistesgegenwart, für Benjamin in ihrer Leibhaftigkeit Definiens wahrer Praxis (GS IV, 141 f.), als Moment in Blochs strategischen Politikbegriff ein bis hin zu jenen *ungeheuren Augenblicken der Revolution,* in denen Praxis *Seinsmächtigkeit* (V, 1192) zu werden und das gesellschaftliche Sein bewußt zu bestimmen beginnt. Durchbrechen des historischen Kontinuums und Stillstand der fließenden Zeit sind auch für Bloch Bestimmungen des historischen Augenblicks, jedoch sind sie erst *vorscheinende Lösung* als symbolische Antizipation jenes Nunc stans, der *Präsenz* (88), welche die Errichtung einer klassenlosen Gesellschaft zur Bedingung habe. *Gerade der abrupt unterbrechende Stellenwert solcher Horizonte,* von denen Benjamin in den Thesen spricht, *muß* (...) *wieder mit dem dialektisch-unterbrechenden Geschichtsgang des Prozesses zusammengebracht werden, indem doch diese Geschichte nicht nur Unterbrechung ist, sondern dialektisch-prozeßgeladenes relatives Kontinuum* (XV, 259).[4]

III

Benjamins praktischem Begriff des Fortschritts als *erster revolutionärer Maßnahme* (GS V, 593) entspricht ein theoretischer der permanenten Katastrophe, wonach *die klassenlose Gesellschaft* (...) *nicht das Endziel des Fortschritts in der Geschichte* (ist) *sondern dessen so oft mißglückte, endlich bewerkstelligte Unterbrechung* (GS I, 1231). Es ist der Begriff des Fortschritts als gesamtgesellschaftlicher Entwicklung, auf den die Forderung gemünzt ist, *bis ins letzte aus dem Bild der Geschichte ›Entwicklung‹ herauszutreiben* (GS V, 1013). Benjamin leugnet nicht die Objektivität eines Fortschritts in Teilbereichen, etwa in den technischen Fähigkeiten und Kenntnissen der Menschen. Weil dieser aber in Formen verläuft, die der Idee einer selbstbewußt und solidarisch ihr Leben gestaltenden Menschheit widersprechen; weil somit die Unterstellung eines einheitlichen Subjekts dogmatisch ist (These 13), erhält der Fortschrittsbegriff ideologische Züge, wenn er *zur Signatur des Geschichtsverlaufes im ganzen* wird und *die Spannung zwischen einem legendären Anfang und einem legendären Ende der Geschichte ermessen* soll (GS V, 598 f.). Sofern vom Geschichtsgang als Totalität gesprochen werden muß – und das ist nach Benjamin durchaus der Fall – erweist er sich ihm als bloßes Fortrücken der Zeit, welches das allgemeine Resultat einer Anhäufung der Opfer herrschaftlicher Kontinuität zeitigt (vgl. These 9). Mythologisch ist dies Ineinander vor allem deshalb zu nennen, weil *Wiederkehr* – naturhaft übermächtiger Gewalt – *Essenz des mythischen Geschehens* ist (GS V, 178). Die real mythische Form des historischen Verlaufs als objektiven Schein zu erweisen und zu durchschlagen (vgl. GS V, 595, 591), ist Aufgabe einer Einsicht, der *Einmaligkeit und Wiederholung durcheinander sich bedingt (erweist)* (GS I, 226).

Es ist die Einheit und Differenz von Natur und Geschichte, die Benjamin in der Durchdringung von Einmaligkeit und Wiederholung begreift. Individuierung im geschichtlichen Leben ist mit der Bestimmung des Moralischen verknüpft, und deshalb *historisches Geschehen selber nicht durchaus Natur* (GS I, 308). Jedoch bleibe *alles Moralische (...) gebunden ans Leben in seinem drastischen Sinn, dort nämlich, wo es im Tode als Stätte der Gefahr schlechtweg sich innehat. Und dieses Leben, welches uns moralisch, das heißt in unserer Einzigkeit, betrifft* (284), ist jene *biographische Geschichtlichkeit,* die dem barocken Allegoriker in einem Totenkopf als der *naturverfallensten Figur* des einzelnen bedeutungsvoll sich ausspricht (343). Indem die spezifisch historische Singularität an die leibhafte gebunden bleibt, erweist sie sich als bedingt durch jene Wiederholung, die ihre Einheit mit Natur als Verfallenheit charakterisiert: Wiederholung in den geschichtlichen Vorgängen ist die *Ewigkeit der Vergängnis* (1246). Um als geschichtliche gelten und hervortreten zu können, bedarf diese Wiederholung einer konkreteren Bestimmung. Bei Benjamin ist freilich nicht gedacht an den Marxschen Begriff spezifisch historischer – im zweckgerichteten Handeln der Menschen entstehender und wirkender – Gesetze, welche – als bewußtlos sich durchsetzende – die Form von Naturgesetzen annehmen; dieselben handeln vor allem von Entwicklungstendenzen der Gesellschaft, denen, anders als der Entwicklung in Benjamins Idee von Geschichte als Aktualisierung, ein Moment blinder, nicht zweckbewußt eingesetzter Kausalität wesentlich ist.[5] Wie hingegen im Trauerspielbuch Gesetzmäßigkeit mit Kausalität zusammen und diese auf die Seite des bloß natürlichen Geschehens fällt – entsprechend wird der Gedanke einer Naturgesetzlichkeit des Gesellschaftlichen als unerfüllbarer Wunschtraum diktatorischer Ordnung charakterisiert (vgl. 253) – so ist noch zur Zeit der Arbeit an den »Thesen« für Benjamin der Gesetzesbegriff Mittel einer unzulässigen Angleichung der Historiographie an die Naturwissenschaft (vgl. 1231)[6]. Nicht also Gesetzmäßigkeit tritt im historischen Begriff der Wiederholung zur Ewigkeit der Vergängnis hinzu, sondern das Moment der Unvordenklichkeit in der Bedeutung, zu der das Historische gelangt, wenn es sich, als Lebendiges vergehend, der Natur aufprägt, als Totes oder Verfallenes in sie als Schauplatz (vgl. 271) – aber auch als Gegenstand der Arbeit (vgl. GS II, 737) – eingeht. Also ist auch in einer materialen, das Geschehene, nicht den Verlauf betreffenden Bedeutung Geschichte für Benjamin Naturgeschichte: indem die äußere Natur durch sie geformt wird. Der Wiederholung der Vergängnis entspricht nun am historischen Gehalt der Schein des Zeitlosen, des *Von-jeher-Gewesenen* (GS V, 580). Er erlaubt Repetition als eine Wiederbelebung archaischer Bilder, welche jedoch, entgegen dem Schein, in jeder Epoche auf originäre Weise umgruppiert werden. (579) Auf der Basis dieser Historizität von Wiederholung kann Benjamin den Bildern der Vorwelt, der ersten *Vorgeschichte,* utopische Relevanz zumessen: weil die Urgesellschaft klassenlos und ihr Umgang mit Natur noch nicht herrschaftlich war. (vgl. 46f.) Darin trifft er sich mit Bloch, der seinerseits auf die zweifache Historizität von Mythischem hinweist.[7] Gegen die Mythisierung des Historischen wie gegen die Verleugnung der Historizität des Mythischen mobilisiert Benjamin das monadologische Verfahren, welches naturgeschichtlich ist in einer dritten, epistemologischen Bedeutung. Dem Benjaminschen Historiker ist Entwicklung nicht die Entstehung der Gestalten auseinander, sondern zunächst, als Entfaltung, seine eigene, konstruktiv darstellende Tätigkeit. In Anlehnung an die Metapher vom historischen Bild als einer lichtempfindlichen Platte, auf der eine Momentaufnahme festgehalten ist (GS I, 1165; 1238), läßt sich formulieren, daß das Geschichtliche in Benjamins Konzeption nicht selbst sich entwickelt, sondern entwickelt wird, seine monadische Struktur ausgewickelt oder entfaltet. Jedoch ist es der geistige und politisch-soziale Gehalt des Vergangenen, der in solcher Entwicklung sich befindet und diese ihm insofern selbst eigen; mithin ist Entfaltung doppelsinnig. (vgl. GS II, 420) Intermittierend wie die Montage der einzelnen Synthesis bilden verschiedene Aktualisierungen bei Benjamin eine teleologische Evolution, etwa dann, wenn er vom *Wachsen der Sprachen bis an ihr messianisches Ende* spricht (GS IV, 14) oder, noch 1938, von der *fortschreitenden Emanzipation des Menschengeschlechts, kraft deren es seiner eigenen Geschichte immer geistesgegenwärtiger in das Auge sieht* (GS II, 581). Einer Überlegung des Passagenwerks zufolge ist der Fortschritt in einem wissenschaftlichen oder künstlerischen Werk niemals durch den ersten Schritt schon festgelegt, und desgleichen bringe in der Geschichte *jede Etappe, (...) wie auch immer bedingt von jeder vorhergegangenen, eine gründlich neue Wendung zur Geltung* (...), *die eine gründlich neue Behandlung fordert* (GS V, 593). Fortschritt gilt als eine Reihe von Wendungen, zweifellos gegen den Prozeß, aber auch in ihm. Von diesem wird ihre Gründlichkeit erzeugt, wenn er als polymorph zu begreifen ist und die Kontinua sich brechen: *Fortschritt ist nicht in der Kontinuität des Zeitverlaufs sondern in seinen Interferenzen zu Hause: dort wo ein wahrhaft Neues zum ersten Mal mit der Nüchternheit der Frühe sich fühlbar macht.* (593) Ein Sprung steht als äußerlicher und distanzierter Zugriff am Anfang einer Darstellung, in der das Vergangene sich entwickelt. Kanonisch hierfür ist das Bild des Samens, der *noch nach Jahrtausenden, aus Gräbern zutage befördert, Frucht treiben* kann (GS II, 683). Entsprechend ist das Fortschreiten der Aktualisierungen nicht lineare Folge, sondern *zunehmende Verdichtung* (GS V, 1026). Auf solche Weise bleibt Benjamins Begriff der Jetztzeit nicht *sinnlos punktuell,* wie Bloch es für die *hoch bedeutenden Aperçus* der Thesen befürchtet hat (IX, 155).[8]

Die Theorie historischer Darstellung und Entwicklung ist als subversive mit der materialistischen Kritik historischer Bewußtseinsformen verbunden. Die einander schroff gegenüberstehenden Formen des Modernen und der ewigen Wiederkehr erweisen sich – andeutungsweise auch bei Bloch (V, 231) – als ineinander fundiert, und zwar unter dem Primat des real-scheinhaft Mythischen: *Das ›Moderne‹* (ist) *die Zeit der Hölle,* weil *das Gesicht der Welt gerade in dem, was das Neueste ist, sich nie verändert,* weil *dies Neueste in allen Stücken immer das Nämliche bleibt.* (GS V, 676) Während das Katastrophische als moderne Alltäglichkeit zu dechiffrieren ist, muß die Überzeugung, daß es so nicht weitergehen könne, als abhängig vom Begriff automatischen und unendlichen Fortschritts erkannt werden. Der gängige Fortschrittsbegriff ist zurückzuführen auf die Vorstellung einer leeren und homogenen Zeit, die das Menschengeschlecht durchlaufe (These 13). Ein solches Zeit-Bewußtsein rationalisiert die mythische, in der das Gleiche geschieht, und verdankt sich der Durchsetzung des *Tauschwertdenkens* (XV, 93), in dem die Qualitäten der Dinge auf vergleichbare Quantitäten gebracht werden. Benjamin sieht, auf differenzierte Weise, im Fetischismus der Ware den gemeinsamen Grund der spezifisch modernen Bewußtseinsformen des Historischen, so der des Verlaufs als ewiger Wiederkehr: *Diese Entwertung der menschlichen Umwelt durch die Warenwirtschaft wirkt tief in seine geschichtliche Erfahrung* (Baudelaires) *hinein: Es ereignet sich ›immer dasselbe‹.* (GS I, 1151)[9] Die Produktion, durch welche die Warenbeziehung universalisiert wird, stellt sich nach ihren beiden Momenten, der industriellen Erzeugung von Gebrauchsgütern und der von Kapital, dar als kontinuierliche Akkumulation. Obwohl die automatische Vermehrung des Kapitals als Geld ebenso real ist wie der stetige, gleichsam natürliche Zwang zur Arbeit, der die Lebenszeit aufzehrt, sind beide auch bloß Oberfläche, Schein, der unvermittelt in der Krise durchbrochen wird.[10] Krisen sind das Pendant der Chokerlebnisse, die Benjamin als wesentlichen Teil moderner Erfahrungsstruktur beleuchtet. (vgl. GS I, 607 ff.) Indem er freilich in unbeirrbarer Solidarität mit jenen, für die stabile Verhältnisse stets das stabilisierte Elend bedeuten (vgl. GS IV, 94 f.), die gesellschaftliche Entwicklung mit Kontinuität umstandslos gleichsetzt, reißt er die Momente des Diskontinuierlichen und Nichtidentischen aus der wie immer leidvollen und prekären Einheit. Nur durch die Erkenntnis der Abhängigkeit – des Staates von der Produktion, des Kapitals von lebendiger Arbeit, des Tauschwerts vom Gebrauchswert – wird der Schein substantieller Kontinuität dechiffrierbar. Die Phänomenologie des historischen Bewußtseins droht die Fundamente zu unterminieren, auf der sie als Kritik beruhen muß, weil im Zeichen abstrakt negatorischer Fortschrittspraxis der Begriff gesellschaftlicher Totalität nicht so differenziert gefaßt werden kann, daß ihre basalen, in der Produktionsstruktur gelegenen Widersprüche hervortreten könnten.

IV

Weitgehend läßt sich Blochs Geschichtsbegriff als Versuch verstehen, dem des Fortschritts kritische Funktionen zu erhalten oder zurückzugewinnen. Der Vorstellung einer homogenen und leeren Zeit setzt er den Begriff der Gestalt entgegen, in welcher das Prozessierende *sich faßt* und einen *Anhalt* findet (XV, 150). Gestalten sind qualitativ bestimmt, ihre Bildung zeitigt Neues. Die Gestaltkategorien geben das Was, die Natur einer Sache an, die als relative Totalität eine Synthesis von Elementen enthält. Gestalten oder Figuren *stehen senkrecht auf der Zeit, aus deren Fluß sie entspringen* (XIII, 333) und wollen *mit einem Male erfaßt* werden (327). Ihr Begriff konvergiert demnach mit dem des historischen Ursprungs bei Walter Benjamin. Anders jedoch als dieser im Ursprung, der ein dem *Werden und Vergehen Entspringendes* meint (GS I, 226), sieht Bloch die Gestalt auch als werdende (XIII, 323), und die Bestimmung ihrer *inneren Bewegtheit* legt nahe, daß der Fluß nur stillsteht, indem die Dynamik sich selbst überbietet: Einstand wäre die Bewegung, die sich übertroffen hat. Schließlich gilt das Über-sich-Hinausweisen der Gestalt als Zeugnis für ein Grenzüberschreitendes als immanenter Kraft. Daß das Ganze mehr ist als die Summe seiner Teile (325), ist nach Bloch wieder prozessual zu fassen: der Überschuß dankt sich einem Vermehrenden, das nach dem immanenten Maß der Qualität dieselbe transzendiert. Gestalten sind ebenso *Manifestationen* des Prozeß-Subjekts wie *Auszugsgestalten ihrer selbst* (327). Im Bereich der menschlichen Geschichte ist der Begriff der Gestalt – sie ist Kategorie des Besonderen (329) – Bloch zufolge nicht allein auf Individuen, Werke und Epochen, sondern auch auf Gesellschaftsformationen anzuwenden (320, 327). Seine Allgemeinheit ist niemals subsumtiv, sondern konstellativ, eine der Zentrierung. Bloch unterscheidet den synchronen Gestaltzusammenhang vom Nebeneinander des Bedingungszusammenhangs in Gesetzen (329) und besteht gleichwohl auf der *Einheit von genetischem Fluß samt seinen Gesetzen und strukturellen Gestaltqualitäten* (330). Gesetze des Prozesses sind als *gesetzmäßige Tendenzen* zu fassen; sie formulieren den inneren Widerspruch, nach dem das Bestehende über sich hinausdrängt. *Tendenzgesetze* (X, 401) differieren von solchen, die das sich Wiederholende festhalten, durch die Beziehung auf ein Neues und den Modus dieser Beziehung: Tendenz ist eine Gesetzmäßigkeit, nach der das Prozessierende die – allein in bewußter Praxis ergreifbare – Möglichkeit seiner Überwindung hervorbringt.[11]

Blochs Gesetzesbegriff der Tendenz hat sein Urbild in der Marxschen Diagnose vom Sinken der Profitrate,[12] welche wiederum das Modell des Widerspruchs zwischen Produktivkraftentwicklung und Produktionsverhältnissen stellt. Dessen Verallgemeinerung zu einer *einheitlichen Gesetzmäßigkeit der gesellschaftlichen Entwicklung* (XIII, 128) wird schon bei Marx erheblich modifiziert durch die Einsicht, daß Produktivkraftentwicklung Prinzip allein der modernen Produktionsweise ist, während sie in den weit mehr statischen Gesellschaftsformationen, die vorangingen, eher beiläufig geschah.[13] Schon an ihrer Basis zeigt sich somit historische Zeit in verschiedener Dichte, welche an der Fülle des Geschehens zu messen ist. (vgl. 133)

Zur Ungleichmäßigkeit im Tempo der Geschichte tritt als weitere Differenzierung die von Zeitstrukturen. In der Ungleichzeitigkeit, gedacht als Verhältnis von überholten Produktionsweisen und den ihnen entsprechenden Lebensformen und Anschauungen zu der nunmehr das gesellschaftliche Ganze bestimmenden Struktur, ist das Vergangene als solches gegenwärtig und wirksam. (vgl. IV, 69) Wertbezogen ist die Ungleichzeitigkeit insbesondere im Verhältnis von Basis und Überbau, wenn jene einen Fortschritt zeigt, *dem der Überbau gegebenenfalls nicht nur nicht nachkommt, sondern dem er zuweilen sogar mit besonderem Kulturverlust entgegengesetzt ist* (XIII, 121). Auch hierfür ist die moderne, bürgerlich industrielle Produktionsweise paradigmatisch.[14] Auf sie vor allem sind die *Differenzierungen im Begriff Fortschritt* gemünzt, die zunächst an der Entwicklung der Produktivkräfte vorzunehmen sind. Zwar werden in ihr die Bedingungen einer allgemeinen Minimierung der Arbeit geschaffen; jedoch in einer Form, welche die menschliche Produktivität der Maschine unterwirft, den Gebrauchswert der Produkte entwertet und nicht die Arbeit, sondern die Subsistenzmittel der Produzenten minimiert. Zu differenzieren ist gleichwohl auch im Hinblick auf die Produktionsverhältnisse, nämlich in der Sphäre scheinbar selbständiger politisch-rechtlicher Institutionen, durch welche jene sowohl abgestützt als verschleiert werden (vgl. VI, 301 ff.). Wie die Entwicklung der Produktivkräfte temporäre und relative Erleichterungen schaffen kann, so auch die Rechtsentwicklung, in der die Willkür vorbürgerlicher Gesellschaften eingeschränkt wird. Gedenkend der schrankenlosen Manifestationen der jedem Recht zugrunde liegenden Gewalt, der *entsetzlichen Möglichkeiten, die gerade im kapitalistischen Fortgang gesteckt haben und weiter stecken* (V, 228; vgl. IX, 39 ff.), legt Bloch auch hier den Akzent auf die Möglichkeitsbedingungen, die der Prozeß erzeugt. Sie bestehen weniger noch als im produktiven Verhältnis zur Natur in den objektiven, verfestigten Resultaten, also der institutionellen Wirklichkeit in Entsprechung zu den industriellen Produktionsmitteln, sondern im Wissen um die »menschliche Würde«, in den Ideen von Freiheit, Gleichheit und Brüderlichkeit, die einer ideologiefreien gesellschaftlichen Realisierung noch bedürfen. (vgl. VI, 199) Die Verlegung des Maßstabs des Rechten in die menschliche Vernunft gilt als Teil jener Erhöhung der Subjektivität, in der Bloch, gegen alle vordergründigen Romantizismen ein unbeirrter Verfechter des Projekts der Neuzeit, deren Signatur sieht. Ihr Negativum liege in der Unfähigkeit, Zwecke in der Objektivität des Seienden zu begründen. (vgl. V, 1571 f.) Der Verlust jedoch werde aufgehoben durch den Gewinn eines *offenen Produktions- und Projektionsraums* (1574) und der Setzung des Maßstabs in das prometheische Menschenwesen, vorausgesetzt, es werde die Möglichkeit, ohne theologische Hypostasen an objektive Zwecke sich anzuschließen, ergriffen. Verfechter der Neuzeit ist ihr utopischer Kritiker noch im Hinblick auf die Moderne, umfassend verstanden als Begriff der Epoche, in der die bürgerliche Warenproduktion sich durchsetzt. Die Entqualifizierung der Gegenständlichkeit, Traditionsverlust und die wachsende Ohnmacht des Einzelnen in der zunehmend dichter werdenden Vergesellschaftung lassen die Erhöhung der Subjektivität kollabieren – *Selbstmord erscheint als die Quintessenz der Moderne* (GS V, 455) –, führen zu ihrer Dissoziation in der *Leere der modernen Hölle* (IX, 124), im *Hohlraum der gekommenen Entfremdung* (119). In ihm freilich gärt *das Unbeherrschte und Ausgelassene dieser Welt* (124), dessen surrealistische Montage, wie für Bloch nicht zuletzt Benjamins »Einbahnstraße« zeigt, utopische Bedeutung erhalten kann (IV, 368ff.).

Blochs theoretischer, von den Erfahrungen der Moderne durchdrungener Fortschrittsbegriff meint die Entfaltung menschlicher Wesenskräfte und die Konkretisierung der Möglichkeit zur Aufhebung der antagonistischen Form, in der Entwicklung statthat. Anthropologisch stellt dieselbe sich dar als ein Ineinander von Veränderung und Selbstveränderung durch materielle Produktion. Bleibt auch der Antrieb stets noch Selbsterhaltung (vgl. V, 72ff.), so läßt sich die Weise, in der sie bewältigt wird, doch nicht biologisch fassen. Der Mensch baut *nicht bloß das Gegebene* (um), *sondern sich und seine Verhältnisse darin* (XV, 186). Er ist *das historisch variabelste Wesen. (...) eines, das (...) immer wieder durch Geschichte laufen muß, damit es mittels der Arbeit sei und werde* (V, 76f.). Dies Werden in historischer Evolution ist, im Unterschied zur natürlichen, unumkehrbar gerichtet nicht auf Spezialisierung oder Differenzierung, sondern auf Universalität sowohl in der Beziehung zur Natur als im Verhältnis der Menschen zueinander. Es ist Entfaltung der Universalität, die im spezifischen Gegenstandsbezug des Menschen, in der sein Wesen konstituierenden Gattungstätigkeit: *gesellschaftliche Produktion* notwendig gelegen ist.[15] Indem in der kapitalistischen Produktionsweise die *Universalität des Menschen (...), die die ganze Natur zu seinem unorganischen Körper macht*[16] zum praktischen Prinzip erhoben ist, wird Natur im tellurischen Maßstab zum Gegenstand der Produktion und ineins damit der Weltmarkt geschaffen, die Verzahnung der Produktion und Politik aller Länder. *Weltgeschichte* ist nun erst praktisch wirklich[17] und die Menschheit als Einheit hervorgebracht; geeint jedoch nur im Geschehen, nicht schon in der Bestimmung desselben. Die Aufhebung des Antagonismus als die *Aneignung der (...) Wesenskräfte* durch die Individuen[18] wäre das *Wohin und Wozu* der Entwicklung, ohne das Fortschritt nicht gedacht werden kann (XIII, 143). Was die gesellschaftliche Verwirklichung der Menschheit wäre, läßt sich im Begriff abstrakt bestimmen, nicht aber adäquat anschaulich machen. Es gebe erst eine *Richtungs-Bestimmtheit (destinatio)*, noch keine *inhaltlich zureichende Merkmal-Bestimmung (definitio)* (114); jene ist kritischen Sinns: *Auch wenn die Inhalte dieses ›wahren Seins‹ eben als eines noch in Latenz befindlichen, keinesfalls bereits manifest aussagbar sind, so reichen sie doch schon zureichend zur Bestimmung dessen aus, was nicht realer Humanismus, sondern sein genaues Gegenteil (...) ist.* (IX,

389) Weil der Einheitspunkt, von dem her gesellschaftliche Entwicklungen als Fortschritt sich begreifen lassen, in der Zukunft als zu realisierender und in der Verwirklichung erst noch zu bestimmender liegt, hört der Fortschrittsbegriff auf, Signatur des Geschichtsverlaufs im ganzen und die oberste Legitimationsinstanz zu sein. Weder kann jede Entwicklung als sinnvoll, d. h. bezogen auf das in der Immanenz der Geschichte angelegte Ziel verstanden werden – es gibt durchaus *tote Rückschläge* (XIII, 119) –, noch erschöpft sich, was Moment des Fortschritts ist, in seiner Funktion. Das Eingedenken der Opfer (der bewußt erbrachten wie der bloß erlittenen) wird vom reflektierten Fortschrittsbegriff nicht dementiert und bleibt gerade geschichtsphilosophisch relevant. Dialektik, als welche der Fortschritt seiner unlösbaren Verknüpfung mit den Rückschritten und Opferungen wegen begriffen werden muß, legitimiert dieselben nicht, sondern bedarf selbst der Rechtfertigung. (XIV, 164f.) Sie bestünde erst in der Manifestation des im Augenblicksdunkel umschatteten Daß des Seins.[19]

Als *Identität von Existenz und Essenz* (V, 271), von Sein und Selbst, ist das utopische Eschaton bei Bloch ursprünglich und fundamental bestimmt. Im Hinblick auf die in Natur und Geschichte hervorgebrachte Gegenständlichkeit nimmt es den Sinn einer Identität von Subjekt und Objekt an. Indem Bloch die produzierende Subjektivität der Natur, die als Agens der Naturgestalten hypothetisch zu denken ist, mit dem menschlich erfahrbaren Daß des Seins als letzthin synonym behauptet (vgl. V, 786), vermag er philosophisch Natur- und Menschengeschichte als Einheit zu denken: die Faktizität des Seins ist zugleich thelisch, d. h. vorbewußt willenshaft, und liegt den menschlichen Produktionen, vermittelt über die bewußten Bedürfnisse des *umfänglichen Triebwesens* (52), zugrunde. *Der Kern des Geschehens lief* nach dem utopisch einheitlichen Begriff von Evolution *vom Atom zur Zelle, zum Wirtschaftssubjekt der primitiven Bedarfsdeckung, eine Reihe immer neuer menschlicher Produktionsherde läuft durch die Geschichte, sprengt die alten Produktionsformen, bildet besser angemessene* (X, 166). Die Gestalten der Natur wie der Geschichte, in denen der Prozeß sich faßt, gelten als *objektiv-reale Was-Modelle fürs Gesicht des im Dunkel von Unmittelbarkeit noch versteckten Daß, des Willens, des Intensiven* (XV, 155). Gegenüber dem Mißverständnis, welches die spekulative Homogenisierung von Natur- und Menschengeschichte nahe legen mag: deren Subjektivität verbürge das schließliche Gelingen von dieser, muß der strikt chiliastische Charakter der Blochschen Naturutopie hervorgehoben werden: *Und erst wenn das Subjekt der Geschichte: der arbeitende Mensch, sich als Hersteller der Geschichte erfaßt, folglich das Schicksal in der Geschichte aufgehoben hat, könnte er auch dem Produktionsherd in der Naturwelt nähertreten.* (V, 813) Diese Vermittlung wird gedacht als *Allianztechnik* (802), deren Idee an die Bloch eigene Konzeption des utopischen Eschaton nicht gebunden ist. Das zeigt Benjamins Hoffnung auf eine *Arbeit, die, weit entfernt, die Natur auszubeuten, von den Schöpfungen sie zu entbinden imstande ist, die als mögliche in ihrem Schoße schlummern* (These 11). Das Subjektive der Natur konzipiert Benjamin vor allem im Begriff der Aura, deren Erfahrung bedeute, ein Ding mit dem Vermögen zu belehnen, den Blick aufzuschlagen. (GS I, 646f.) In der Aura handele es sich um ein ›vergessenes Menschliches‹, *das nicht durch die Arbeit gestiftet wird* (1134). Vom entgegengesetzten Ausgangspunkt der betrachtenden Erfahrung, nicht der thelisch bewegten, berührt Benjamins Denken die extreme Hoffnung des Blochschen, nach der zu guter Letzt der Kern der Erde sich als identisch mit dem Kern der Menschen bekunden könnte. (V, 1550) Gleichwohl wird die Einheit von Natur und Geschichte bei Benjamin eher als Erlösungsbedürftigkeit begriffen, nicht als produzierende Erlösungsintention. In deren Zeichen begegnet Bloch dem *Bann der Anamnesis,* unter dem das wahre Sein als Ursprung, *Wesenheit eben nur als Ge-Wesenheit gedacht worden ist* (VIII, 485), auf dessen eigenem Felde. Ursprung ist das Ziel in dem Sinn, daß alles Seiende im Noch-Nicht der utopischen Identität real begründet ist. Das Daß, welches auf die Realisierung seines Wesens drängt, ist der Grund von allem, »Daß-Grund« oder »intensiver Ursprung«. (XIII, 221) Weil jedoch, *was nicht ursprünglich einig ist, nicht als einig gesetzt werden kann,*[20] muß *das noch nicht enthüllte Selbst (...) mit dem sehr objektiven Begriff des Wesens zusammen*(fallen), *des nicht nur in und für uns, sondern an uns für sich selber noch nicht enthüllten* (X, 157). Der im Prinzip gänzliche Mangel der Wasbestimmtheit läßt den Begriff des Wesens in sich zusammensinken. Ihm ist, wie immer dynamisch und kritisch er zu fassen wäre, die Differenz zur Unmittelbarkeit des Seins notwendig, ein Unterschied, der ohne das sich Durchhaltende von Formbestimmtheiten nicht gedacht werden kann. Die prinzipielle Negation der Anamnesis wirkt sich auf geschichtsphilosophischem Terrain nicht in gleich zerstörerischer Weise aus wie auf dem der allgemeinen Ontologie, weil Formbestimmtheiten, zentriert um den Begriff der Produktion, es schon abstecken. An den Stellen jedoch, wo die Konsequenzen des Prinzips die Möglichkeit von Kritik zu untergraben beginnen – wo etwa das Menschenwesen als *derart unabgeschlossen* erscheint, *daß wir nicht einmal wissen, ob wir Menschen sind* (XV, 173) – macht das relative Recht der Anamnesis sich geltend – als eines der Restitution.

V

Weder ist Utopie ohne ein restitutives Moment denkbar, noch Kritik ohne Formbestimmtheit. Deren Mangel erscheint bei Bloch in der Unvermitteltheit des utopischen Eschaton, des *Einschlags (...) des letzten Was ins erste Daß,* welcher *nicht in der Schließung eines Kreises* geschehe (XIII, 277). Indem der Einschlag, das Nunc stans, eben das *absolut Neue* sein werde, das Bloch *politisch-geschichtlich* abweist (XIV, 243), revoziert er die Unmittelbarkeit, in der Historisches *als*

Variation des Ziels (V, 177) zu diesem zunächst stehen konnte.[21] Es gehört zu dem Merkwürdigsten der Dialektik, die zwischen Bloch und Benjamin sich zuträgt, daß bei jenem, dem Prozeßdenker, die Utopie schließlich zur Transzendenz gerät, die auf das Historische keine Beziehung mehr hat, während sie bei Benjamin durch den Begriff der Geschichte bestimmt bleibt: Utopie ist die *echte historische Existenz*, deren Bild die ewige Lampe sei. *Sie ist das Bild der erlösten Menschheit – der Flamme, die am jüngsten Tage entzündet wird und ihre Nahrung an allem findet, was sich jemals unter Menschen begeben hat.* (GS I, 1239) Zufolge der dritten These fällt erst der erlösten Menschheit ihre Vergangenheit vollauf zu – in der Weise der Zitierbarkeit.

Geschichte zu zitieren war von Benjamin als die Aufgabe des wahrhaft gegenwärtigen Historikers und zugleich als Werk bildhaft praktischer Aktualisierung bestimmt worden. Die Jetztzeit, in der Theorie und Praxis sich gegen den Lauf der Geschichte stemmen, und die dadurch konstituiert wird, ist somit *Modell* der messianischen (These 18); in ihr sind Elemente, Splitter derselben eingesprengt (These A). Das Widergeschichtliche in der Geschichte sagt die Wahrheit über sie nicht allein negativ, indem sie den Schein herrschaftlicher Kontinuität angreift, sondern hat auch Teil am zukünftigen wahren Sein von Geschichte. Daß die Jetztzeit gedacht ist als Fragment, das in – unvorhersehbarer – Zitation in die utopische Totalität eingeht, wirkt der Gefahr einer Verselbständigung oder Überhöhung der Aktion, die Benjamins politischer Theorie inhärent ist, entgegen. Nicht schon der Bildraum der politischen Aktion, erst *die messianische Welt ist die Welt allseitiger und integraler Aktualität. Erst in ihr gibt es eine Universalgeschichte.* (...) *Sie setzt die Sprache voraus, in die jeder Text einer lebenden oder toten ungeschmälert zu übersetzen ist. Oder besser, sie ist diese Sprache selbst.* (GS I, 1239) Das Jetzt der Erkennbarkeit, in dem das historische Bild aufblitzt, ist, weil Geschichte als Text begriffen wird, die bestimmte Zeit seiner *Lesbarkeit* (GS V, 577). Der neuen, einmaligen Gestalt innezuwerden, die das Vergangene in der Konstellation annimmt, heißt zu lesen, was nie geschrieben wurde. (GS I, 1238) Löst nach Benjamin die monadische Form der Darstellung *den Schein geschlossener Faktizität* auf, *der an der philologischen Untersuchung haftet* – und somit an der historischen Methode als lesender –, wird *in der Monade* (...) *alles das lebendig, was als Textbefund in mythischer Starre lag* (GS I, 1104), so läßt sich daraus der von Benjamin gemeinte Schriftcharakter des Historischen erschließen: es ist in der Form seines gründlichen Vergangenseins – und nur dem rückwärts gewandten Blick verwandelt sich das Dasein in Schrift (GS II, 437) – zum Zeichen geronnen, fixiert wie die gesprochene Aussage in der geschriebenen. Obwohl die Schrift in theoretischen Zusammenhängen höher steht als das Schwankende der Rede, sind ihr doch wesentliche Dimensionen des Ausdrucks abgeschnitten. Ebenso bleibt von den Lebensäußerungen der Vergangenheit nur Fragmentiertes, sinnfällig als Ruine. (vgl. GS I, 353) Die Schrift der Geschichte ist diskontinuierlich, gleich den mit ihr im Übergang aus der Urgeschichte entstandenen Fixierungssystemen der gesprochenen Rede. (vgl. 209) Sie tragen, entwickelt für die Bedürfnisse von Verwaltung und Tausch, die Male der Herrschaft und des Rechts. Zwieschlächtig ist die Schrift der Geschichte darin, daß sie das Vergangene zwar bewahrt, es zugleich aber jenen gemäß feststellt. Weil noch die adäquate Darstellung an Erstarrung teilhaben muß, stellt Praxis eine höhere Form der Aktualisierung, der Belebung dar, während sie andererseits noch Stückwerk und auf Theorie und Schrift angewiesen bleibt. Als praktische Wirklichkeit aber ist die geschichtliche Existenz der erlösten Menschheit vorgestellt: *Jeder ihrer gelebten Augenblicke wird zu einer citation a l'ordre du jour* (These 3). Die Sprache dieser erfüllten Geschichte ist nicht die naturgeschichtlich allegorische, als die Historisches gelesen werden muß. Geschichte in ihrer Vollendung ist die universale Sprache *nicht als geschriebene sondern vielmehr als die festlich begangene* (GS I, 1239).[22]

Durch ihre sprachphilosophische Konzeption ist die Geschichtsutopie Benjamins fundamental mit der einer versöhnten Natur verbunden. In den frühen Überlegungen zur Sprache[23] war die universale metahistorisch gefaßt als adamitische oder paradiesische, deren Restitution dem Messias oblag. Adam sprach benennend und im Namen sprach er das Wesen der Dinge nach der Weise aus, in der sie sich ihm mitteilten. (GS II, 150, 157) Namensprache kommuniziert nicht über Natur äußerlich, sondern expliziert das Wesen des Menschen, des Erkennenden. (vgl. 144, 149) Das Sein aber der Natur gilt als stumme Sprache, Namengebung sodann als Übersetzung einer niederen in eine vollkommenere (151), von der sich in historischer Zeit Residuen in den Künsten erhalten haben (156). Residual paradiesisch ist auch die philosophische Darstellung des Historischen, das als Ursprungsphänomen in die der Idee eingeht, welche ihrerseits gegeben sei in einem *Urvernehmen* (GS I, 216, 226). Philosophischer Idealismus, welcher das Sein der Ideen behauptet, und Anamnesis sind ineinander fundiert und besitzen beim frühen Benjamin ihren Fluchtpunkt in einem affirmativen Begriff göttlicher Offenbarung. (vgl. GS II, 146f.; I, 935) Er wird in den Skizzen zur »Geschichte des mimetischen Vermögens« (GS II, 207) nicht mehr in Anspruch genommen.[24] In ihnen sieht Benjamin die historischen Sprachen begründet nicht theologisch im Sündenfall, in dem Adam fragend und beurteilend der Schöpfung gegenüber trat, sondern in Mimesis als dem Vermögen, Ähnlichkeiten oder Entsprechungen wahrzunehmen und zu erzeugen. Beides ist an den Augenblick gebunden (213), und noch die Erfahrung der historischen Konstellation scheint sich einer Sublimierung des mimetischen Vermögens zu verdanken.[25] Jedenfalls stünden die lebenden Sprachen auf der *höchsten Stufe des mimetischen Verhaltens* und am Ende einer Entwicklung, die von Benjamin als Liquidation der Magie charakterisiert wird (213). Magisch war die mimetische Praxis unter dem *ehemals gewaltigen Zwang, ähnlich zu werden und sich zu verhalten* (210). In den Sprachen ist Magie überwunden durch unsinnliche Ähnlichkeit, wie sie zwischen Schrift bzw. Wort und Bedeutetem, aber auch zwischen den gleichbedeutenden Worten verschiedener Sprachen bestehe. Unsinnlich ist die Ähnlichkeit als vermittelte, wobei die Vermittlung sinnlich und geistig in einem ist, jenes zufolge der Lehre, daß Lautsprache als Ausdruck sich mimetischen Gesten des Sprechapparats verdanke (GS III, 476ff.), dieses kraft der Allgemeinheit, die dem Wort als Darstellungsfunktion zukommen muß. Indem sich in Sprache das Wesen der Dinge darstellt, begegnen sie sich sinnlich-unsinnlich *in ihren Essenzen, flüchtigsten und feinsten Substanzen* (GS II, 209). Unter Berücksichtigung der Kritik, die Benjamin am Reduktionismus der Kommunikation in der modernen Sprachwirklichkeit übt, erweist sich die Geschichte der Mimesis als Teil einer dialektischen Theorie des Fortschritts. Dessen dominierend Negatives – im Hinblick auf die äußere Natur die Zerstörung der Einheit, die vormodern noch bestehen konnte – wäre in der emanzipierten Sprache aufzuheben.[26]

Obgleich Benjamins spätere Utopie nicht mehr von idealistischer Anamnesis geprägt ist und im Moment der befreienden Produktion den Gedanken enthält, Natur bedürfe der Vollendung durch die Menschen, bleibt die Basis spekulativ im Konzept objektiver Sprache. Die der Natur *ist einer geheimen Losung zu vergleichen, die jeder Posten dem nächsten in seiner eigenen Sprache weitergibt, der Inhalt der Losung aber ist die Sprache des Postens selbst,* in welcher er auf seine Weise alles andere mit anspricht (GS I, 157, 145).[27] Mit der Frage nach dem Realgrund dieses Zusammenhangs und seiner möglichen Erkenntnis führen die metaphysischen Überlegungen freilich wieder in Bereiche, welche die affirmative Theologie besetzt hielt. Daran erweist sich das sachliche Gewicht von Blochs Versuch einer materialistischen Spekulation zum Ursprung des Seienden. Weil ihn diese Problematik in Anspruch nahm, könnte Bloch die Notwendigkeit des Moments von Restitution und Anamnesis in der utopischen Philosophie entgangen sein. Tatsächlich opponiert noch sein Begriff historischer Erinnerung jenen Momenten und die Ablehnung alles Restitutiven im Zielbegriff bis auf die Wiederholung, welche Identität darstellen würde (V, 233f.), verdankt sich konsequent der prinzipiellen Stellung, die das Motiv eben der Identität als einer von Sein und Selbst einnimmt; konsequent, weil die Leere dieser Identität eine Vermittlung mit den immanenten Widersprüchen als unmöglich erscheinen lassen muß. Noch die Fassung der Identitätsutopie im Verhältnis von Subjekt und Objekt bleibt von der ursprünglichen, welche an eine existentialistische Problematik gemahnt, bestimmt, etwa in der Formulierung einer *Identität des Identischen und des Nichtidentischen* (V, 213). Bloch hat den idealistischen Charakter dieser Formel natürlich gekannt und dagegen sich verwahrt, daß, wie am Ende der Hegelschen »Phänomenologie«, an dem des Experimentum Mundi die Gegenständlichkeit als solche aufgehoben sein soll. Indem er die Utopie darein setzt, das Auswendige könne wie das Inwendige, dieses wie das

Auswendige werden (Erg. B. 388), berührt sein Denken das Mimetische der Benjaminschen Utopie, dem es im Ansatz widerstreitet.[28]

VI

Wie das Verhältnis von Sprach- und Identitätsutopie zeigt, schließen sich die gegensätzlichen Konzepte Blochs und Benjamins nicht bloß aus, sondern enthalten auch Momente der jeweils anderen. Noch der Gegensatz zeugt somit von der beträchtlichen Nähe beider Denker. Entgegen standen sich im praktischen Fortschrittsbegriff eine strategische und eine situationistische Programmatik; im theoretisch-objektiven der Versuch, Entwicklung zu annihilieren und das Bemühen – in chiliastischer Perspektive – einen dialektisch-offenen Entwicklungsbegriff zu umreißen. Während in Entsprechung zur politisch-praktischen Opposition, auch das produktive Schema des Eingedenkens als Verwirklichung gültiger Intentionen mit der Rettung des historischen Bildes nicht ganz kompatibel zu sein scheint, könnten sich Blochs Theorem der Gestalt und das Benjaminsche der Entfaltung ergänzen. Notwendig aufeinander verwiesen scheinen der Fortschrittsbegriff und die Kritik moderner Bewußtseinsformen des Historischen: zwar ist, was den entscheidenden Fortschritt heute behindert, schwerlich das Vertrauen in seinen Automatismus, eher eine mannigfach sich verkleidende Gewißheit des Posthistoire; diese aber setzt voraus, daß der Begriff der Geschichte von dem der Entwicklung umfaßt werden könnte. Sie ist Version des von Benjamin denunzierten Scheins substantieller Kontinuität und fusioniert die zwei – als komplementär erkannten (GS V, 178) – Formen: das Immer-weiter des Fortschritts und das Immer-wieder des Kreislaufs. Posthistoire wäre eine Spirale von Zirkulation, sich erweiternder Kreislauf wie das Kapital, jedoch ohne dessen Schranken.[29] Wo der Sinn der objektiven Entwicklung nur mehr erfüllt werden könnte, wenn die entfalteten Produktivkräfte von den kooperierenden Individuen angeeignet werden, reduziert sich die gängige auf Technik (vgl. V, 1055 f.), Ausdehnung der Naturbeherrschung und Management der Krisen; ergänzt allerdings um den Versuch, die basalen Verhältnisse in den Kernländern des westlichen Industrialismus gründlich zu universalisieren. *Somit hat es eine Geschichte gegeben, aber es gibt keine mehr.*[30] Daß er diesem Schein, in dessen Schutz die unheilschwangeren Ziele verfolgt werden, mit einem offenen, qualitativen Fortschrittsbegriff begegnet, dürfte die Aktualität von Blochs Begriff der Geschichte begründen.

*Die nachstehenden Überlegungen entstammen einem weit umfangreicheren Manuskript. Hier mußten entfallen: einige Aspekte des Geschichtsbegriffs, in der Regel Differenzen zwischen den Früh- und den Spätwerken, Brief- und anekdotische Quellen und leider auch eine Berücksichtigung der Sekundärliteratur. – Auf die in der jeweiligen Werksammlung vorliegenden Schriften von Bloch und Benjamin ist im Text in Klammern verwiesen, römische Ziffern kennzeichnen die Bandnummern, arabische die Seite. Bloch wird zitiert nach der Gesamtausgabe, Frankfurt/M. 1959ff., Benjamin nach: »Gesammelte Schriften«, (GS), unter Mitwirkung von Theodor W. Adorno und Gershom Scholem hg. von Rolf Tiedemann und Hermann Schweppenhäuser, Frankfurt/M. 1972ff. Bei fortlaufender Zitation aus einem Band wird von der zweiten an auf die römische Ziffer verzichtet. Benjamins »Über den Begriff der Geschichte« (GS I, 691-704) wird ausgewiesen durch »These« und arabische Ziffer.

1 Das Moment der Unwillkürlichkeit darf also nicht verabsolutiert werden, denn in der Geschichte der Kollektive *(verlieren) willkürliches und unwillkürliches Eingedenken* (...) *ihre gegenseitige Ausschließlichkeit* (GS I, 611). *Zum Bilde der ›Rettung‹ gehört der feste, scheinbar brutale Zugriff* (667). — **2** Die prägnanteste Formulierung zur materialistischen Theorie von Vor- und Nachgeschichte findet sich in dem Essay über Eduard Fuchs: GS II, 467. — **3** Vgl. XIII, 282 – Das Spezifische des Blochschen Geschichtsbewußtseins wäre eher mit diesem Begriff des produktiven Eingedenkens getroffen als mit dem Ausdruck ›Erbe‹, der von Haus aus einen verdinglichenden Beiklang besitzt. — **4** Benjamins Unterscheidung von Gegenwart und Jetztzeit (GS V, 576f.) steht in Analogie zu der Blochs von Präsens und Präsenz (XV, 88f.). — **5** Vgl. Marx, Das Kapital Bd. 1, Marx/Engels Werke, Berlin 1956ff. (MEW 23), 89 sowie Bd. 3, MEW 25, 839, 887. — **6** In das von Benjamin veranlaßte Konzept der Naturgeschichte wird der historisch-materialistische Gesetzesbegriff erst von Adorno eingebracht. Vgl. »Negative Dialektik«, Frankfurt/M. 1970, 345ff. — **7** Für Bloch stehen Mythen durch ihre Archetypen in Beziehung zum Utopischen. Sie sind *situationshafte Verdichtungskategorien* (V, 184), die *aus der Zeit eines mythischen Bewußtseins gegebenenfalls mit nichtmythischem Überschuß übriggeblieben sind* (181). Kraft dieses Überschusses wandern sie durch die Geschichte. Jedoch *sind nicht alle Archetypen archaischen Ursprungs, manche tauchen ob origine erst im Verlauf der Geschichte auf, so der Tanz auf den Trümmern der Bastille* (186). Die utopische Bedeutung der Archetypen ist dem Mythischen zu entreißen (188), wie es deutlich etwa in Mozarts Zauberflöte geschehe. — **8** Komplementär zu Benjamins Begriff der Entfaltung heißt es im übrigen bei Bloch von den bedeutenden Werken: (...) *sie sind selber in einem spezifischen, noch lange nicht eingeholten Fortschreiten begriffen, mit immer neu sich erschließenden Seiten ihres Gehalts* (XIII, 122). — **9** Auf die Vermittlung zur Archaisierung des Historischen und zum Bewußtsein des Modernen kann ich hier nicht eingehen. — **10** *Kontinuität ist* (...) *das charakteristische Merkmal der kapitalistischen Produktion und durch ihre technische Grundlage bedingt, wenn auch nicht immer unbedingt erreichbar.* Denn: *Der Kreislaufprozeß des Kapitals ist beständige Unterbrechung, Verlassen eines Stadiums, Eintritt in das nächste* (Marx, »Das Kapital«, Bd. 2, MEW 24, 106). Darin besteht die Möglichkeit der Krisen. In ihnen zeigt sich, daß der stete Zwang zur Arbeit mit der Kontinuität der zunehmend automatisierten Produktion nicht übereinkommt. — **11** Nach Bloch enthält die Tendenz – im Sinne eines Richtungsakts – das Neue auch: als *latenten Zielinhalt* (V, 878). Im Horizont der Praxis bestimmt sich die Unterscheidung von Form und Inhalt zu der von (epistemologischem) Erkenntnis- und (ontologischem) Realobjekt. Dieselbe, an sich sinnvoll, ermöglicht es, daß Bloch im Zuge der Abwehr geschichtsdeterministischer Erwartungen einmal der Versuchung unterliegt, Tendenz und Gesetz als Gegensätze auszugeben. (XV, 146) Damit drohen Natur als das sich Wiederholende und Geschichte als Sphäre der Einmaligkeit und Spontaneität dualistisch auseinanderzufallen. In anderen Äußerungen aber weist Bloch darauf hin, daß in Natur das sich Wiederholende nicht restlos fixiert sei, während in Geschichte durchaus ein *Gesetzestext* – mit *überwiegend umqualifizierendem Charakter* – erkannt werden könne (X, 564). — **12** Vgl. Marx, »Das Kapital«, Bd. 3, a.a.O., 221 ff. — **13** Vgl. ders., »Grundrisse der Kritik der politischen Ökonomie«, Moskau 1939/41 (Reprint Frankfurt/Wien o. J.) 313, 438 passim. — **14** Vgl. Marx, »Theorien über den Mehrwert«, MEW 26. 1., 257. — **15** *In der Art der Lebenstätigkeit liegt der ganze Charakter einer Spezies, ihr Gattungscharakter, und die freie bewußte Tätigkeit ist der Gattungscharakter des Menschen* (Marx, »Ökonomisch-Philosophische Manuskripte«, MEW Erg.-Bd. 1, 516). — **16** Ebd. — **17** Ders./F. Engels, »Die deutsche Ideologie«, MEW 3, 60. — **18** Ders., MEW Erg. Bd. 1, 573. — **19** Bloch wendet sich also nicht nur gegen Blauäugigkeit, wenn er darauf besteht, daß *Auschwitz und Majdanek, in jedem Betracht, als metaphysische Kategorien,* (...) *nicht vergessen werden* (können) (»Attraktion und Nachwirkung Schopenhauers«, in: »Abschied von der Utopie?«, Vorträge, hg. von H. Gekle, Frankfurt/M. 1980, 11–39, 19). — **20** Hegel, Werkausgabe, Frankfurt/M. 1969ff., Bd. 16, 75. — **21** Dabei handelt es sich keineswegs nur um die ›großen Werke‹, sondern auch um die Konterbande des

Hohlraums. Das »Lied der Seeräuberjenny« kommentiert Bloch fast Benjaminisch: *Die Substanz erscheint als Dreck, im Abwaschzuber und in dem, was die denkt, die davor steht* (IX, 396). — **22** Vgl. Bloch, »Gesprochene und geschriebene Syntax; das Anakoluth«, IX, 560ff. — **23** Sie sind niedergelegt v. a. in: »Über die Sprache überhaupt und über die Sprache des Menschen« (GS II, 140–157), in der Einleitung zu den Baudelaire-Übertragungen: »Die Aufgabe des Übersetzers« (GS IV, 9–21) und in der »erkenntniskritischen Vorrede« zum Trauerspielbuch (GS I, 207ff.). — **24** GS II, 204–210: »Lehre vom Ähnlichen«; 210–213: »Über das mimetische Vermögen«. — **25** Entsprechend notiert Bloch für die ›Konkordanz‹ des historischen Augenblicks ein *zuweilen Gesichter Tauschendes* (IX, 153). — **26** Vgl. zur Fortführung von Benjamins Sprachtheorie M. Horkheimer, »Zur Kritik der instrumentellen Vernunft«, Frankfurt/M. 1967, v. a. Kapitel 5. — **27** Diese stoffliche Gemeinschaft der Mitteilung, die *weiße Magie der Materie* (GS I, 147) findet ihre Erläuterung in Adornos Begriff einer ›Kohärenz des Nichtidentischen‹. Vgl. »Negative Dialektik«, a.a.O., 34, 110. — **28** Anklänge der Sprachutopie gibt es auch bei Bloch. Vgl. IX, 216ff. — **29** Vgl. Marx, »Grundrisse«, a.a.O., 632. — **30** Marx, »Das Elend der Philosophie«, MEW 4, 139.

Virginio Marzocchi

Utopie als ›Novum‹ und ›letzte Wiederholung‹ bei Ernst Bloch

Obwohl es möglich wäre, das Werk Ernst Blochs aus einer anderen Perspektive (wie der der Materie, der Utopie, des Zeitbegriffs, der Religionskritik) zu erschließen, so scheinen uns doch Überlegungen besonders bedeutsam hinsichtlich der Rolle und der Identifizierung des Subjekts, dem die Aufgabe zukommt, die Utopie zu verwirklichen. Das Bemühen um die Funktion und um die Beschaffenheit der Subjektivität, die eine bessere Welt hervorzubringen hat, erscheint uns als eine Konstante, die verschiedene Entwicklungen im Laufe der Entfaltung des Blochschen Denkens erfahren hat und deshalb dessen Periodisierung erlaubt.

Seit der ersten im Jahre 1918 erschienenen Ausgabe von »Geist der Utopie« hat man Bloch häufig eine ungebrochene Treue zu sich selbst zugeschrieben, die wir nicht in Zweifel ziehen wollen, zumal man davon ausgehen kann, daß ein Gleichbleiben der eigenen Absichten (die im Falle Blochs im Wiederaufnehmen und Verteidigen der Utopie bestehen) eine Veränderung der theoretischen und praktischen Mittel für ihre Entfaltung und Ausführung nicht verbietet. Somit wäre es u. E. verfehlt, ein ganz und gar einheitliches Bild von Bloch malen zu wollen, indem man einige Themen aus seinen frühen Schriften verallgemeinert, um diese im späteren Werk wiederentdecken zu wollen, ohne im klaren darüber zu sein, daß die Gedankenkoordinaten, die die Konsistenz dieser Schriften ausmachen, sich tiefgreifend gewandelt haben.[1] Andererseits verwahrt sich Bloch selber gegen ein solches Vorgehen, und zwar dort, wo er die jugendliche Schaffensperiode bis zum »Thomas Münzer« als *revolutionäre Romantik*[2] bezeichnet. Uns scheint es, daß die Kurskorrektur gerade am Problem der Subjektivität gut sichtbar gemacht werden kann.

1. Es erscheint sinnvoll, zunächst die Bedeutung von »Geist der Utopie« hervorzuheben, einem während des ersten Weltkrieges in der Schweiz verfaßten Jugendwerk, in welchem sich auch oft magmatischerweise Momente finden lassen, die später weiter, aber auch verschiedenartig, entwickelt worden sind – dies vor allem, um der Meinung entgegenzutreten, daß das Blochsche Werk den Versuch darstelle, eine Antwort auf die Enttäuschungen der von der russischen Revolution des Jahres 1917 erweckten und von dem Scheitern der

revolutionären Bewegungen in West-Europa erschütterten Hoffnungen zu geben, indem sich solche Hoffnungen entweder an zu anspruchsvolle und deshalb fernliegende Zukunftsaussichten oder an eine ewige gegen jede geschichtliche Niederlage abgesicherte Dimension des menschlichen Daseins (nämlich das Prinzip Hoffnung) angeschlossen hätten. »Geist der Utopie« zeigt demgegenüber schon wegen seiner frühen Entstehungszeit, daß die Blochsche Aufwertung der Utopie vor jener Enttäuschung entstanden ist, die die Bildung und weitere Entwicklung der Weimarer Republik mit sich brachten, und daß sie sich mit jener – um die Worte von Lukács zu benutzen[3] – in der Wirklichkeit selbst von der russischen Revolution eröffneten Zukunftsperspektive bloß trifft. Um uns davon zu überzeugen, daß es sich um eine bloße Begegnung handelt, genügen einige Seiten von »Geist der Utopie«, die zeigen, wie die russische Wirklichkeit, anstatt in ihrer Besonderheit und Konkretheit begriffen zu werden, im Rahmen einer allgemeinen Interpretation des Volksgeistes und insbesondere innerhalb einer weitläufigen Gegenüberstellung der westlichen mit der östlichen Weltanschauung zusammengefaßt wird, so daß der Autor zu folgenden Schlußfolgerungen kommt: (...), *es gibt keinen Zweifel daran, daß durch die tausendfachen Energien, durch die äonenweite Optik einer neuen Proklamation das Judentum mit dem Deutschtum nochmals ein Letztes, Gotisches, Barockes zu bedeuten hat, um solchergestalt mit Rußland vereint, diesem dritten Rezipienten des Wartens, des Gottesgebärertums und Messianismus – die absolute Zeit zu bereiten.*[4]

Blochs Wiederaufgreifen der Utopie, das von weiter her kommt und nicht – wenigstens in seiner ersten Ausformung – mit einem bestimmten gesellschaftlichen oder politischen Ereignis in unmittelbare Verbindung zu bringen ist, erweist sich eher als extremer und auf weite Strecken voluntaristischer Versuch, einen Ausweg in einer Welt zu entdecken, deren einziges echtes Produkt die große Kriegsmaschine (der Bloch etliche Seiten widmet) zu sein scheint, und eine Alternative zu entwickeln angesichts einer (bei ihren bedeutendsten Vertretern ausführlich von Bloch analysierten) philosophischen Kultur, die implizit ihr Scheitern schon durch den Relativismus, mit dem sie endet, zugibt und sich als unfähig zeigt, sowohl von Grund auf die Negativität der gegenwärtigen Situation zu erfassen als auch neue Werte aufzustellen, ganz zu schweigen von dem zu ihrer Verwirklichung unerläßlichen Impuls: *Wir haben das Band verloren, furchtbarer als es Scheler und den anderen sich schickenden Lebemännern hinter Bergson jemals zu Bewußtsein kam, und nur mitten durch die besserwissenwollenden, revolutionär, utopisch organisatorischen Energien hindurch ist der Anschluß wieder zu fassen. Es nützt nichts, sich so zu verstellen, gönnend, liebreich partout, betrachterisch vornehm, mit Demut, Ehrfurcht und der Gebärde einer phänomenologischen Gottesruhe, als ob alles noch so wäre wie einst.* (...)[5] Keineswegs fehlen in »Geist der Utopie« interessante Analysen des Kriegs, des Rechts und des Staats – auch nicht solche von historisch-materialistischem Charakter. Sie sind aber so angelegt, daß sie nur dazu dienen, die radikale Negativität der Gegenwart hervorzuheben, so daß Bloch jenseits von ihnen ansetzen muß, um sichere Bezugspunkte für die Utopie im ›Zeitalter der Gottesferne‹ auf ›heroisch-atheistischen‹ Wegen zu entdecken und zu entwerfen. Da er sich damit einer Lösung nähert, die sich nicht als Überwindung von Widersprüchen, sondern als Rettung darstellt, nimmt die Utopie den Charakter eines ›ethischen Messianismus‹ an und das ihr entsprechende System läßt sich als eine ›Metaphysik der Innerlichkeit‹ definieren.

Das Blochsche Programm in diesem ersten Stadium kann so skizziert werden: es geht im Grunde darum, aus Ethik und Metaphysik (die zusammen die letzte Sphäre des Systems ausmachen) eine Synthese zu bilden, in demdem Ich ein grundlegender Vorrang eingeräumt wird, insofern als hier das Ich sowohl die treibende Kraft für das theoretische Unternehmen als auch in Form einer ›hüllenlosen Selbstbegegnung‹ dessen Ziel darstellt. Wenn erst einmal die Seele sich selbst gefunden hat, nachdem sie die äußere Wirklichkeit entsprechend der Bedeutung, die ihr im Bezug auf sie zukommt, neu geordnet hat, d. h. nachdem sie sich in den Entelechien der verschiedenen Sphären wiedergefunden hat, und, indem sie so das ›Dunkel des gerade gelebten Augenblicks‹ überwunden hat, das sie daran hindert, sich zu fassen, wird die Seele aus sich selbst das Apriori einer neuen gemeinschaftlichen Moral entwickeln können, deren materielle Basis im Kommunismus besteht, deren Werte und Ziele aber in den bis dahin nicht realisierten und noch unbewußten Erfordernissen der Seele selbst verwurzelt werden sollten.

In diesem Programm kündigt sich ein für das Blochsche Denken typischer Zug an, der das ganz spätere Werk durchzieht, nämlich die Intention, die revolutionären Gedanken eines Marx zu vertiefen und zu radikalisieren, um im Gegensatz zur geläufigen sozialdemokratischen ›Vulgata‹ Sozialrevolution und individuelle Befreiung, politische Dimension und Moral, Verwirklichung des Kommunismus und Erreichen der menschlichen Heimat miteinander zu verbinden: ein Zug, der imstande ist, die bleibende Aktualität des Blochschen Frühwerks – wenn auch vielleicht nicht auf der Ebene der vorgeschlagenen Lösungen, so doch auf der der Absichten – zu rechtfertigen. In »Geist der Utopie« aber stellt sich ein solcher Versuch als eine auf Marx äußerlich aufgesetzte Ergänzung dar, insofern, als Marx eher als Kritiker der bürgerlichen Ökonomie und des ideologischen Überbaus als als Philosoph verstanden wird. So daß Bloch sich, was das Philosophische angeht, nämlich für den Aufbau des angekündigten ›Systems des theoretischen Messianismus‹ (dem die Aufgabe zugeschrieben wird, der Seele die Selbstbegegnung durch die Überwindung des Dunkels des gerade gelebten Augenblicks zu ermöglichen) auf die Tradition des deutschen Idealismus mit seinen bedeutendsten Vertretern Kant und Hegel beruft, wobei er sie durch die Einführung eines ihm eigenen

Elements, nämlich des utopisch-messianischen korrigiert. Darin liegt die Originalität Blochs, aber eine – gegenüber der später sichtbar werdenden – recht begrenzte. Als Angelpunkt eines solchen Messianismus erweist sich in der Tat die Seele (für die der objektive Idealismus Hegels als Führer bei der Reise durch die Welt auf der Suche nach den Entelechien des Seins und der subjektive Idealismus Kants als Meister in der apriorischen Logik der ethischen Postulate fungieren sollten): nämlich einer der metaphysischsten unter den klassischen Begriffen der Philosophie. Und daß Bloch zu einer neoplatonischen und gnostischen Metaphysik neigt, die oft gemeinsames Erbgut sowohl der jüdischen als auch christlichen Mystik war, dafür spricht die Bejahung der Lehre von der Seelenwanderung und vor allem die zu ihrer Verteidigung angeführten Argumente, die sich auf ein Bild der Seele als Gefangene materieller Körperlichkeit stützt. Wenn auch eine solche Lehre ausschließlich zur Lösung des Problems des individuellen Todes herangezogen wird, offenbart sie doch die Absicht, die den gesamten »Geist der Utopie« durchzieht: nämlich die Verteidigung eines unzerstörbaren und ursprünglichen Kraftpunkts, der jenseits der Geschichte liegt und der das, was Bloch den ›kosmischen Selbsterkenntnisprozeß‹ nennt, in Bewegung setzen sollte, bis dieser *die noch nicht erfundene Weltidee erreicht*[6]. Was unweigerlich dazu führt, die Seele als etwas – wenn auch auf einer tieferen Realitätsebene – Vorgegebenes anzusehen, als ein metaphysisch Gesichertes, wie ein Licht, das, obwohl es schwer wahrnehmbar und getrübt von der Unmittelbarkeit des gerade gelebten Augenblicks ist, doch weiter aufblitzt (fast wie ein Feuer unter der Asche) und mit welchem es allein gelingen wird, die Welt zu erleuchten und sie gleichzeitig anzuzünden. Folglich nimmt sich Bloch vor, in der Tiefe des Subjekts verborgene Impulse wahrnehmbar zu machen und zu befreien, die aber schon jetzt, wenn auch getrennt und daher synthesenbedürftig, im philosophischen Geist Deutschlands, dem mystischen Rußlands und dem messianischen des Judentums auffindbar sind, ebenso wie sie in der gotischen und barocken bildenden Kunst, in Musik und Religion aufgespürt werden können und daher in anderen Existenzsphären nutzbar gemacht werden müssen: in der Musik insofern, als sich hier das Subjekt in einem von ihm nicht als äußerlich wahrgenommenen Medium seiner bewußt wird, sich ausdrückt und auswendig wird; in der Religion insofern, als hier die Seele das Versprechen erhält, im Endstadium der Apokalypse unmittelbar, d. h. ohne Hilfe der Äußerlichkeit, mit anderen Seelen in Gemeinschaft zu treten.

Um zusammenzufassen: es scheint uns, daß sich »Geist der Utopie« um das Problem der Bewußtwerdung des Subjekts dreht, oder besser gesagt einer Seele, die sich noch nicht ausgedrückt hat und sich nur dunkel ihrer selbst bewußt ist, die aber in ihrem Wesen (wenn es auch bloß vorausgeahnt bleibt) schon gegeben und gebildet ist. Dementsprechend geht es um das der Utopie anvertraute Problem, wie ein solches Subjekt sich äußern, d. h. eine Wirklichkeit außerhalb von sich selbst setzen kann, die adäquater Ausdruck zu sein hat, ohne Entfremdung zu enthalten. Worum sich Bloch in seinem Frühwerk bemüht, besteht in der Belichtung des utopischen Subjekts, nicht in dem Prozeß seines Aufbaus.

2. Wenn wir uns jetzt dem Werk zuwenden, das u. E. die reife Schaffensperiode des Autors eröffnet, nämlich »Erbschaft dieser Zeit«,[7] und insbesondere dem darin enthaltenen Essay »Ungleichzeitigkeit und Pflicht zu ihrer Dialektik«, so finden wir, daß die zumal starke Hervorhebung des subjektiven Faktors sich eines solchen Begriffsinstrumentariums bedient, das in entschiedener Weise von der Originalität des Autors geprägt ist und sich von jenem deutlich unterscheidet, das vom deutschen klassischen Idealismus und der Mystik überliefert ist. Der erste Wandel, der einem auffällt, besteht darin, daß Bloch sich jetzt von Begriffen wie Ich, Selbst, Seele befreit, um gesellschaftlich und geschichtlich bestimmte Subjekte als Erzeuger und mögliche Verwirklicher der Utopie aufzufinden. Wie er später noch klarer schreiben wird: *Indes real, nicht bloß im Kopf, auch völlig frei von heillos idealistischer Aufgeblähtheit, wurde ein subjektiver Faktor erst sozialistisch erfaßt, nämlich als proletarisches Klassenbewußtsein.*[8] Indessen taucht schon in »Erbschaft dieser Zeit« *der entäußerte Mensch oder Proletarier* als Träger der Utopie auf, als Angelpunkt des möglichen ›*Dreibund(s)*‹ *des Proletariats mit den verelendeten Bauern und dem verelendeten Mittelstand, unter proletarischer Hegemonie.*[9] Auf diese Weise verliert der subjektive Faktor nicht nur seinen idealistischen Charakter als Seele, sondern zugleich die Eigenschaft eines metaphysisch gesicherten und vorgegebenen Elements, indem er sich in ein mögliches, erst hervorzubringendes Ergebnis umwandelt.

Das Problem, an das Bloch jetzt herangeht und das die späteren Schriften zu vertiefen trachten, ist nicht mehr das der ›Selbstbegegnung‹, d. h. das einer Enthüllung des Subjekts vor sich selbst und seines nicht entfremdeten Ausdrucks, sondern das Problem des Aufbaus des utopisch-revolutionären Subjekts innerhalb der kapitalistischen Gesellschaft. Um es kurz zu sagen, das Thema der Selbstbegegnung wandelt sich in das der ›Realisierung des Realisierenden‹, des ›X-Menschen‹, der eine unbekannte Größe darstellt, die nicht nur noch nicht bekannt ist, sondern deren bisher im Laufe der Geschichte experimentell versuchte Hervorbringung durch die utopische Praxis durchgeführt werden muß.

Besonders interessant ist die Tatsache, daß sich diese Denkperspektive bei Bloch gleichzeitig mit seiner Befürwortung einer Volksfrontpolitik ankündigt. Wir sind in der Tat der Meinung, daß ein solcher politischer Entwurf, der als Lösung auf die Niederlage der Arbeiterbewegung durch den Nationalsozialismus gedacht ist, eng mit der neuen Konkretisierung verbunden ist, die die Utopie und ihr Subjekt annehmen. Das Niederschlagen der Novemberrevolution, das langsame Dahinsiechen der Weimarer Republik und schließlich Hitlers Machtergreifung konfrontieren Bloch mit geschichtlichen Ereignissen ganz anderer Art als der Katastrophe des ersten Weltkrieges, der wenigstens im ersten Augenblick alle Gesellschaftsschichten und gleichzeitig alle Gruppierungen der Intelligenz (mit Ausnahme kleiner Minderheiten) in die Kriegsbegeisterung zu ziehen schien. Die darauffolgende Zeit läßt entgegengesetzte Fronten im Inneren Deutschlands entstehen: insbesondere ein Teil des Proletariats, der sich von dem auf Integration zielenden Reformismus der SPD losgelöst hatte, gewann in der Folge des Sieges der russischen Revolution das Bewußtsein einer radikalen Alterität zum politischen und gesellschaftlichen Rahmen des damaligen Deutschlands. Es ist u. E. das Auffinden einer solchen Alterität, das Bloch an die Seite der Arbeiterbewegung kommunistischer Prägung treibt, welche sich jedoch unfähig erweist, die Revolution in Deutschland zum Sieg zu führen, ja sogar eine Niederlage ohnegleichen erlebt, so daß sich die Frage aufzwingt, wie ein solches nur potentiell revolutionäres Proletariat unter den gegebenen deutschen Bedingungen faktisch und aktiv revolutionär werden konnte. Die Utopie, die sich beim Nachdenken über die Gründe eines solchen Scheiterns konkretisiert – wie es die Essays in »Erbschaft dieser Zeit« zeigen – wird somit Bloch als unabdingbares Instrument für das Herbeiführen einer proletarischen Hegemonie auf der kulturellen und sozialen Ebene erscheinen: eine Hegemonie, die den notwendigen Gegenzug für den Sieg über den Faschismus darstellt und daher eine sozialistische Gesellschaft, die auf das Ziel der Humanisierung der Natur und der Naturalisierung des Menschen angelegt ist, anbahnen könnte. Es wäre daher verkehrt, in der Utopie den Rückzug Blochs aus allen im Verlauf seines Lebens angehäuften Enttäuschungen in eine ferne Zukunft zu sehen, die als Quelle unerschöpflicher Hoffnung diente, insofern, als die Utopie schon ab hier und jetzt eine Funktion als Organisatorin und Vermittlerin zwischen den Impulsen, Bestrebungen, Gedanken und Kräften auszuüben hat, die mit der kapitalistischen Gegenwart und später auch mit der ›Corruptio‹ des Sozialismus in Ost-Europa unversöhnlich bleiben.

Man kann aus »Erbschaft dieser Zeit« deutlich entnehmen, daß das Proletariat als solches keineswegs mit dem utopischen Subjekt identisch ist, sondern nur den Angelpunkt einer Allianz, ja sogar einer nur möglichen Allianz bildet. Die Art und Weise, in der Kritik am Verhalten der Linken gegenüber einem heraufziehenden Nationalsozialismus geübt wird, offenbart, daß Bloch deren Unzulänglichkeit weniger darin sieht, daß es ihr nicht gelungen ist, ein angemessenes Klassenbewußtsein im Proletariat zu erwecken, als eher in einer unzureichenden Hegemoniefähigkeit, in ihrem Unvermögen, die antagonistischen Interessen des Proletariats mit den antikapitalistischen Tendenzen zu verbinden, die bei Bauern und Mittelstand von den in der deutschen Gesellschaft noch vorhandenen Resten einer nicht verarbeiteten Vergangenheit herrühren. Eine solche Allianz aber, die auf Ungleichzeitigkeit (der der Zukunft zugewandten des Proletariats und der, die sich aus einer weder früher noch heute erfüllten Vergangenheit nährt) beruht, muß nicht nur verstanden werden als die Suche einer Klasse, der die Zukunft gehört, nach Konsens unter Gruppen, die ihr durch andere ideologische Positionen fern stehen, sondern als Moment, in dem das hegemonische Subjekt sich selbst verändert und sich Erwartungen und Ideale aneignet, die nicht aus ihm selbst entstanden sind, so daß es zum Träger und Interpret des in der gesamten Gesellschaft enthaltenen Veränderungsdrangs wird.

Diesbezüglich ist es nützlich, sowohl Blochs ständige Antipathie gegen jede Art von Proletkult als auch den zur Kennzeichnung des Proletariats benützten Ausdruck – *der entäußerte Mensch oder Proletarier*[10] – in Erinnerung zu rufen. Das Proletariat erscheint bei Bloch vor allem als letzte Klasse, die nicht ihre spezifischen Interessen und Werte, sondern die der ganzen Menschheit zu verteidigen und durchzusetzen hat, als Klasse, deren Ablehnung des kapitalistischen Systems nicht aus einer ihr innewohnenden Positivität, sondern aus der Negativität ihrer Lage, nämlich aus der Entfremdung, der sie unterworfen ist, entsteht. Wenn wir dem ontologischen Sprachgebrauch Blochs folgen wollen, könnten wir sagen, daß ihm das Proletariat als ›Nicht‹ erscheint, das *Mangel an Etwas und ebenso Flucht aus diesem Mangel*[11] ist. In »Das Prinzip Hoffnung« schreibt Bloch dann: *Der Nullpunkt äußerster Entfremdung, wie das Proletariat ihn darstellt, wird nun zur dialektischen Umschlagstelle letzthin; gerade im Nichts dieses Nullpunkts lehrt Marx unser All zu finden.*[12] Obwohl eine solche Auffassung, die Proletariat und äußersten Grad der Entfremdung gleichsetzt, den Mangel aufweist, uns von der Aufgabe zu befreien, die gesellschaftlichen Veränderungen der unteren Klasse zu verfolgen, die sich somit in eine philosophische Kategorie verwandelt (analog zum Verständnis des Kapitalismus als Gipfel der Entmenschlichung, der Unterwerfung jeden Lebensbereichs unter die Erfordernisse der Wirtschaft), erlaubt sie jedoch, das revolutionäre Geschehen nicht nur als Moment des Sieges, d. h. der Machtergreifung durch die untere Klasse zu begreifen, sondern gleichzeitig als Prozeß ihrer Umwandlung, als Aufbau eines neuen Menschen: *Dergestalt sogar, daß in dem Maße, wie die eliminierende Macht des Proletariats erstarkt, die marxistische Menschlichkeit immer weitere Kreise ziehen kann* (...)[13].

Hier könnte man gegen Bloch verschiedene kritische Einwände erheben: wie zum Beispiel denjenigen, hier in einen abstrakten Humanismus zu verfallen, oder den u. E. noch berechtigteren, den Untergliederungen innerhalb des Proletariats, seinem von Mal zu Mal sich wandelnden Klassenbewußtsein, den unterschiedlichen und historisch kontingenten Umständen, mit denen sich das Proletariat auseinanderzusetzen hat, zu wenig Aufmerksamkeit geschenkt zu haben. An der Definition des Proletariers als ›entäußerter Mensch‹, die allen »Erbschaft dieser Zeit« folgenden Schriften gemeinsam ist, haftet ein Zug von Starrheit und unbestimmter Allgemeinheit an, der sich wenig dazu eignet, den geschichtlichen Entwicklungen einer Klasse zu folgen; dies auch deshalb, weil die kapitalistische Gesellschaft, deren Produkt das Proletariat ist, selbst auf Kategorien zurückgeführt wird, die, statt ihr Funktionieren sichtbar zu machen, eher ihre Eigenschaft als Endpunkt der Vorgeschichte der Menschheit hervorheben, bzw. als Epoche, die, will man nicht ins Nichts oder ins Chaos fallen, eine radikale Wende erzwingt. Ein solcher Mangel an historischer Konkretheit, der auch in die größeren und systematischen Werke eingeht, ist jedoch auch damit zu erklären, daß das Proletariat als solches nicht das Hauptinteresse Blochs bildet. So stellt sich Bloch zum Beispiel nie ernsthaft die Frage, wie denn eine Integration der Arbeiterschaft seitens des Hitlerregimes möglich war. Sein Augenmerk richtet sich vielmehr auf die Frage, wie die Klasse des Proletariats sich in eine allgemeine Klasse umwandeln kann, oder besser gesagt in eine Klasse, die, wenn sie auch innerhalb der gegebenen Gesellschaftsform eine Hegemonialrolle annimmt, doch ihre Andersartigkeit gegenüber dem Kapitalismus behält und sogar radikalisiert – ein Problem, dessen Lösung Bloch der Utopie anvertraut.

Es scheint uns, daß die Blochsche Utopie weniger gekennzeichnet ist von ihrem Ziel, welches, nicht positiv erkennbar, einen nur kritischen Wert besitzt und nur in weitgehend metaphorischen Begriffen wie Heimat der Identität, vollkommene Adäquatheit zwischen Subjekt und Objekt, Verwirklichung des noch verborgenen Menschenbilds, ausgedrückt werden kann, als vom Gewinnen eines neuen Verständnisses von den vergangenen Überbauproduktionen, um diese von der Arbeiterklasse ererbbar zu machen und an den marxistischen Entwurf anzubinden. Die Utopie nährt sich in der Tat gleichermaßen von den Zukunftsprojekten wie von dem, was Bloch die Zukunft in der Vergangenheit nennt; nämlich der Tatsache, daß – wie es in »Das Prinzip Hoffnung« heißt – das Ultimum des utopischen Ziels zugleich die *letzte, höchste, gründlichste Wiederholung* von all dem ist, was von den menschlichen Hoffnungen und Projektionen im Laufe der Geschichte intentioniert wurde.

Das soeben zitierte und als ›opus magnum‹ unseres Autors angesehene Werk dient in der Tat der Aufgabe, diese Hoffnungen aufzudekken (doch könnte man das gleiche auch von »Naturrecht und menschliche Würde«, von »Atheismus im Christentum«, wie auch von großen Teilen anderer Schriften sagen), um sowohl deren historische Wurzeln als auch den ›Überschuß‹ zu erfassen, der es ermöglicht, ihre fortdauernde Aktualität zu behaupten. Die menschlichen Erwartungen erscheinen somit sowohl als Produkte einer bestimmten sozialen Gruppe in einem bestimmten geschichtlichen Entwicklungsstadium als auch als Antizipationen vom letzten Ziel des menschlichen Fortschritts – was zuläßt, daß auf der einen Seite ihre Verabsolutierung vermieden wird, insofern solche Antizipationen Produkte sind, durch welche der Mensch, wenn auch unter hypostatischen Formen, seine eigene Zukunft ausgemalt und geplant hat (und die deshalb nur gültig bleiben, solange sie dem Aufbau einer solchen Zukunft dienen), und daß auf der anderen Seite sie in der Gegenwart ererbt werden können. Die Einsichten, die Bloch erbringt, indem er ein Erbgut von Erwartungen da erhellt, wo man sie nicht erwarten würde (nämlich auf jedem Gebiet, wo der menschliche Geist tätig wird, in allen Feldern des Überbaus), erlaubt es, Konzeptionen, Ideen und Bilder der Vergangenheit mit jener noch nicht erreichten und nach Marx dem Proletariat gehörenden Zukunft zu verbinden, indem im Proletariat selber die äußerste Entfremdung mit der höchsten Fähigkeit zusammenfällt, einen Nachlaß zu übernehmen, der bisher noch unerfüllt ist. Die Utopie, die, als Novum und Wiederholung zugleich, zum Verbindungsglied zwischen Vergangenheit und Zukunft wird, ermöglicht es also, das Proletariat, das jahrhundertalte Hoffnungen erbt und für eine im Vergleich zur kapitalistischen radikal andere Gesellschaft kämpft, als eine Klasse anzusehen, die nicht nur auf die Behauptung seiner eigenen Interessen gerichtet ist, sondern zugleich der mögliche Interpret von im Laufe der Geschichte entstandenen Projektionen und Bedürfnissen ist, die der Kapitalismus mehr als jede andere je existierende Gesellschaft zu unterdrücken scheint.

3. Der Begriff vom revolutionären Subjekt, den Bloch in seiner reifen Schaffensperiode entwirft, weist somit auf eine Geschichtsphilosophie, die uns anders zu sein scheint als die im »Geist der Utopie« entwickelte. Während in jenem ersten Werk das utopische Ziel angemessen durch die Kategorie Ultimum beschrieben werden konnte, indem es mit der endgültigen Befreiung der Seele von jeder Art Entfremdung identisch war (d. h. mit völliger Bewußtwerdung und Ausdruck eines – vorgegebenen und vorstrukturierten, wenn auch noch nicht adäquat manifestierten – metaphysischen Prinzips), so nehmen doch die Kategorien Novum und Wiederholung in den »Erbschaft dieser Zeit« folgenden Werken eine viel entscheidendere Rolle ein.

Wir würden gern bei diesem Punkt etwas verweilen, weil die Verflochtenheit von Ultimum, Novum und Wiederholung vielleicht den originellsten Zug der Blochschen Geschichtsauffassung darstellt, die auf die Utopie hinausläuft. Zwar ist in »Das Prinzip Hoffnung« vom Ultimum als der Verwirklichung des Ursprungs die Rede, doch versucht Bloch mögliche Mißverständnisse zu vermeiden, indem er ausdrücklich ausschließt, daß es das Ende die Wiederbringung des Ursprungs sei, und betont, daß *als Einschlag des Was-Wesens in den Daß-Grund* verstanden werden soll, bzw. als Einschlag in das noch Leere, Unbestimmte, Unentschiedene des Ursprungs, insofern als im Prozeß selber eine Unzahl realer Möglichkeiten entspringen, *die dem Anfang nicht an der Wiege gesungen worden sind.*[14] Auf diese Weise nimmt das Ende, d. h. die Erfüllung der Utopie gleichzeitig die Form des Ultimum an, weil in ihm eine erschöpfende Bestimmung des Möglichen stattfindet; außerdem die Form des Novum, weil das Ende eben als Bestimmung und nicht als Verwirklichung eines vorher festgelegten Ursprungs gedacht wird, bzw. nicht in der Überführung von latenten Strukturen, von einer verborgenen ›essentia ad existentiam‹ besteht, sondern in einer kreativen Praxis des Subjekts; und schließlich die Form der Wiederholung, weil der ›terminus ad quem‹ des Prozesses sowohl Erwartungen erfüllt, die sich im Verlauf der Geschichte herausgebildet haben, als auch die fortschreitenden Experimente zur Behebung des ursprünglichen Mangels vervollkommt. Insbesondere bringt der Begriff der Wiederholung das zentrale Problem der Erbschaft (indem er es erlaubt, die Vorgeschichte der Menschheit als Verlust wie als Fortschritt, als Ort der Entfremdung wie als Aufbaustätte des Menschen, als niemals ganz gelungenes Experiment, aufzufassen) und gleichzeitig eine Auffassung der Geschichte als mehrschichtige Dialektik mit sich, deren Offenheit und Unentschiedenheit durch die Anwesenheit von ungleichzeitigen Elementen innerhalb derselben Gesellschaftsform garantiert wird.

Oskar Negt hat scharfsinnig bemerkt, daß die Blochsche Philosophie ihre Bestätigung sowohl in den sozialistischen Revolutionen des 20. Jahrhunderts in Rußland, in China, in Cuba als auch in den jüngsten Volksfrontversuchen in Chile, Portugal und Spanien, die trotz ihrer Unterschiedlichkeit einen gemeinsamen Zug haben, gefunden hat: *Sozialistische Revolutionen hat es nur dort gegeben, wo die kapitalistische Form des Wertgesetzes, die Warenproduktion auf erweiterter Stufenleiter, noch nicht so weit entfaltet ist, daß es die Einheit, den inneren Zusammenhang der betreffenden Gesellschaft konstituiert.* (...) *Der Explosionspunkt ist vielmehr der, an dem innerhalb des ›historischen Milieus‹ (Marx) einer Gesellschaft Produktionsweisen, Aneignungsformen und Lebenszusammenhänge ganz verschiedener Entwicklungsstufen aufeinanderstoßen.*[15]

Wenn wir auch mit den angeführten Bemerkungen einverstanden sind, so möchten wir doch hinzufügen, daß, wenn es stimmt, was Negt schreibt, sich die Blochsche Philosophie als nützlich erweist, um die an der Peripherie der kapitalistischen Welt vorhandenen Widersprüche zu begreifen, und zwar vornehmlich dort, wo der Kapitalismus noch nicht die ganze Gesellschaft durchdrungen hat, das heißt: um ein revolutionäres Bewußtsein in Ländern zu schaffen, in denen noch weitgehend vorkapitalistische Lebensweisen verbreitet sind, die gegen die tendenziell allumfassende Herrschaft des Kapitals eingesetzt werden können; daß aber diese Philosophie unzureichend ist, wenn es gilt, die Widersprüche zu analysieren, die der hochentwickelte Kapitalismus in sich selbst, bzw. in seinen Zentren, in seinen Hochburgen, schafft. Dies ist eine Überlegung, die u. E. nicht auf einem ursprünglichen Interesse Blochs an der Dritten Welt beruht, für das es bis zu »Differenzierungen im Begriff Fortschritt« von 1957 keinen Anhaltspunkt gibt, wohl aber darauf, daß seine Philosophie sich darum bemüht hat, die Bedingungen einer echten sozialistischen Revolution, insbesondere durch eine Analyse Deutschlands vor dem Zweiten Weltkrieg, zu erkennen, das er selbst als das klassische Land der Ungleichzeitigkeit verstanden hat. Wenn auch die Blochschen Werke erst sehr viel später insbesondere im Westen veröffentlicht wurden und bekannt geworden sind, so haben sich die Grundzüge seines Denkens, die sich in »Erbschaft dieser Zeit« ankündigen, voll und systematisch bereits während der Emigrationszeit entwickelt, aus der »Das Prinzip Hoffnung«, »Subjekt-Objekt« und, wenn auch nur teilweise, »Das Materialismusproblem« und »Naturrecht und menschliche Würde« stammen.

Anzeichen einer gewissen Gegenwartsferne Blochs sind einmal die nicht erfolgte Aneignung seiner Philosophie von seiten der im Jahre '68 revoltierenden Studenten, wie auch später von seiten der Randgruppen (selber ohne Tradition, ohne Vergangenheit, nicht einmal mit unerfüllter Vergangenheit, worauf sie sich beziehen könnten), die sich einer gesellschaftlichen Realität, die immer weniger reich an geschichtlichen Erinnerungen ist, und einer Welt gegenüber sehen, in der die Vergangenheit, wenn überhaupt, als museales Ornament bewahrt wird; zum anderen die geißelnde Kritik Blochs an den Ostblockgesellschaften, die, auch wenn sie die Grenzen und die in ihnen entstandene ›Corruptio‹ der sozialistischen Prinzipien zu demaskieren vermag, doch unfähig bleibt, die Mechanismen eines solchen Mißerfolgs zu benennen, ganz im Gegensatz zu seiner früheren Analyse, die er den Ursachen der durch Hitler der Arbeiterbewegung bereiteten Niederlage gewidmet hat.

Es scheint uns darüber hinaus, daß Bloch bei seinem Versuch, das Proletariat als allgemeine Klasse, bzw. als Vertreter von Interessen und Bedürfnissen der ganzen Gattung darzustellen, so wie sie sich im Lauf ihrer Entwicklung entworfen und gebildet hat, gezwungen ist, in der Geschichte eine Kontinuität, oder besser gesagt, eine Konvergenz der verschiedenen Entwürfe menschlichen Zusammenlebens, anzunehmen,[16] die, gerade weil sie sich nur sehr schwer historisch belegen läßt, eine ontologische Voraussetzung erzwingt, eine spekulative Einsicht verlangt, die in der Lage wäre, jenseits der Oberfläche des Gegebenen, jenseits ihrer Starrheit, aber auch ihrer historisch feststellbaren Tendenz sowohl ein ursprüngliches Woher als auch ein letztes Wozu zu erfassen, die als ›terminus a quo‹ und als ›terminus ad quem‹ eines nicht linearen, jedoch einheitlichen Prozesses gelten könnten, indem er von einer einen einzigen Anfang und Endpunkt besitzenden Tendenz geleitet ist.

Wenn das auch bei Bloch nicht heißen soll, daß das Ende potentiell im Ursprung enthalten ist, insofern dieser letztere als Nicht oder Mangel gedacht wird, dem nur die Praxis durch die antizipierenden Entwürfe der Theorie eine angemessene und nicht vom Anfang des Prozesses her vorbestimmte Verwirklichung geben kann, so bleibt doch innerhalb der Geschichte selbst ein zeitloser Kern, der im ständigen Wiederauftauchen des identischen Mangels oder des ursprünglichen Daß-Faktors besteht, so daß die verschiedenen Kulturen als konvergierende Antwortversuche auf eine gleiche Anfangsfrage die endgültig durch das utopische Ziel bereitgestellte und angemessene Lösung, wenn auch nur teilweise und unvollständig, vorwegnehmen.

Nach dieser Auffassung schreitet die Geschichte nicht nur auf Grund der Widersprüche fort, die sich in ihrem Inneren ergeben und die eher eine unentschiedene Lage verursachen, sondern indem ein Noch-Nicht, das sich hinter der Wirklichkeit verbirgt, immer wieder auftaucht, insofern es immer versucht, zur Existenz zu gelangen und Bestimmung zu erreichen, bis der *Einschlag des Was-Wesens in den Daß-Grund* stattfindet. Wenn es richtig ist, daß in der Tat die Praxis, der der Bau der Zukunft obliegt, das Nach-Möglichkeit-Sein der Materie berücksichtigen muß, so findet sie doch das objektive Korrelat ihrer Bestrebungen zum Novum in der Materie als In-Möglichkeit-Sein, in welchem letzteren sich die Unbestimmtheit des Ursprungs aufhält. Jede der qualitativen Veränderung vorhergehende Lage stellt sich für Bloch einerseits als Maß des Möglichen dar, insofern sie eine bestimmte Erscheinung ist, andererseits als noch unausgedrückte Möglichkeit, die, indem sie durch die Theorie und die Praxis des Subjekts zur Bestimmung gelangt, die in dem folgenden Moment anzutreffende Neuheit rechtfertigt; d. h. sowohl im Anders-Werdenkönnen des Objekts, als auch im Anders-Tunkönnen des Subjekts taucht im Verlauf der historischen Entwicklung auf, was vom Anfang des Prozesses entweder unbestimmt oder inadäquat bestimmt geblieben ist. Obwohl die Einheitlichkeit des Werdens, so wie Bloch sie begreift, nicht in der Kontinuität, Linearität liegt, wird sie doch durch Unterbrechungen gesichert, die, indem sie die Verwirklichung des Noch-Nicht des Ursprungs darstellen, alle auf seine volle Erfüllung weisen. Auf diese Weise erscheint die Zukunft als Wiederholung, Zusammenfassung und Rettung von jeder vergangenen Neuheit und Unterbrechung, wenn auch auf dem höheren Niveau der vollkommenen Adäquatheit, auf der endgültigen Ebene der völligen Verwirklichung eines Noch-Nicht, das die ganze Geschichte durchzieht und vorantreibt.

Diese letzten kritischen Bemerkungen dürfen nicht dahingehend mißverstanden werden, als ob sie die von uns anfangs bestrittene These bestätigen würden, nach der im Blochschen Werk eine solche einheitliche Kohärenz erhalten wäre, daß sie eine klare Unterscheidung zwischen früherer und späterer Periode nicht zulassen würde. Die ›Metaphysik der Innerlichkeit‹ von »Geist der Utopie«, wenn auch unter einem überschwenglichen Voluntarismus, zeigt die charakteristischen Züge einer kontemplativen Denkweise, die Bloch später selber kritisieren wird, zum Beispiel im Kommentar zu den »Elf Thesen über Feuerbach« von Marx.[17] Wenn es auch erlaubt ist, beim reifen Bloch von einer ontologisch-spekulativen Kategorialstruktur zu sprechen, die die Möglichkeit der Erreichung des utopischen Ziels begründet und die in der Heimat der Identität erreichbare, in der Geschichte latente Entsprechung zwischen Subjekt und Objekt, zwischen Mensch und Natur rechtfertigt, darf man nicht vergessen, daß eine solche Struktur, wenn auch Erbe (aber gleichzeitig erneuernde Interpretation) der westlichen metaphysischen Tradition und insbesondere des Denkens von Aristoteles, Leibniz, Hegel und Schelling, ihren Mittelpunkt nunmehr in der Praxis findet (und nicht mehr in der Selbsterkenntnis eines sich selbst verborgenen Subjekts). Der Praxis gehört die Aufgabe, nicht etwa eine latent vorgeformte Rationalität existent zu machen oder ein von Anfang an vorgegebenes und in der Materie gefangenes Ich offenzulegen, sondern Form und Gestalt dem zu geben, was im Subjekt und im Objekt nur noch alogisches Drängen, Antrieb, Mangel, d. h. unbestimmte Potentialität ist – und das ist nur durch einen ›fortbildenden‹ Entwurf erreichbar, der allein in der Praxis die Bestätigung seiner Gültigkeit erlangen kann. Darin besteht einer der Hauptgründe für die faszinierende Wirkung Blochs: daß er in die Metaphysik eingetaucht ist und sie vom Bann der Anamnese befreit hat, sie für die Konstruktion eines Weltbildes dienlich gemacht hat, in dem der Mensch über den Aufbau seiner eigenen Welt entscheidet und gleichzeitig das Inkognito seiner eigenen Existenz lüftet.

Zum Schluß möchten wir uns die Frage stellen, wie es kommt, daß die Begegnung mit der Arbeiterbewegung kommunistischer Prägung und mit dem nicht mehr durch die sozialdemokratische ›Vulgata‹ vermittelten Marxismus die Blochsche Utopie nicht dazu geführt hat, die klassischen Pfade der Metaphysik zu verlassen, sondern ihn sogar dazu gebracht hat, sich immer mehr in die ontologische Reflexion zu begeben, mit der Absicht, sie von innen heraus umzudrehen, damit die Auffassung des Seins von der utopischen Perspektive der Zukunft und nicht mehr von der der Vergangenheit beherrscht wird.

Ein erster Grund liegt wahrscheinlich darin, daß sich die Utopie, um sich materialistisch zu nennen, vom Boden lösen mußte, auf dem sie, historisch gesehen, wachsen und blühen konnte, nämlich von der religiösen und insbesondere von der christlich-eschatologischen Tradition. Zu diesem Zweck bietet sich eine Erklärung der Welt aus sich selbst an, die der Religion gewachsen sein soll, indem sie einen nicht mehr durch das Eingreifen eines schon immer existenten Gottes oder durch die Garantie einer durch die Vorsehung vorbestimmte Rationalität gesicherten, sondern durch den Einsatz der Theorie-Praxis des Menschen ermöglichten letzten Sinn der Geschichte aufzeigt.

Der zweite und vielleicht entscheidendere Grund liegt darin, daß nur eine Ontologie sich zu Recht zutrauen kann, auf den Ursprung zurückzugehen und die Hypothese eines ursprünglichen Mangels aufzustellen, der in dem Moment, in dem er das Werden fordert und den Weltprozeß als offenes und noch unentschiedenes Experiment verlangt, gleichzeitig dessen Ende als Novum, als letzte Wiederholung, als Heimat vorwegnimmt, in welcher die Stufen, die zu ihr geführt haben, aufgehoben und zusammengefaßt sind, und letztlich als Multiversum, in welchem die chronologische Entfernung ihre starre Absolutheit verliert.

1 Wir beziehen uns hier auf eine gewisse Tendenz, die sich insbesondere bei den italienischen Bloch-Interpreten zeigt; vgl. dazu I. Mancini, »Su Bloch ›teologo‹«, in: »aut-aut«, Nr. 173/4, Nov.-Dez. 1979, S. 107–124, und V. Bartolino, F. Coppellotti, »Nota critica«, in: E. Bloch, »Spirito dell'utopia«, Firenze 1980, S. 323–350. Ferner möchten wir darauf hinweisen, daß in Italien – nach der Übersetzung von »Atheismus im Christentum« (Milano, 1971) und von »Subjekt-Objekt« (Bologna, 1975) – im Laufe des Jahres 1980 in kurzem Zeitabstand die Übersetzungen von dem oben erwähnten »Geist der Utopie«, von »Thomas Münzer« und »Experimentum Mundi« erschienen sind, während für den italienischen Leser weiter unzugänglich bleiben sowohl »Das Prinzip Hoffnung« wie der Rest der Schriften aus der Reifezeit des Autors, von denen in italienischer Übersetzung nur einige ausgewählte Seiten vorliegen. — **2** E. Bloch, »Thomas Münzer als Theologe der Revolution«, Gesamtausgabe (im folgenden GA), Bd. 2, S. 230. — **3** Vgl. G. Lukács, »Geschichte und Klassenbewußtsein«, in: »Werke«, Bd. 2, Neuwied-Berlin 1968, S. 13. — **4** E. Bloch, »Geist der Utopie« (1918), GA Bd. 16, S. 332. — **5** Ebd., S. 251f. — **6** Ebd., S. 425f. — **7** Der Kürze wegen verzichten wir auf eine Analyse der zweiten Ausgabe von »Geist der Utopie« (1923) und von »Thomas Münzer« (1921); wenn diese Werke sich auch in Richtung einer Konkretisierung der Utopie bewegen, gehören sie u. E. zur frühen Schaffensperiode des Autors. — **8** E. Bloch, »Das Prinzip Hoffnung«, GA Bd. 5, S. 168. — **9** E. Bloch, »Erbschaft dieser Zeit«, GA Bd. 4, S. 123. — **10** Ebd., S. 120. — **11** E. Bloch, »Tübinger Einleitung in die Philosophie«, GA Bd. 13, S. 218. — **12** E. Bloch, »Das Prinzip Hoffnung«, GA Bd. 5, S. 1606f. — **13** Ebd., S. 1607. — **14** Ebd., S. 234f. — **15** O. Negt, »Erbschaft aus Ungleichzeitigkeit und das Problem der Propaganda«, in: »Es muß nicht immer Marmor sein«, hg. von J. Perels und J. Peters, Berlin 1975, S. 30. — **16** E. Bloch, »Tübinger Einleitung in die Philosophie«, GA Bd. 13, S. 146f. — **17** E. Bloch, »Das Prinzip Hoffnung«, GA Bd. 5, S. 310–327.

Ansgar Hillach

Wer ist das Subjekt einer Hoffnung, die nicht enttäuscht werden kann?

Das antizipierende Bewußtsein und ein veränderter Bezugsrahmen

Anläßlich der deutschen Ausgabe des Berichts, den der »Club of Rome« für die achtziger Jahre herausgebracht hat, stellte der Rezensent der FAZ eine bedeutsame Wendung fest, die durch die völlige Umformulierung des deutschen Titels[1] unterschlagen wurde: »No limits to learning« appelliere *als gewollter Kontrapunkt zu den ›Grenzen des Wachstums‹* an die zu mobilisierenden *›inneren‹ Ressourcen* der bedrohten Menschheit. Der Rezensent der Zeitung, die ihr hoffnungsvolles Weltbild aus dem Vertrauen in die Leistungsfähigkeit des Krisenmanagements und im übrigen aus der doch sehr lebendigen Kultur gewinnt, begrüßt die *Veränderung der Maßstäbe, die man Paradigmenwechsel nennt.* (...) *Die Wiederentdeckung des ›menschlichen Faktors‹, die Erkenntnis, daß Investitionen in den Menschen verstärkt notwendig sind, daß Politik wieder vom Menschen, von seinen Hoffnungen und Ängsten, seinem Glauben und seinen Bedürfnissen her gedacht werden muß: diese neu gewendete, von ›innen‹ her entworfene Politik dürfte künftig zur entscheidenden Grundlage auch des politischen Erfolgs werden.* (...) *Wenn es denn erlaubt ist, das Undenkbare zu denken hinsichtlich der Möglichkeit des Overkill, dann scheinen überschießende Phantasie und reale Utopien dort, wo es um das Überleben der Menschheit geht, nicht nur legitim, sondern geboten.*[2] Der ›menschliche Faktor‹, das wieder erwünschte irrationale Element, das als Quellgrund des Handelns ins Kalkül der Politik eingehen soll, ist ein Reservoir kreativer Kräfte, aus dem ja auch einmal etwas Rettendes – angesichts der Verfahrenheit globaler Strategien – kommen kann.

Wo der Rezensent der FAZ die für ihre Leser gewohnte Dichotomisierung von kulturell-imaginativen Spielräumen und der Ebene der Planungs-, Verhandlungs- und Entscheidungskompetenzen einem journalistischen Seufzer lang scheinbar außer Kraft setzen kann, weil eh nur anders und besser investiert werden soll, ist der Bericht des »Club of Rome« einschneidender. Er zeigt aber auch, in welcher Weise Gehalte der Blochschen Philosophie sich in neueren Entwürfen für Überlebensstrategien wiederfinden lassen. Hat man sich daran gewöhnen müssen, daß Blochs ›kundige Hoffnung‹ von der zur Schau getragenen Hoffnung derer, bei denen Kundigkeit zur Profession gehört, aufs vermeintlich realistische Maß gebracht wird, daß die antizipatorische Denk- und Handlungsorientierung längst Domäne von kreativen Planungsstrategen für die Erschließung neuer Kapitalisierungsräume ist, daß auch überschießende Erwartungsaffekte systemimmanent abgesättigt werden können, so bringt der »Club of Rome« eine grundsätzlich andere Ebene antizipatorischer Einstellung ins Spiel. Die Frage wäre vorab, handelt es sich um eine politisch ausgemünzte Annäherung an Blochsche Postulate, die diese dann in ihrer politischen Relevanz bestätigen und konkretisieren könnte, oder wird hier einmal mehr ein Wechselbalg utopischer Hoffnungen aufgelegt, der das Transzendierungsvermögen des Menschen nicht entfaltet und zu seinem Recht kommen läßt, sondern um seinen Ernst und seine Radikalität betrügt?

Der »Club of Rome« begegnet der lähmenden Gewalt der von ihm selbst errechneten Prognosen mit dem konzeptionellen Rahmen einer Theorie gesellschaftlichen Lernens, das generell sich unterscheiden soll von der menschheitsgeschichtlich ›konventionellen‹ Art des Lernens (Anpassung des Wissens an objektive Gegebenheiten) durch die anthropologisch begründete, aber nun allererst zu erwerbende Fähigkeit zur antizipatorischen Innovation des Verhaltens im gesellschaftlichen Maßstab. Folgender Gedanke liegt zugrunde. Die menschliche Geschichte ist stets auch eine Geschichte des Lernens gewesen, und zwar des zumeist erfolgreichen. Komplexität zuvörderst der äußeren Natur wurde durch Selektionen, Schaffung kohärenter Begriffe, instrumentelle und gesellschaftliche Organisation reduziert und bewältigt. Die dadurch gewonnene, in mancher Hinsicht immer auch defizitäre Basis gesellschaftlichen Handelns erwies ihre Korrekturbedürftigkeit spätestens dann, wenn die kognitiv ausgegrenzten Momente der gedeuteten Realität sich zu einer Art von Katastrophe zusammenzogen. Der so bewirkte ›Schock‹ sei menschheitsgeschichtlich immer wieder das Korrektiv eines falschen oder unzureichenden Wissens gewesen. Sowohl die Formen ›konventionellen‹ Lernens – Einübung und Anwendung tradierter Verstehensmuster sowie Selbstkorrektur nach schmerzlichem Mißerfolg – als auch insbesondere das Vertrauen in das Korrektiv einer nachträglichen Anpassung an Unvorhergesehenes reichten aber heute nicht mehr aus. Einmal deswegen, weil die sprunghaft wachsende Komplexität aus dem undurchschauten Zusammenwirken vorgängiger Komplexe eine derartige, von der Natur abgekoppelte Eigendynamik beinhaltet, daß die Konsequenzen aus den je notwendigen Weichenstellungen äußerst weitreichend und immer prekärer werden, der Spielraum für erfolgreiche Selbstkorrekturen immer enger wird; zum andern, weil die Verdichtung der angestauten Probleme im Weltmaßstab die Wahrscheinlichkeit mit sich bringt, daß die Menschheit die Schocks, welche das endgültige Versagen der eingeschliffenen Lern- und Bewältigungsmuster anzeigen, nicht mehr überleben werde.

Die noch ungenutzte Lernkapazität der Menschheit, die durch Expertenwissen und Entscheidungskompetenzen zuständiger Eliten nicht ersetzt werden könne, vermöge jedoch antizipatorisch praktikable Alternativen zu entwickeln, wenn es gelinge, die herkömmlichen Lernschienen Sprache (rational-argumentative Problemlösung) und technische Hilfsmittel zu erweitern um die Dimensionen Werte, bildliche Vorstellungen und zwischenmenschliche Beziehungen. Die ideologische Fixierung auf die dem Status quo inhärenten Werte müßte verlassen und kulturell differente Normen der Überprüfung und dem Vergleich ausgesetzt werden, damit gesellschaftliche Phantasie für neue Orientierungen und Prioritäten entwickelt wird.

Die Autoren akzentuieren die Bedeutung der ›Sinnbezüge‹ im Gegensatz zu sogenanntem sachlichem Wissen. Damit sind Kontextbezüge namentlich im Hinblick auf Veränderungen von Natur und Lebenswelt gemeint. Lernen aus dem Informationsüberfluß sei u. a. deshalb so schwierig geworden, weil die Sinnbezüge von Informationen über Fakten sich aufgrund der lokalen wie globalen Komplexitätssteigerungen ständig erweitern. Im Sinne der Autoren ist dies jedoch auch eine Chance für das geforderte Lernverhalten, weil die Merkfähigkeit und Lernbereitschaft gerade nicht durch Faktenvermittlung, wie didaktisch auch immer gehandhabt, sondern durch Bedeutungsstrukturen und übergreifende Sinneinheiten angesprochen werden. Früher konnten aber die Verstehensmuster über lange Zeiten kulturell genormt und stabil bleiben; heute sei demgegenüber nicht nur die Fähigkeit zur ständigen Umstrukturierung und Erweiterung der Sinnbezüge i. S. der Anpassung des Wissens vonnöten, sondern vor allem die antizipatorische Einstellung von Wissen *und* Verhalten im Hinblick auf voraussichtliche Komplexitätsfortschritte. Von da her üben die Autoren Kritik an den weltweit gängigen Bildungsprogrammen und Lernpraktiken, nämlich der Einstudierung vorgegebener Wissensinhalte und der Ausblendung einer nicht linear sich fortschreibenden Zukunft.

Die Umwälzung des Lernverhaltens im individuellen Bereich würde aber erschwert und praktisch folgenlos bleiben, wenn eine entsprechende Kommunikation und Öffentlichkeit fehlten. Kollektiv zu praktizierende Antizipation und damit politische Partizipation an Willensbildungs- und Entscheidungsprozessen werden daher zu überlebensnotwendigen Postulaten an alle Gesellschaften, die in die weltweite Entwicklungsdynamik in welcher Weise auch immer einbezogen sind. Antizipation wird derart von den Autoren ›extern‹, aus der geschichtlichen Zwangslage heraus begründet. Zwar sei Imagination ihre wesentliche Grundlage, aber erst heute seien *antizipatorische Züge in allen Bereichen menschlicher Aktivitäten* (54) zu finden. Es komme darauf an, die vielfältigen Formen antizipatorischen Verhaltens zu einer gesamtgesellschaftlichen Einstellung, die auf das Überleben in Würde, Freiheit und Achtung vor dem Leben gerichtet sein müsse, zusammenzuführen. Technisch-ökonomische Kreativität, Prognosen und Szenarien könnten darin nur notwendige Elemente sein: *Antizipation beschränkt sich nicht nur darauf, wünschenswerte Entwicklun-*

gen zu unterstützen und möglicherweise katastrophale abzuwenden; sie findet und schafft neue, vorher nicht vorhandene Alternativen. Das heißt, Antizipation ersetzt unsere zwar wertvollen, aber zeitraubenden Erfahrungsprozesse; sie bewahrt uns vor traumatischen und kostspieligen Lektionen durch Schocks. Sie ermöglicht uns gleichzeitig, tiefgreifenden und bewußten Einfluß auf den Verlauf der Zukunft zu gewinnen. (52)

Das interdisziplinär erarbeitete Konzept der »Club of Rome«-Leute kann sicherlich als repräsentativ gelten für die Art von Hoffnung, die eine nicht blind rationalisierende Wissenschaft heute anzubieten hätte. Ihre ›Prozeßmaterie‹ sind die aufs Humane zu beziehenden Fakten in komplexer Vernetzung, treibende Kraft die konkurrierenden Interessen; ihr anthropologischer Nexus ist das Bedürfniswesen Mensch mit der unausgeschöpften, weil unter Verwertungsbedingungen und staatlicher Organisation reduktiv festgelegten Lernkapazität; ihr Hoffnungsgrund der Lebenswille der Menschheit und die kreativen Reserven, deren vorlaufende Mobilisierung von der Einsicht in die unkontrollierbare Entwicklungsdynamik zu erwarten wäre. Dem ließen sich andere Projekte, die meist schon in den siebziger Jahren für die achtziger und den Rest des Jahrhunderts erarbeitet worden sind, an die Seite stellen. Gemeinsam ist ihnen die angesichts der aufgeblätterten Fakten etwas angestrengt wirkende Hoffnung und der Appell an Einsicht und Lernbereitschaft in der gesamten Breite der führenden Industriegesellschaften, die die Entwicklung zwar nicht steuern, aber die Innovationstrends vorgeben. Fragt man nach dem anthropologischen Hintergrund solcher Projekte, so wird immer wieder deutlich, daß es das durch die herrschende Rationalität zu kurz gekommene Transzendierungs- und Antizipationsvermögen des Menschen ist, das nun in forcierter Gestalt der zähen und rasanten Selbstläufigkeit der Entwicklung eine andere Richtung geben soll. Wesentliches Kriterium für die Qualität solcher Projekte ist allerdings, inwieweit ein bisheriges Resultat der Entwicklung, die Vereinzelung und Ohnmacht des Bürgers, nicht wieder dadurch festgeschrieben wird, daß man das Heil von den vermeintlichen Steuerungseliten erwartet. Konsequent betrachtet, bedeutet das die Ablösung oder doch wesentliche Umformung unserer politischen und ökonomischen Strukturen.

Auch Habermas legt, gegenüber den gängigen Systemtheorien der Sozialwissenschaften, ein dynamisiertes Modell einer kategorial erfaßten sozialen Evolution vor, das in ein Lernprojekt zu übersetzen wäre und dieses impliziert.[3] Bei Habermas ist es nicht so sehr die Not, einer ins Katastrophische tendierenden Entwicklung zu steuern, die seinen Antizipationen zugrundeliegt, als das Ungenügen an den Entfremdungs- und Versöhnungstheoremen in der Hegel-Marx-Nachfolge und das Anliegen einer Rehabilitierung der in Verruf geratenen Ratio. Vernunft wird als von Haus aus kommunikative der von ihr abgespaltenen ›funktionalistischen‹ gegenübergesetzt und als entwicklungslogisch dominant erwiesen. Als solche, als verständigungsorientierte, sei sie nämlich Bedingung intersubjektiver Sprachprozesse und fundiere so den unproblematischen Sprachgebrauch der Lebenswelt. Ihr apriorisches Telos beinhalte aber zugleich den Zug zur Rationalisierung und in Konsequenz dessen zur Auflösung traditionaler Werte bzw. ihrer Um- und Neubegründung in argumentativ erzieltem Konsens. Die damit einhergehende Formalisierung des sprachlichen Vernunftpotentials bildet den Rationalitätsfundus für die Steuerungssysteme Geld, Produktion und Administration. Die schlechte Systemdynamik, deren Zeuge wir sind, resultiert aus einer Verselbständigung dieser den Rationalisierungsprozessen der Lebenswelt entwachsenen Subsysteme, die qua Steuerungskapazität dazu übergegangen sind, die Lebenswelt zu kolonialisieren, sie ihres sozialintegrativen Status zu entkleiden und für die Reproduktion des technokratischen Systems zu funktionalisieren. Das bringt *systemisch induzierte Lebensweltpathologien* (II, 293) mit sich, auf die immer wieder neue soziale Bewegungen mit wechselnden Inhalten antworten – dies speziell seit dem Zerfall der noch einigermaßen kohärenten Studentenbewegung – und deren gemeinsamer Nenner Protest und/oder Rückzug von sozialer Verantwortung ist. Habermas schöpft nun Hoffnung aus der Lernfähigkeit namentlich der westlichen Industriegesellschaften, bei denen der rationale Konsens im Prinzip auch politisch installiert ist (mit mehr oder weniger begründeten verfassungsmäßigen Einschränkungen des plebiszitären Elements). Die systemisch bedingten Übergriffe der steuerungsmächtigen Subsysteme, die zur Kolonialisierung der Lebenswelt führen, könnten ohne Freiheitsverlust nicht politisch-dezisionistisch, sondern nur durch Lernprozesse eingedämmt werden, die die Integration der Protestpotentiale auf dem Wege der Konsensbildung, also der sprachlichen Verflüssigung der Fronten und der politisch-argumentativen Rückführung auf das gemeinsame Interesse, anstrebten.

Nicht zu Unrecht nennt eine Zeitschrift, die in der Nachfolge der Studentenbewegung den Protestpotentialen Ausdruck gibt, dies Konzept eine ›Zwischenlösung‹ und eine *Art Gemeinschaftsprojekt ›Unregierbarkeitsbewältigung‹* mit den Gehalten Gleichgewicht und Sinnschöpfung. *An die Stelle des von Marx erhofften ›allseitig entwickelten Menschen‹ tritt der sprechende, lernfähige, anpassungsbereite, der in der Feinfühligkeit des Abwägens überzogener und notwendiger Systemansprüche wie im Differenzieren zwischen überzogenen und notwendigen Anpassungsleistungen seine Würde und die seiner Epoche wiederfindet.*[4]

Habermas hat jedoch durchaus mehr im Sinn als eine ›Zwischenlösung‹, sein Konzept ›sozialer Evolution‹ hat das utopische Element nicht aufgegeben, es vielmehr in Sprachphilosophie überführt: *Die utopische Perspektive von Versöhnung und Freiheit ist in den Bedingungen einer kommunikativen Vergesellschaftung der Individuen angelegt, sie ist in den sprachlichen Reproduktionsmechanismus der Gattung schon eingebaut.* (I, 533) Zwar nimmt Habermas in einer anderen entwicklungslogischen Perspektive die Hoffnung skeptisch zurück, aber die Prozeßrealität, die er im Auge hat, antizipiert vermöge der kommunizierenden Individuen doch fortgesetzt ihre besseren, ja idealen Möglichkeiten.

Vergleicht man die hiermit schlaglichtartig vorgestellten Positionen mit dem erreichten ›Weltniveau‹,[5] auf das sie reagieren, so fällt der zugleich antiquierte und instrumentelle Charakter des von ihnen aufgerufenen Vernunftpotentials auf. Der Mensch muß überholen, was ihm davonläuft, und er muß sich dabei das Erfahrungenmachen sparen. Lernen hat nun endlich auch global ein ›Lernziel‹ – im Unterschied zur Schule sitzt aber nicht ein Lehrplan im Nacken, sondern die Zeit; im Unterschied zu idealistischen Geschichtsphilosophien ist nicht eine der ästhetischen Natur des Menschen verschwisterte Vernunft Leitidee, sondern Kommunikation, Vergleich von Werten und Geltungsansprüchen, Schadensbegrenzung durch Öffentlichkeit und Konsens, Sehen-wo-was-wie, und das vorneweg. Gemeinsam ist beiden Positionen der Rückgang auf Reserven des Menschen qua Gattungswesen, seien diese nun anthropologisch oder transzendental verfaßt, und die darin begründete und nun zu forcierende Kraft zur vernünftigen Antizipation. Als ein so Verfaßter wird der Mensch einer Prozeßrealität gegenübergestellt, in der Erste Natur in der Engführung ihrer industriellen Aneignung fast verschwunden ist und ihr Verderb, ihr ›Zurückschlagen‹ als Dysfunktionalitäten innerhalb des Globalsystems vorgestellt werden, die den Menschen immerhin daran erinnern, daß er nicht allein diesen Planeten bewohnt, und daß die ihn umgebende Materie Eigenleben hat (was freilich auch heißt: in Termini und Modellen der Kybernetik darstellbar ist). Die Umorganisation unseres in Systemen verfaßten zivilisatorischen Gebarens, an die die Chance des Überlebens der Menschheit geknüpft wird, kann nur ausgehen von einer Praxis sprungbereiter Antizipation, in die alle sozialen und imaginativen Verstandeskräfte der Menschheit einzugehen hätten. Insoweit also die genannten Theorien den Akzent auf die Chancen der Veränderbarkeit legen, sind sie Theorien von Subjektivität in der Dimension ihrer gesellschaftlichen Lernfähigkeit, Strategien der Bewältigung durch Vorlauf von Ich-Funktionen.

Blochs Philosophie, im praktischen Interesse vergleichbar, unterscheidet sich davon in markanter Weise. Seine Ontologie des Noch-Nicht-Seins geht aus vom Dunkel des gelebten Augenblicks und der aus dem Nicht rumorenden Bewegung der Selbsttranszendierung des Seienden, die in der lebenden Materie, und zumal im Menschen, Daseinsform und Stimulans der qua Natur niemals statischen Wirklichkeit ist. Auch gesellschaftliche Bewegung wäre nicht ohne die immer spontane, nur sekundär auch verursachte und verumstandete Impulsleistung der menschlichen Individuen, ohne ihre Bedürfnis- und Wollensnatur. Alle Rechtfertigungen des Blochschen Transzendierens, wie schwer auch immer sie es sich machen mit dem spekulativen Materiebegriff Blochs, seiner (systematisch gesehen) Transformierung in Subjekts- und Geschichtsphilosophie und seinem praktischen, gesellschaftlichen Anspruch sind genötigt, auf die dynamisch-umfassende Naturbasis aller Erscheinungen zurückzugehen, um die Unabweisbarkeit eines geschichtlich stets offenen Horizontes von Möglichkeiten zu vertreten. Die dialektisch-dynamische Ansicht der gewissermaßen labil-teleologischen Natur findet im (werdenden) geschichtlichen Subjekt als ihrem höchsten Korrelat ihre Klärung, nachdem sie in einem intuitiven Vorauswurf, den man nur anerkennen oder verwerfen kann, universalisiert worden war. Dieser Erkenntnisrahmen bringt bei denen, die die philosophischen Rationalitätsstandards zu vertreten haben, auch alle Begründungsarbeit Blochs in Mißkredit.

Nun hat die Kritik an der naturphilosophisch-materialistischen Grundlage des Blochschen Denkens, die das Moment von Belehnung und Anthropomorphisierung gegen seinen Materiebegriff einwendet, nicht viel mehr für sich als die erkenntnistheoretische, wie auch immer dialektisierte oder linguistisch transformierte Position des Cartesianismus, deren logische und realgeschichtliche Grundlegung im Tausch und in der Wertabstraktion nicht gesehen wird.[6] Diese Position und mit ihr ein ökonomistisch-ontologisierender Arbeitsbegriff, wie er der Ideologie und Praxis auch in den sogenannten sozialistischen Ländern entspricht, sind jedoch heute unter einen Legitimationsdruck geraten, dem sie nur durch die normierende Gewalt des Faktischen, das die Möglichkeit und Erreichbarkeit eines Anderen gar nicht erst erkennbar werden läßt, sich entziehen können.

Manche Spekulation Blochs ist durch das Brüchig- und Befragbarwerden der erkenntnistheoretischen Grundlagen der Naturwissenschaften wenn nicht bestätigt, so doch zugänglicher geworden. Mit der kritischen Einsicht in deren gegenstandskonstruierende Verfahrensweisen kamen auch die Interessen in den Blick, die bereits auf dem Wege der Selektivität der Datenaufnahme, dann der kausalen Funktionsbestimmungen, dann der Konstruktion von Wirkung und Leistung sich durchsetzten. Seit dem sogenannten Grundlagenstreit in der Mathematik, der gegenwärtig wieder aufzuleben scheint,[7] ist auch die apriorische Geltung der Mathematik und damit ihrer Exaktheits- und Konstruktivitätsstandards, vor allem aber der Applikationsgerechtigkeit ihrer formalen Lösungen nicht mehr konsensfähig. – Dilthey hatte noch versucht, durch Eingrenzung eines Bereichs der Geschichts- und Geisteswissenschaften die subjektkonstituierende Rolle der geschichtlichen Erkenntnis vor dem Andringen mathematischer Erkenntnisstandards zu retten und hatte doch diese zugleich in ihrer Fraglosigkeit in bezug auf die umfassende Natur bestätigen müssen. Die teleologische Erkenntnisweise, deren scharfsinnigster Kritiker Nicolai Hartmann wurde, schien damit ein für allemal auf den Bereich menschlichen Handelns eingeschränkt, doch da immerhin gesichert. Die Gegenwart – die auch in diesem Punkte so neu nicht ist – lehrt uns drastisch, daß nichts vor dem naturwissenschaftlichen Reduktionismus (demjenigen, der sich verwerten läßt) sicher sein kann. Der in seinen annihilierenden Wirkungen erst heute kenntlich gewordene totalisierende Zugriff sogenannter wertfreier, entteleologisierter Wissenschaftsmethoden hat inzwischen jedoch die Zeit reif gemacht für eine Fundamentalkritik am Antiteleologismus der sogenannten exakten Wissenschaften, deren relativ bescheidene Erklärungsleistung an den Manifestationen höheren Lebens zunehmend Einbußen erleidet, ja schon das Darwinsche Evolutionsschema mit mehr Fragwürdigkeiten als Plausibilitäten behaftet.[8] R. Spaemanns und R. Löws These von ›Mißlingen der Entanthropomorphisierung‹, das sich vielleicht am eklatantesten da erweist, wo der Mathematisierungswahn sich auch die Sprache unterwirft, zeigt in der Durchführung, daß die teleologischen Implikate der naturwissenschaftlichen Erklärungsschemata keine eliminierbaren Restbestände, sondern Bedingung der Erkenntnis sind, daß sie nur um den Preis der Selbstabschaffung des Menschen weiter minimiert werden können.[9]

Von der Ästhetik und der Subjektstheorie her war lange schon deutlich geworden, daß die Aufspaltung des Menschen in ein erkennendes und ein ästhetisch wahrnehmendes Wesen an geschichtliche Grenzen gelangt, jenseits deren sie sich erübrigt oder nur noch revolutionär festgehalten werden kann. Die Reduktion des Subjekts zur bloßen Instanz von Ordnungs- und Herrschaftsleistungen, die in den von ihr gestifteten Funktionszusammenhang als Variable selber eingeht und dort freilich noch immer ästhetisch abgesättigt werden kann, wurde von den Vertretern der Kritischen Theorie im Anschluß an Marx und Weber aufgewiesen. In der historischen Ausarbeitung der Genese solcher Subjektivität wurde ›Selbsterhaltung‹ als Nenner der seit Telesio, Spinoza und Hobbes und seit dem Aufstieg des Frühbürgertums vom Phänomenbestand der Natur sich abkoppelnden, in ein mathematisiertes Universum eintretenden und darin sich qua Vernunft und Eigennutz ›behauptenden‹ Subjektsleistungen ausgemacht.[10] Aufgrund der heute in einem neuen Sinne existentiell und zwanghaft gewordenen Geltung des Selbsterhaltungssyndroms wird Selbsterhaltung zum neuen Schlüsselbegriff der in den ›Wille-zur-Macht‹-Strukturen verlängerten Moderne.[11] Homöostase erweist sich schließlich als deren organologisches Modell und als Realmetapher für jene Stabilität, die die erweiterte Reproduktion des Kapitals gewährleisten muß, das heute immer neue präventive Sicherheitsstandards braucht.

So weit sind Verhältnisse gegeben, die auch von der Philosophie Blochs geortet und – mit anderen Akzentuierungen insbesondere hinsichtlich der ästhetischen Kompetenzen – kritisch-revolutionär aufgearbeitet worden sind. Angesichts der Gewalt des Verdinglichungszusammenhangs und der verhängten Geschichtslosigkeit ist vom Philosophen (wenn denn Philosophie mehr sein soll als historische Reminiszenz) eine Rekonstruktion humaner, solidarischer, an Natur als dem Anderen ihrer selbst sich entfaltender Subjektivität zu erwarten, die die Chance hätte praktisch zu werden, eine Rekonstruktion also, die den Menschen ihre Lage verständlich macht und die den Charakter konkret bezogener Anweisung in sich trägt. Wie eingangs gezeigt, hat der Philosoph heute angesichts fast trivial zu nennender Existenzbedrohungen der Menschheit eine Art lerntheoretischer Umformulierung humaner Inhalte zu gewärtigen in Gestalt von Konzepten, die auf der Basis eines systemtheoretischen Weltverständnisses sich das antizipatorische Element als Humanqualität zu eigen machen, instrumentell im Sinne der Vorwegbewältigung bzw. dem Zuvorkommen des Unheils, und mehr oder weniger rückbezogen auf eine fragmentarisch noch erinnerbare Natur. Nachdem von den Wissenschaften Systemkausalität als Daseinsweise des Lebendigen festgestellt ist, kann Lernen auf nichts anderes abzielen als auf Rückführung gestörter Kausalsysteme auf lebensermöglichende Funktionen, und bezogen aufs Soziale: Sicherung der Lebenschancen jedes einzelnen durch Konfliktbewältigung und Interessenausgleich. Erst das ökologische Dilemma nötigt zu einer Überholung der inhärenten, ökonomischen Systemdynamik (s. das Projekt des »Club of Rome«). Das seit der Epochenschwelle der Neuzeit sich durchsetzende soziophysikalische Selbstverständnis des Menschen, mit dem zugleich ein Universalprinzip formuliert worden war: ›Selbsterhaltung‹ im Sinne einer ›inversen Teleologie‹,[12] scheint erst im Zeitalter der Kybernetik zu seiner wahren Bestimmung gelangt. Denn die auf nichts als die Funktionsfähigkeit und erweiterte Reproduktion des semper idem abzielende Teleologie hat nun einen neuen Schein von Leben in sich aufgenommen, der von dem der Fortschrittsbewegung des 19. und der ersten Hälfte des 20. Jahrhunderts verschieden ist.

Die Stetigkeit von wirtschaftlichem Wachstum und Fortschritt, in die auf andere Weise auch die ›Klassiker‹ der Sozialdemokratie ihr Vertrauen setzten, basierte im wesentlichen auf einem Wachstum der Produktivkräfte in der technologischen Dimension von Mechanik und angewandten neuen Energien. Der Mensch mußte in jedem Falle die Produktherstellung handgreiflich selber steuern. Die heutige Produktivität ist gekennzeichnet durch die sprunghafte Weiterentwicklung elektronischer Speicher –, Informations- und Steuerungssysteme. Der Produktionsprozeß kann – Ungleichzeitigkeiten einmal außer acht gelassen – durchgehend programmiert werden, seine Abläufe brauchen im Prinzip nur noch überwacht zu werden. Gedächtnis und praktische Kooperationsfähigkeiten sind überboten durch die beliebige Verfügbarkeit und instrumentelle Umsetzbarkeit gespeicherter Daten. Die nun auch technisch vergegenständlichte Funktionstüchtigkeit organischer Systeme (sprich: umsichtiger menschlicher Arbeit), die es erlauben, prinzipiell alles auf der simulatorischen Ebene zu organisieren – beispielsweise auch die Kriegführung –, hat aber aufgrund der hochkomplexen Systemqualitäten zugleich eine neue Fortschrittsbewegung installiert, die man unter Heranziehung eines Begriffs aus der Evolutionslehre beschreiben könnte als von ›Fulgurationen‹ (Konrad Lorenz)[13] durchsetzt; wobei hier nicht so sehr das Entscheidende ist, daß diese Systemsprünge per se eine neue Zeitdichte (mit Bloch zu reden) konstituieren, als daß sie aufgrund ihrer informationellen Gestalt und der möglichen Verarbeitungsgeschwindigkeit der neu anfallenden Datenkomplexe, die jedes menschliche Fassungsvermögen grundsätzlich überschreitet, zu undurchschaubaren, meist auch erfahrungstranszendenten Vernetzungen führen. Einer der sicherlich fähigsten Computerfachleute stellt fest, daß der Zusammenschluß von Computern und Computersystemen (in denen ja oft Speicher- und Steuerungsleistungen gekoppelt werden) zu neuen Eigenschaften führt, die nicht mehr durchschaubar, viel weniger vorhersehbar und schließlich auch nicht korrigierbar sind.[14] Dennoch wird mit Systemvernetzungen gearbeitet. Die dadurch entstehenden Kapazitäten und ermöglichten Bewegungen der eingespeicherten Datenmassen bleiben zwar großenteils ›hintergründig‹, nötigen aber andererseits, damit sie ›vordergründig‹ und partiell überhaupt handhabbar werden, zu fortgesetzten Lernfortschritten und zu einem ›Einfangverhalten‹, das vielfach divinatorische Fähigkeiten erfordert, andererseits aber auch zu einer Art von Besessenheit führen kann.[15] Solche Besessenheit wird offenbar stimuliert durch den Abstraktionsgrad der Vorgänge, d. h. durch den simulatorischen Charakter von Prozessen, deren Bestimmung es ist, erst in den Resultaten praktisch zu werden.

Was folgt daraus für den Prozeßcharakter von Fortschritt und menschlicher Arbeit in ihm? Fortschritt wird immer mehr auf der Ebene mathematisierter Modelle vorangetrieben und nimmt demgemäß *wesentlich* sprunghaften Charakter an. Prinzipiell jeder komplexe Vorgang kann ja nach heutigem Wissenschaftsverständnis simuliert, d. h. in mathematische Funktionsmodelle übersetzt, eingespeichert und maschinell so durchgespielt werden, daß aus abstrakten Resultaten konkrete Schlußfolgerungen gezogen werden können, welche Zwischenstufen empirischer Theoriebildung oder überprüfenden Abwägens überspringen, mit denen herkömmlicherweise immer neue Befunde einbezogen werden konnten. Die Wirklichkeit ist nicht nur, wie Brecht sagte, ›*in die Funktionale gerutscht*‹ (nämlich in die Logik kapitaldienlichen Handelns und in die daraus resultierenden Strukturen), sondern sie ist in die Simulationen, in die simulatorisch gemachten Innovationen und die Systemsprünge gerutscht. Auch und gerade die Wirklichkeit des abstrakten Bewegers der Vorgeschichte, in der wir leben, des Kapitals. Die Bewegungen des Finanzkapitals werden ja heute im Medium elektronischer Vernetzung dargestellt, und diese Darstellung bleibt den Bewegungen nicht äußerlich, sondern wirkt hinein in finanzpolitische Entscheidungen, Zinseszinsertrags- und Machbarkeitsvorstellungen. (Die Finanzierbarkeit der wachsenden Staatsschulden wird simuliert wie die Gewinnbarkeit eines begrenzten Atomkriegs!) Was immer mitgesetzt, aber nicht durchschaut wird – geschweige denn mit den aufgebauten Steuerungskapazitäten gesteuert werden könnte – sind Systemsprünge, -kollisionen und die ebenso phantomhaften Ansatzpunkte für die Verursachung von vagabundierenden Abläufen durch zufällige Auslöser und unvermutete Weichenstellungen. Unfaßbar geworden sind derart nicht nur die Ursachen *gesetzhaft notwendiger Verwirklichung*, unfaßbar geworden sind auch – im Maße der Computerisierung der Welt – die Bedingungen möglicher Verwirklichung und Veränderung, an denen das Subjekt erkennend und handelnd ansetzen könnte.

Der Schein von Leben, der all dem anhaftet und sich in die Systembedienung einnistet, leitet sich her aus der analogiesetzenden Selbsterfahrung und dem Selbstverständnis des Menschen als eines Handelnden, einer auf Zwecke und Ziele hin orientierten Quelle von Spontaneität und Aktivität. Selbst die neueren quantifizierenden Humanwissenschaften, die dieses Selbstverständnis als Selbstillusionierung eines hochkomplex determinierten, mit Wahrnehmung und Bewußtsein mehrschichtig simulierenden Wesens ansehen, vermochten es nicht zu erschüttern. Der systembedingt gegenüber früher eher noch begrenztere, spezialisiertere Horizont des einzelnen, dem viele durch Rückzugsstrategien nachhelfen, begünstigt ein ›Wissen‹ von sich selbst, das dann massiv ideologisch wird, wenn es die Selbsterfahrung von organischem und bewußtem, d. h. auch antizipierendem Leben auf die Prozeßhaftigkeit äußeren, simulatorisch präparierten Geschehens projiziert.[16] Selbst die am Bildschirmterminal maltraitierte Arbeitskraft kann ja kaum umhin, den Fortschritt, der ihr aufgeladen wird, als Ergebnis menschlicher Erfindungsgabe und menschlichen Handelns anzusehen (was er auch ist), statt als Teil eines Optimierungsprogramms im Interesse von Systemerhaltung und Selbstverwertung des Kapitals. Vom Standpunkt der Selbsterhaltung, auf den zumal das arbeitende Individuum gebracht ist, tritt der simulatorische Aspekt der Wirklichkeit als dasjenige Moment hervor, das Transzendierungsbedürfnisse an sich bindet. Der wahre und zugleich geneppte Datentypist ist der Hacker, der in fremde Systeme einbricht: Fiktive Grenzüberschreitung, technischer Bewegungserfolg, der kleine Schock des Resultats werden erlebt und im Erlebnis zum Freiheitsgeschehen dynamisiert. Die neue Qualität des erreichten Jenseits ist das technische ›Wunder‹ seiner Erreichung, Intensitätslohn die bestätigte Findigkeit.

Nichts ist menschlicher als zu überschreiten, was ist.[17] Was ist, kann simuliert und im Medium der Simulation so überschritten werden, daß die Bewegung des Überschreitens Offenheit suggeriert und Erwartungsaffekte weckt, beschäftigt, befriedigt. Umgekehrt können Vollzüge des Menschlichen, die sein Transzendierungsvermögen in Anspruch nehmen und stimulieren, in Systemfunktionen nicht nur umformuliert, sondern auch entsprechend gelebt werden. *Mit der Kybernetik wird (...) das total, was mit Descartes angefangen hat. Man kann jetzt nicht mehr unter der Fiktion leben, wir hätten bestimmte Dinge noch nicht erfaßt, wie z. B. die lebendige Natur, wie man von Kant her noch hatte sagen können. Jetzt (...) hat man auch sie erfaßt. Und indem das total wird, ist die Fiktion nicht mehr aufrechtzuerhalten, das führe noch zu etwas anderem als dem, was wir bisher erleben.*

Und genau das ist die Chance einer anderen Möglichkeit, nämlich daß (...) hier etwas (...) zu Ende kommt. Aber das wird nicht kommen, wenn die Leute nicht darüber nachdenken, wenn sie sich nicht wehren.[18] Das ist nicht nur *der Ort des Denkens in der Geschichte,* wie Hartmut Schröter in dem zitierten Diskussionsbeitrag formuliert, es ist auch der Ort, der mehr oder weniger dunkle, jener Protestpotentiale, die Habermas der Lernfähigkeit des Juste-milieu anempfiehlt, aus dem der immer wieder wohlgemute Ruf ertönt, nun aber werde Politik vom Menschen aus betrieben. Und weil alle dabei mithelfen sollen, entdeckt man jetzt das Antizipatorische, selbstverständlich lernzielorientiert.

Werden im Zeitalter der Subsysteme und der schleichenden, den Steuerungsinstanzen entschlüpfenden Komplexionen einige der zentralen Theoreme Blochs (offenes System, Schichten der Kategorie Möglichkeit, antizipierendes Bewußtsein, Novum) dem pluralistischen Selbstverständnis quasi eingemeindet, oder fängt die Zeit ihrer Bewahrheitung erst an, beginnen sie gar zu ›greifen‹? Für letzteres spricht, daß der Cartesianismus an Legitimation verloren hat, daß er, wenn auch nicht unter diesem Titel, weithin diskreditiert ist und auch die Wissenschaft nicht gerade zu seiner erkenntnistheoretischen Stützung beiträgt. Weit entfernt, eine ›Identität‹ von Subjekt und Objekt auch nur denkbar erscheinen zu lassen, hat die Hochindustrialisierung Folgelasten und andererseits Freistellungen von Arbeitsfron hervorgebracht, die eine wie immer geheime oder naive, auch programmatisch bekannte Sehnsucht nach jener Identität, jenem Telos angefacht haben, deren Schule vorerst die Selbstwahrnehmung zu sein scheint. Nicht das ist freilich das Neue, dem Blochs ontologisches Instrumentarium sich anzumessen hätte, sondern neu sind die durch das Anwendungsspektrum der Kybernetik und der Mikroelektronik geschaffenen und noch sich entwickelnden Systemqualitäten, die unabsehbare Möglichkeiten der Vernetzung, der darstellenden Verarbeitung, der gezielten Reduktion durch Simulation und der Kontrolle – von struktureller Gewalt nicht zu reden – eröffnen. Leviathan hat Hochkonjunktur, und die Demokratien hüllen sich in den Schafspelz technologischen Fortschritts. Simulation weckt die Spielfreude – schon sind Heere von Schülern und Jugendlichen den ein wenig verdatterten Erziehern voraus. Der Reduktion durch Simulation eignet etwas Parasitäres; denn simuliert werden Funktionen des Lebendigen: Gedächtnis, Sprache, Verständigung, Lernen, Wahrnehmen, Verkehr, Handeln.[19] Das naturwissenschaftliche Verständnis von Wahrnehmung und Erkennen als Umweltsimulation ist das Paradigma für alle simulatorische Vergegenständlichung. Aber auch die Trieb- und Zielstrebigkeitskomponenten des Lebendigen werden dargestellt durch Energiezufuhr und eingespeicherte Selektionsprogramme. Das Parasitäre an den neuen Techniken besteht darin, daß Wechselbälge subjektiver Leistungen aufgebaut werden, die aufgrund ihrer Undurchschaubarkeit und ihrer Überraschungsmomente sogar eine eigne Hintergründigkeit, eine Art ›Seele‹ zu vertreten scheinen, und daß diese ›denkenden‹ und ›lesenden‹ Systeme nicht etwa zu einer besseren Differenzierung subjektiv-humaner Spezifika, sondern umgekehrt zu ihrer Subsumierung unter das scientistische Verständnis von Leben als einem universellen Informationsgetriebe beitragen. Erwartungsaffekte, Antizipationen werden darin nicht exstirpiert, sondern formalisiert. Auch so ist ›Identität‹ erreichbar.

Hunger, sagt Bloch, ist im umfassenden Sinne die Triebfeder der Geschichte, sogar da, wo das Kapital ihr Subjekt ist. Die daran anzuschließende Auslegung für die Gegenwart krankt freilich an einer falsch gestellten Alternative: *Das subjektive Leben endet nicht, wo es immer weitreichender subsumiert wird, wo es sich immer fremder wird in der übermächtigen Wirklichkeit. Es zieht sich zurück; nicht endgültig, sondern um immer wieder aufzutauchen auf der Suche nach dem realen Grund seiner Unruhe, nach dem, was es umtreibt.*[20] Was subjektives Leben sein wird, wissen wir nicht. Sicher indes scheint, daß das Systemische an den ›fortschrittlichen‹ Systemen (wenn man sie sich in die Zukunft verlängert denkt, was ja durchaus in Frage zu stellen ist) aufgrund ihrer technologischen Ausstattung und Kontrollmöglichkeiten in einer Verarbeitungsart subjektiver Potentiale liegen wird, die ihnen Analoga ihrer selbst zur produktiven Abarbeitung anzubieten vermag wie vordem die Rätsel der Natur, und die das Rebellische, Dysfunktionale dem Einspinneffekt sich steigernder Systemkomplexität bzw. ausdifferenzierter Spielräume zuführt. Schon heute ist das Verständnis dessen, was Subsumtion ist, ständiger Erweiterungen und Differenzierungen bedürftig, und nur Spezialisten sind in der Lage, dem Wachstum der Dependenzen weiter nachzuspüren. Das wirft zurück auf eine falsche Unmittelbarkeit, welcher nicht allein der schöne Schein der Ware sich anbietet, sondern immer mehr auch die Evidenzen von Simulationen und Simulationsapparaten. Was sie uns bescheren – einschließlich der Möglichkeit eines Atomkriegs aus ›Versehen‹ – nimmt unsere Erwartungsaffekte in Beschlag.

Das Element von Reflexion, das zum Hunger hinzutreten muß, soll er als Suche nach dem, was ihn umtreibt, überschreiten, was ist – diese grundschaffende Reflexion hat inzwischen ihre Geschichte und ihre Arkana. Als Forschung und Publizistik zum Subsystem werdend, spinnt sie sich zusätzlich selber ein – und kann sogar, qua Lebensführung, in Maßen praktisch werden. Das ideelle Subjekt jener Hoffnung, die nicht enttäuscht werden kann, ist jedoch als menschheitliches einer Dialektik verschworen, in der das Agens nach dem Was nicht zur Ruhe kommt. Wo bleibt aber die Dialektik, die den Faden wieder aufnimmt, wenn die Hungernden wirklich verhungern und den andern das Was im Informationsgetriebe, in dem auch die Hungernden ihren Auftritt haben, langsam abhanden kommt?[21]

1 Aurelio Peccei (Hg.): »Das menschliche Dilemma. Zukunft und Lernen«. Wien/München/Zürich 1979. — **2** W. Dettling in »Frankfurter Allgemeine Zeitung« v. 9. 11. 1979: »Keine Grenzen der inneren Reserven«. — **3** J. Habermas: »Theorie des kommunikativen

Handelns«. Band 1: »Handlungsrationalität und gesellschaftliche Rationalisierung«; Band 2: »Zur Kritik der funktionalistischen Vernunft«. Frankfurt/M. 1981 – Zitate mit Band und Seitenangabe im Text. — **4** N. Weidl und Sh. Marks: »Die Lebenswelt ist lebenswert. Jürgen Habermas' Rahmenrichtlinien für Theorie und Praxis der 80er Jahre«. In: »diskus. frankfurter studentenzeitung«, Heft 6/1 (1982/83), S. 34ff. — **5** Vgl. Otto Ullrich: »Weltniveau. In der Sackgasse des Industriesystems«. Berlin 1979. — **6** Dazu Wolfgang Müller: »Geld und Geist. Zur Entstehungsgeschichte von Identitätsbewußtsein und Rationalität seit der Antike«. Frankfurt/New York 1977. Vgl. auch Detlef Horster: »Bloch zur Einführung«. Hannover 1980. S. 9ff. — **7** Vgl. das Heft »Mathematik – Mathematisierung« der Zeitschrift »Wechselwirkung«, Nov. 1982, insb. die Beiträge von H. Mehrtens: »Vom Geist des Widerspruchs«, und der AG Mathematisierung in Darmstadt: »Suche nach Wegen aus dem Elfenbeinturm«. — **8** Vgl. Robert Spaemann/Reinhard Löw: »Die Frage Wozu? Geschichte und Wiederentdeckung des teleologischen Denkens«. München 1981. S. 213ff. — **9** Spaemann/Löw, S. 271ff. — **10** Vgl. neben den Anstößen von Dilthey und Horkheimer den die Forschung dokumentierenden und diskutierenden Sammelband von Hans Ebeling (Hg.): »Subjektivität und Selbsterhaltung. Beiträge zur Diagnose der Moderne«. Frankfurt 1976 – Blochs Deutung von Selbsterhaltung als *verläßlichstem Grundtrieb* bleibt hiervon unberührt, da er ihn gerade nicht als Selbstbeziehung verabsolutiert, sondern wie den Hunger als geschichtlich variablen Trieb nach dem Was faßt. (»Das Prinzip Hoffnung« I, Frankfurt/M. 1959. S. 72ff.). — **11** In anderem Sinne H. Ebeling: »Rüstung und Selbsterhaltung. Kriegsphilosophie«. Paderborn 1984. — **12** R. Spaemann: »Bürgerliche Ethik und nichtteleologische Ontologie« in: »Reflexion und Spontaneität. Studien über Fénelon«, Stuttgart 1963, abgedruckt in: »Subjektivität und Selbsterhaltung« (Anm. 10), S. 76ff. — **13** Konrad Lorenz: »Die Rückseite des Spiegels«. München 1973. — **14** Vgl. Joseph Weizenbaum: »Kurs auf den Eisberg, oder nur das Wunder wird uns retten«. Zürich 1984. S. 128ff. — **15** J. Weizenbaum: »Die Macht der Computer und die Ohnmacht der Vernunft«. Frankfurt/M. 1977. S. 160ff. — **16** Zum ›Abwandern‹ teleologischer Vorstellungen vgl. die Feststellung von Spaemann/Löw, S. 239: *Bemerkenswerterweise wird die Ausdrucksweise um so teleologischer, je weiter man sich von Lebewesen entfernt, bei Maschinen, Elementarteilchen oder Wirbelstürmen. Es ist nur konsequent, daß sie auch Personennamen bekommen, was bei Leghennen in einer* 10^6*-Hühner-Eierfabrik nicht mehr gut möglich ist.«* — **17** Ernst Bloch: »Kann Hoffnung enttäuscht werden?« In: »Verfremdungen V«, Frankfurt/M. 1962. — **18** »Der Tod der Moderne. Eine Diskussion«. (Mit Jean Baudrillard u. a.) Tübingen 1983. S. 47. — **19** Dazu auch P. Watzlawick (Hg.): »Die erfundene Wirklichkeit. Wie wissen wir, was wir zu wissen glauben? Beiträge zum Konstruktivismus«. München 1981. — **20** Klaus Binder: »Falsche Anamnesis in der Frage, was uns antreibt und wohin. Zu Blochs Freudkritik«. In: Burghart Schmidt (Hg.): »Seminar: Zur Philosophie Ernst Blochs«. Frankfurt/M. 1983. S. 319. — **21** Vgl. Hartmut von Hentig: »Das allmähliche Verschwinden der Wirklichkeit. Ein Pädagoge ermutigt zum Nachdenken über die Neuen Medien«. München, Wien 1984.

Barbara Brand-Smitmans

Die doppelte Helena

Alltag und Utopie zwischen Krieg und Frieden in Blochs Philosophie

I Die doppelte Imago und die Apokalypse des Sais-Bildes

»Wir sind in Ägypten oder auf der zu Ägypten gehörigen Insel Pharos, vor einer Königsburg. Menelaos tritt auf, allein auf der Rückfahrt von Troja. Seit Monaten irrt sein Schiff umher, von Strand zu Strand verschlagen, immer von der Heimkehr abgetrieben. Helena, seine zurückeroberte Frau, hat er mit seinen Kriegern in einer verdeckten Bucht zurückgelassen; er sucht einen Rat, eine Hilfe, ein Orakel, das ihn belehren soll, wie er den Heimweg findet. Da tritt ihm aus dem Säulengang der Burg – Helena entgegen, nicht die schöne, allzu berühmte, die er im Schiff zurückgelassen hat, sondern eine andere und doch die gleiche. Und sie behauptet, seine Frau zu sein – die andere dort im Schiff sei niemand und nichts, ein Phantom, ein Trugbild, von Hera (der Beschützerin der Ehe) damals dem Paris in den Arm gelegt, um die Griechen zu narren. Um dieses Phantoms willen sind zehn Jahre Krieg geführt worden, sind Zehntausende der besten Männer gefallen, ist die blühendste Stadt Asiens in Asche gesunken. Sie aber, Helena, die einzig wirkliche, habe indessen – von Hermes übers Meer getragen – hier in dieser Königsburg gelebt.«[1]

Der Mythos der ägyptischen Helena, hier – als Bericht Hofmannsthals mit dem Rückgriff auf die Tragödie des Euripides – von Bloch zitiert, ist dem Philosophen des »Prinzip Hoffnung« zufolge *einer der lebensechtesten, auch bedeutsamsten, die auf der Straße der Utopie-Wirklichkeit zu finden sind*[2].

Die ägyptische Helena steht in Blochs Philosophie für die verschiedenen Situationen unserer Blindheit vor dem Augenblick, in dem sich die Wahrheit der Wirklichkeit durch einen täuschenden Traum-Schein ver-hüllt, in dem sie aber auch in ihrer möglichen Identität mit der Utopie – als *Sein wie Utopie* – blitzartig ent-hüllt werden kann. *Die ägyptische Helena kann viele Namen haben – ihr Euripidesproblem, nicht bloß als literarisch, antiquarisch erscheinend, ist folglich stellvertretend. Es droht weithin, als Verdinglichung des Zieltraums, mindestens als dessen wirklichkeitsähnlich gewordenes Fortleben.*[3]

Der Inhalt der Intention und der Erreichtheit können zur Kongruenz gelangen, weil nicht nur im Subjekt, sondern auch im Objekt die Imago entzündbar ist. *Konkrete Utopie* erkennt gerade in der Realität die Möglichkeit oder Unmöglichkeit ihrer Erfüllung und kann eben deshalb den *Hoffnungs-Abstand* zwischen Traum und Wirklichkeit, das Noch-Nicht, der Möglichkeit nach überwinden und so auch zur Wirklichkeit der Identität des Identischen und Nicht-Identischen führen.[4] *Abstrakte Utopie* hingegen bringt es nicht zu dieser Identität; sie setzt das Idol als *einzig real, und gerade die Erfüllung wirkt dann als Phantom.*[5]

Zur Doppelgestalt der Helena gesellt sich für Bloch noch eine andere, an der in philosophisch-allegorischer Verdichtung das Auseinanderklaffen von Utopie und Wirklichkeit als Verhängnis anschaubar wird: Don Quichotte.

Die *abstrakte Utopie* Don Quichottes, für die die Umwandlung der Wirklichkeit *täglich Brot* ist,[6] wird genährt von der phantastischen Liebe des Ritters zu Dulcinea. Sie aber *wohnt völlig auf der utopisch-überutopischen Seite. Nur ihre Gestaltlosigkeit verhindert, daß vor Dulcinea selbst noch die trojanische Helena zum Alltag der ägyptischen herabgesetzt werde.*[7] Zwischen Don Quichotte und auch Faust bewegt sich die *Aktualität* und *Theorie* des Lebens, die Bloch schon in seinem Jugendwerk thematisieren will. So spricht er in einem seiner frühen Briefe (14. 5. 1913) an Georg Lukács – mit dem ihn damals eine symbiotisch-freundschaftliche Geistesbeziehung verband und dem sich ebenfalls die Zweiteilung zwischen abstrakten Idealismus und Wirklichkeit als Problem am *Typus Don Quijote* darstellte – von des Ritters *merkwürdiger Art, die richtig stellende Wirklichkeit* statt als Entzauberung als Verzauberung zu betrachten. *Es fehlt ihm wie etwa bei dem Ritter Jendelwald bei Keller ganz das spekulative Pathos seinen utopischen Gebilden gegenüber, zwischen ihm und Faust trägt sich das ganze Schicksal meiner Philosophie zu.*[8]

Um die Imago der trojanischen Helena – eine falsche Utopie, weil sie für die Nähe der alltäglich-wirklichen, der ägyptischen, blind machte – brach der Krieg aus. Um der Traum-Gestalt Dulcineas willen zog Don Quichotte in seine ständig scheiternden Abenteuer der Verwechslung von Utopie und Wirklichkeit: Die Tragödie der Diskrepanz zwischen Traum-Bild und Wirklichkeit spielt sich für Bloch sowohl im persönlich-individuellen Alltag als auch auf der großen politischen Bühne der National- und Welt-Geschichte ab.

Zum ersten findet Bloch als Exempel den Gegensatz zwischen romantischer Märchenzeit der jungen Liebe und dem dann folgenden Ehealltag der Figur des Kapellmeisters Kreisler bei E. T. A. Hoffmann, *der in der Liebe nur die Himmelsbilder, in der Ehe nur die zerbrochene Suppenschüssel sah und so die Bilder gegen die Schüssel nicht eintauschen wollte.* Für Bloch kann hier die *Verdinglichung der Trojanischen Helena,* der *einschlägige Chock des Menelaos vor seiner ägyptischen Helena* als *Dunkel des gelebten Augenblicks* angesehen werden.[9]

Zum zweiten findet Bloch Don Quichotte *in den politischen Schwindel- und Maskenbällen der neueren Zeit; in politischer Romantik insgesamt*[10] wie sie vor allem von nationalsozialistischer Propaganda als *Traum des Unbedingten*[11], *Traum vom vollkommenen Leben*[12] demagogisch ausgenutzt wurde.

Weitere Bilder in Blochs Philosophie korrespondieren dem der doppelten Helena, stehen für die Erkenntnis der Möglichkeit von Täuschung oder Erkenntnis ver- oder enthüllter Identität, der *Existenzerhellung* verhängnis- oder heilvoller menschlicher Geschichte: das Bild zu Sais, die ihm wiederum entsprechende Apokalypse und Luzifer. Mit dem *Bild zu Sais* endet das zentrale Kapitel des »Geist der Utopie«, *die Gestalt der unkonstruierbaren Frage,* das überleitet in das große letzte Kapitel: »Karl Marx, der Tod und die Apokalypse oder die Weltwege, vermittels derer das Inwendige auswendig und das Auswendige wie das Inwendige werden kann«. Die Enthüllung des Sais-Bildes – wir kennen es aus Schillers Gedicht und von Novalis' »Die Lehrlinge zu Sais«, dieses Motiv aus der von Dilthey der Jugend anempfohlenen Romantik – hat für Bloch als Enthüllung des Ich vor sich selbst, als Selbstbegegnung, sein Korrelat im ἀποκαλυψειν des Weltgeschehens, der Begegnung der Welt als Totum mit sich selbst. Das Daseinsgeheimnis, das Welträtsel, Knoten der Welt, *ruht im wahren Bild zu Sais, und dieses ist allein die Figur der Selbstbegegnung, das Dunkel ihres gelebten Augenblicks und der Schauer der absoluten Frage*[13]. Das geschichtsphilosophische Telos ist das *aufgedeckte Angesicht,* die Enthüllung des Menschenantlitzes als des göttlichen, ohne maskenhafte Entstellung, das sich zugleich in die endgültige Offenbarung der Welt einbringt. Die *Verschleierung des Ich* jedoch, das Dunkel des gelebten Augenblicks – seinem Impuls nach Kierkegaards Erbe – steht der *Existenzerhellung* entgegen, rückt bei Bloch in die Sphäre des Bösen als Umkehrung des ersten Sündenfalls.

Die echte Erbsünde, das eigentliche Anti-Christentum war nach Bloch das Nicht-Seinwollen wie Gott, Nicht-Seinwollen wie Jesus, *sich von den Mitteln der falschen Versachlichungen aufsaugen lassen*[14], die Resignation in der Entfremdung: *So kommt uns das Böse nicht mehr als Hoffart nahe, sondern ganz im Gegenteil als Schlaf, Ermattung, Verschleierung des Ich und Verzerrung des Jenseitigen, in unendlich viel furchtbarerer Weise.*[15] Das ἀποκαλυψειν in seiner Doppelgesichtigkeit zeigt die Möglichkeit des hinter dem Schleier lauernden Nichts, der *Hölle des Umsonst*[16], und die vor ihm wartende Selbstfindung, deren Erfüllung aber letztlich mit dem Tod identisch ist. Es gibt nur einen Weg, die Identität lebend zu erleben, in Novalis' Worten ausgedrückt: *Und wenn kein Sterblicher, nach jener Inschrift dort, den Schleier hebt, so müssen wir Unsterbliche zu werden suchen.*

Die Gott-Werdung des Menschen.

Das Grab- und *Gramerlebnis* der Lehrlinge zu Sais aber war nach Bloch nicht nur die *Hölle des Umsonst,* sondern sich selbst *in den beiden Doppelgestalten* zu sehen: sein Ich in der Möglichkeit *voller, erlöster, dereinstiger Glorie (...) und wiederum den Abstand zur seienden Finsternis daran, zum aktiven Unglauben, nicht mit sich Identischsein*[17]. Es kommt also auf diesen Glauben an: (...) *unser christlich-mes-*

sianisches Gedachtwerden in treibender Existenz, im Dunkel, im Urproblem des gelebten, des alles verbergenden Augenblicks, ein Umgedachtwerden der Welt auf den Makanthropos in ihr steht vor der Tür, daß wir uns endlich mit Ernst als das Prinzip erkennen, das alle Umsetzung der Welt leite, ohne daß kein Prozeß und auch keine Hoffnung, kein Problem, Gott und Himmelreich wäre[18].

Die Erlösung aus dem Dunkel durch Luzifer.

Sündenfall und Engelsturz zeigten *dieses Doppelich im Gott unserer Tiefe,* nämlich das Aufbegehren gegen unsere Entmündigung, gegen einen menschenlosen Anfang der Welt einerseits, Verharren in unserer Erniedrigung andererseits. Diese ehemalige *Erbsünde* wurde nach Bloch schon durch die Propheten zum obersten Postulat.[19] Das Luziferische wird hier zum Unterscheidend-Menschlichen. Als das *Luziferisch-Prometheische* führt Bloch diesen seinen frühen Gedanken im »Prinzip Hoffnung« aus: Der Mensch als *Subjekt der Weltveränderung,* nur er kann *luziferisch sein, das ist Bewußtseinsmacher, Lichtschläger, Weltveränderer.*[20]

Ist für Bloch das eigentliche, wenn auch noch nicht vollendete Werk des Menschen seine Selbst-Erschaffung als Identität seines doppelten Ich, des alltäglichen und utopischen, des luziferischen und des göttlichen, in Vermittlung mit einer von ihm selbst als gut erschaffenen Welt, so ist er auch – als Gott – nicht nur identisch mit seiner Schöpfung, der ruhigen Harmonie ihrer Vollendung, sondern auch mit dem siebten Tag, dem Tag der ausruhenden Bewunderung seines Werkes. Zu einer *human-vollkommenen Welt*[21] gehört die Epiphanie des siebten Tages – gleichwie das neue Jerusalem nach der Apokalypse –, in dem sich erfüllter Raum, erfüllte Zeit zu einem Sein wie Utopie vereinen. Dieser siebte Tag, als Epiphanie der Identität von Ich-Wir-Welt, sind wir selbst. Bloch verkündet seine – wenn auch noch nicht erfüllte – Möglichkeit mit den Worten Augustins: *»Dies septimus nos ipsi erimus«, der noch nicht geschehene siebte Tag werden wir selber sein, in unserer Gemeinschaft, wie in der Natur.* (...) *Auch ohne dienende Engel, besser als mit ihnen, trägt sich das Unsterbliche Fausts empor. Biblisch hieß das unser aufgedecktes Angesicht, philosophisch ist es Identischwerden.*[22]

Die mögliche Epiphanie des siebten Tags aber hat ihre Bedingung für Bloch im echten *carpe diem:* Der Augenblick soll ergriffen, der Tag gepflückt werden. Ein nur flüchtiges Carpe diem landet in Resignation und Erinnerung, das echte Carpe diem weitet sich aus zum *carpe aeternitatem in momento: erst das erträgt, ja verlangt auch Dauer,* birgt *Hoffnung und Ankunft* in sich.[23] In diesem Sinne spricht Bloch von der ›Mystik des Alltags‹: (...) *Carpe diem des unüblichen, echten Sinns; doch wieviel Scheu, wie viel bloße Symbol-Intention wiederum ist in dieser unscheinbaren Alltags-Mystik, der einzigen, die geblieben ist, die wert ist zu bleiben*[24]. Ja, im Topos des Alltags kann das Ou-

Topische, das für Bloch ›Noch‹-Nicht-Ort ist, seinen einzig adäquaten Zeit-Raum finden. Hier wird sogar die große macht- und prachtvolle Herrlichkeit überboten, die die Religions-Mythologie um das summum bonum aufgebaut hat. Das Unum, Verum, Bonum liegt eben hier, wo es zunächst nicht vermutet wird. Nur hier kann sich Identität letztlich aufschließen, kann sie angeschaut, erlebt werden als das was Mystik eigentlich ist: (...) *Koexistenz, ja aufgeschlagene Identität aller Augenblickswelten in der Vergegenwärtigung des höchsten Guts*[25]. Vor diesem Horizont vollzieht sich nach Bloch alles Wirkliche. Insofern es Bloch um die Beziehungen der Erscheinungen zum Ganzen, zu ihrem *utopischen Totum* geht, ist eine empirische Gegebenheit für ihn nicht einfach eine Tatsache, sondern ein pars pro totum gesellschaftlichen, individuellen und ontologischen Seins: *Nicht das einzelne Kind malt, sondern eine allgemeine kindliche Weise in ihm.*[26] Eben das Einzelne aber hat – gerade als das *allernächst Unscheinbare* – Verweisungscharakter in bezug auf das Allgemeine. (...) *die feine Signatur dieser Evidenzen ist das einzige, was von der früheren vermeintlichen Götternähe geblieben ist, ja was in ihr, soweit sie ein Ens perfectissimum zu enthalten schien, allemal den Kern ausgemacht hat*[27].

In diesem Sinne sind die alltäglich-empirischen Dinge *Realsymbole*. Hierher gehören die *Durchbruchserfahrungen am Unscheinbaren*[28], mit *wechselnden, fast für jeden Menschen verschiedenen Eindrücken, doch mit allemal gleicher Richtung und Bedeutung: Ruhe, Tiefe war allemal in diesem Unscheinbaren fundiert* (...)[29]. Für Bloch lebt alles dergleichen *an religiöser Grenze, auch die Symbolintentionen des absoluten Staunens leben daran, trotz ihres Orts im Alltag*[30]. Hier gibt das Nunc stans dem ›Verweile doch‹ die radikalste Form. Das ist die Identität der trojanischen und ägyptischen Helena, wie sie nicht nur in ihrer Gestalt – objektiv – erscheint, sondern auch vom Subjekt er- und begriffen werden kann. Ja, das subjektive Erfassen macht gerade das Begreifen des Geschehnisses *auf der Höhe des Weltprozesses* möglich.[31] Denn das Carpe diem in nächster, Alltags-Nähe muß zur durchschauten Geschichte, *durchschauten Vergegenwärtigung* werden. Das bedeutet, den Augenblick *›mit genialer Nüchternheit‹*[32] nach seinem geschehenden, ja weltgeschichtlichen Inhalt hin zu erfassen, was sehr selten gelingt. Gelungen ist es – nach Bloch – bei Marx und Engels. *Und Lenin hat sein Leben lang Gegenwärtiges mit historischem Durchblick erfaßt bis zu jenem durchdachten Carpe diem, welches Große Sozialistische Oktoberrevolution heißt.*[33] Hier ist – der philosophischen Konstruktion Blochs entsprechend – die trojanische und ägyptische Helena als identische enthüllt, tätig erkannt.

II Mobilmachungen gegen den Alltag

Blochs Bild der identischen Helena kann keineswegs losgelöst werden von der geschichtlich existentiellen Erlebniswirklichkeit der Entstehungszeit seiner utopischen Philosophie. Diese war bestimmt von der Krise der Kultur und Zivilisation, des alltäglichen Lebens überhaupt, die nicht erst Heidegger mit seiner existential-ontologischen Begründung der Alltäglichkeit, Husserls Hinwendung zur Lebenswelt, viel später Lefèbvres »Kritik des Alltagslebens« oder Kosiks »Dialektik des Konkreten« philosophisch zu bewältigen suchten. Diese Krise veranlaßte schon vor dem Ersten Weltkrieg Simmel zu seiner Konzeption der Tragödie unserer Kultur und provozierte – vor allem unter jungen Intellektuellen und Künstlern – Manifeste und Programme radikal neuer oder erneuerter Ziel-, Sinn- und Wertvorstellungen. Bei oft gegensätzlichen politischen und weltanschaulichen Positionen war ihnen doch eines gemeinsam: sie signalisierten die Angst vor der westlichen Zivilisation, deren positivistischer Kälte und deren Kultur- wie Moralzerfall, zugleich aber die Hoffnung auf die Katharsis des Menschen, in der Sehnsucht nach einem Absoluten, das die Nichtigkeit des Alltags vernichte und die Menschen in neuer Identität individuellen und gemeinschaftlichen Seins zusammenführe.

Ein Zeitalter, für das *die Lebensimmanenz des Sinnes zum Problem geworden ist, und das dennoch die Gesinnung zur Totalität hat*[34], beschwor die totale Katastrophe herauf, die schließlich in den weltspaltenden Feindbildern von Krieg oder Revolution, Faschismus oder Sozialismus eskalierte. Eine allgemeine Mobilmachung rüstete letzten Endes gegen den einen gemeinsamen Feind: dieses Zeitalter selbst, das Lukács mit Fichte das *der vollendeten Sündhaftigkeit*[35] genannt hatte. Kriegsbegeisterung wie Kriegsablehnung in Deutschland waren von derselben Motivation getrieben: die Ablehnung der bürgerlichen Gesellschaft, ihrer Langeweile, Scheinmoral, falschen Sicherheiten. Äußerungen von Georg Lukács und Thomas Mann legen davon Zeugnis ab.[36] Nicht nur die Avantgarde der jungen Expressionisten, die meist auch Anhänger der kommunistischen Revolution waren, sondern auch die Anhänger der ›konservativen Revolution‹ im Sinne des jungen Thomas Mann proklamierten den Ausbruch aus dieser Lebenswelt. Nicht nur Georg Heym empfand den Frieden als *so faul und ölig und schmierig, wie eine Leimpolitur auf alten Möbeln* und sehnte sich nach Befreiung von dem *faden Geschmack der A l l t ä g l i c h k e i t* und hoffte jetzt *wenigstens auf einen Krieg*, ja sein *brachliegender Enthusiasmus in dieser banalen Zeit* sehnte sich in die französische Revolution zurück, wo er *mit Anstand* hätte sein Leben lassen können.[37] Auch Thomas Mann empfand, daß es so mit unserer *Welt des Friedens und der cancanierenden Gesittung, (...) in der es wimmelt von Ungeziefer des Geistes wie von Maden*, nicht weitergehen konnte und rief aus: *Krieg! Es war Reinigung, Befreiung und eine ungeheure Hoffnung.* Für ihn hatte, wie für viele Kriegsbegeisterte, Krieg die Bedeutung der *Verachtung dessen, was im bürgerlichen Leben ›Sicherheit‹ heißt.* Thomas Mann sah *völlig gleichnishafte Beziehungen, welche Kunst und Krieg miteinander verbinden;* nach seiner Überzeugung war, was die Dichter begeisterte, *der Krieg an sich selbst, als Heimsuchung, als sitt-*

liche Not. Es war der nie erhörte, der gewaltige und schwärmerische Zusammenschluß der Nation in der Bereitschaft zu tiefster Prüfung.[38]

Eine ähnliche Auffassung findet sich auch bei Blochs Lehrer Simmel. In der Straßburger Rede vom November 1914 vertritt er die Überzeugung, *daß dieser Krieg irgendwie einen anderen Sinn hat als Kriege sonst haben, daß er eine (...) mysteriöse Innenseite besitzt, daß seine äußeren Ereignisse in einer schwer aussagbaren, aber darum nicht weniger sichereren Tiefe von Seele, Hoffnung, Schicksal wurzeln oder auf diese hingehen, (...) daß die Erneuerung unserer inneren Existenz (...) nicht auf die Steigerung irgendwelcher Einzelwerte hingeht, sondern auf die Einheit und Ganzheit eines Jeden – das hat sein Symbol und seine Bedingung darin gefunden, daß erst mit diesem Krieg auch unser Volk endlich eine Einheit und Ganzheit geworden ist und als solches die Schwelle des anderen Deutschland überschreitet.* Deutschlands innere Wandlung, das war die Auffassung Simmels, *haftete sich zunächst an einen neu gefühlten Zusammenhang zwischen dem Einzelnen und der Nation. Was viele von uns gewußt haben: daß in der Existenz des Individuums nur ein beschränkter Teil wirklich individueller, auf sich selbst ruhender Besitz ist, – das gewinnt in der ruhigen Alltäglichkeit kein entscheidendes Bewußtsein (...) Den gemeinsamen Grund müssen erst starke Stöße in seiner Selbstverständlichkeit erschüttern, damit man ihn fühle.* Simmel wurde plötzlich klar, *wie sehr man vorher im Nicht-Geschichtlichen gelebt hat: entweder als Tageswesen, in dem man zu jeder Zeit, ein wenig so oder so variiert, das Leben des Alltags erfüllt: Hunger, Liebe, Arbeit und Erfolg, Freuden und Leiden unserer Vergänglichkeit: oder, als Existenz höherer Geistigkeit, lebten wir im Zeitlosen.* Und er wagte die Behauptung, *daß die meisten von uns erst jetzt das erlebt haben, was man eine absolute Situation nennen kann (...) wir stehen – was das Leben sonst nur wenigen von uns gestattete oder abforderte – auf dem Grund und Boden eines Absoluten.*[39] Bloch beantwortete diese Wandlung Simmels vom Relativen zum Absoluten mit dem Bruch seiner Freundschaft: *Das Absolute war Ihnen vollkommen suspekt und verschlossen. (...) Heil Ihnen! Nun haben Sie es endlich gefunden. Das metaphysische Absolute ist für Sie jetzt der deutsche Schützengraben!*[40]

In seinem Artikel »Die deutschen Intellektuellen und der Krieg«, um 1915[41], versucht Lukács weniger eine polemisch-ethische Wertung als eine ›verstehende‹ Analyse solcher Stellungnahmen zum Krieg. An Beispielen wie Simmel und Thomas Mann zeigt er die ungeheure Bereitschaft zum ›Neuen‹, *zu einem anderen Deutschland,* dessen *Isolation der Kultur und Kulturträger* durch eine brüderliche Gemeinschaft aller verschwinden soll: *Das Zusammenhaltende dieser Gemeinschaft für den Krieg ist gegeben: die Kameradschaft in der gemeinsam bestandenen und überwundenen Gefahr. Daß sie aber auch nach dem Krieg fortbestehen soll, das scheint – für diese Hoffnung – unzweifelhaft, wenn man es auch nicht aussprechen will noch kann, woraus diese Gemeinschaft bestehen sollte.*[42]

Auch Bloch erkannte, daß der Krieg für viele eine Ausbruchsmöglichkeit aus ihrem bisher dumpfen Leben bedeutete: *Denen es nichts verschlug, frei und im offenen Lauf zu fallen, statt endlos die Kette ihrer freudlosen Tage zu schleppen (...) Die Menschen kamen sich zwar näher in der gemeinsamen Gefahr und Not, aber sie wurden nicht besser durch diese, (...) und so mußte sich gerade die suchende, verzweifelte, liebesverlangende Kraft zur Verbrüderung untereinander ein falsches Stichwort geben lassen, das den Haß voraussetzt, und das mit dem echten Aufruf zur Liebesgemeinschaft so wenig gemeinsam hat wie mit der Geburt des neuen Menschen, von der die Kriegsliteraten sprechen, mit Potsdam als Bezugsquelle.* Zwar verstand auch Bloch den Krieg als eine *Wasserscheide* in dem Sinne, daß er *schließlich alles falsche ideologische Darüber entgöttern* wird, *wohl dazu geeignet, jegliche Ausbeutung vollkommen unerträglich zu machen.* Für Bloch konnte damals nichts selbstverständlicher sein, *als daß die wirtschaftlichen Motive zum Krieg und darum der Krieg in der sozialistischen Wirtschaftsform erst recht verschwinden müssen, sofern hier andere als die Erwerbstalente ausschlaggebend sind, sofern das Eigentum und alles, was damit gegeben ist, Verteidigung und Angriff, Unselbständigkeit und Selbständigkeit, Unterdrückung, Imperialisierung –, aufgehört hat, Kraft und Alternative zu sein, sofern also der Staat selber zur völlig internationalen Verbrauchs- und Produktionsregelung übergegangen ist.*[43]

Utopie des Glücks, von Bloch *gehalten gegen Elend, Tod, Schalenreich der physischen Natur,* verschwisterte sich mit der *Utopie des Unglücks,* wie sie Thomas Mann in seinen »Gedanken zum Kriege« aufsteigen sieht.[44]

Ein Großteil der Avantgarde des Expressionismus setzte – wie Bloch – ihre Hoffnung auf die Revolution im Sinne der ebenso politischen und sozialen Umwälzung der Gesellschaft zu einer klassenlosen wie der Metanoia der Seelen, mit dem Ziel der Wiederherstellung von Lebenssinn in Gemeinschaft, der Erneuerung der Kunst ohne ihre Trennung vom alltäglichen Leben. Schon vor dem Ersten Weltkrieg hatte die Avantgarde mit der – von Lukács später in der Expressionismusdebatte als abstrakt-antibürgerlichen Café- bzw. Bohème-Existenz kritisierten[45] – Destruktion bürgerlichen Alltags, dessen Lebens-, Staats-, Wirtschafts- und Gesellschaftsformen die Destruktion auch der akademischen Kunst- und Denkformen und den radikalen Neuaufbruch in Farbe, Wort, Ton proklamiert. Der Alltag selbst sollte für sie zur Kunst, die Kunst neu aus dem Alltag erschaffen werden. Der Ausbruch aus der bürgerlichen Gesellschaft vollzog sich hier in der ideellen und auch faktischen Hinwendung zur – oft auch materiellen – Randexistenz, mit dem Ideal von spontanem Eigenschöpfertum und der Freizügigkeit gegen ein zunehmendes – im Büchnerschen Sinn – Fremdbestimmtsein durch das abstumpfende Immergleiche und seine institutionellen Verordnungen.

Auch Bloch lebte diese Art des Exodus, worüber seine frühen Briefe an Lukács hinreichend Aufschluß geben: sein *völlig unakademisches Lebensgefühl*[46] nach dem Scheitern seiner zunächst durchaus ernsthaften universitären Bemühungen, ebenso bitterste Armut nach plötzlichem kurzen Reichtum durch seine Heirat mit Else von Stritzky, seine ständigen Sorgen um diese seine totkranke Frau, mit der er eine Symbiose von Lieben, Leben, Werk versuchte, wobei er in ständiger Spannung stand zwischen philosophischer, damals noch streng systematisch konzipierter Arbeit und dem *immerfort dunklen Alltag*[47]. Elses *Bild und Wesen* aber, so schreibt er in einer Tagebuchnotiz vom 24. 1. 21 nach ihrem Tod, *wächst immer leuchtender empor – gänzlich verklärt, die heilige Frau, und bei aller tiefsten Verehrung ganz ohne Scheu, da sie doch mein Inwendigstes und auch mein geliebtestes, vertrautestes Mädchen ist, meine Freundin, mein festlicher Alltag*. Der Terminus *festlicher Alltag* ist in dem Else zugeeigneten »Geist der Utopie« utopische Metapher für vollkommenes Gelingen von Liebe und Ehe, der Idealgestalt ihrer Identität, ebenso wie im »Prinzip Hoffnung« für eine Gesellschaft ohne abgetrennte Sonn- und Feiertage: (...) *wie sie das Steckenpferd als Beruf, das Volksfest als schönste Erscheinung ihrer Gemeinschaft haben wird, so wird sie auch in einer glücklichen Ehe mit dem Geist, mit ihm ihren festlichen Alltag erfahren*[48].

Der Hinwendung der Avantgarde zur bisher verachteten Randexistenz – sie hatte bereits in van Gogh ihre radikalste und genialste Lebens- und Kunstgestaltung gefunden; Bloch hebt im »Geist der Utopie« *das unbegreiflich uns Verwandte, uns Verlorene, Nahe, Ferne, Saishafte der Welt* seiner Bilder hervor[49] – entsprach ihre Ausrichtung auf bisher geschmähte Formen des Alltäglichen und Trivialen in Kunst und Literatur. So ist auch *der alte Krug*, den Bloch in seinem Brief an Lukács ein *Feuilleton*, eine *Plauderei* nennt, für ihn eine alltägliche, diese zugleich transzendierende Gestalt, an der die Identität der Person wie das Wesen des Kunstwerks aufgehen kann: Er *hat nichts Künstlerisches an sich, aber mindestens so müßte ein Kunstwerk aussehen, um eines zu sein, und das wäre allerdings schon viel.*[50]

Im Suchen nach neuen Ausdrucksmitteln teilt Bloch durchaus das Bemühen seiner expressionistischen Zeitgenossen: Chansons, kabarettistische groteske Lieder, Kolportage, Karl May gewannen für sie besondere Bedeutung. Auch Bloch machte seinem Denken und Schreiben zu eigen, was Döblin 1917 gesagt hatte: *Der Tagesroman wird sich nicht eher erholen, als der Grundsatz zum Durchbruch kommt: ›Mulier taceat‹, zu deutsch: die Liebe hat ein Ende. Der geschmähte Räuberroman, Karl May, die Schundliteratur ist besser.*[51] Bloch brachte es nicht nur zu einer *Conductio* von Wagner und Karl May, sondern proklamierte – außer seiner besonderen Darstellung des Utopischen in diesen literarischen Formen und Gehalten[52] – in der Bewunderung Benjamins und Kracauers die *Revueform in der Philosophie* als *ihrer methodischen Möglichkeit nach, Reise durch die hohlgehende Zeit.*[53] Das ›Spuren‹-Lesen und -Legen anhand alltäglicher

Phänomene beginnt für Bloch aus dem unmittelbaren Erfahren heraus, den denkerischen Weg in die letzthin unkonstruierbare Gestalt der Frage nach Ursprung, Sinn und Ziel unserer Existenz zu verlängern, um so im blitzartigen *Merke* die Möglichkeit unserer Identität aufscheinen zu lassen. Hier hat Blochs *doppelte Helena* ihren systematischen und aus dem Zusammenhang ihrer expressionistischen Zeitumstände historisch verstehbaren Ort. Vor diesem Hintergrund gewinnt sie für Bloch ihre erkenntnis- und sozialkritische Bedeutung.

Die doppelte Helena – sie verbirgt sich hinter den von Bloch aufgezeigten *Hieroglyphen,* den Widersprüchen des Zerfallsbürgertums des 19. Jahrhunderts, seinem *Riß zwischen Alltag und Dekoration,* der zwei Gesichter offenbarte: das *ingenieurtechnische* und das *dekorativ-individualistische;* der Mensch verhüllte sich hinter historisierenden, fremdländischen, mythischen Masken, das Bürgertum floh in Wunsch- und Ersatzträumen vor der kalten Zweckmäßigkeit ihres phantasielosen, reglementierten und reglementierenden Alltags.[54]

Als radikaler Widerspruch dagegen erhebt sich das Pathos des neuen, durch sich selbst zum göttlichen erlösten Menschen, in das auch und gerade Bloch mit vehementer Sprache einstimmt, ja aus dem heraus er sein frühes als siebenbändige *Summe* geplantes Werk konzipiert, worüber er im Oktober 1911 an Lukács schreibt: (...) *alle Menschen, in Rußland und bei uns im Westen werden sich wie an der Hand genommen fühlen, sie werden weinen müssen und erschüttert und in der großen bindenden Idee erlöst sein und nicht nur einmal, wie man schwach vor Tannhäuser und Wagners heiliger Kunst erschauert, sondern in allen Stunden, und das Irren hört auf, alles wird von einer warmen und zuletzt glühenden Klarheit erfüllt; es kommt eine große Leibesgesundheit und eine gesicherte Technik und gebundene Staatsidee und eine große Architektur und Dramatik und alle können wieder dienen und beten und alle werden die Stärke meines Glaubens gelehrt und sind bis in die kleinsten Stunden des Alltags eingehüllt und geborgen in der neuen Kindlichkeit und Jugend des Mythos und dem neuen Mittelalter und dem neuen Wiedersehen mit der Ewigkeit. Ich bin der Paraklet und die Menschen, denen ich gesandt bin, werden in sich den heimkehrenden Gott erleben und verstehen.*[55]

Der ästhetisch-parakletische Tenor eines solchen Messianismus bestimmte auch die ›Revolutionszeitschriften‹, in denen Bloch veröffentlichte. So die von Blochs Freund Burschell – unter der geistig-religiösen Führerschaft Tolstois, mit dem Glauben an die Kraft des wiedergeborenen Herzens – herausgegebene »Revolution – an Alle und Einen«, in der Blochs Artikel »Zur deutschen Revolution«[56] und in derselben, zu »Neue Erde« umtitulierten Zeitschrift seine erweiterte Vorrede »Absicht« zum »Geist der Utopie« erschien, in der es heißt, anknüpfend an das Postulat des *incipit vita nova: Wir wollen gut werden, wieder einfach wie Kinder, uns lieben, uns helfen, uns trauen, wir Freunde. Aber gewiß: dabei wollen wir auch den Traum der Kindheit, den uneingelösten, nicht verlieren* (...) *Gutes, Echtes, Heimkehrendes allein hat sich von hier ab zu bewähren. Farbe, Wunder, zahllos andrängender Reichtum des einen Blicks, Sehnsucht und durchdringendes Eingedenken, Ende, Tiefe, Mythos, Zauberabgrund unserer Zukunft, unseres Wesens werden uns nunmehr rein begleiten. Gesichert auch gegen die Karikatur der neuen Zeit, der Endzeit: gegen alle müde Verflachung und Verleumdung der Tiefe, gegen alles Lallen von Erwachsenen, die dadurch glauben, gut zu werden und doch nichts anderes zu tun als den erleuchteten Traum des Geistes ihrer Enge, ihrem Feuer auslöschenden Positivismus zu verraten. Wir aber teilen Elend und Endliches entzwei. Seele, Brüderlichkeit, Selbstbegegnung und unser aller Begegnung darin, Rufen, Heimlichkeit des Innersten, Tiefsten (...) schlagen sich auf. (...) Aber zuletzt – das alles am gewonnenen Ende: Gut, Freiheit, Licht des Angesichts – sind keine Werke mehr, wie man bislang allein Werke kannte, und sie brennen durchaus nicht länger im von uns abgehaltenen luxuriösen Kreis irgendeiner möglichen ›Kultur‹. Sondern das Zeichen des Sich selbst in Existenz Verstehens geht an diesen, geht an den Beschwörungen, Ahndungen auf; und nun werden sie vorgehalten, richtend, helfend, nachziehend aus dem Abstand, allem exemplarisch. (...) Die in der Selbstbegegnung weit, tief durchmessene Menschheitsexpression wird so zum Weg der Wege, Ziel der Ziele, ausgespannt, neue ›Welt‹ der Seele, Amulett und Grundsystem über Pflanzen und Staaten, eigenem Tod und furchtbar, endgültig, fern vom Heil drohenden Tod der Welt. Aber aus Güte und unserem, seinem enthüllten Namen kommt die Hilfe. Denn aus unserer Reinheit und dem endlich enthüllten Stichwort des Menschenbunds, Menschengesichts, der einzigen Wahrheit in der Welt, über der Welt gebärt sich der Stern möglicher Apokalypse, möglichen Ingesindes, möglich-notwendigen Himmelreichs. Ihn zu sehen, dazu leben wir, leiden, helfen, sehen, rufen wir auf seinen Spuren, Kinder Gottes, Zauberer Gottes, Erben seiner Unsterblichkeit.*[57]

In den »Weißen Blättern« veröffentlichte Bloch seinen Artikel *Wie ist Sozialismus möglich?*[58] Hier verbindet sich für Bloch im *Utopierecht der Menschheit zur Vollendung* der *mystische citoyen* in Erinnerung an den Bastillesturm und Kants Metaphysik der Sitten, der *Ideengewalt der Menschenrechte* mit dem Maßstab der urchristlichen eschatologischen Heilserwartung: *Nur unter gütigen, begeisterten, der Tiefe des Menschenbunds hingegebenen, chiliastischen Pilgerschaft vertrauten Völkern ist die Magie der Brüderlichkeit möglich; gereinigtes Gewissen, Instinkt des Ziels sind sowohl die Bedingungen des Anfangs, wie der dauernd sich steigernde Bewußtseinsinhalt des Sozialismus, dieser sich wohl anhebenden Mobilmachung zum himmlischen Reich.*[59] Unter dem Stern eines solchen urchristlich-marxistischen Sozialismus hatte Bloch als *eine der Utopie durchaus eingeschriebene, revolutionäre Sendung* proklamiert, *auf dem Bauhorizont des alltäglichen Lebens zu helfen.*[60]

Was im »Geist der Utopie« im metaphysisch-mythischen Pathos ausgerufen wird, untersucht Bloch – angesichts des heraufziehenden

Faschismus – in »Erbschaft dieser Zeit« an Phänomenen der Verflochtenheit von Alltäglichem und Utopischem vor allem in bezug auf die emotionale Empfänglichkeit der kleinen Leute für nationalsozialistische Demagogie. Bloch hatte erkannt, daß das Trojanisch-Helenahafte in beiden Kriegen den Alltag der auseinanderbrechenden Nation durch wiedererweckte Werte von Familie, Gemeinschaft, Ritterkampf und Frauenehre zu neuer Sinnidentität von Individuum und Volk zusammenschließen sollte; ja daß die durch den Nationalsozialismus mißbrauchten Ideen und Sehnsüchte bereits im *deutschen Kriegs-›Sozialismus‹* von 1914 latent waren.[61] Im »Prinzip Hoffnung« erklärt Bloch den Erfolg faschistischer Propaganda und dessen existentiell-ideologischer Vorbereitung aus den Idealen von Lebensformen und Führern, die gerade auf das Nicht-Alltägliche in ihnen fixiert waren, was nahezu den Ausbruch der ganzen Nation aus ihrem bisherigen Alltag bedeutete.[62] Demgegenüber erhoffte sich Bloch zusammen mit Hanns Eisler – im erneuerten Erbantritt des Expressionismus – durch eine Vereinigung von Volksfront-Avantgarde und Künstler-Avantgarde die *Aufhebung der Trennung zwischen Alltag und Erhebung, zwischen dem ernsten Leben und der heiteren Kunst,* die Überwindung der Kluft zwischen Proletariat und Kultur, der Isolierung des Künstlers von den Massen. Der fortschrittliche Künstler könne so vorm Faschismus für die sozialistische Revolution gerettet werden und so eine Macht auf dem Weg zum Ziel der menschlichen Befreiung sein.[63]

Bloch, emigriert in die USA, entfaltete die *Träume vom besseren Leben* in seinem »Prinzip Hoffnung«, festhaltend an seinem Glauben: *Humanität unterscheidet den Sozialismus vom Fascismus.*[64]

III Zwischen Utopie und Troja

Die Utopie der identischen Helena, ihres *festlichen Alltags,* blieb durchgängiges Prinzip der Philosophie Ernst Blochs. Helenas Gestalt war für Bloch Warnung und Hoffnung zugleich in dem Sinn, daß das Fernziel des *realen Humanismus,* der Identität des Menschen in seiner Welt als Heimat, nur durch das Beachten der Nahziele seiner alltäglich-praktischen Verwirklichungsmöglichkeiten erreicht werde, andernfalls drohe das Scheitern Don Quichottes, die Katastrophe Trojas. Ist aber nicht doch diese Identität von Alltäglichem und Utopischem – auch wenn sie ins Zukünftig-Mögliche gedacht wird – selbst eine abstrakte Utopie?

Bei dem Versuch, das Postulat der Vermittlung von Nah- und Fernzielen an Blochs eigenes Denken als Maßstab anzulegen, stellt sich die Frage nach dem Gelingen der *Vermittlungen von der subjektiven Stellungnahme zur objektiven Wirklichkeit,* mit deren Verneinung Lukács im neuen Vorwort zu seiner »Theorie des Romans«, 1962, die weltanschauliche Begründung seiner Ablehnung des Ersten Weltkrieges als *rein utopisch* kritisierte.[65] Bloch hingegen bekräftigt in seiner Nachbemerkung zum »Geist der Utopie«, 1963, dessen Gesamtwerk antizipierende Bedeutung. *Seine revolutionäre Romantik findet* (...) *Maß und Bestimmung in »Prinzip Hoffnung« und den ihm folgenden Büchern.*[66]

Von Bloch selbst niemals angefochten bleiben die Grundprinzipien und -gestalten seines Denkens orientiert an seiner Ethik des Humanismus, zu dem der Weg von Marx gewiesen ist, dessen Tun *sozusagen durch den Jesus der Peitsche und den Jesus der Menschenliebe zugleich geführt* wurde[67], ebenso vom Kant der praktischen Vernunft, in *Verbindung des kategorischen Imperativs mit der Erstürmung der Bastille*[68] und dem Lenin des Kairos der Oktoberrevolution, wobei zugleich das Kierkegaardsche Augenblicksdunkel des Subjekts nach seiner Existenzerhellung sucht. Die treibende Unruhe des Faust und Don Quichottes behält als *tiefstes Fernziel im Frieden,* als *Problem des vollen Beisichseins* die Ruhe, als *am meisten metaphysische Beziehung des höchsten Guts.*[69]

Blochs Vorstellung vom *Gewaltrecht des Guten,* wie es sich für ihn historisch beispielhaft in der französischen Revolution darstellt, bestimmt seinen Revolutionsbegriff, der nicht nur im »Geist der Utopie« ein euphorischer bleibt. Hier sagt er: *Das Herrschen und die Macht an sich sind böse, aber es ist nötig, ihr ebenfalls machtmäßig entgegenzutreten, als kategorischer Imperativ mit dem Revolver in der Hand, wo und solange sie nicht anders vernichtet werden kann* (...)[70]. Bleibt für ihn Revolution *Real-Symbol* im Rahmen seiner utopischen Geschichts-Teleologie? Bloch postuliert die Revolution, auch die blutige. In das Postulat seiner *konkreten Utopie* aber geht ihr Alltag und der des Revolutionärs nicht ein, es spricht nur die Idee, der Tenor seines *tätigen und objektiven Glaubens* an das *Wunder der Revolution.*[71]

Der subjektive und objektive Widerstreit zwischen der Utopie des Humanismus und Gewalt als Methode zu seinem Ziel erscheint theoretisch nahezu ausgekreist, wenngleich er anschaubar wird in der von Bloch aufgeworfenen Frage des revolutionären Ssanin im gleichnamigen Roman Arzybaschews: *Wozu soll ich mich aufhängen lassen, damit die Arbeiter des 32. Jahrhunderts keinen Mangel an Nahrung und Geschlechtsgenüssen haben?* und seiner Antwort: *Es können also, gerade materialistisch, keine Generationen verheizt, aufgeopfert werden, um eine künftige Harmonie zu düngen, ein unvermitteltes Eschaton bloßer Ferne.*[72]

Ebenso tut sich der Widerspruch auf, wo Bloch das institutionelle Außerbetriebsetzen des Aggressionstriebs[73] postuliert, zugleich aber für ihn in seiner Anlehnung an Kant *der Besitz der Macht das freie Urteil von Vernunft unvermeidlich verdirbt*[74]. Bloch bejahte *Gewalt als Methode dort, wo sie notwendig ist, um als Ziel eine Gesellschaft der Gewaltlosigkeit zu erreichen*[75]. Was Habermas in seinem Artikel »Ein marxistischer Schelling« (1960)[76] an Blochs *teleologischer Betrachtungsart*[77] als Überspringen soziologisch-historischer Analyse kritisiert, gewinnt in bezug auf Blochs Revolutions- und Machtvorstellung ein besonderes Gewicht. Habermas geht mit seiner Kritik sogar so weit, daß für ihn Blochs Philosophie *bei allem Respekt, an Totalitäres grenzt*[78]: *Bloch gibt jenem intimen Verhältnis der leninistischen Strategie zur Gewalt bloß eine gotische Verkleidung.*[79]

Das Hebbel-Problem Judiths: *Wenn Du zwischen mich und meine Tat eine Sünde stellst: Wer bin ich, daß ich mit Dir darüber hadere, daß ich mich Dir entziehen sollte,* hatte Lukács am Beginn seiner Wende zum Marxismus theoretisch wie praktisch in den Konflikt zwischen unethischem und doch richtigem Handeln gebracht. Lukács verweist im Rückblick auf diese Zeit seiner Entscheidung auf seine zwar ideelle, aber nicht aktive Beteiligung an der Oktoberrevolution und bekennt: *Obwohl ich mir über die positive Rolle der Gewalt in der Geschichte vollkommen im klaren war und obwohl ich gegen die Jakobiner nie etwas einzuwenden hatte, zeigte sich, als hier die Frage der Gewalt auftauchte und die Entscheidung, daß ich die Gewalt durch meine eigenen Aktivitäten fördern sollte, daß sich die Theorie im Kopf des Menschen nicht genau mit der Praxis deckt. Und es mußte ein gewisser Prozeß ablaufen, damit ich mich Mitte Dezember der kommunistischen Partei anschließen konnte.* Niemand der damaligen Revolutionsbegeisterten verfügte nach Lukács über *Erfahrungen in der Bewegung oder gar über revolutionäre Erfahrungen,* und Lukács gibt weiterhin zu, *daß die politische Reife der aus Moskau Gekommenen von den Leuten furchtbar überbewertet wurde.*[80]

Bloch bekräftigte demgegenüber seine frühen Aussagen, die sich zwischen urchristlicher Menschenliebe und dem Protest gegen simplen Pazifismus zugunsten revolutionären Kampfes gegen die Ausbeutung der Erniedrigten und Beleidigten bewegten, auch im Alter. Für ihn bleiben Krieg und Kampf von einer ethischen Wertung her unterschieden. Wie er im Haß gegen Kaiser- und Preußentum dem Krieg als dem *Ausbruch des primitivsten Triebs nach Macht*[81] *die sittliche Pflicht der Revolution* als *die große Erhebung um der Idee willen*[82] entgegensetzte, so bleiben dementsprechend für ihn die französische und russische Revolution *menschenfreundliche Arten des Kampfes,* die sich schon bei den alttestamentlichen Propheten samt ihren Schwertern und Pflugscharen, auch *Lanzen, die zu Sicheln* werden, vorzeichnen.[83]

Das Judith-Problem aber kann wohl ohne Gott noch schwieriger eine Rechtfertigung der Gewalt finden als mit ihm. Denn wo und welcher ist jetzt der Gott, der für sich diese Gewalt verlangen könnte? *Der Zirkel, den das Problem der Erziehung der Erzieher aufgibt, kehrt wieder auf dem utopischen Niveau;*[84] kann er sich nicht ausweiten zu der berechtigten Sorge, daß in den Hohlraum, den Gott nach seinem Tod hinterläßt,[85] der Mensch als luziferischer Makanthropos tritt? Wer sind die Träger des neuen Menschengottestums, wer die Planer der *praktischen,* d. i. nach Bloch der *sozialistischen Vernunft* zum *wirklich zwischenmenschlichen Frieden?*[86]

Bloch als Verkünder des aufrechten Gangs konnte und wollte die

Augen nicht davor verschließen und kritisierte, daß das Entsetzen über Stalin, Ungarn 56, Polen, ČSSR die Utopie des realen Humanismus-Sozialismus diskreditierte. Trotz aller *wirklich nicht eingetroffenen Prophetie* Marxens über Sieg und Auferstehungstag der Arbeiterklasse bleibt Bloch doch die Hoffnung, daß dieser Satz Marxens, *was Erstürmung aller Bastillen der Welt angeht, in Zukunft wohl recht behalten wird.*[87] Gegenüber der von ihm selbst aufgeworfenen Frage Togliattis: »*Liegt es am System?*«[88] behauptet sich für Bloch in bezug auf die im zaristischen Despotismus begründbaren Fehlformen des russischen Marxismus die *Fairneß dem ersten sozialistischen Versuch gegenüber* und der *Ernst, die Wissenschaftlichkeit und Lichtfülle des Marxismus.*[89]

Noch immer revolutionäre Gnosis?

In der Frage der Verwirklichung des realen Humanismus, sprich Sozialismus, d. i. für Bloch die Umsetzung des Utopischen ins Alltägliche, mit Hilfe der Wegweiser Marx und Lenin zeigte sich Bloch die Gestalt der Helena vornehmlich von ihrer trojanischen Seite; die verhängnisvolle Diskrepanz ihres Doppelgesichts analysierte er in angebrachter Schärfe nur in bezug auf den Faschismus. Eine – bei Bloch noch fehlende – kritische Analyse der marxistischen Utopie und Wirklichkeit, ihrer theoretischen und praktischen Widersprüche könnte sich vielleicht gerade eine Generation zur Aufgabe machen, die sich als *skeptisch*[90], zugleich aber als Erbe der Hoffnung versteht, durchaus vertraut mit der Sehnsucht nach der Ruhe als dem Tag, *wo die ägyptische Helena auch den Glanz um die trojanische mitenthält*[91]; eine Generation, die sich angesichts einer möglichen unwiederholbaren Welt-Apokalypse die Frage stellen muß: Sollen wir überhaupt die identische Helena suchen, hinter den Schleier des Sais-Bildes schauen, oder sollen wir nicht eher die Utopie verabschieden, die Bloch noch in seiner Jugend in der Hoffnung auf einen möglichen Sozialismus postulierte: *War vordem die Raffgier und der egoistische Trumpf selbstverständlich, da die Menschen keine Engel werden können, so ist nunmehr selbst die Frage, weshalb denn die Menschen keine Engel sollten werden können, in den alltäglichsten Horizont gerückt.*[92] Bedürfen wir der Mystik unseres Alltags oder können wir ihn eher als wahrhaft Gott-Verlassende zum wirklich menschlichen verändern, indem wir mit des jungen Bloch dunkler Alltagsskepsis bekennen: *Wie bequem ist das Philosophieren und wie riesengroß leuchtet (wenn es sich einmal darum handelt, das ganze Weltall umzutapezieren) die eigentliche Tatsphäre der Metaphysik auf. Es ist übrigens lustig, daß die eigentliche faktische Schwierigkeit größer ist, wenn es sich nur um eine Renovierung als wenn es sich um das gänzliche Abtun des Weltprozesses und der kosmischen Architektonik handelt.*[93]

1 »Prinzip Hoffnung«, S. 211. — **2** A.a.O. — **3** A.a.O., S. 213. — **4** A.a.O., S. 213. — **5** A.a.O., S. 210. — **6** A.a.O., S. 1220. — **7** A.a.O., S. 1233. — **8** Vgl. dazu auch Georg Lukács, »Die Theorie des Romans«, Neuwied u. Berlin 1971, S. 7 u. Teil II, 1. Blochs Brief vom 14. 5. 1913 befindet sich im Lukács-Archiv in Budapest und wurde – wie auch die anderen ohne nähere Angabe hier zitierten Briefe – dort von mir im Original mit freundlicher Genehmigung des Lukács-Archivs eingesehen. — **9** Vgl. »Prinzip Hoffnung«, S. 375f. — **10** A.a.O., S. 1225. — **11** A.a.O., S. 1227. — **12** A.a.O., S. 1235. — **13** »Geist der Utopie«, GA, Bd. 3, S. 287. — **14** »Geist der Utopie«, GA, Bd. 16, S. 434. — **15** A.a.O., S. 433. — **16** »Geist der Utopie«, GA, Bd. 3, S. 284. — **17** A.a.O., S. 283/284. — **18** A.a.O., S. 286. — **19** A.a.O., S. 341. — **20** »Prinzip Hoffnung«, S. 1239. — **21** A.a.O., S. 198. — **22** »Atheismus im Christentum«, S. 25. — **23** »Prinzip Hoffnung«, S. 1563. — **24** A.a.O., S. 343. — **25** A.a.O., S. 1564. — **26** A.a.O., S. 1399. — **27** A.a.O., S. 354. — **28** A.a.O., S. 1564, vgl. dazu S. 979. — **29** A.a.O., S. 354. — **30** A.a.O., S. 1564. — **31** A.a.O., S. 1565. — **32** A.a.O., S. 342. — **33** A.a.O., S. 343. — **34** Georg Lukács, a.a.O., S. 47. — **35** Vgl. dazu dens. a.a.O., S. 12. — **36** Vgl. dazu a.a.O., S. 5 und Thomas Mann, »Gedanken zum Kriege«, 1914, in: »Essays« Bd. 2, hg. v. Herm. Kurzke, Frankfurt/M. 1977, S. 23–37. — **37** Vgl. dazu Klaus Ziegler, »Dichtung und Gesellschaft im deutschen Expressionismus« in: »Imprimatur«, 3, 1962, S. 62. — **38** Thomas Mann, a.a.O., S. 24, 27. — **39** Georg Simmel, »Deutschlands innere Wandlung. Rede gehalten im Saal der Aubette zu Straßburg am 7. Nov. 1914«, Straßburg 1914, S. 14; 2–5; 89. — **40** Ernst Bloch, in: »Tagträume vom aufrechten Gang. Sechs Interviews mit Ernst Bloch«, hg. v. Arno Münster, Frankfurt/M. 1977, S. 35f. — **41** Georg Lukács, in: TEXT + KRITIK, Heft 39/40, S. 65–69. — **42** A.a.O., S. 66. — **43** Ernst Bloch, »Der undiskutierbare Krieg«, 1914/15, in: »Politische Messungen«, S. 20–26. Wie sehr Blochs Kritik an den deutschen Kriegsliteraten begründet ist, veranschaulicht u. a. auch die Fülle von Kriegslyrik; vgl. dazu Julius Bab, »Die deutsche Kriegslyrik 1914–1918. Eine kritische Bibliographie«, Stettin 1920. Zu den kriegsbejahenden – vor allem akademischen – Intellektuellen vgl. bes. »Aufrufe und Reden deutscher Professoren im Ersten Weltkrieg«, hg. v. Klaus Böhme, Stuttgart 1975. — **44** »Geist der Utopie«, GA, Bd. 3, S. 13; vgl. dazu Th. Mann, a.a.O., S. 27. — **45** Georg Lukács, »Größe und Verfall des Expressionismus«, in: »Werke«, Bd. 4, Neuwied/Berlin 1971, S. 109–149. — **46** Brief an Lukács vom 26. Sept. 1916. — **47** Brief an Lukács vom 16. Aug. 1916, in »Georg Lukács, Briefwechsel 1902–1919«, hg. v. Éva Karády u. Éva Fekete, Budapest 1982, S. 373. — **48** In: »Tendenz-Latenz-Utopie«, (Ergänzungsband zur Gesamt-Ausgabe), S. 13; zum Terminus ›festlicher Alltag‹ vgl. »Geist der Utopie«, GA, Bd. 3, S. 262 und »Prinzip Hoffnung«, S. 1072. — **49** »Geist der Utopie«, GA, Bd. 3, S. 46 und »Erbschaft dieser Zeit«, S. 262. — **50** Brief an Lukács vom 16. Aug. 1916, a.a.O. S. 374, und »Geist der Utopie«, GA, Bd. 3, S. 19. — **51** In: »Expressionismus. Epochen deutscher Kultur von 1870 bis zur Gegenwart«, hg. v. Richard Hamann/Jost Hermand, Frankfurt/M. 1977, S. 52. — **52** »Erbschaft dieser Zeit«, S. 372; vgl. dazu bes. den 3. Teil des »Prinzip Hoffnung«, v. a. Kap. 27 u. 28. — **53** »Erbschaft dieser Zeit«, S. 368 f. — **54** Vgl. a.a.O., S. 381–387. — **55** Brief an Lukács Okt. 1911, Budapest, Lukács-Archiv. — **56** »Revolution«, 1, 23. Nov. 1918, hg. v. Friedrich Burschell, S. 10/11. Vgl. dazu Eva Kolinsky, »Engagierter Expressionismus. Politik und Literatur zwischen Weltkrieg und Weimarer Republik. Eine Analyse expressionistischer Zeitschriften«, Stuttgart 1970, S. 109. — **57** In: »Neue Erde«, hg. v. Friedrich Burschell, Jan. 1919, Heft 5, S. 193–201. — **58** »Die Weißen Blätter«, Berlin, 6 (1919) Heft 5, S. 193–201. — **59** A.a.O., S. 201. — **60** »Geist der Utopie«, GA, Bd. 3, S. 295. — **61** Vgl. »Politische Messungen«, S. 212. — **62** Vgl. »Prinzip Hoffnung«, S. 685. — **63** »Avantgarde und Volksfront« (Gespräch mit Hanns Eisler, Die Neue Weltbühne 1937), in: »Tendenz-Latenz-Utopie«, S. 158–164, bes. S. 161. — **64** »Erbschaft dieser Zeit«, S. 263. — **65** Georg Lukács, »Die Theorie des Romans«, a.a.O., S. 6. — **66** »Geist der Utopie«, GA, Bd. 3, S. 347. — **67** A.a.O., S. 302; vgl. »Politische Messungen«, S. 434; 436. — **68** Vgl. »Politische Messungen«, S. 437. — **69** A.a.O., S. 442f. — **70** »Geist der Utopie«, GA, Bd. 3, S. 302. — **71** »Abschied von der Utopie«, Vorträge hg. v. Hanna Gekle. Frankfurt/M. 1980, S. 147, 150. — **72** »Politische Messungen«, S. 457; vgl. dazu auch S. 442. — **73** Vgl. a.a.O., S. 441. — **74** A.a.O., S. 438. — **75** »Gespräche mit Ernst Bloch«, hg. v. Reiner Traub u. Harald Wieser, Frankfurt/M. 1977, S. 166; vgl. dazu A. Münster, »Utopie, Messianismus und Apokalypse im Frühwerk von Ernst Bloch«, Frankfurt/M. 1982, S. 101f. — **76** Jürgen Habermas, »Ernst Bloch. Ein marxistischer Schelling« (1960), in: »Philosophisch-Politische Profile«, Frankfurt/M. 1971, S. 147–167. — **77** A.a.O., S. 159. — **78** A.a.O., S. 164. — **79** A.a.O., S. 163. — **80** Vgl. zu diesem Problemkomplex Georg Lukács, »Gelebtes Denken. Eine Autobiographie im Dialog«, Red. István Eörsi, Frankfurt/M. 1980, S. 85; 86f.; 88; vgl. auch Georg Lukács, »Taktik und Ethik«, »Politische Aufsätze« I, Darmstadt und Neuwied 1975, S. 53. — **81** »Politische Messungen«, S. 22f. — **82** »Zur Deutschen Revolution«, a.a.O., S. 11. — **83** »Widerstand und Friede, Ansprache bei der Friedenspreisverleihung, Frankfurt. Paulskirche Okt. 1967«, in: »Politische Messungen«, S. 433–445, bes. S. 435. — **84** Habermas, a.a.O., S. 164. — **85** A.a.O., S. 149. — **86** »Politische Messungen«, S. 439. — **87** A.a.O., S. 450. — **88** A.a.O., S. 447. — **89** A.a.O., S. 448; 449. — **90** Habermas, a.a.O., S. 154. — **91** »Prinzip Hoffnung«, S. 213. — **92** In: »Wie ist Sozialismus möglich?«, a.a.O., S. 200. — **93** Brief an Lukács vom 21. 8. 1913; Renovierung bezieht sich in diesem Brief auf die praktische Instandsetzung der Wohnung mit Else von Stritzky. Dem hier zitierten Satz geht voraus: *Ich bin das Gegenteil von Nichtstun, laufe den ganzen Tag umher, ergänze das Haus, muß viel Geld ausgeben, was mich in dieser Dichtigkeit schmerzt und bin mehr zum obersten Aufseher der Tapezierer geworden als es sich selbst für einen nicht spinozistischen Typus schickt.*

Trautje Franz

Philosophie als revolutionäre Praxis

Zur Apologie und Kritik des Sowjetsozialismus

Ernst Bloch empfand seine Philosophie immer als an der Nahtstelle des Theorie-Praxis-Verhältnisses stehend, an der Theorie – für ihn ohnehin nicht bloßer ›Überbau‹ – die Funktion von Gesellschaftskritik und revolutionärem Bewußtsein übernimmt. Philosophische Theorie zur *materiellen Gewalt* werden zu lassen, schien ihm realisierbar durch eine *propagandistische Vermittlung des forschend Herausgebrachten* (»Gespräche«, S. 167). Konsequenterweise entsprangen die von ihm aufgezeigten Veränderungsperspektiven niemals ›reiner Theorie‹, sondern entwickelten sich in aktiver Auseinandersetzung mit den revolutionären Bewegungen seiner Zeit, deren epochenbestimmende die bolschewistische war. Blochs Interesse, die gesellschaftliche Praxis selbst zum Kampf um die ›wahre‹ Praxis zu führen, konkretisierte sich im ideologiekritischen und zeitdiagnostischen Engagement. Von diesem, zum realpolitischen Geschehen Position beziehenden philosophisch-propagandistischen Akteur Bloch soll im folgenden die Rede sein.

Um Mißverständnissen vorzubeugen: die hier vorgelegte Recherche ist Ausschnitt einer umfassenderen Studie zum politischen Weg Ernst Blochs.[1] Sie ist weder von der Absicht ideologischer ›Verortung‹ geleitet noch vom Bestreben, den Erklärungswert präferenzlastiger Etikettierungen unterschiedlichster Couleur zu überprüfen, sondern gilt zunächst der kritischen Rekonstruktion zeitgeschichtlich differierender Haltungen gegenüber sowjetischen Varianten des Sozialismus und mündet ein in die Frage nach der politischen Relevanz jener Stellungnahmen (ein Gesichtspunkt, der sich angesichts des intendierten Praxisbezugs der Blochschen Philosophie geradezu aufdrängt). Der konzentriert kritische Akzent ist einerseits mitbedingt durch die thematische Selektion, andererseits zugegebenermaßen mit Blick auf die Entzauberung der charismatischen Aura um die Person Blochs und die Ausleuchtung des von der ›Bloch-Gemeinde‹ im allgemeinen respektierten Halbdunkels in diesem Bereich seines Denkens und Handelns nicht ungewollt.

1. Früher zeitkritischer Journalismus

Der Erste Weltkrieg und die Oktoberrevolution waren Schwerpunkte publizistischer Arbeit des damals dreißigjährigen Ernst Bloch. Weit entfernt davon, Lenins ökonomisch begründete theoretisch-analytische und transformationsstrategische Schlußfolgerungen zu teilen, vertrat er gegenüber beiden Ereignissen Auffassungen, die unüberhörbar Berührungspunkte mit Grundpositionen Kautskys erkennen lassen, während er die im weiteren Kontext zur Debatte stehende revolutionäre Umgestaltung Preußen-Deutschlands durchaus unabhängig von den Vorstellungen der II. Internationale erörterte. Seine tagespolitischen Kommentare und weitergehenden Überlegungen gruppieren sich um das Leitmotiv eines sittlich-human begründeten, pointiert demokratischen Sozialismus. Dabei lag ihm vor allem an der Verhinderung staatssozialistischer Tendenzen und an der Entwicklung einer vom Völkerbund ausgehenden sozialistischen Internationale. (»Vademecum«, S. 66f.)

1917 nach Interlaken gekommen, um eine Arbeit »Über einige politische Programme und Utopien in der Schweiz« zu übernehmen, die ihm Max Weber verschafft hatte, agitierte Bloch im Rahmen des politischen Journalismus der deutschen Opposition in der Schweiz[2] gegen die Politik des kriegsschuldigen Preußen-Deutschland. Über die Freie Zeitung Bern war er dem Kreis um den religiösen Anarchisten und Dadaisten Hugo Ball verbunden. In der Fraktionierung, die sehr bald die pazifistische Exilbewegung in zwei Flügel gespalten hatte, bezog er Position gegen den Vermittlerstandpunkt und bekannte sich zu der Seite, die die Lösung des deutschen Problems nur noch vom Ausland her erhoffte, weil er eine Revision deutscher Politik von innen nicht für erwartbar hielt.

Aus der Überzeugung heraus, der Weltkrieg lasse sich nicht als ein Produkt des Kapitalismus oder Imperialismus schlechthin erklären – einer Position, die er mit Kautsky teilte –, verwarf er Interpretation und strategische Prämissen der internationalistisch-kriegsfeindlichen Sozialisten in Zimmerwald und Kienthal. Ihre Auffassung schien ihm die Schuldfrage zu verschleiern, und die gravierenden Unterschiede im demokratischen Potential der nationalen Kapitalismen zu nivellieren. *Die Schuldfrage andererseits scheint für den Zimmerwaldismus schon deshalb keine Rolle zu spielen, weil er, hierin allerdings marxistisch undifferenzierten Begriffen folgend, überall nur Zwangsläufigkeiten des kapitalistischen Expansionsdranges anerkennt, denen gegenüber noch das authentisch nachgewiesene erste Streichholz, ja der deutsche Überfall selber nur Auslösung bleibt.* (GA 11/54f.) Bloch gebraucht hier interessanterweise dieselbe Metapher, die auch Kautsky verwendete, um seinen Standpunkt in der Frage des Zusammenhanges von Kapitalismus und Krieg den sozialistischen Imperialismustheoretikern gegenüber klarzustellen.[3]

Wie Kautsky machte Bloch die kriegsauslösende Wirkung des Imperialismus vom Vorhandensein bestimmter Bedingungen, insbesondere der selbstverantwortlichen Handlung abhängig. Im Gegensatz zu diesem bezog er allerdings zu den Kriterien Angriffs- oder Verteidigungskrieg konsequent Stellung und sprach von der *offiziellen Verteidigungslüge* (GA 11/30). Möglicherweise hatte gerade sein Engagement gegen die Zimmerwaldler und für die Heraushebung der besonderen Kriegsschuld des preußisch-deutschen Obrigkeitsstaates einen Einfluß auf den überschießenden Ton, in dem er die revolutionären Ereignisse in Rußland kommentierte.

Polemik gegen die Oktoberrevolution

Lenin läßt einsperren und schickt drohende Noten an Englands und Amerikas Adresse, weil einige Kontingente in Archangelsk und Wladiwostock gegen die dortigen deutschen Umtriebe gelandet sind. Er gefällt sich in der souveränen Skepsis des Marxisten, der überall nur Kapitalinteressen, sonst nichts sieht, und macht den Engländern das Protektorat über das ferne Ägypten zum Vorwurf. (»Preußen und der Bolschewismus«, S. 85) Die Bolschewiki begriffen, wie Bloch meinte, offenbar den Gedanken der Völkerliga nicht und verhielten sich darüber hinaus so auffallend deutschfreundlich, daß auch von Neutralität nicht die Rede sein könne.

Seine Polemik gegen das Geschehen in Rußland selbst entspricht im Tenor Kautskys Kritik an den revolutionsstrategischen und organisatorischen Auffassungen Lenins. Kautsky vertrat (unter Bezug auf Marx und Engels, die seit 1872 von der Möglichkeit friedlicher Revolution ausgegangen waren) die Ansicht, die *höchst blutige* russische Revolution sei die *Umkehrung des Ganges bisheriger Entwicklung zur Humanität in eine Entwicklung zur Brutalität.*[4] Primitive Denkweisen, rohe Formen des politischen und ökonomischen Kampfes, die längst im intellektuellen und moralischen Aufstieg des Proletariats überwunden geglaubt seien, würden wieder wach, indem man bewußt den Bürgerkrieg als transformatorisches Mittel einsetze.[5] Bloch sah in der *bolschewistischen Sozialdiktatur* den höchsten Affront gegen Demokratie und westliche Freiheiten (*als welche sie ja nicht mit dem Kapitalismus zusammenfallen, sondern nur großenteils von ihm verdorben waren*). (»Preußen und der Bolschewismus«, S. 88f.) An den Bolschewismus als Überleitung zur Aufhebung des Staates konnte er nicht glauben. *Umsonst bemühen sich die Bolschewiki, wo immer ihnen erstaunliche Spuren eines russisch-anarchistisch-religiösen Gewissens schlagen, ihre ganze Sozialdiktatur, Beibehaltung der zaristischen Staatsmacht als bloßen, notwendigen Übergang auszugeben.* (»Vademecum«, S. 65). Die Oktoberrevolution wurde von ihm als unmarxistisch befunden, weil sie den Zusammenbruch des Obrigkeitsstaates nicht abgewartet und damit weitere Revolutionierung verhindert habe. Außerdem seien mit ihr, die sich bei der Aufhebung des Eigentums in Rußland fälschlicherweise auf Marx berufen habe, blindlings die Überreste des russischen Mir erst zerstört worden. (»Vademecum«, S. 55)[6] *Weil also Marx allein mit dem Hochkapitalismus zu rechnen gelehrt hatte, gab man der beginnenden proletarischen Fabrikverschmutzung Rußlands als der programmgemäßen Antithesis in kommunistisch-kapitalistisch-sozialistischer Wirtschaftsdialektik den gott-*

losen Segen; und machte gerne, mit der Minderheit an Soldatenpöbel und Fabrikarbeitern, preußisch-zaristische ›Diktatur des Proletariats‹. (»Vademecum«, S. 56) Dem *ganzen bolschewistischen Abenteuer* bescheinigte er *Zerfahrenheit* und *entsetzliches Mißverhältnis zwischen Absicht und Erfolg.* Freilich bleibe die bolschewistische Politik schon vom Standpunkt des Historikers, ja einfach schon vom Standpunkt dessen, der Trotzkis Schriften kenne, *noch auf langhin rätselhaft.* (»Preußen und der Bolschewismus«, S. 85f.) Im August 1918 sah er bereits die *letzten Tage der Bolschewiki* gekommen. 1919 stand dann für ihn *sichtbar fest:* selbst wenn Lenin sich länger als erwartet gehalten habe, so sei dies kein Beweis für die Richtigkeit seiner Politik. Die amerikanischen Heere hätten die Bolschewiki zunächst einmal gerettet, andernfalls wären sie entsprechend der deutsch-ukrainischen und Brest-Litowskschen Verhandlungen vor einem neuen Zarismus möglicherweise sogar in Personalunion mit Deutschland verschwunden. Lenins Verhalten sei unerklärlich, denn gerade wenn man voraussetze, daß die Westmächte ebenso imperialistisch wären, *wie erwiesenstermaßen Deutschland,* so sei ihnen taktisch gesehen der Vorzug vor einem *bettelnd demütigen Paktieren* zu geben, wie es Lenins Politik der *Atempause* darstelle. Obwohl also die soziale Revolution durch Rußland dauerhaft angestoßen worden sei, so sein Résumé, werde ihre deutsche und weltweite Weiterführung durch den Bolschewismus selbst verhindert. Seine Fahne sei *mehr schwarz und Zerfall als rot,* seine Außenpolitik *völlig unmarxistisch,* weil sie nicht beabsichtige, durch das Sein das Bewußtsein zu verändern, sondern in alter Weltverbesserungsmanier glaube, *durch bloße Aufklärung und Propaganda eine Revolution im streikfesten Obrigkeitsstaat inaugurieren zu können.* (»Vademecum«, S. 51ff.)

Ganz offensichtlich wäre es verfehlt, diesem zeitgeschichtlichen Bloch, der Lenin im Februar 1918 einen *roten Zaren*[7] und gegen Ende des Jahres einen *neuen Dschingis Khan mit den Gebärden des Völkerbefreiers* nannte, dessen Bolschewismus *grauenvoll unmenschlich und gottlos, Gestank, Verrottung nicht jedoch das erwachende Weltproletariat*[8] sei, das Prädikat eines ›Philosophen der Oktoberrevolution‹ (Negt) zuzuordnen. Es trifft andererseits voll und ganz zu angesichts seines philosophisch-theoretischen Werkes, in dem sowohl vor als auch nach dem Umsturz in Rußland völlig entgegengesetzte Einstellungen zum Ausdruck kommen. So gilt beispielsweise Blochs chiliastisch gefärbte Emphase in der ersten Fassung von »Geist der Utopie« (zeitgleich mit der Frühphase der Revolution also) dem *System der organisierten Freiheit, den Prätorianern (...), die jetzt in der russischen Revolution zum ersten Mal Christus als Kaiser einsetzen* (GA 16/299). Im »Thomas Münzer« kehrt für ihn *gerade auch im bolschewistischen Vollzug des Marxismus der alte gotteskämpferische, der taboritisch-kommunistisch-joachitische Typus des radikalen Täufertums erkennbar wieder* (GA 2/94). Später wird es in »Prinzip Hoffnung« heißen: *Ein Ende des Tunnels ist in Sicht, gewiß nicht von Palästina her, aber von Moskau; – ubi Lenin, ibi Jerusalem.* (GA 5/711)[9]

Preußen und der Erste Weltkrieg

Preußens Geschichte, die Geschichte von *einem Kolonialland mit der dünnen germanischen gewalttätigen Oberschicht* zum Staatswesen *brutalster, ideenlosester Junkerklassenpolitik,* war für Bloch geformt durch die Herrschaftsideologie der Reformation (»Vademecum«, S. 22ff.) und stellte eine Manifestation freiheitlicher Misere spätestens seit dem Dreißigjährigen Krieg dar. Dieselbe Position vertrat auch Hugo Ball. Ferner waren sich Bloch und Ball einig in der Kritik am deutschen Bürgertum, an Intelligenz und Wissenschaft sowie über die subjektiven Voraussetzungen bzw. das Medium des angestrebten sozialen Wandels. Für beide konnten innergesellschaftliche Veränderung und nationale Erneuerung nur von seiten einer religiösen, von Mystik und Chiliasmus nicht freien, aber jegliche Form von Herrenchristentum verurteilenden Intelligenz ausgehen. Die Präferenzen Balls galten dabei mehr der katholischen, diejenigen Blochs mehr der jüdischen Komponente. Die institutionalisierte Kirche wurde von beiden mit dem Hinweis auf ihr kritikloses Waffensegnen als progressiver Faktor ausgeschlossen. Den mit Beseitigung politischer Herrschaftsstrukturen entstehenden ›Hohlraum‹ galt es ihrer Meinung nach zu füllen durch Repräsentanten des Geistes, die in der Lage wären, etwas Neues, Demokratisch-*Kirchenhaftes* zu konstituieren.[10] Die von Bloch bereits in »Geist der Utopie« reflektierte Idee einer säkularisierten, verwandelten Kirche als weg- und sinnweisendem Organ eines zukünftigen Gemeinwesens war also eine durchaus auf die soziale Realität bezogene, für ihn auch in praktischer Nutzanwendung denkbare Vorstellung. Der Verbindung dieser Vorstellung mit der sozialistischen Option schloß sich Ball nicht an.

Für Bloch, der mit einer gewissen Inkonsequenz dem älteren preußischen Adel und der *frommen Feudalidee* einen Rest von Wohlwollen bewahrt hatte, stand 1917 fest, daß die *Herrentugenden* und der *Adel des Gebietens schon rein sozial* am Ende seien. Sie würden durch den heraufkommenden herrschaftsfreien Zustand einer *ethischen Demokratie* mit völlig neuer Rangordnung der Werte überwunden. Leider jedoch seien erst wenige Männer der Arbeit in Deutschland aufgewacht, und selbst diese ließen sich durch *das ungenaue Gerede vom Weltkapitalismus entspannen, statt den zentralen Verderb, auch den Verderb des Citoyen zum Kapitalherrn im heimischen Herrenland vor allem zu entwurzeln; 1789 verstehend, total ergreifend und proletarisch vollendend.* (DdW, S. 22ff.) Sogar Marxisten stünden mit der ›Ordnung‹ und mit der preußischen Mißachtung aller reinen Antriebe und Ideen, die die Welt inzwischen bewegten, im dunklen Einvernehmen. Dem Urteil Franz Mehrings, die Magna Charta Preußens sei: ›Das Heer ist der Staat‹, konnte Bloch ebenso voll und ganz beipflichten wie den negativen Preußen-Kommentaren Lessings, Herders, Winkelmanns und Wolffs. Preußen und die Tradition des ›Monstrums‹ Österreich als schlechtes Vorbild galten ihm als Versinnbildlichung des Bösen. (»Vademecum«, S. 24, 26, 31 f., 34, 38, 71)

Bloch sah den Zusammenhang von innergesellschaftlicher Repression und außenpolitischer Aggression, lehnte es aber ab, ihn auf einen ökonomischen Nenner zu bringen. Wie schon grundsätzlich beim Thema Kapitalismus und Krieg verwarf er auch die These einer zwangsläufigen Verbindung von Kapitalismus und preußischem Militarismus. (»Vademecum«, S. 29 f.) Zunehmend differenzierend zwischen Staatsbürgern und politischen Entscheidungsträgern, erging seine Schuldzuschreibung in erster Linie an Junker und Militärs. Angeprangert wurde daneben der Opportunismus der deutschen Professorenschaft und immer wieder beklagt, *daß das deutsche Volk selber andauernd höchst unrichtigerweise von seiner eigenen Schuld nichts wissen will* (»Preußen und der Bolschewismus«, S. 87). Hier findet sich erneut ein Berührungspunkt mit den zeitgenössischen Urteilen Kautskys, zu dessen kriegstheoretischen und -analytischen Überlegungen darüber hinaus eine Reihe von Parallelen besteht. Sie lassen sich unter Heranziehen eines zeitkritischen Kommentars von Bloch aus der Anfangsphase des Ersten Weltkriegs (GA 11/20 ff.) exemplarisch aufzeigen: Die Hauptschuld am Ausbruch des Weltkriegs wies auch Kautsky *dem preußischen Militärgeist im deutschen Volke* zu. Das Wettrüsten – imperialismustheoretisch der ökonomische Ausdruck für das Anwachsen kapitalistischen Gewaltpotentials – war für ihn bezeichnend dafür, daß die imperialistische Idee die militärischen Kreise Deutschlands erfaßt habe[11]. Bloch verwies auf die Kehrseite, als er von der *jetzigen Militarisierung des Wirtschaftslebens* sprach (GA 11/25). Mehr allgemein ist in seinen Kommentaren in der Regel von *Gesinnungsmilitarismus* die Rede (z. B.: DdW, S. 19). – Obwohl Kautsky auf theoretischer Ebene an einer Stelle soweit ging, die Ursachen von Kriegen *als in erster Linie immer ökonomischer Natur*[12] zu bezeichnen und sich 1915 meinte erinnern zu können, daß die Internationale vor Kriegsausbruch einmütig den Krieg verurteilte, *weil wir alle wußten, daß ein europäischer Krieg heute in imperialistischen Tendenzen seinen letzten Grund*[13] habe, erfolgte von seiner Seite her keine systematische Analyse auf ökonomischer Basis. Dasselbe gilt für Bloch, welcher bereits bei Kriegsausbruch unter anderem die *Kapitalbewegungen* als kriegsverursachend benannte (GA 11/21) und im weiteren durchaus die Annahme einer Beziehung zwischen kapitalistischer Wirtschaftsform, Imperialismus und Krieg beibehielt. Kautsky unterschied allerdings zwischen dem Verhältnis von wirtschaftlichem und militärischem Sektor, zwischen industriellem Kapital, für das der Krieg ökonomisch nicht nur nicht notwendig, sondern, von bestimmten Funktionszweigen abgesehen, sogar schädlich sei,[14] und dem (explizit deutschen) Finanzkapital. *Insbesondere das deutsche Finanzkapital wuchs in einer Weise auf, die es aufs engste mit dem machtvollsten und siegessichersten Militarismus der Welt verband (...). Die Verbindung mit dem stärksten und übermütigsten Militarismus der Welt ließ das deutsche Finanzkapital alles nüchterne Rechnen vergessen. Nur so wurde es möglich, daß es eine Politik nicht nur mitmachte, sondern sogar vorantrieb, die Deutschland völlig isolierte und dabei seine Nachbarn immer stärker provozierte. Es verlor jeden Sinn für das ökonomisch Mögliche.*[15] In die gleiche Richtung gehend, wenn auch nicht in der Kautskyschen Differenzierung, hatte Bloch schon 1914/15 vermutet: *darum also mögen die Fürsprecher der außerökonomischen, der heldischen Ursachen insofern relativ recht haben, als dieser undiskutierbare Krieg nicht einmal das bisher unumgänglich notwendige Minimum an kapitalistischer Unternehmungslogik aufweisen kann, sondern der Nutzen ist hier selber Ideologie für preußisch-österreichischen, bereits vorkapitalistischen und überkapitalistischen Zwangsstaats-Universalstaats-Geist geworden.* (GA 11/22)

War auf diese Weise der Kapitalismus weitgehend aus der Verantwortung genommen und diese dem preußischen Militärapparat, der *plötzlich von selber zu arbeiten anfängt* (GA 11/22) bzw. dem Abstraktum Militarismus zugeschoben, so blieb die Frage übrig, wer oder was denn nun tatsächlich als Urheber für den Ersten Weltkrieg dingfest zu machen sei. Waren es die Machthaber Deutschlands, die den Weltkrieg entfesselten und dabei unglaublich leichtfertig, kurzsichtig, kopflos gehandelt hatten (so Kautsky nach Aufarbeitung von Aktenmaterial des Auswärtigen Amtes[16]), – eine Regierung also, die aufgrund eines *heimlichen Militärfeudalismus* einfach *mitgerissen wurde* (GA 11/21 f.), wie Bloch meinte? Beide, der junge Philosoph, der noch dabei war, sich mit dem Marxschen Denken vertraut zu machen und der nicht die geringsten Zweifel an der besonderen Kriegsschuld Preußens hegte, ebenso wie der Theoretiker der II. Internationale, der die Situation als Konflikt unvereinbarer Pflichten zwischen Landesverteidigung einerseits und dem Anspruch internationaler Arbeitersolidarität andererseits erlebte, blieben letzten Endes ratlos bei der Darstellung des politischen Sachverhalts stehen.

Prognostisch hatte Kautsky bis vor Ausbruch des Krieges die postrevolutionäre Friedensutopie Marxens beibehalten. Seine Vorstellung eines offenbar global verstandenen demokratischen Sozialismus wollte er in Europa verwirklicht sehen in einem Bund vereinigter Staaten der europäischen Zivilisation mit gemeinsamen Institutionen und einer gemeinsamen Handelspolitik. In diesem Punkt besteht Parallelität allerdings nur insoweit, als auch Blochs Gedanken sich auf einen internationalistischen Zusammenschluß der Völker und die damit einhergehende Idee des nachrevolutionären Weltfriedens richteten. Seine in den ersten Kriegsjahren formulierten Ausführungen über die freiheitlich-sozialistischen Grundlagen eines endgültigen Nicht-Kriegs-Zustandes (GA 11/22 f.) entsprechen denjenigen, die Kautsky in seinem Spätwerk darlegte, mit der Einschränkung, daß dieser dort bereits Gewalt als Mittel sozialistischer Politik grundsätzlich ablehnte. Kautsky wollte den Sieg des Sozialismus prinzipiell nicht aus einem Krieg hervorgehen sehen. Für Bloch dagegen, wie für die äußerste Linke – wenn auch unter anderen Prämissen und mit anderen Zielakzentuierungen – schien der Krieg wenigstens insofern einen Sinn zu haben, als er die Möglichkeit sozialer Veränderung in sich trug. (GA 11/24f., 26 und DdW, S. 18) Während sich Kautsky nach und nach zum Standpunkt der Gewaltlosigkeit, also zu einem Pazifismus ohne jegliche Rechtfertigung von Krieg und blutiger Auseinandersetzung, sei es auch im Namen der Freiheit, durchrang, entschied sich Bloch im Falle des Ersten Weltkriegs für eine andere Haltung.

Entente-sozialistischer ›Pazifismus‹

Zu der Einsicht gekommen, daß die Verelendung in Kriegen und durch Kriege zur *einseitigsten Klassenherrschaft und Despotie* führe (»Vademecum«, S. 27), befürwortete er die Entente-Politik, weil ihm einzig die deutsche und österreichisch-ungarische Niederlage den Boden abzugeben schien für die Beendigung des wirtschaftlichen Elends und für eine radikale Umwälzung der politischen Verhältnisse. Er insistierte auf deutschem Schuldbekenntnis und Reueerlebnis als Basis für die Ausrottung preußischer Annexionsbestrebungen und der Herausbildung einer alternativen geistig-sozialen Mentalität. (Preußen und der Bolschewismus, S. 79ff.) In diesem Zusammenhang bewertete Bloch insbesondere die Intentionen des amerikanischen Präsidenten und den Kriegseintritt der USA positiv. Für ihn drückte sich hierin ein wehrhafter Pazifismus aus *als Kreuzzug, als Moral mit dem Revolver in der Hand* (GA 11/37), in dessen Folge es zu Frieden und Demokratisierung kommen werden. Seine Sympathie gehörte der ungebrochenen *Utopiekraft* (»Vademecum«, S. 48) einer human-freiheitlichen, der *demokratisch-puritanisch-christliche(n)* Tradition Amerikas, die unter Wilson rekonstruiert worden sei (»Vademecum«, S. 42f.). Andersmeinenden deutschen Sozialisten sprach er die richtige Einsicht in die Politik Wilsons ab, welche sie aufgrund der ihnen eigenen ökonomistisch verengten Denkstrukturen mißverstünden und als unedel begriffen.

Blochs missionarisch-militante Attitüde, besonders aber seine Einstellung zur Frage eines Kompromißfriedens lassen den idealistisch-voluntaristischen Überhang in seiner Geisteshaltung zu jener Zeit scharf hervortreten. Obwohl er die Scheußlichkeiten auch der ›Crusade‹ zugab, vertrat er eine Begriffsbestimmung von Pazifismus, nach der im vorliegenden Fall zwar der politische Gegner, nicht jedoch die Vertreter der eigenen Interessenrichtung ›Krieg‹ führten. Die Formel vom wehrhaften Pazifismus bedeutete in seiner zeitgenössischen Interpretation deshalb: die Entente *steht im Kampf, aber sie führt nicht Krieg; sie steht auf den Barrikaden gegen das System des Krieges, sie ist sich gründlich, grundhaft wehrender Pazifismus und mit voller Paradoxie des Wortes, kämpfende Christenheit, ecclesia militans*

(»Vademecum«, S. 16). Direkten Anlaß zu dieser besonderen Definition hatte eine Kontroverse mit Stefan Zweig gegeben, der seit 1916 zusammen mit Romain Rolland in der Schweiz im Rahmen der Völkerverständigung arbeitete. Zweig war zu der Überzeugung gelangt, es seien schon zu viele Menschenopfer gebracht worden, um einen Sieg, welcher Seite auch immer, noch anzustreben; schließlich treffe der Tod im Krieg nicht Ideen sondern Menschen. Bloch hatte ihn daraufhin des Defaitismus und einer offenbar politiklosen Menschenfreundlichkeit geziehen. Einen Gegensatz zwischen Mensch und Idee zu konstruieren, sei verkehrt, der Mensch sei selbst eine Idee, entstanden im Geiste Athens, des Christentums und der französischen Revolution.[18]

Die Verkoppelung der bürgerlich-freiheitlich verbrämten militärpolitischen Option mit dem Bekenntnis zum Sozialismus begründete Bloch damit, daß *die Parteinahme für Staatsgebilde also und ihren Kampf, die bereits seit hundert und mehr Jahren eine liberale Revolution im Leibe haben, zum Unterschied von jenen, die hauptsächlich Untertanen ihr eigen nennen,* (...) *nicht nur als mit Sozialismus gerade noch ›verträglich‹ zu bezeichnen, sondern selber ein strategisches Stück zu ihm hin, als einem unerfrorenen* sei (GA 11/56). Dieser *entente-sozialistische Gedanke*[19] verschränkt mit dem mühsam ›pazifistisch‹ bemäntelten Votum für eine kriegerisch erzwungene Transformationssituation lief auf einen Problemlösungsvorschlag hinaus, in dem die Frage nach der Adäquatheit der Mittel völlig der Zielvorstellung untergeordnet wurde. Daß die legitimatorische Basis dieses Konstrukts mindestens ebenso dünn war wie die des von ihm kritisierten, in Rußland beschrittenen Weges, daß sein Ansatzpunkt gesellschaftlicher Veränderung mit der Bejahung interventionistischer Gewalt besonders fragwürdig wurde, scheint Bloch in seinem Eifer, einen möglicherweise preußisch gefärbten Sozialismus in Deutschland zu verhindern, entgangen zu sein.

Die enttäuschte Hoffnung auf ein sozialistisches Nachkriegsdeutschland

Bloch hoffte für die Zeit nach dem ersten Weltkrieg auf eine sozialistische Republik, die dem Geist des Judentums verpflichtet sein würde (»Vademecum«, S. 82), und die er an der Seite der USA, Frankreichs und Rußlands sehen wollte (»Vademecum«, S. 50). Hinter dem im tagespolitischen Kontext zunächst verblüffenden Einbezug Rußlands steht allerdings wohl die in seinen theoretischen Überlegungen entwickelte, in die Metapher eines spirituellen Alexanderzugs gefaßte, nationübergreifende Reichsvision. (GA 16/304ff.) Gedacht war an ein nicht näher bezeichnetes ›befreites‹ (was zum gegebenen Zeitpunkt eigentlich nur heißen kann von bolschewistischer Politik befreites) Rußland, das im Verein mit Amerika *über dem Torso der Gegenwart das neue geistige Massiv der Zukunft* errichten würde (»Vademecum«, S. 50f.).

Dem Anfangsstadium neuer Ordnung, für das noch ökonomische und soziale Staatsfunktionen geringen Ausmaßes vorgesehen waren (GA 11/34), kam unter der Zielperspektive Blochs der Status einer ersten Etappe im Entwicklungsprozeß zur freiheitlichen *echten* sozialistischen Gesellschaft (GA 11/26) zu. Seine Freude am Novemberumsturz und an der Ausrufung der ›Freien sozialistischen Republik Deutschlands‹ war nicht ungetrübt. Weder war es zu der erhofften sittlichen Fundierung der Revolution gekommen, noch ließen sich Erneuerungswilligkeit und Erneuerungskraft bei der intellektuellen Jugend feststellen, wie er nach seiner Rückkehr konstatierte.

Die Realität erzwang, Abstriche zu machen auch an der bisherigen Vermutung, über den Sieg hinaus sei mit demokratisch-revolutionären Impulsen seitens der westlichen Demokratien zu rechnen. Im Gegenteil: das Verhalten der Entente in Versailles hatte *der deutschen Schuld am Kriege eine beträchtliche Schuld am Frieden hinzugefügt* (GA 11/69). Eine erste Auflockerung seiner früheren Einstellung zu Sowjetrußland, das ihm angesichts der veränderten Lage nun als *Arsenal und Erfahrungszentrum des gesamten Sozialismus der Welt* (DdW, S. 35) erschien, kam zu dieser Zeit in seinen journalistischen Arbeiten zum Ausdruck. Einschränkend sprach er jedoch vom *taktischen Weg einer Ostorientierung* (DdW, S. 34). Seine vorhergehenden theoretischen und tagespolitischen Schlußfolgerungen in Übereinstimmung bringend, revidierte er den *Komplex des Alexanderzugs* dahingehend, daß der Sowjetsozialismus *als absolute Tonika genommen* für den Sozialismus Westeuropas problematisch sei. Die *unmarxistische Tendenz des russischen Bauernstaats* drohe schließlich sogar die *petrinische Epoche (deren dann Lenin nur der letzte Zar wäre) rückgängig zu machen.* Weniger das wirtschaftliche als das *moralisch-religiöse Rußland* sei für Deutschland nahe genug, um aufgenommen zu werden, *ja sogar vorbildlich.* (DdW, S. 36ff.)

2. Antifaschismus im Gravitationsfeld kommunistischer Ideologie

Als 1923 die zweite Fassung von »Geist der Utopie« erschien, war der Traum vom sozialistischen Deutschland bereits zunichte geworden. Die junge Republik hatte am Ende der revolutionären Nachkriegsjahre die entscheidende erste Kampfperiode von Fortschritt und Reaktion (Lukács) hinter sich. Sie befand sich nach Niederschlagung der sozialistischen Bestrebungen auf dem Wege zur Re-Formierung alter politischer Mächtegruppierungen und zu einer relativen Stabilisierung mit schrittweiser Wiedererstarkung des Kapitals unter politisch gewandeltem Vorzeichen. Um Haaresbreite vom Pessimismus entfernt, umriß Bloch ein Stimmungsbild der frühen 20er Jahre: *Die Welt ist eine pure Nachtwolke, die sich sogleich in Tau auflöste, wäre nur erst die rechte Sonne gekommen.* (DdW, S. 159) Auch aus dem Vorwort zu »Geist der Utopie« sind Enttäuschung und Zorn abzulesen.

Ebenfalls erkennbar ist aber der Wille, auf keinen Fall die gegebene schlechte Wirklichkeit hinzunehmen, zumal bereits 1924 das Aufkommen des künftigen Terrorregimes diagnostiziert werden mußte. *So ist nicht gering anzuschlagen, wie Hitler die Jugend hat. Man unterschätze nicht den Gegner, sondern stelle fest, was so vielen eine psychische Gewalt ist und sie begeistert.* (GA 4/162) Bloch sympathisierte zu dieser Zeit mit der KPD und war Mitglied des 1919 gegründeten Schutzverbandes Deutscher Schriftsteller (SDS), in dem die soziale Funktion schriftstellerischer Arbeit generell und ihre Aufgabe im Kampf gegen Chauvinismus und Antikommunismus im besonderen reflektiert wurde. (Aus diesem Verband heraus entwickelte sich Anfang der 30er Jahre eine der Kerngruppen antifaschistischer Opposition im Exil.) Vor diesem zeitgeschichtlichen, situativen und persönlichen Hintergrund ist der gravierende Attitüdenwechsel zu betrachten, der ihn vom scharfen Kritiker, der die Oktoberrevolution an einem demokratisch pointierten Ideal des Sozialismus gemessen hatte, für lange Zeit zum Apologeten desjenigen Sowjetstaates werden ließ, in dem unter Stalin der Begriff Sozialismus faktisch reduziert wurde auf die Schaffung einiger Grundlagen.

Die gesamte Behandlung des Komplexes Nationalsozialismus/Faschismus war bei Bloch durchzogen von der Beschäftigung mit der zeitgenössischen marxistisch-kommunistischen Theorie und Vermittlungspraxis, die seiner Ansicht nach dazu tendierte, diejenigen Umstände zu vernachlässigen, in welchen sich die Differenz zwischen ideeller oder ideologischer und tatsächlicher Existenz in reaktionärer politischer Meinungsbildung niederschlug, aber auch progressive Konsequenzen hätte zeitigen können. Über die tagespolitische Relevanz hinaus war damit ein Kernpunkt praktischer Philosophie getroffen wie ebenso ein entscheidender Schritt in Richtung Handlungsorientierung getan. Blochs antifaschistisches Engagement dokumentiert Praxis-Philosophie in Aktion. Der Übergangsprozeß von Denkansätzen in »Geist der Utopie« zur entwickelten Lehre des »Prinzip Hoffnung«, in dem en détail die eine oder die andere Position schon bzw. noch stärker zum Tragen kommt, fand insbesondere in Auseinandersetzung mit der parteikommunistischen Haltung gegenüber der politischen Problematik in Deutschland statt. Seine Hinwendung zur KPD läßt sich interpretieren als Versuch kritisch-korrigierender, aber solidarischer Unterstützung der antifaschistischen Praxis des wissenschaftlichen Sozialismus, welche ihm durch Fixierung auf den später ›Kältestrom‹ genannten strukturanalytischen Aspekt marxistischer Analyse und eine entsprechende Erkenntnisvermittlung politisch ineffektiv und defizitär erschien.

In der Einleitung zur ersten Ausgabe von »Erbschaft dieser Zeit«, die eine Zwischensumme von im wesentlichen zeitanalytischer Arbeit darstellt und von ihm selbst als *Handgemenge (...) und zwar mitten unter Anfälligen, ja mitten im Feind, um ihn gegebenenfalls auszurauben* (GA 4/18) bezeichnet wurde, sprach Bloch auf ein weiteres Buch an, dessen Aufgabe es sein werde, *aktuelle Gehalte auch ohne Beinamen zu dialektisieren* (EdZ 1935, S. 14). Erst dort fänden sich *auch die marxistischen Probleme gleichsam an Ort und Stelle, an jener Stelle, worauf das vorliegende nur bezogen sein kann. Kritisch weitergehende Lektüre,* gab er zu bedenken, möge diesen Unterschied im Auge behalten, die Grenzen eines Buches seien *nicht die Grenzen der identischen Sache.* Offensichtlich betrifft der Hinweis »Das Prinzip Hoffnung«[20]. Er ist typisch für jenen Bloch, den Negt als Denker bezeichnet, *für den sich das Verhältnis von Wahrheit und Propaganda, Theorie und Handeln nicht nur wissenschaftstheoretisch oder pragmatisch, sondern als politisches Problem der Theorie selbst stellt*[21].

Gerade in Anknüpfung daran verdient sein Verhältnis zur stalinsowjetischen Politik unter den Bedingungen des deutschen Faschismus besondere Beachtung.

Ex oriente lux: die Haltung gegenüber der stalinsowjetischen Politik

Die russische kommunistische Partei ist die führende Partei der Komintern, der kommunistischen Internationale. Keine andere Partei trug jemals eine solche weltbedeutende, historische Verantwortung wie die unsrige.[22] Diese Feststellung stützte in der Argumentation der Linken Opposition in der Sowjetunion (wo schon Mitte der 20er Jahre vom demokratischen Zentralismus im wesentlichen der Zentralismus übriggeblieben war) noch die Forderung nach (partei-)interner demokratischer Veränderung mit Blick auf die ursprünglich angestrebte Verknüpfung der internationalen kommunistischen Bewegung zur Weltpartei mit nationalen Sektionen. Unter den Bedingungen des ›Sozialismus in einem Lande‹ wurde der Hegemonieanspruch zur Legitimationsbasis für die Verpflichtung der Komintern auf die innergesellschaftlichen und internationalen Belange des sowjetischen Staates und zur Orientierung der KPen auf die Interessen Moskaus auch in Fragen der Faschismusinterpretation und der nationalen Tagespolitik.

Bloch hat diesen Strukturzusammenhang substantiell unter dem Leitmotiv *ex oriente lux* ›wahr‹-genommen. *Dieses alte Wort aus Geographie und Christentum zugleich* (GA 5/1623) gibt seinen philosophischen Kategorien der *Front* und des *guten Novum (des Reichs der Freiheit)* die Hoffnungsrichtung vor: *Aus dem Ostpunkt der gegenwärtigen Menschheit kommt das Licht.* Die Formel ›ex oriente lux‹ bezeichnete im zeitpolitischen Kontext die Übertragung seiner Überzeugung von der religiös-revolutionären Sendung Rußlands auf die geschichtliche Aufgabe Sowjetrußlands auf dem Wege der Menschheit aus dem *Dunkel des gelebten Augenblicks.* Worte wie ›Dunkel‹ und ›Licht‹ symbolisieren nicht nur den Gegensatz ›Noch-Nicht-Wissen‹ – ›Wissen‹, sondern sind gleichzeitig Ausdruck ethischer Standards. Sie bezeichnen gleichermaßen moralische Kategorien, deren helle (oder lichte) Seite von Bloch auch als ausschlaggebend für den Sinngehalt persönlicher Hinwendung zum Marxismus angesehen worden war. Ethische Standards, politische Argumentation und Sinnfrage wurden verknüpft in einer perspektivisch offenen Definition dessen, was nach Bloch Sozialismus bedeutet. *Der Zweckinhalt des sittlichen Handelns ist die klassenlose Gesellschaft, doch der Inhalt der klassenlosen Gesellschaft ist der sich sachlich noch verhüllte Menschengegenstand selber.* (GA 11/255) Die erste Bestimmung bzw. ihre Grundvoraussetzung schien sich für Bloch nach seiner Einstellungsänderung mit der Revolution in Rußland zu erfüllen. Sein Glaube an die letztlich doch zu erreichende Überwindung des ›Dunkels‹ via Erkenntnis- und Willensakt schien materielle Entsprechung zu finden. Ein Stück Geschichte war dort ›bewußt gemacht‹ worden. Nach dem Zerplatzen der Illusion auf eine von den westlichen Demokratien ausgehende, bewußtseinsmäßige Katalysatorwirkung human-freiheitlicher Art wurde die bolschewistische Revolution zum einzigen empirischen Beleg für die Real-Möglichkeit des ›sozialistischen Gedankens‹.

Neben die wertmäßigen und empirischen Gesichtspunkte trat die geschichtstheoretische Begründung. Im Zusammenhang mit seiner Interpretation des historisch neuen Phänomens Faschismus entwikkelte Bloch eine Geschichtsauffassung, die sich von der Vorstellung eines kontinuierlichen Vorwärtsschreitens aufgrund je vorhandener antagonistischer Widersprüche zwischen Arbeit und Kapital unterschied und neben diesen als ›gleichzeitig‹ gekennzeichneten auch einen ›ungleichzeitigen‹ und einen ›übergleichzeitigen‹ Widerspruch annahm. Auf dieser Skala ist die Aufsprengung des internationalen kapitalistischen Systems durch die Installierung einer sozialistischen Wirtschaftsordnung in Rußland als objektive Übergleichzeitigkeit einzuordnen, d. h., die Sowjetunion repräsentierte die Zukunftstendenz, konnte also als real Existierende zur Orientierungsmarke begriffener Hoffnung (in der Sprache der neo-utopistischen Theorie ausgedrückt) oder (um in der geschichtsphilosophischen Terminologie zu bleiben) der subjektiven Übergleichzeitigkeit werden. Solche Bewußtseinsform besitzen nach Bloch nur das revolutionäre Proletariat und die linke Intelligenz. Beide Gruppen stellten auf der Ebene der Subjekte für ihn diejenige progressive Kraft im Geschichtsverlauf dar, die auf der weltgesellschaftlichen Ebene in Gestalt der Sowjetunion auftrat.

Die Annahme analoger Erkenntnisvoraussetzungen bei Proletariat und Intelligenz impliziert allerdings keine Gleichartigkeit oder Gleichrangigkeit der Bewußtseinskapazitäten. Nicht geistige Partnerschaft im Überschuß an antizipatorischer Vernunft ist gemeint, sondern ein *Bund zwischen den Armen und den Denkern, zwischen dem vom vis-à-vis de rien allerstärkst entzündeten Egoismus und der Reinheit des Kommunismus* (GA 3/300). Die Zuschreibung übergleichzeitigen Denkens an das Proletariat kann nicht als für die Gesamtarbeiterschaft geltende, sondern eher als eine die Arbeiteravantgarde (im Sinne von kommunistischen Spitzenfunktionären) betreffende, verstanden werden. Warum sollte Bloch sonst annehmen, daß die Hitler-

Regierung *nicht so unbedingt und hauptsächlich arbeiterfeindlich* (...), *kein so nacktes Instrument zum Lohndruck, wie der Faschismus,* sondern *vor allem gegen die Führung der Arbeiter durch sich selbst und gegen das Bündnis zwischen Arbeitern und Intellektuellen* (...) *vor allem gegen uns Intellektuelle* war?[23]

Das Zitat enthält im weiteren die Spur eines Erklärungshinweises anderer Art. Sie leitet zurück zur Verklammerung des Glaubenssatzes ›ex oriente lux‹ mit der Politik der Sowjetunion. Wird die in der angeführten Textstelle von Bloch vorgenommene Trennung der Funktionsbestimmung von nationalsozialistischem Führungspersonal und seiner Ideologie versuchsweise appliziert auf Blochs Verhältnis zu sowjetischen Entscheidungsträgern und zur sowjetsozialistischen Theorie, so zeigt sich das Grundmuster, nach dem möglicherweise auch Vereinbarkeit mit der zunächst als unfreiheitlich und höchst undemokratisch wie ebenfalls ›unmarxistisch‹ befundenen Transformationspolitik Lenins hergestellt und eine kritische Auseinandersetzung mit dem Stalinsozialismus umgangen werden konnte. Nichts deutet darauf hin, daß Bloch damals die Erscheinungsform des politischen Systems, dem sein Beifall galt, problematisiert und im Zusammenhang mit ihren theoretischen Grundlagen und Begründungen reflektiert hätte. Die Stelle der abgetrennten ideologiekritischen Untersuchung nehmen religiös-veränderungsethisch formulierte Huldigungen an die Führungspersonen ein. Die mit seinen geistigen Revolutionierungs- und universellen Erneuerungsbestrebungen verbundene Präferenz für messianische Heilsbringergestalten wurde offensichtlich über das Kriterium politischer Wirksamkeit zur Reverenz an personifizierte Machtausübung. War auf diese Weise für Bloch bereits die auf Lenin bezogene Äußerung möglich gewesen, man habe in Rußland Christus als Kaiser eingesetzt, so konnte Feuchtwangers Formulierung, die Lenin zum *Caesar der Sowjetunion* und Stalin zum *Augustus, ihrem ›Mehrer‹ in jeder Hinsicht* (»Hasard«, S. 232) ernannte, als *glückliche (wenn auch allzu historische) Prägung* akzeptiert werden, ohne das mit der Metaphorik angeschnittene Problem autokratischer Herrschaft oder die Frage nach der Vereinbarkeit von imperialer und sozialistisch-chiliastischer Reichsidee inhaltlich unter aktuellen politischen Gesichtspunkten näher erörtern zu müssen. Als finsterer Gegenspieler des mit der Aura eines Friedenskaisers umgebenen Stalin fungierte in diesem Szenario messianisch-politischer Heilserwartung umgekehrt Hitler als *Satan* (GA 4/75) und als falscher Messias. *Im großen Bogen ist die Sabbatai-Zewi-Zeit erreicht, mit dem Unterschied, daß hinter dem falschen Messias nichts stand als sein Verbrechen, hinter dem Dritten Reich jedoch die Schwerindustrie.* (»Hasard«, S. 12) *Der Blutherr steht für Jesus, der Kriegsstaat für die Gemeinde.* (GA 4/64) Aber auch auf dieser Seite des Gleichnisses sah Bloch Restbestände original-christlich-revolutionärer Ideologie am Werk, wenngleich in archaisch-emotionaler, allenfalls vor-bewußter Form.

Flankiert von der Annahme einer *Erinnerung, der Immanenz der urkommunistischen Demokratie in der Moral* (GA 11/249) als quasi anthropologischer Konstante geistiger Revolution einerseits und von der geschichtsphilosophischen Deduktion entsprechender zukunftsweisender Überschüsse andererseits wurde Blochs Hypothese von der Hoffnung als allgemeingültig revolutionärem Prinzip zur Kernthese einer neuen Lehre und zum Angelpunkt politischer Betrachtungsweise. Auf dieser Grundlage konnte mit der Kombination von politischer Argumentation und ethischen Standards, in der die russische Revolution ein hoch zu bewertendes Faktum darstellte, nahezu zwangsläufig alles, was gut war für diese auch als gut für die Menschheit verstanden werden. Ihr Progreß und das hoffnungsvolle Vertrauen in ihren Progreß wurde zum Kriterium für Moralität. Das ist schon theoretisch nicht unproblematisch, denn während die politikphilosophische Perspektive eine globale ist, bzw. die gesamte Menschheit zum Gegenstand hat, bleibt die ethische allein an den ›Osten‹ bzw. die Sowjetunion gebunden. Solche zweigleisigen Beurteilungskriterien erschweren darüber hinaus generell die Einschätzung empirischer Sachverhalte, ein Problem, das Bloch voluntativ zu lösen pflegte, wie schon die definitorische Aufspaltung der Bestimmung des Ersten Weltkriegs in einen guten/moralischen und einen bösen/unmoralischen Teil gezeigt hat. Was sich dort, der früheren Abtönung revolutionärer Hoffnungen Blochs gemäß, als Befürwortung eines *Kreuzzugs* bürgerlich-liberaler Kräfte darstellte, war inzwischen Aufruf zum Feldzug für die Rettung des *kommunistischen Moralerbes* geworden (GA 11/250). Aus dieser modifizierten Sicht erschien ihm der im Westen wie im Osten gleichermaßen zu konstatierende Mangel an bürgerlich-demokratischem Wertbewußtsein als Phänomen *demagogisch formaler, wenn auch nicht inhaltlicher Art. Bei den Kommunisten wie bei den Nationalsozialisten wird wehrhafte Jugend aufgerufen; hier wie dort ist der kapitalistisch-parlamentarische Staat verneint; hier wie dort wird die Diktatur gefordert, die Form des Gehorsams und des Befehls, die Tugend der Entscheidung statt der Feigheiten der Bourgeoisie, dieser ewig diskutierenden Klasse.* Hinter diesen Parallelitätserscheinungen aber, so meinte Bloch, stünden *unvereinbare Gegensätze des positiven Wollens* und diese seien *stärker als die scheinbaren Verwandtschaften in der Form und der Verneinung des Gegenwartsstaates.* (EdZ 1935, S. 104f.) Wie schon bei der Option für einen *wehrhaften Pazifismus* fiel auch hier die Skepsis an der Angemessenheit instrumenteller Mittel von Politik der normativen (Be-)Setzung des Zielinhaltes zum Opfer. Abgesehen davon, daß weder dem jungen Engels noch Lenin bei der Abwertung des Parlaments zur ›Schwatzbude‹ nationalsozialistische oder ›marxistisch-leninistische‹ Regierungspraktiken vorgeschwebt haben dürften (selbst wenn sie sie hätten antizipieren können), gerät Blochs Differenzierungsversuch auf den ersten Blick in die Nähe der Position von rechtsradikalen Demokratiegegnern.[24] Unverfänglicher und naheliegend zur Entkräftung von Gleichsetzungen à la Rot-Braun wäre etwa eine explizit argumentative Weiterführung seiner Kritik an nationalsozialistischer Rassentheorie und Rassenpolitik gewesen, einer seinem Urteil zufolge ursprünglichen Domäne des Faschismus, die *zur Konkurrenz gegen das Ex oriente lux* gediehen war (GA 4/93). Die statt dessen gehandhabte Taktik bleibt in mehrfacher Hinsicht fragwürdig. Bloch nannte den Nationalsozialismus *völkisch statt international*, er vermittle eine *romantisch-reaktionäre Staatsmystik statt des sozialistischen Willens zum Absterben des Staates, Autoritätsglaube(n) statt der in allem Sozialismus letzthinnigen Anarchie*. (EdZ 1935, S. 105) Geht dieser Differenzierungsversuch zur Zeit des *Sozialismus in einem Lande* möglicherweise noch zu Lasten der von Bloch als *Handgemenge mitten im Feind* empfundenen eigenen Beurteilungssituation, so besteht doch kein Zweifel daran, daß er sich mit der folgenden Überzeugung im Rahmen vertretbarer Aussagen zu bewegen meinte: *Die Revolution hat keine Ideale zu verwirklichen, trotzdem kommt sie in diese nicht unangenehme Lage, wenn sie statt Schimären (wogegen sich Marxens Verbot einzig gerichtet hatte) – die Revolution selbst verwirklicht. Wenn sie, wie in der Sowjetunion, lauter Wirklichkeit mit Einschluß ihrer Ideale betreibt; dem dialektischen Omega von Engels gemäß: ›Wiederbelebung – auf höherer Stufe – der Freiheit, Gleichheit, Brüderlichkeit der alten Gentes‹*. (»Hasard«, S. 153 f.)

In Anbetracht der realgeschichtlichen Entwicklung, der fatalen Verknüpfung von Partei und Staat in der Sowjetunion und deren gesellschaftspolitischen Folgen erscheinen Blochs damalige Erwartungen aus heutiger Sicht einigermaßen grotesk. Gleichwohl waren sie Grundlage seiner agitatorischen Zustimmung zur stalinsowjetischen Politik. In der Sowjetunion sah er den Bundesgenossen im Kampf um die *Rettung der Moral* gegen Vulgärmarxismus und Faschismus. Sie galt ihm als *Halt der gesamten antifascistischen Front* (»Hasard«, S. 176). Durchweg scheint er auch ohne tiefergehende Zweifel an die persönliche Integrität Stalins geglaubt und ihm politische Zielsetzungen unterstellt zu haben, wie er sie selbst immer wieder formulierte. Anders ist nicht zu erklären, daß noch in der Gesamtausgabe des Blochschen Werkes von 1977 ohne Nachbemerkung oder Korrektur ein Passus aus dessen Rede zum XIX. Parteitag der KPdSU zitiert und im Zusammenhang mit der Menschenrechtsfrage als Hinweis auf eine von dieser Seite her intendierte Überführung formal-bürgerlicher in faktisch-sozialistische Demokratie verwendet wird. (GA 11/345 und GA 5/637) Die Fata Morgana einer demokratisch-sozialistisch oder sozialistisch-demokratischen Sowjetunion hat Blochs revolutionsstrategische Orientierung ebenso auf das Zentrum zeitgenössischer kommunistischer Ideologie fixiert, wie es die Kominternräson für die außersowjetischen KPen tat. Der bewußt gewollte und räumlich auch vorhandene Abstand des intellektuellen zum organisierten Kommunismus war in dieser Hinsicht ausbalanciert; aufgehoben war er nicht. Dem Marxismus-Leninismus steht das Blochsche Denken trotz aller (einseitig gebliebenen) Annäherungsversuche fremdartig gegenüber, auch wenn dies im Kontext des deutschen Faschismus nur mittelbar zum Ausdruck kommt.

Äußere Parameter der damaligen unkritischen Solidarität lassen sich unter Berücksichtigung der relativ vagen Erklärungen aufzeigen, die Bloch in einem 1965 geführten Gespräch aufgelistet hat.[25] Er nannte dort die antikommunistische Propaganda im Westen und hätte hinzufügen können: die anfängliche Neutralitätspolitik der westlichen Demokratien gegenüber Hitler-Deutschland, die er 1936 an die Adresse Großbritanniens gerichtet[26] zunächst als unklug und risikoscheu (»Hasard«, S. 67ff.), 1937 bereits als sozialreaktionär der Intention nach diagnostiziert hatte (»Hasard«, S. 225ff.). Dem stand im Osten die Erhaltung der Errungenschaften der Oktoberrevolution mittels einer realpolitisch effektiven Taktik Stalins gegenüber, die allerdings die Verschleierung der innenpolitischen Vorgänge ebenso einschloß wie die Aufopferung antifaschistischer Potenzen der westlichen KPen im nationalen Sicherheitsinteresse der UdSSR. Blochs Rekurs auf die Anti-Hitler-Koalition ist ein respektables Argument für sein Vertrauen in die Sowjetunion unter der Voraussetzung, daß er die Einhaltung der in der Atlantikcharta niedergelegten Kriegszielbestimmungen als selbstverständlich angenommen hat. Auch nach der schlechten Erfahrung mit Versailles (dort war ja die Sowjetunion noch nicht dabeigewesen) konnte er die Charta als Ausgangspunkt einer friedlichen Weltordnung auffassen, sofern er den Beitritt der Sowjetunion als Bedingung und Garantie dafür wertete, daß es nunmehr tatsächlich um einen ›gerechten Krieg‹ für Frieden, Freiheit, Demokratie und Sozialismus ging und nicht um machtpolitische Motive. Dies war zweifelsohne Blochs Deutung. Die auf westlicher Seite bei absehbarer Niederlage Deutschlands laut werdenden Änderungsbestrebungen in der Kriegszielpolitik wurden von ihm ohne Beachtung von Koalitionsrücksichten scharf angegriffen. In seiner Nachkriegsperspektive für Deutschland waren ›Halbheiten‹ ausgeschlossen. Die wirkliche und endgültige Vernichtung des Faschismus und damit latenter Kriegsgefahr erforderte seiner Ansicht nach totale gesellschaftliche Transformation, nicht aber, wie er kritisierte, Antigermanismus, Verletzung des Selbstbestimmungsrechts und Kolonialisation. Sein Vorwurf an die Westalliierten lautete: *Ein letztes Mittel, unerwünschte (d. h. revolutionäre) Folgen zu vermeiden, meldet sich nur verblümt an. (...) Das Praktische daran wurde dieses, daß deutsche Herren und deutsche Arbeiter zusammen auf den Stand von Kettensklaven reduziert werden, mindestens auf den von Robotern. Deutschland würde also nicht nur ein Indien werden, sondern ein Australien aus der Zeit, als es noch Verbrecherkolonie war. Dieser Plan ist durchaus in den Karten, wenigstens bei einigen politischen und anderen Geschäftsleuten, die sich zugleich als Rächer erscheinen (an dem, was selber zur Hälfte ihnen gehört). Eine Metaphysik von Bombenangriffen entsteht (...) Freiheit von Furcht, im Geist der Atlantic-Charter, kann auf solch herzlich-*

totalem Weg kaum erreicht werden. Denn keine Macht wäre nachdem mehr zu fürchten als die, welche solche Freiheit von Furcht gebracht hat.[27] Auch nachdem Churchills Unterhauserklärung im Februar 1944 erkennen ließ, daß alle Alliierten einschließlich der Sowjetunion die Charta desavouiert hatten, insistierte Bloch auf seinem Standpunkt, nur Selbstbestimmung, *nur der geschehende und ungestörte Vollzug wirklicher Demokratie* gebe ihr *den Volksgeruch zurück* und vermeide, daß sie zu einem Import würde. Ein *Über-Versailles, mit allen Nachteilen des Kapitalismus, ohne dessen Vorteile,* werde möglicherweise die Resistenz faschistischer Ideologie zur Folge haben, ein Rachefrieden zur *Glanzerinnerung an Hitler* beitragen.[28]

Von dieser Auffassung hat sich übrigens die Redaktion der KPD-geführten Monatsschrift »Freies Deutschland/Neues Deutschland« unter Anpassung an die Beschlüsse der Teheran-Mächte distanziert. Ein für die politische Meinungsbildung Blochs gewiß nicht unwesentlicher Bereich ist damit angesprochen: der parteikommunistisch ausgerichtete Sektor der Exilpresse mit seiner Begrenzung, Beeinflussung und Filterung von Information. Mit den von hier ausgehenden Impulsen läßt sich die partielle Übereinstimmung von Fehlbeurteilungen zeitgeschichtlicher Ereignisse und Prozesse durch Bloch und KPD erklären; partiell, weil es sich dabei keinesfalls nur um die Widerspiegelung von Kominternauffassungen handelt, partiell auch, weil selbst in folgenden Extrembeispielen spezifisch Blochsche Betrachtungsweisen zu Tage treten.

Eine diagnostische Fehlleistung, die sowohl die kommunistische These von der ›Krise des Faschismus‹ als auch die gängige Überbewertung innerdeutscher antifaschistischer Kräfte beinhaltet, unterlief Bloch 1938 mit der Feststellung des *Anfang(s) vom Ende der Nazis. Der Nazi lohnt sich für die herrschende Klasse nicht mehr. Was er geben konnte, Massenbetrug und Aufrüstung hat er ausgeführt. Der Massenbetrug hat längst die Kraft verloren, durch die er sich dem Monopolkapital empfohlen hatte. Der Terror allein hält die Massen zwar noch bei der Stange, aber er schafft einen Haß im Land, der den Militärs nicht erwünscht sein kann. Die Aufrüstung ist derart bereits psychologisch gehemmt: Himmler mußte Deutschland als inneren Kriegsschauplatz zugeben.* (»Hasard«, S. 343) Diese Einschätzung stammt vom 17. Februar des Jahres 1938. Am 10. März schrieb er in der Einleitung eines Artikels zum 150. Geburtstag von Schopenhauer: *Es ist nützlich, jederzeit besorgt zu sein. Aber es ist lähmend und hilft dem Feind, die Lage auch noch künstlich zu schwärzen. Davon wurde in den letzten Wochen viel, zu viel geleistet. Daß nicht einmal Wien so leicht zu werfen ist, hat sich gezeigt. Und hat sich die innere Lage der Dynamischen etwa verbessert?* (»Hasard«, S. 346) Gegen pessimistische Beurteilungen der Situation wandte er ein, die vergangenen fünf Jahre wären so entsetzlich nicht gewesen, hätten *auch nicht so manche verschwiegene Helfershelfer gefunden (...), wenn es nicht gälte, ein Licht zu ersticken, das den Fascisten durchaus kein Nichts ist. Die Verstörten sehen nur die Schlangen in der Wiege des jungen Herkules, und nicht halb so deutlich, diesen selbst.* (»Hasard«, S. 348) Eine Reihe von Teilmomenten versperre *manchen, die sich trotz ihres Nihilismus Realisten nennen, den Blick auf die ganze, durchaus auch anders gärende Wirklichkeit. Aus Unglaube läßt sich Fahnenflucht begehen, aber noch sicherer kommt der Unglaube aus Fahnenflucht, aus dem Verlassen der aufsteigenden Zeit, ihrer Truppe und sehr fundierter Hoffnung.* (»Hasard«, S. 349) Zwei Tage später erfolgte die Annexion Österreichs.

Bedingungsloser Glaube und feldmarschmäßige geistige Disziplin, das *moralische Licht in der Hingabe* (»Hasard«, S. 151), wie es Bloch schon ein Jahr früher formuliert hatte, Kampfmoral im Dienst am *Erbe des Wollens* – diese Internalisierung militärischer Denkkategorien kann durchaus als Zeichen einer Prädisposition für autoritär-restaurative Verkehrsformen angesehen werden, die der strukturell verankerten Reglementierung und Weisungsgebundenheit des zeitgenössischen internationalen Kommunismus entgegenkam, zumal sich für Bloch unter den Bedingungen des erstarkten Nationalsozialismus bestätigte: *da bleibt überhaupt keine Wahl, der moralische Impuls kommt nicht anders unter, nicht anders an als sozialistisch.* (»Hasard«, S. 151).

Die diagnostische und prognostische Unsicherheit am Beispiel Österreichkrise bezeichnen den Grad an Realitätsblindheit, zu dem auch ›militanter Optimismus‹ unter konkreter Einwirkung äußerer Einflüsse gelangen kann. Deutlicher noch als in diesem Fall wird im zweiten Beispiel, wie weit auch die *Macht des subjektiven Faktors* insbesondere bei eingeschränkter Informationsaufnahme und -verarbeitung absinken kann. Die vom Durchhalte-Optimismus überlagerte und aufgelöste Distanz Blochs zum institutionalisierten Kommunismus ist vergleichsweise harmlos, gemessen am Gleichklang mit dem Kominternkommentar in der Frage des stalinistischen Terrors und der Moskauer Prozesse. Zum Symbol der innersowjetisch inszenierten Hetzkampagne und deren parteioffiziellem Echo wurde der Name Trotzki.

Paradoxerweise ist es gerade Trotzki, der prädestiniert zu sein schien, die Funktion eines ›real-möglichen‹ Störfaktors der apologetischen Haltung Blochs zur Sowjetunion und entsprechender Distanzverluste zur KPD zu übernehmen. Die Nähe seiner Faschismusanalyse, die wesentliche Teile der Blochschen Ungleichzeitigkeitstheorie vorwegnahm, ist frappierend;[29] der Kontrapunkt, den er mit seiner dezidierten Kritik an der stalinistischen Entwicklung des Sowjetsozialismus setzte, wie ebenso seine besonders illusionslose Beurteilung von Fehleinschätzungen des Faschismus durch die beiden großen Arbeiterparteien (der KPD hielt er den Wunschtraumcharakter der Krisenprognostik, Überschätzung des inneren Widerstandes und überzogene Hoffnung auf Differenzen zwischen regierenden und enttäuschten Faschisten vor), konnten durchaus zu mehr Skepsis in der Lagebeurteilung veranlassen. Bloch kannte Trotzkis frühe Schriften, er bezog sich 1937 auf aktuelle Veröffentlichungen (»Hasard«, S. 179), und es ist höchst unwahrscheinlich, daß ihm dessen tagespolitische Analysen und Kommentare der frühen 30er Jahre entgangen sein sollten. Zum einen ging Trotzkis Argumentation durch die Weltpresse, zum zweiten befand sich die »Neue Weltbühne«, in der auch Bloch später veröffentlichte, bis etwa Mitte März 1934 ganz auf der Linie von Trotzkis Beiträgen. Außerdem schrieben beide für die bis 1935 von Klaus Mann herausgegebene »Sammlung«. Wie dem auch sei, zum Katalysator wurde er für Bloch nicht. Mitbestimmend dafür mag sein, daß Trotzkis kritische Attacken auf der Basis ununterbrochener Verfemung durch Stalin auch von der KPD als Verrat und Verleumdung zurückgewiesen wurden. Bloch hatte sich schon 1935 vorsorglich gegen eventuelle Mißverständnisse seiner Intentionen als *sozialdemokratischer Verwässerung* oder *trotzkistischen Quertreibereien* (GA 4/19) abgesichert. In perfekter Synchronisation mit den Stellungnahmen der Komintern geriet er 1937 sogar in den Jargon der Terrormaschinerie, als er von *Sabotage, Schädlingsarbeit* (»Hasard«, S. 178f.) sprach, um Zweifel an der Rechtmäßigkeit der Moskauer Prozesse, ihrer Substanz und ihrer Methode zurückzuweisen. Seiner Meinung nach handelte es sich um Notwehrprozesse gegen die *vereinigte Energie der Nazibestie, des japanischen Raubstaats, des trotzkistischen Hasses* (»Hasard«, S. 179). *Den Prozeß gegen die Umtriebe dieses Dreigetüms zu bagatellisieren, gar zu verhöhnen, gar zu verleumden,* so kritisierte er, dazu gehöre *eine Unbedenklichkeit, die in der Geschichte der politischen Emigration vergebens nach einem Gegenbeispiel* suche.

Internes Ziel der ab 1935 erkennbaren Welle blutiger ›Säuberungen‹ und ›Prozesse‹, für die die Ermordung des Leningrader Parteisekretärs Kirow im Dezember 1934 zum ersten Anlaß genommen wurde, und die ihren dramatischen Höhepunkt in den Jahren 1936–1938 erreichte, war nicht mehr der politische Sieg der Stalinfraktion, sondern die physische Eliminierung der Opposition. Innerhalb kurzer Zeit wurde die ganze Generation alter Bolschewiki liquidiert, die Generalität der Roten Armee dezimiert und jeglicher Widerstand zum Verstummen gebracht. Als Scheinbegründung diente die Legende einer von außen eingeschleusten, faschistisch gesteuerten Konterrevolution, als deren Helfershelfer die Linke Opposition fungiere. Damit ließen sich gleichzeitig auch die realen Widersprüche zur Stalin-Propaganda vom organisch fortschreitenden, allseits unterstützten Aufbau des Sozialismus in der UdSSR, der sich bereits in einem Stadium befinde, in dem Staat und Repression im Prinzip überflüssig würden, vorzüglich kaschieren. Allerdings brachten die ›Prozesse‹ die außersowjetischen KPen in kaum lösbare Konflikte zwischen Loyalität und akzeptabler Selbstdarstellung im Rahmen der Volksfrontbemühungen. Außer der »Sammlung«, die seit 1935 nicht mehr existierte, lösten alle Exilblätter, in denen Bloch mitarbeitete, bzw. deren parteikommunistisch gebundene Autoren das Problem, indem sie die sowjetische Propagandaversion übernahmen – verbunden mit teils hymnischen Ovationen an den Stalinkommunismus oder dem Versuch, die außerstalinistische Propagandakritik zu steuern. Selbst vom *Kind der Volksfront,* dem »Wort« wurden Personenkult und Massenterror gerechtfertigt. Blochs Einstimmung in diesen Chor ist wohl weniger ein Hinweis auf Arrangements mit gedanklichem Monolithismus in der Komintern als vielmehr auf die Ernsthaftigkeit, mit der er der selbstgewählten Pflicht nachkam, in der Krise *im gleichen Gang und Feldzugsplan* mitzumarschieren. Sie ist nur in dieser Richtung interpretierbar, es sei denn, man unterstelle reinen Utilitarismus. Auffällig dabei ist die polemische Schärfe seiner Kommentare.

Nahezu unerklärlich an den Prozessen war für die um eigene Meinungsbildung Bemühten, daß alle angeklagten Bolschewiki sich für schuldig erklärten (eine gewisse Ausnahme bildete Bucharin, der sich mit dem Staatsanwalt Wyschinski über einzelne Fragen auseinanderzusetzen suchte). Zum Thema ›Geständnisse‹ nahm Bloch am 4. 3. 1937 in der »Neuen Weltbühne«, wo er als wichtigster Vertreter der literarisch-kulturellen Volksfront galt, Stellung. Auf eine Glosse im »Neuen Tagebuch« hin, die vom Grundtenor her den stalinistischen und den nationalsozialistischen Terror auf eine Stufe gestellt hatte, in der Frage nach den Ursachen der Selbstbezichtigungen den Vergleich zu mittelalterlichen Hexenprozessen zog und eine Beeinflussung durch Drogen nicht ausschließen mochte, wies Bloch in seiner Replik die *Redakteure der rechtsbürgerlichen Emigration*[30] zunächst zurecht. Sie seien voreilig mit ihren Angriffen und Vermutungen und richteten mit ihrer Publizistik einen Schaden überhaupt erst an, den der Prozeß selbst (es handelte sich um den Radek-Sokolnikov-Prozeß) nicht verursacht habe. (»Hasard«, S. 183) *Dem gereiften Journalisten* gezieme dagegen *das Untersuchende.* (»Hasard«, S. 176) Es sei völlig einsichtig, daß die Sowjetunion dem gemeinsamen konterrevolutionären Treiben von Gestapo und Trotzkismus nicht tatenlos zusehen könne. (»Hasard«, S. 179) Den tastenden Verständnisversuchen und Erklärungsangeboten für das Zustandekommen der ›Geständnisse‹ begegnete er auf eigenartig ›witzige‹ Weise: *Sollte es aber auch mit der neuesten Gallert, mit Mescalin seine Schwierigkeiten haben, so sind wir freilich genug im Bild, um dem verlegenen Redakteur selber eine Deutung des Moskauer Rätsels beizusteuern, eine, die seinen Hexenprozessen überdies näher liegt. Wir empfehlen als unbegreiflicherweise noch ausstehende Erklärung statt Hexensalbe und Mescalin die Seelenwanderung.* (»Hasard«, S. 181)

Als Beweis für die Evidenz von Berechtigung und Rechtmäßigkeit der Vorgänge führte Bloch einen der Prozeßberichte an. (»Hasard«, S. 178) Abgesehen einmal von dieser bei ihm sonst ungewohnten empirischen Komponente ist seine Einstellung zu den Moskauer Prozessen im Gesamt der antifaschistischen Diskussion kein atypisches Phänomen. Appeasementpolitik, Intensivierung der Probleme westeuropäischer Volksfrontpolitik durch den Stalinterror, insbesondere die Rückwirkung der spanischen Ereignisse bei gleichzeitiger lähmender Fixierung auf die Interessenpolitik des Kreml, auch das imaginäre Prestige Stalins und die theoretische und praktische Stagnation autonomer antifaschistischer Strategieentwicklung ergeben eine ganze Kette gewichtiger Begründungen dafür, daß Blochs uneingeschränkte Loyalitätsbezeugung im Bereich kommunistischer – und nicht nur kommunistischer – Argumentation eher unauffällig ist. Auch Heinrich Mann etwa – wegen seiner kritischen Haltung und seiner Zweifel allerdings nur bedingt vergleichbar – kam gegen Kriegsende in seinem »Zeitalter«-Buch zu einer Einschätzung der Moskauer Prozesse, die diese als Entsühnung der Revolution im Ringen um die Wahrheit verstand, als einen inneren Reinigungsvorgang, in dem die Angeklagten bei den Verhören ihnen selbst bisher unbewußte Handlungsmotive aufdeckten. Vor allem aber, so Gilles Martinet für die französische Sektion der KI, die sich in dieser Hinsicht nicht von den illegalen und exilierten Kadern der deutschen unterschied: *Die erdrückende Mehrheit der Partei glaubte alles, obwohl es sich doch nicht um Idioten oder moralisch verkommene Individuen handelte.*[31]

Daß alle genannten Faktoren zusammengenommen dennoch nicht ausreichen, um Zwangsläufigkeit zeitpolitischer Meinungsfindung zu deduzieren, wie Blochs nachträgliche Erklärungen suggerieren, daß und warum eben gerade der Problemkomplex ›Moskauer Prozesse‹ samt offiziellem sowjetischen Informationsmaterial zum Stolperstein unkritischer Solidarität werden konnte, schildert Martinet ebenfalls: *Damals las auch ich mit meinen Genossen die stenographischen Protokolle, die in Moskau in allen Fremdsprachen verlegt worden waren. Es waren dicke Wälzer, deswegen nannten wir sie ›Ziegelsteine‹. Nun gut, wir lasen diese ›Ziegelsteine‹ von vorne bis hinten, und ich muß (...) gestehen, daß ich wie vom Blitz getroffen war. Die ganze schreckliche Wahrheit wurde mir schlagartig so deutlich, daß ich davon wie gelähmt war. Mir blieb keine andere Wahl: ich trat aus der Partei aus, was damals eine dramatische Entscheidung war. Es gab keine andere Lösung. Die Thesen der linken Opposition waren mir immer recht utopisch erschienen. Zwar bewunderte ich Trotzki, aber ich war nie in die Versuchung gekommen, mich der Opposition anzuschließen. (...) Als ich die Protokolle gelesen hatte, konnte ich einfach nicht glauben, daß sie der Wahrheit entsprechen könnten. Die Anschuldigungen waren so unglaublich, daß mir unverständlich war, wie ein vernunftbegabtes Wesen daran glauben könne. Sicherlich zeigten viele kommunistische Studenten die gleichen Reaktionen.*[32] Die subjektive Authentizität dieser Schilderung läßt nochmals aufmerksam werden auf einen Aspekt des Erkenntnis- und Urteilsfindungsprozesses bei Bloch, der in bezug auf seine politischen Äußerungen im vorliegenden Kontext von besonderem Belang ist.

Während insgesamt gesehen das Problem der Interdependenz von Form und Inhalt im Mittelpunkt seines Denkens steht und folgerichtig im allgemeinen Dialektik als Methode praktiziert wird, spaltet sich diese Herangehensweise offensichtlich in konkreten politischen Krisensituationen, in denen aktive und/oder passive Einschränkung ›offener‹ sozialer Lernprozesse stattfindet. Die schon sehr früh bei ihm zum Ausdruck gekommene Tendenz zur Auflösung zugunsten des subjektiven Wollens schlug sich im hier behandelten Zeitabschnitt zunächst im Beurteilungsmaßstab zur Differenzierung von Kommunismus und Nationalsozialismus nieder. Im Beispiel ›Prozesse‹ dagegen wird die dialektische Methode dem ›objektiven Faktor‹ geopfert, wenn beim Auftreten divergierender Meinungen ein *unabhängiges, kritisch wägendes Urteil Rußland gegenüber* vom Studium offizieller Verlautbarungen abhängig gemacht und als quasi wertfrei mögliches definiert wird: *dieses Urteil, wie jedes objektive, verlangt Studium der Akte, bevor es ergeht, es duldet nicht, daß man es mit völlig abwegigen Hypothesen vorher dumm macht.* (»Hasard«, S. 183) Solche Bestimmung vom *objektiven Pol* her hat zur Folge, daß die weitere Klärung dessen, was als Hypothese möglicherweise abwegig oder nicht abwegig ist, entfallen kann. Grundsätzlich andere Meinungen können ohne Ansehen intentional inhaltlicher Gesichtspunkte zugunsten einer ›objektiven Bedeutung‹ bestimmter Sachverhalte abgewehrt werden und zwar auch dann, wenn ein hoher Grad von eigener Beurteilungsunsicherheit vorhanden ist.[33]

Blochs Feststellung, es sei *eine Naivität ohnegleichen, Trotzkis Pläne zu bezweifeln, weil er sie in seinen letzten Büchern nicht jedem freundlichen Käufer expressis verbis dargestellt habe* (»Hasard«, S. 179), geht in diese Richtung. Vom empirischen Subjekt Trotzki bleibt bei beliebig einwendbarer ›objektiver Bedeutung‹ seiner Verhaltensweisen schließlich allenfalls der ›subjektive Faktor‹ als theoretische Reduktionserscheinung übrig. Verschränkt mit der eingeengten Optik strikter politischer Freund-Feind-Polarisierung wurden auf diese Weise auch in parteikommunistischen Kommentaren (wirkliche, vermeintliche oder mit Rücksicht auf die Direktiven Moskaus zu solchen erklärte) Gegner zu abstrakten Beurteilungs-Gegenständen. Dem Zweifel daran, ob mit dem Paradigma einer Kombination von ›subjektiven‹ und ›objektiven Faktoren‹ Wirklichkeit überhaupt zureichend beschrieben oder erklärt werden kann, soll hier nicht nachgegangen werden. Festzustellen ist aber, daß Überbewertung der einen Seite und Anpassung an die andere offenbar recht erhebliche Orientierungsschwierigkeiten bei Bloch verursacht haben. Tatsächliche individuelle Ohnmacht, unzureichender Einblick in die Mechanismen stalinistischer Propaganda und dennoch beibehaltene wegweisend-belehrende Attitüde kommen als Objektivation und stilistische Verfremdung sogar verbal zum Ausdruck, wenn Bloch, Sokrates zitierend, seine eigene »Kritik der Prozeßkritik« folgendermaßen beschließt: ›*Was ich verstanden habe, ist vortrefflich, daraus schließe ich, daß das Andere, was ich nicht verstanden habe, ebenso vortrefflich sei; das Ganze aber braucht einen tüchtigen Schwimmer*‹ und hinzufügt, *gerade der Antifascismus, der auf die Objektivität seines Urteils über Rußland Wert legt, fährt mit diesem Satz eines weisen Mannes nicht übel.* (»Hasard«, S. 184)

In der Überzeugung, auf dem richtigen Wege zu sein, fühlte sich Bloch durch eine weitere ›wertfreie‹ Quelle bestätigt. In seiner Rezension von Feuchtwangers Reisebuch »Moskau 1937« notierte er beifällig das *berauschende Gefühl der Lösung*, das in dessen Eindrücken von der Sowjetunion überwiege, und übernahm ergänzend die Zitation Goethes ›*Ein Bedeutendes weiß uns immer für sich einzunehmen, und wenn wir seine Vorzüge anerkennen, so lassen wir das, was wir an ihm problematisch finden, auf sich beruhen*‹ (»Hasard«, S. 231). Auch Feuchtwanger war zu dem Schluß gekommen, eine Gleichsetzung von faschistischer und bolschewistischer Diktatur sei nicht haltbar. Auch er hatte die Moskauer Prozesse und die Geständnisse für rechtmäßig befunden, nachdem er an einer Verhandlung beobachtend teilgenommen hatte. Sein Augenzeugenbericht galt Bloch als *wichtiges Dokument*. Feuchtwanger sprach ihm aus der Seele mit seinem Fazit: ›*Es tut wohl (...) nach all der Halbheit des Westens ein solches Werk zu sehen, zu dem man von Herzen Ja, Ja, Ja sagen kann*‹. (»Hasard«, S. 233 ff.)

Bloch hat in den frühen 40er Jahren, als es der Komintern darum ging, im Interesse der neuen Volksfront die Sowjetunion auf internationaler Ebene politisch zu entlasten und von psychologischen Hypotheken zu befreien, im nachhinein die Prozesse nochmals vehement gerechtfertigt. In der Diskussion um den Einbezug potentieller antifaschistischer Bündnispartner einerseits und die Abgrenzung von politisch unerwünschten Personen und Gruppen andererseits, behielt er die ursprüngliche Einstellung bei, verschärfte aber seine Äußerungen im Ton. In einem Essay vom September 1942 wurde Zweifel zum Verrat, wurden Zweifelnde zu Verrätern erklärt und diejenigen Kommunisten abgekanzelt, die sich aufgrund der Geschehnisse von der Komintern gelöst hatten. Bloch betonte, daß insbesondere in Zeiten größter Gefahr ungebrochenes Vertrauen in die Sowjetunion gefordert sei. Wieweit sich der Mechanismus der stalinistischen Verfemungsstrategie inzwischen verselbständigt hatte, und wie stark die Atmosphäre von Intrige, Angst und Denunziation über die nationalen Grenzen der UdSSR hinaus in die kommunistische Peripherie eindringen hatte können, zeigt die Tatsache, daß Bloch für eine regelrechte Hetztirade zur Unterstützung einer Kampagne von »Freies Deutschland/Neues Deutschland« gewonnen werden konnte, mit der versucht wurde, über die Bezichtigung des aus dem französischen Lager Le Vernet entlassenen Gustav Regler unerwünschte Kritiker des deutsch-sowjetischen Nichtangriffspaktes zu treffen. Ihm wurde nachgesagt, kommunistische Mithäftlinge denunziert zu haben.[34] In diesem Zusammenhang ging Bloch so weit, Käuflichkeit zu unterstellen. *Dreißig Silberlinge bleiben, was sie sind, ob sie fünf Minuten vorher oder nachher eingestrichen werden. Sogenannte Überzeugung ist daher an unseren Verrätern kein Milderungsgrund, sie ist eine Verschärfung, weil die feigste Art der Ausrede.* Eine krasse Zuspitzung war dort erreicht, wo er die als ›Renegaten‹, ›Denunzianten‹, ›Kriegslieferanten der Lüge‹ und ›Lumpen‹ Bezeichneten vom politischen Subjekt zum Objekt degradierte, indem er ihnen das Etikett *Trotzki-Ware* anheftete.[35] Der beharrlich geführte Feldzug zur Rettung der Moral unter dem Banner des stalinsowjetisch interpretierten ›ex oriente lux‹ mündete hier in eine rational kaum nachvollziehbare Offensive zur Verteidigung einer Fiktion.

Bloch hatte 1937 den Prozeßkritikern *Abstraktionen ihrer luftleeren Moralität* bescheinigt und gemeint, sie täten gut daran, *sich an der eigenen Nase zu packen oder ins eigene Unterbewußte zu steigen.* (»Hasard«, S. 234) Dieses zur Psychologie greifende ›oder‹ enthält – ohne jede Polemik aufgegriffen – eine durchaus brauchbare Anregung zur Analyse der von ihm selbst gezeigten Symptomatik. Pseudorealismus und Mangel an Introspektion sind im Kontext stalinistischer Propaganda bei Bloch so auffällig und wegen der Relevanz möglicher Öffentlichkeitswirkung, die sich zeitgeschichtlich allerdings schlecht überprüfen läßt, auch zu problematisch, als daß der Gedanke an eine sozialpsychologische Studie, die schwerpunktmäßig auf die Phänomene inter- und intrapersoneller Wahrnehmung ausgerichtet sein müßte, völlig zu verwerfen wäre. Mit Rücksicht auf den Umfang des vorliegenden Textes sei hier lediglich auf den überraschenden Spiegelungseffekt hingewiesen, der sich bei hypothetischer Unterstellung projektiven Verhaltens beispielsweise in der folgenden Diskriminierung von ›Trotzkisten‹ zeigt: *Sie trieben aber ein politisches Spiel mit großem Einsatz, mit einem Wagemut, der sich durch temporäre Kleinigkeiten in der Verfolgung ihres Ziels nicht aufhalten ließ. Es war ein Wagemut, eine Gewalt der Verbitterung, eine Großzügigkeit in der Wahl der Mittel, eine Hybris des Zielgedankens, die Trotzki wohl zuzutrauen bleibt, gerade wenn er das Format besitzt, das seine bürgerlichen Bewunderer ihm zubilligen. (...) so mag, nach Trotzkis jetziger Konzeption, auch aus der erneuten Niederlage des ›Zarismus‹ die Revolution sich erheben, die Weltrevolution versteht sich (...) Deutschland, Frankreich, England, Amerika, Sonne, Mond und Sterne dazu. Ein ungeheures Spiel, wie bemerkt, ein ungeheuerliches und genug Energie dahinter, um Anlaß wie Inhalt zweier Notwehrprozesse mehr als begreiflich zu machen.* (»Hasard«, S. 178) Projektion als dispositiv begründetes Bewältigungsmuster gesellschaftlicher Realität ist, ungeachtet individuell divergierender Manifestationsformen, im gegebenen Zeitraum als generationsspezifisches Problem zu betrachten, das in sozialgeschichtlichen Verursachungszusammenhängen verwurzelt ist. Weder die vom Verlust stabiler gesellschaftlicher Normorientierung geprägte Zeit des Ersten Weltkriegs noch das Sinn- und Wertechaos mit und nach dem endgültigen Zusammenbruch des Wilhelminismus, das sich in die Weimarer Epoche hinein fortsetzte, waren soziale Lernfelder, die der Herausbildung eines homogenen politischen Selbstverständnisses förderlich gewesen wären.

Bloch selbst hat in seiner Phänomenologie des Faschismus Bewußtseinsformen der genannten Art implizit berücksichtigt, d. h., er hat die Funktionabilität kollektiver Projektionsbereitschaft für die faschistische Ideologie und Propaganda aufgewiesen und für den interpersonellen Wahrnehmungsbereich auch methodisch bearbeitet. Es wäre eine den sozialpsychologischen Erklärungsansatz selbst sprengende Ausnahme der Regel gewesen, wenn ihm dies auf der introspektiven Ebene, also bei der Funktionabilität der eigenen Disposition im Bereich stalinsozialistischer Ideologie und Propaganda ebenfalls gelungen wäre. Als individuelles Persönlichkeitsmerkmal bliebe eine solche Bewußtseinslage von partiellem Interesse. Ein Aufweis ihrer Auswirkung auf den zeitgeschichtlichen Akteur Bloch besäße lediglich decouvrierenden Effekt, allenfalls den Wert eines Lehr- und Lernstücks. Äußerste Aufmerksamkeit ist aber dort angebracht, wo über subjektive Erkenntnisfindung und Verhaltensentscheide hinaus Fragen der Vermittlung durch pseudorealistische Komponenten und Mangel an Introspektion tangiert sein könnten. Das gilt auf der Ebene politischer Kommunikation vor allem für den Punkt Erziehung der Erzieher und betrifft in diesem Zusammenhang speziell den problematischen Versuch Blochs, seinerseits Propaganda als Instrument politischer Sozialisation zu konzipieren.

Auf ein moralisches Defizit Blochscher philosophischer Praxis, das dem Kontext Antifaschismus im Gravitationsfeld stalinkommunistischer Ideologie entstammt und sich in die neo-utopistische Lehre hinein verlängert, meint Ludwig Marcuse hinweisen zu müssen. Tatsächlich geht unter der Perspektive des großen Fernziels eines humanfreiheitlichen Sozialismus das Verhältnis von Ethik und Politik als Problem im Hier und Jetzt bei Bloch zeitweise unter, geraten sogar die Begriffe Freiheit und Gleichheit zu instrumentalistischen Termini. Bezeichnend für diesen Sachverhalt ist ein Passus aus »Das Prinzip Hoffnung«, auf den Marcuses Kritik abstellt: *Zum Exempel: die oberste Abwandlung des höchsten Guts in der politisch-sozialen Sphäre ist die klassenlose Gesellschaft; folglich stehen Ideale wie Freiheit, auch Gleichheit zu diesem Zweck im Mittelverhältnis und erlangen ihren Wertinhalt (ihren im Fall Freiheit besonders vieldeutig gewesenen) vom politisch-sozialen höchsten Gut her. Dergestalt, daß es nicht bloß die Mittelideale inhaltlich bestimmt, sondern je nach Erfordernis des obersten Zweckinhalts auch variiert, gegebenenfalls die Abweichungen temporär rechtfertigt.* (GA 5/198) Der von Marcuse erhobene Zynismusvorwurf: *Ins Schlichte übertragen: im Paradies Stalins und seiner Nachfolger herrscht ›temporär‹ Unfreiheit und Ungleichheit. ›Temporär‹ – das ist doch nur die Lebenszeit der Lebenden*[36] läßt sich in dieser Form letztlich erst infolge von Blochs konsequenter Übertragung philosophischer Erkenntnisse in Propaganda, von der auch die langanhaltende Apologie des Stalinsozialismus nicht ausgenommen werden kann, mit der zitierten Textstelle aus »Prinzip Hoffnung« stützen.

Das zwiespältige Erscheinungsbild des human-sozialistische und geisteskommunistische Ziele verfolgenden Strategen Bloch und des taktisch operierenden Propagandisten Bloch, der *um der Sache willen,* wie er im März 1937 an einen Freund schrieb, *überlegte Klugheit* (...) *in allen Angelegenheiten der SU* gegenüber für angeraten hielt, und hier nur *immanent* (...) *nicht ätzend, aggressiv, gereizt* wirken wollte[37], ist ein besonders auffälliger Zug seines politischen Profils. Auf diesen Umstand ist mit einiger Betonung hinzuweisen, weil er geeignet erscheint, die Aussagekraft von Beurteilungen zu relativieren, welche Blochs macht- und ideologiekritischer Zurückhaltung gegenüber marxistisch-leninistischer Politik – anfänglich auch während seiner Lehrtätigkeit in der DDR noch praktiziert – die Bedeutung einer Stalinismusapologie schlechthin unterlegen.

3. Die Beziehung zum Sowjetsozialismus unter dem Gesichtspunkt realpolitischer Relevanz

Bereits mit seiner im amerikanischen Exil entwickelten Naturrechtskonzeption war Bloch angetreten, die in konkret-geschichtlicher Modifikation des Marxismus möglichen und im Einflußbereich Moskaus zur Wirklichkeit gewordenen Freiheitsbeschränkungen anzugehen, die dem ›aufrechten Gang‹ und einem ihm förderlichen sozialstrukturellen Transformationsprozeß im Wege stehen. Seine Reaktionen auf die vom XX. Parteitag der KPdSU ausgehenden Entstalinisierungsimpulse sprechen ebenso deutlich die Sprache sozialistischer Demokratie wie die enge Zusammenarbeit mit der jugoslawischen ›Praxis-Gruppe‹ in den 60er Jahren Indiz ist für die Ablehnung eines etatistisch-bürokratischen Sozialismus. Bloch betonte 1978, sein Denken stehe nicht in der Tradition des sowjetischen Marxismus, er teile dessen Anschauungen nicht und sei überzeugt davon, daß der Marxismus heute nicht mehr als einheitliches System betrachtet werden könne – eine Auffassung, mit der er eindeutig an die Seite der Theoretiker und Praktiker des sozialistischen Pluralismus und Polyzentrismus rückt. In diesem Zusammenhang deutete er Sympathien für den in Frankreich und Italien eingeschlagenen Weg an (»Tagträume«, S. 115), bekannte sich also zur Gruppe derer, deren Bemühungen einem Weg zwischen Sozialdemokratie und Staatssozialismus gelten. Was Blochs Philosophie für die Praxis, in und mit der Praxis trotz allem vermissen läßt, ist die pragmatische Seite der Gegenwartsanalyse. Es ist einsichtig, daß dieses Thema nicht Schwerpunkt eines die einzelwissenschaftliche Betrachtungsweise für sich ablehnenden, zukunftsorientierten Denkens und Handelns sein konnte. Gleichwohl steht das Desinteresse Blochs an organisatorischen und institutionellen Problemen in einem bemerkenswerten Mißverhältnis zu dem im Propagandagedanken immer schon eingeschlossenen Moment der Effizienz. So gesehen ist besonders auffällig, daß unter dem Leitmotiv eines freiheitlichen Sozialismus die Ursachenanalyse bürokratischer Strukturen im Sowjetsozialismus bei ihm recht oberflächlich ausfiel, vor allem eine kritische theoriehistorische Analyse der zugrunde liegenden Konzeptionsvarianten der Übergangsgesellschaft, die die

Grundlage auch für realpolitisch relevante Überlegungen hätte sein können, unterblieb.

So fehlt beispielsweise die kritische Reflexion des Leninschen Diktaturbegriffs und der Leninschen Parteidoktrin im Gesamtwerk Blochs. Aus der als ungenügend betrachteten Marxschen Begriffsbestimmung der Diktatur des Proletariats wird dagegen ohne Zwischenschritt gefolgert, *daß sie sich im Stalinismus zu einer Diktatur über das Proletariat verwandeln konnte* (GA 11/450). Sicherlich kann keine gerade Linie zwischen Lenins revolutionärer Theorie-Praxis-Auffassung und dem historischen Phänomen des Stalinismus gezogen werden (das zudem 1930 etwas anderes darstellte als 1924, 1938 oder in der Nachkriegszeit); immerhin berührt es aus der Sicht von Blochs besonderem Interesse an einer humanen Gestaltung sozialistischer Realität doch eigenartig, wenn er zwar verschiedenenorts geschichtliche Bedingungen und politikgeschichtliche Fakten benennt, die dazu beigetragen haben, daß der Anspruch der Sowjet-Demokratie in der Praxis Moskaus nicht aufrechterhalten wurde (GA 11/446 ff. und GA 11/478 ff.), dabei aber mit Formulierungen wie *bis lange in Stalin hinein (...) bis nun doch die Zarisierungen des sowjetischen Marxismus sich immer kenntlicher machten* (GA 11/448 f.) suggeriert, eine ausdrückliche Kritik an der Fehlentwicklung sei erst vergleichsweise spät anzusetzen. Dies verwundert um so mehr, als er in seinen frühen zeitkritischen Warnungen vor einem Staatssozialismus durchaus die junge Sowjetrepublik einbezogen hatte. Nicht nur finden geschichtliche Sachverhalte, die für eine zeitlich eher anzubringende Kritik sprechen, wie etwa der Terror von Kronstadt 1921 oder die erheblichen Arbeiterunruhen in Moskau und Petrograd 1923 keinen Eingang in die Beschäftigung Blochs mit der Realität der sowjetischen Marxismus-Modifikationen, unreflektiert bleibt ebenfalls, daß sich bereits in den frühen 20er Jahren unter dem Anspruch der ›Diktatur des Proletariats‹ faktisch eine zunehmende Diktatur der Parteizentrale, also Minderheitendiktatur in der Partei, verbarg, und sich gleichzeitig Trotzkis Kurs einer auf die Bauernschaft gestützten Diktatur des Proletariats, also Minderheitendiktatur im Staat, durchgesetzt hatte. Nicht erkennbar ist, daß die revolutionsstrategischen Voraussetzungen, die neben den geschichtlichen Gegebenheiten (Bürgerkrieg, Kriegskommunismus) eine Deformierung ursprünglicher Ansprüche der russischen Revolution begünstigten, überhaupt ins Blickfeld Blochs gekommen wären. Der Frage, warum letztlich nicht die Theorie des demokratischen, sondern die Praxis des bürokratischen Zentralismus den Aufbau der politischen Struktur bestimmte – und eben dies ist für ihn offensichtlich der ausschlaggebende Kritikpunkt – wird weder auf strategie- noch auf organisationstheoretischer Ebene nachgegangen. Blochs Erklärungsansätze beschränken sich im wesentlichen auf den – gemessen an ursprünglichen Marx-Annahmen – *unerwarteten Fahrplan (time-table)* (GA 11/448) und die üblichen Hinweise auf die spezifische russische Revolutionssituation, das Fehlen einer bürgerlich-demokratischen Zwischenphase und die wirtschaftliche Zurückgebliebenheit des Landes (GA 11/449). Seine eigene Vorstellung vom *Fahrplan* hatte er anläßlich der aktuellen Revolutionssituation mit Blick auf England, Frankreich und Amerika folgendermaßen beschrieben: *Daß mit anderen Worten, wenn schon der Umsturz nicht überall gleichmäßig erfolgen kann, nach dem Zarismus erst verwandtere politische Herrschaftssysteme als die der großen Demokratien an die Reihe zu kommen haben.* (GA 11/57)

Dort, wo sich Bloch auf Lenins These vom Absterben des Staates und dessen Zwei-Phasen-Modell der Revolution bezieht (GA 6/254, 257 f.) und die *Stalinsche Staatsbelebung* (GA 6/256) kritisch davon abhebt, bleibt unerwähnt, daß sich eben dieses Phasen- oder Etappenmodell bereits nach der Februar-Revolution, in der es sowohl zur Sowjetdemokratie als auch zur bürgerlich-demokratischen Regierung (Doppelherrschaft) gekommen war, nicht mehr hatte halten lassen, daß zudem die Sowjets zu Beginn der 20er Jahre als Klassenvertretung und Organ der proletarischen Diktatur keine gesellschaftliche Grundlage mehr besaßen.

Soweit sich seine Kritik seit Mitte der fünfziger Jahre darauf richtet, daß die extreme Konzentration staatlicher und gesellschaftlicher Entscheidungsmechanismen innere Dialektik und pluralistische Ausdrucksformen der Widersprüche des Sowjetsystems eliminiert hat, bezieht sie sich auf das Ende der 30er Jahre voll ausgebildete stalinistische System, ohne den zur Entstehung und Entwicklung ausschlaggebenden Faktoren tiefergehende Beachtung zu schenken, wie etwa dem Umstand, daß Stalin bereits einen im Bürgerkrieg gestählten, an die Anwendung von politischer Gewalt gewöhnten, zentralisierten Partei- und Staatsapparat übernehmen und sich auf ihn hatte stützen können.

Insbesondere im Rückblick auf seine zeitgenössische Kritik an der Oktoberrevolution erscheint wenig verständlich, daß Bloch späterhin zwar auch im Kontext Sowjetsozialismus Defizite bei Marx-Engels aufzuzeigen bemüht ist und immer wieder von Entartungserscheinungen nach Lenin spricht, insgesamt jedoch eine Auseinandersetzung mit Lenins Theorie und Praxis ausspart. Einer Erklärung näherzukommen ist vermutlich nur unter Anwendung seiner eigenen Beurteilungskriterien. Danach könnte Lenin für sich als Revolutionär und für den durch ihn repräsentierten realen Umsturz der alten Ordnung in Rußland ein *Gewaltrecht des Guten* in Anspruch nehmen, das bezeichnenderweise erst zur Zeit der Einstellungsänderung Blochs zur bolschewistischen Revolution in »Thomas Münzer« systematisch reflektiert wurde. Lenin verkörpert zweitens eine jener genialisch-›übergleichzeitigen‹ geistigen Führungsfiguren, die aufgrund des postulatorischen Charakters der kommunistischen Zielutopie bei Bloch zu den ausschlaggebenden Voraussetzungen dafür gehören, daß eine Überwindung der in der sozialistischen Übergangsphase noch-notwendigen staatlichen Regulative antizipatorisch und praktisch möglich wird. Bei aller späteren Kritik an den Demokratiedefiziten in der Praxis des Marxismus-Leninismus und trotz seiner Forderung nach innerparteilicher Liberalisierung und Gewährung größerer Freiheiten im kulturellen und privaten Bereich hat Bloch möglicherweise aus Gründen dieser Art den Führungsanspruch der leninistischen Partei grundsätzlich nicht in Frage gestellt, obwohl er andererseits dem Gedanken eines in ihr objektivierten Klassenbewußtseins (wie er von Lukács formuliert wurde) aufgrund seiner vornehmlich im Subjektbereich liegenden Betonung der revolutionären Initiative, die zudem nicht strikt an die Klassenfrage gebunden ist, zumindest indifferent gegenüberstehen mußte. Noch der späte Bloch vertritt die Überzeugung, daß *Intellektuelle Klassenlage und Klassenkampf auf ihren Begriff brachten, damit bewußt gekämpft werden kann* (GA 15/195). Sie liegt durchaus auf einer Linie mit Kautskys Aussage, das sozialistische Bewußtsein sei etwas in den Klassenkampf des Proletariats von außen Hineingetragenes, nicht etwa aus ihm urwüchsig Entstandenes, eine Bemerkung, die von Lenin als *sehr treffend und wertvoll* gewertet wurde. Lenin zog im weiteren den Schluß, es könne *von einer selbständigen, von den Arbeitermassen im Verlauf ihrer Bewegung selbst ausgearbeiteten Ideologie keine Rede sein* (...). *Dies heißt selbstverständlich nicht, daß die Arbeiter an dieser Ausarbeitung nicht teilnehmen. Aber sie nehmen daran nicht als Arbeiter teil, sondern als Theoretiker des Sozialismus, als die Proudhon und Weitling, mit anderen Worten, sie nehmen nur dann und soweit daran teil, als es ihnen in höherem oder geringerem Maße gelingt, sich das Wissen ihres Zeitalters anzueignen und dieses Wissen zu bereichern.*[38] Blochs Auffassung, wirkliche Praxis könne keinen Schritt tun, ohne sich ökonomisch und philosophisch bei der Theorie erkundigt zu haben, *der fortschreitenden* (GA 5/322), entspricht dem (utopistisch akzentuierten) ersten Teil dieser Schlußfolgerung; seine Feststellung, Theorie und Praxis seien dialektisch zu denken, wobei *das Wissen* (...) *hierbei seine Ehre wie nirgends* (hat) und dessen Vertreter zum *Generalstab des Rechten, was geschieht,* gehören (GA 10/284), ist bezeichnend für seine Übereinstimmung mit Lenins Theorie-Praxis-Vorstellung.

Prinzipiell ohne Vorbehalt begegnete Bloch der Problematik personalen revolutionären Führertums. Es kommt auch und gerade den mit dem Propagandaaspekt seiner tagespolitischen Kommentare vertrauten heutigen Leser schon sehr hart an, folgende Behauptungen aus dem Jahre 1933 gelassen zur Kenntnis zu nehmen: *Die revolutionäre Klasse und ganz sicher die revolutionär noch Unentschiedenen wünschen ein Gesicht an der Spitze, das sie hinreißt, einen Steuermann, dem sie vertrauen und dessen Kurs sie vertrauen – die Arbeit auf dem Schiff geht dann leichter. Die Fahrt ist sicherer, wenn nicht jeder jeden Augenblick die Richtung nachzuprüfen für nötig findet.* (...) *auf dem Marsch muß eine Vorhut und eine Spitze sein.* (...) *neben den erhabenen Vätern des Marxismus* (leuchtete) *der Name Lenin auf, es folgte der Name Stalin – wirkliche Führer ins Glück, Richtgestalten der Liebe, des*

Vertrauens, der revolutionären Verehrung (...). Derart menschliche Dinge wie die Revolution lassen sich ohne sichtbare Menschen, ohne das Vorbild wirklicher Führer kaum durchführen. (»Hasard«, S. 311) Während die Stalinhuldigung später einer kritischen Haltung wich[39], wurde die Führer-Option an sich nicht korrigiert.[40] Da keine Aufarbeitung des Phänomens Stalinismus unter Berücksichtigung neuerer Kenntnisse über Kritik und Vorschläge der Linken Opposition in das philosophische Werk Blochs einfloß, erhielten sich auch die Bewertungen oppositioneller Ansätze in Sowjetrußland aus den 30er Jahren. Trotzki, der entschiedenste Gegner des Stalinismus (der seinerseits – trotz Analyse der ›verratenen Revolution‹ in strikter Loyalität zu Lenin und zum ›proletarischen Staat UdSSR‹ – die bürokratischen Deformationen als eine Art Krankheit der Stalin-Ära ansah), ist als Theoretiker und kritischer Marxist bei Bloch im blinden Fleck geblieben. Nicht zuletzt aus kalkulatorisch-zeitgeschichtlich mitbedingten Gründen wurde er lediglich als Dissident in stalinsowjetischer Etikettierung zur Kenntnis genommen, obwohl sein geistiger Hintergrund (demokratische Rudimente aus dem Menschewismus, Vorrang und rigorose Verfolgung revolutionärer Ziele, Ideale und Grundsätze, Aversion gegen organisatorische Enge usw.) dem Denken Blochs hätte näherstehen müssen als der politische Pragmatismus und das tendenziell stärker ausgeprägte Zweckmäßigkeitsdenken der leninistischen und stalinistischen Bolschewiki. Nur beiläufig taucht 1972 in einem Gespräch sein Name einmal auf und zwar im Zusammenhang mit der Erwähnung Lenins als Revolutionstheoretiker von 1917. (»Gespräche«, S. 168)

Blochs Verhältnis zum Prinzip der Führung – das zweifelsohne verbunden ist mit der Hoffnung auf letztendliche Substitution professioneller politischer Eliten durch eine philosophische – läßt verständlicher werden, daß er die strikt lenkungs- und leitungsorientierten Bestimmungen sowjetsozialistischer Praxis keiner konsequenten Ursachenanalyse unterzog. Die folgenden Zitate dokumentieren nicht nur die schillernde Uneindeutigkeit und Konfusion seines Urteils in diesem Punkt, sondern auch den hervorragenden Status, der dem subjektiven gegenüber institutionellen Faktoren von Bloch beigemessen wird. Sie zeigen, wie sehr bei ihm selbst bürokratische Mißstände letztlich zur Frage des politischen Augenmaßes und der Kompetenz oder Nicht-Kompetenz von Führungspersonen werden. In seinem Vortrag »Marx, aufrechter Gang, konkrete Utopie« bezeichnete er die *neugegründete Kommunistische Partei im Gefolge Lenins* als *Heimat des echten Marxismus.* Diesen Charakter habe sie aber später unter Stalin aufgegeben, wodurch *die ehemalige Partei Bebels, gar der Rosa Luxemburg auch theoretisch-marxistisch so gut wie gar nicht mehr vorkam, gar anzog.*[41] Den gelegentlich erhobenen Einwand, Bloch habe seinen Satz *Ubi Lenin, ibi Jerusalem* auch nach dem sowjetischen Einfall in Prag nicht widerrufen, konterte er schlagfertig mit der Bemerkung, er habe doch nie *Ubi Breschnew, ibi Jerusalem* gesagt.[42]

Es ist anzunehmen, daß sich die Hervorhebung Rosa Luxemburgs auf deren Sorge um die Demokratiedefizite des Führungsparteimodells bezieht. Allerdings anders als Bloch, der nun auch weder Parteitheoretiker noch -stratege war, hatte die mit der unmittelbaren politischen Alltagspraxis vertraute Rosa Luxemburg die gesamte Struktur des Modells in Frage gestellt. Sie war ihr als völlig inadäquat erschienen, einen freiheitlichen Sozialismus zu gewährleisten. Ihr diesbezüglicher, offener Brief an Lenin und Trotzki etwa, ihre scharfe Kritik, die Bedenken und weitsichtigen Prognosen, die sie darin äußert, überhaupt die gesamte Kontroverse zwischen Luxemburg und Lenin werden bei Bloch nicht thematisiert. Darüber, ob die Bezugnahme auf Luxemburg möglicherweise eine gezielte, wenn auch mittelbare Kritik in ihrem Sinne darstellt, kann deshalb nur spekuliert werden.

Obwohl Bloch also späterhin durchaus auf die *Folgen der Diktatur und der überstiegenen Rolle alleinkorrektmachender Partei, bis hin zum dirigiert-dirigierenden Apparatschik* hinwies (GA 11/481) und trotz seiner Kritik an einer Gesellschaftsordnung, in der die *revolutionäre Partei sich streng zentralistischer Staatsorganisation, ja unüberwunden zaristischer Regierungsart bediente* (GA 15/118), so daß *Unterdrückung des Individuums, Unterdrückung oder Geringschätzung der Spontaneität und Verwandlung des Marxismus in eine Reihe von Katechismus-Sätzen, die bei Strafe des Untergangs eingehalten werden müssen*, zur Regel geworden seien (GA 11/479), unterließ er die fundamentale Klärung seiner Einstellung zu zentralen Fragen sowjetsozialistischer Theorie und Praxis. Darunter leidet nicht nur die geschichtliche Fundierung seiner im engeren Sinne revolutionären Philosophie; es entzieht ihr auch politisch-praktische Relevanz.

Eine mit realpolitischer Reflexion so eng verflochtene Philosophie wie die Ernst Blochs müßte sich im Kontakt mit der Geschichte bewähren, bzw. bei ›falsifizierender‹ Erfahrung entsprechend revidieren lassen. Hierzu aber hätte es der Ergänzung der philosophisch-propagandistischen Perspektive durch eine analytisch-kritische Methodik bedurft, der möglicherweise schon seine eher traditionelle Auffassung des Verhältnisses von Philosophie und Wissenschaft zuwiderlief. Auf diese Weise werden eben jene Aktivitäten, die unter abgrenzbaren zeitgeschichtlichen Bedingungen pragmapolitische Funktion beanspruchten, zum Anlaß, revolutionsphilosophische Denk- und Handlungsanregungen Ernst Blochs auch generell genauer in Augenschein zu nehmen und sorgfältig auf ihre Brauchbarkeit für die konkrete Veränderungspraxis im Hier und Jetzt hin zu befragen.

Wörtliche und sinngemäß wiedergegebene Zitate, die der 1977 editierten Bloch-Gesamtausgabe entnommen sind, erscheinen im Text unter der Abkürzung GA mit Angabe des betreffenden Bandes und der Seitenzahl nach dem Schrägstrich. Des weiteren verwendete Kurztitel oder Titelabkürzungen sind in der folgenden Auflistung jeweils in Klammern hinter dem vollständigen Titel vermerkt:

- Ernst Bloch: »Erbschaft dieser Zeit«, Zürich 1935 (EdZ 1935).
- »Durch die Wüste. Kritische Essays«, Berlin 1923 (DdW).
- »Gespräche mit Ernst Bloch«, Rainer Traub und Harald Wieser (Hg.), Frankfurt/M. 1980 (»Gespräche«).
- »Vom Hasard zur Katastrophe. Politische Aufsätze 1934–1939«, Oskar Negt (Hg.), Frankfurt/M. 1972 (»Hasard«).
- »Preußen und der Bolschewismus. Ansichten aus den Jahren 1917–1919«. Texte, die pseudonym in der »Freien Zeitung Bern« erschienen und unter diesem Titel zusammengestellt und abgedruckt sind in: »Sabotage des Schicksals«, Gottfried Heinemann und Wolfgang-Dietrich Schmied-Kowarzik (Hg.), Tübingen 1982 (»Preußen und der Bolschewismus«).
- »Vademecum für heutige Demokraten«, Bern 1919 (»Vademecum«).

1 »Revolutionäre Philosophie in Aktion. Ernst Blochs politischer Weg, genauer besehen«, Hamburg (Junius-Verlag) 1985. — **2** Vgl. zu diesem Widerstand, in dem sich konservative, sozialistische und anarchistische Strömungen zusammengefunden hatten: Wilhelm Alff: »Deutsche Opposition im Exil während des ersten Weltkriegs«, in: Heinemann, Schmied-Kowarzik, a.a.O., S. 54ff. Bloch, wegen seiner Kurzsichtigkeit vom Wehrdienst und von militärischer Wehrpflicht dispensiert, fühlte sich dem Teil der Jugend verbunden, der ›*ins Exil verbannt, gegen Preußen an erster Stelle zu kämpfen*‹ habe (»Vadamecum«, S. 83). — **3** Vgl. Karl Kautsky: »Wie der Weltkrieg entstand«, Berlin 1919, S. 21. — **4** Ders. »Terrorismus und Kommunismus«, Berlin 1919b, S. 101f. — **5** Ebd., S. 106f. — **6** Marx hatte in seinen Rußlandstudien zunächst eine prinzipielle Konsistenz des dortigen Absolutismus angenommen, war aber später zu einer veränderten Bestimmung Rußlands als feudaler Gesellschaftsordnung gelangt, der zufolge er eine sich dort selbständig entwickelnde sozialistische Revolution für möglich hielt. Dem Mir als Relikt besonderer russischer Entwicklung bis ins 19. Jh. kam dabei eine gewisse Bedeutung zu. *Die im ›Kapital‹ gegebene Analyse enthält also keinerlei Beweise – weder für noch gegen die Lebensfähigkeit der Dorfgemeinde, aber das Spezialstudium, das ich dafür getrieben (...) hat mich davon überzeugt, daß diese Dorfgemeinde der Stützpunkt der sozialen Wiedergeburt Rußlands ist* (MEW 19, S. 243). Allerdings hatte Marx nicht eine kommunistische Entwicklung aus dem Mir selbst heraus, sondern im Zusammenhang mit der Unterstützung des europäischen Proletariats für möglich gehalten. Entscheidendes Kriterium blieb darüber hinaus die Entwicklung der Produktivkräfte, ohne die der Mangel nur verallgemeinert werden könne (MEW 3, S. 34f.). — **7** Ferdinand Aberle (d. i. Ernst Bloch); »Lenin, der rote Zar«, in: »Freie Zeitung Bern«, 27. 2. 1918, S. 69 (zitiert nach Korol, S. 38). Durch die Entschlüsselung anderslautender Namensangaben hat Martin Korol eine Reihe von Publikationen Blochs in der Freien Zeitung Bern zugänglich gemacht. Seinem Aufsatz »Über die Entwicklung des politischen Denkens Ernst Blochs im Schweizer Exil des Ersten Weltkrieges«, in: »Bloch-Almanach« 1/1981, Ernst Bloch-Archiv der Stadtbibliothek Ludwigshafen (Hg.), S. 23ff. sind die im folgenden unter Angabe des Pseudonyms zitierten Textverweise entnommen. — **8** Jakob Bengler (d. i. Ernst Bloch): »Erkrankter Sozialismus«, in: »Freie Zeitung Bern«, 16. 11. 1918, S. 371. — **9** Eine Prognose, die in den 50er Jahren im Zusammenhang mit den Überlegungen Blochs um eine sozialistische Lösung des arabisch-jüdischen Konflikts als höchst aktualitätsbezogene Propagandaformel von ihm eingesetzt wurde. — **10** Vgl. zu diesem Komplex von zeitgenössischer Bestandsaufnahme und reflektorischem Résumé bei Ball und Bloch: Ernst Bloch: »Schuldfrage und mögliche Regeneration« (1917), (GA 11/30, 32, 34) sowie GA 16/410f. und Hugo Ball: »Zur Kritik der deutschen Intelligenz«, Gerhard-Klaus Kaltenbrunner (Hg.), München 1970, S. 52f. — **11** Karl Kautsky, »Sozialisten und Krieg«, Prag 1937, S. 397, 652. — **12** Ebd., S. 68. — **13** Ders., »Die Internationalität und der Krieg«, Berlin 1915, S. 27. — **14** Ders., 1937, S. 647f. sowie in: »Krieg und Demokratie«, Berlin 1932, S. 76ff. — **15** Ders., 1919b, S. 33. — **16** Ebd., S. 170f. — **17** Danach würde die sozialistische Demokratie diejenigen Bedingungen schaffen, die jeden Krieg und jede gewaltsame Eroberung unmöglich machen würden, denn in dieser *höheren Form der Gesellschaft* gäbe es keine Klassen und Klassengegensätze mehr. *Die soziale Weiterentwicklung der friedlichen Methode* sei dadurch gesichert, damit die Möglichkeit ewigen Friedens (Kautsky 1937, S. 663ff.). — **18** Stefan Zweig: »Die Entwertung der Ideen«, in: »Neue Züricher Zeitung«, 139. Jg., Nr. 1022, 1. Sonntagsausgabe vom 4. 8. 1918, S. 1; Dr. Ernst Bloch: »Mensch und Idee«, in: »Freie Zeitung Bern«, Jg. 2, Nr. 65 vom 14. 8. 1918, S. 261 (Angaben nach Korol, a.a.O., S. 37 und 45). — **19** Bloch gebrauchte diese Formulierung im Zwischentitel im Zusammenhang mit seiner Auseinandersetzung mit Zimmerwald (GA 11/54). — **20** Deutlicher wird dies durch eine (in der Ausgabe von

1935 nicht enthaltene) Bemerkung in GA 4/18, der Hintergrund sei *konkret-utopisch, hier auch aus den Farben, den noch so widerwilligen, den Erbstücken eines nicht zu vergessenden Abschnitts, seines Endes und Übergangs.* — **21** Oskar Negt: »Erbschaft aus Ungleichzeitigkeit und das Problem der Propaganda«, in: »Es muß nicht immer Marmor sein. Ernst Bloch zum 90. Geburtstag«, Berlin 1975, S. 12. — **22** Leo Trotzki: »Schriften, Programm und Plattform der Linken Opposition im Kampf gegen die Stalinfraktion, geschrieben 1927«, Dortmund 1977, S. 95. — **23** In: »Sammlung«, 2. Jg., H. 6, S. 330, zitiert nach: Hans-Albert Walter: »Deutsche Exilliteratur 1933–1950«, Bd. 4, Stuttgart 1978, S. 436. — **24** Zum Begriff ›rechtsradikal‹ erklärte Bloch 1974, dieser sei ein durch den Nationalsozialismus eingeführtes *völliges Novum,* das, abgesehen vielleicht vom latenten Antisemitismus des späten 19. Jh. ein *Unding* gewesen sei. *Rechtsradikal war unmöglich, radikal ist links, und wir finden in der Geschichte kein einziges Exempel dafür, daß Not, Elend und Verzweiflung, wenn sie nicht zur Öde und Lähmung geführt haben, nach rechts getrieben haben und nicht nach links* (»Gespräche«, S. 201). — **25** »Gespräche«, S. 82. Als relativ vage, wenn nicht gar als nachträglich rationalisierendes Ausweichen sind vor allem die Behauptungen zu bezeichnen, die westliche Greuelpropaganda sei aus *wissenschaftlich-methodisch vertretbaren Gründen* nicht für bare Münze genommen worden und *wir haben keine Wahl gehabt.* — **26** Dies wohl mit Rücksicht auf das französische Bündnis mit der Sowjetunion und die Bemühungen um eine französische Volksfront Mitte der 30er Jahre. — **27** »Halbheit, Ganzheit und die Folgen«, in: »Freies Deutschland, Neues Deutschland«, 3. Jg., Nr. 1, Dezember 1943, S. 10f., zitiert nach Walter, a.a.O., S. 260; die entsprechende Textstelle findet sich – neu formuliert – in GA 11/324f. — **28** »Freies Deutschland, Neues Deutschland«, 3. Jg., Nr. 8, Juli 1944, S. 13, zitiert nach Walter, a.a.O., S. 267. — **29** Trotzki wies 1933 in zwei Ausführungen in der »Neuen Weltbühne« den Verrat des Nationalsozialismus an seiner kleinbürgerlichen Massenbasis und den Mißbrauch politischer Sehnsüchte durch faschistische Öffentlichkeitsformen wie Ritualhandlungen und symbolträchtige Nichtigkeiten nach (Trotzki: »Deutsche Perspektiven« und »Porträt des Nationalsozialismus«, in: NWB, 2. Jg., Nr. 31 vom 3. 8. 1933, S. 954f. und derselbe: »Wie wird der Nationalsozialismus geschlagen?«, Frankfurt/M. 1971, S. 43f.). Seine Analyse konnte dabei an vorhandene transformationstheoretische Grundüberlegungen und modifizierende Weiterentwicklungen der sozio-ökonomischen Theorie Marxens anknüpfen, deren gedanklicher Kern *die Ungleichmäßigkeit als allgemeinstes Gesetz des historischen Prozesses* war (Trotzki: »Geschichte der russischen Revolution«, Bd. 1 (Februarrevolution), Berlin 1931, S. 17. — **30** Das ursprünglich prosowjetische »Neue Tagebuch« begann aus Anlaß der Prozesse Anfang 1937 eine Kehrtwende. — **31** In: Guiseppe Boffa und Gilles Martinet: »Marxistische Stalinismuskritik«, Hamburg 1978, S. 102. — **32** Ebd., S. 101f. — **33** Auf eine solche Argumentationsweise als besonderes Merkmal der stalinkommunistischen Internationale u.a. weisen Boffa, Martinet hin, a.a.O., S. 104 f. — **34** Die Kampagne von »Freies Deutschland/Neues Deutschland« richtete sich über die Person Gustav Reglers gegen die 1937 in Mexiko gegründete »Liga pro Cultura Alemana«, deren Vorstand er angehörte. Der Vorstand der Liga hatte nach Abschluß des Hitler-Stalin-Pakts eine kritische Haltung zur Sowjetunion eingenommen und wurde deshalb als hinderlich für die Einheitsfrontbemühungen betrachtet. Die Verdächtigung stützte sich auf Gerüchte und Erklärungen ohne Beweishintergrund. — **35** Zitate nach Walter, a.a.O., S. 238. — **36** Ludwig Marcuse: »Bewunderung und Abscheu«, in: »Ernst Blochs Wirkung – Ein Arbeitsbuch zum 90. Geburtstag«, Frankfurt/M. 1975, S. 82. — **37** Schreiben Ernst Blochs vom 9. März 1937 an Joachim Schumacher, abgedruckt in: »Revolution der Utopie. Texte von und über Ernst Bloch«, Helmut Reinicke (Hg.), Frankfurt/M.–New York 1979, S. 48. — **38** Wladimir I. Lenin: »Was tun«, 1901–1902, in: Lenin: »Ausgewählte Werke in sechs Bänden«, Bd. 1, Frankfurt/M. 1970, S. 374f. — **39** Einige ihm später unangemessen erscheinende Äußerungen zu Stalin wurden von Bloch ohne Hinweis aus der Gesamtausgabe herausgenommen. (Auch im vorigen Zitat aus »Hasard«, S. 311 fehlt Stalins Name im Wiederabdruck des Aufsatzes in GA 4/147.) Bloch hat zu dem Nachweis der Retuschen in den Exil-Aufsätzen und der Aufforderung, die entsprechenden Bände (»Politische Messungen«, GA 11 und »Erbschaft dieser Zeit«, GA 4) zurückzuziehen, recht ausweichend Stellung genommen, indem er stilistische Präzisierung bei gleichbleibender *Gesinnung, Richtung und Maß* behauptete. Der eigentliche Vorwurf, die dokumentarische Echtheit beeinträchtigt zu haben, wurde von ihm als ›Wortklauberei‹ vom Tisch gewischt. Der »Spiegel« nahm die Angelegenheit auf; Hans Mayer suchte Bloch zu rechtfertigen, ebenso Oskar Negt, der 1972 unveränderte Arbeiten herausgab. Vgl. zu diesem Vorgang: Hans-Albert Walter: »Vor Tische las man's anders«, in: »Frankfurter Rundschau« vom 12. 12. 1970; Ernst Bloch: »Skurrile Messungen«, in: »Frankfurter Rundschau« vom 15. 12. 1970; Ivo Frenzel: »Zweierlei Maß«, in: »Süddeutsche Zeitung« vom 18. 12. 1970; »Stilistisch überarbeitet«, in: »Der Spiegel« Nr. 1–2/71 vom 4. 1. 1971; Hans Mayer: »Politische Philosophie der beiden Janusköpfe. Ernst Blochs politische Aufsätze«, in: »Weltwoche« Zürich vom 19. 3. 1971; Oskar Negt (Hg.): »Vom Hasard zur Katastrophe«, Frankfurt/M. 1972, Nachwort. — **40** Wie in einem Gespräch mit Reinicke 1975 demonstriert, in dem die zweifelhafte Verhaltenskategorie ›Führer‹ sogar Dutschke angesonnen wurde, *wenn es ein richtiger Dutschke wäre,* vgl. »Revolution der Utopie« (Anm. 37), S. 89. — **41** Ernst Bloch: »Über Karl Marx«, Frankfurt/M. 1968, S. 164. — **42** »Ernst Bloch †«, in: »Der Spiegel«, Nr. 33/77, S. 110.

Karol Sauerland

Unmittelbarkeit und Antizipation

Der 1885 geborene Ernst Bloch beginnt in einer Zeit zu wirken und zu philosophieren, in der Zarathustras ›Gott ist tot‹ förmlich als Tatsache hingenommen wurde und in der die Philosophien der Unmittelbarkeit dominierend geworden waren. Aber es gab kaum einen Denker, der bereit war, sich zu den Konsequenzen zu bekennen, die Nietzsche in seinem »Zarathustra« und seinen späteren Schriften aus dem Tode Gottes gezogen hatte. Man war eher bereit, Nietzsche einen geheimen Glauben anzudichten (man konnte sich immerhin auf seine Aussprüche kurz vor und zu Beginn seiner Wahnsinnsperiode über Jesus und Dionysos stützen), als ihm bis ins letzte zu folgen. Die Suche nach einem neuen Absoluten setzte ein. Man studierte Kierkegaard, Dostojewski und die Mystik, man klammerte sich an Kierkegaards Ahnung, der Atheist stehe vor dem *wirklichen Glauben*, und an den Propheten des *russischen Gottes*, von dem Nietzsche einmal sprach. Man spielte Dostojewski gegen die Sozialphilosophie Tolstois aus, denn man wollte ja das Individuell-Absolute und nicht die Glaubensgemeinschaften, das Kollektiv-Absolute finden. All diese Zusammenhänge sind leider noch wenig erforscht. Eine Monographie über die Auseinandersetzung der europäischen Intellektuellen mit den damaligen russischen Ideen muß noch geschrieben werden. Für die deutsche Geistesgeschichte fehlt sie ganz und gar. Im wesentlichen gibt es nur Arbeiten von dem Typ Thomas Mann und Tolstoi, Thomas Mann und Dostojewski oder positivistische Darstellungen der Rezeption der russischen Literatur.

Etwas grob kann man wohl sagen, daß es dem westlichen Suchenden nach dem Absoluten gelang, Tolstois gewaltfreie Sozialphilosophie zurückzuweisen. Der Weltgeist ließ Tolstois Ideen nach Indien, zu Gandhi wandern, damit sie nicht in den Äonen unterzugehen brauchten.[1] In Europa siegte entweder der Individualismus oder der militante Kollektivismus. Erst in letzter Zeit spricht man wieder von gewaltfreien Revolutionen.

Die Philosophie der Unmittelbarkeit, zu der ich Lebensphilosophie, Phänomenologie und Positivismus rechne, machten weiteres Philosophieren schwer. Nun gab es keine prima philosophia mehr, die es ermöglichte, ein ideales Gebäude aufzubauen und von ihm alles andere abzuleiten. Doch stellte diese neue Situation zugleich eine Herausforderung dar, die eine neue Art des Denkens versprach. Leider haben die meisten nicht durchgehalten; und vielleicht ist Heidegger auch deswegen so populär geworden, weil er am Ende doch wieder eine Philosophie des Ursprungs bietet. Aber dies gehört auf ein anderes Blatt der modernen Philosophiegeschichte.

Bloch hat sich der neuen Situation, in die er hineingeboren wurde, ganz und gar gestellt. Er erkennt sowohl Nietzsches ›Gott ist tot‹ (dessen absolute Bejahung des Lebens) wie auch das Primat der Unmittelbarkeit in unserem Dasein an. Der letzte Wille ist der, sagt Bloch, *wahrhaftig gegenwärtig zu sein. Der Mensch will endlich als er selber in das Jetzt und Hier, will ohne Aufschub und Ferne in sein volles Leben.* Fürs erste ist er. Er lebt, indem er sich fortbewegt, tätig ist oder auch ruht. Aber in dieser Unmittelbarkeit, erklärt Bloch, hat er sich noch nicht selber. *Daß ich gehe, spreche, ist nicht da,* lesen wir zu Beginn seines Buches »Geist der Utopie«, an dem er während des 1. Weltkrieges geschrieben hatte. *Erst unmittelbar nachher kann ich es vor mich hinhalten. Uns selbst darin, während wir leben, sehen wir nicht, wir fließen dahin.*[2] Und in der »Tübinger Einleitung in die Philosophie« von 1963 heißt es: *Was lebt, erlebt sich noch nicht. Am wenigsten in dem, daß es treibt.*[3] Wie können wir uns, unser Erleben erfassen, scheint sich Bloch zu fragen, wenn wir nicht mehr wie einst über einen übergeordneten Standpunkt verfügen? Müssen wir nicht im *Dunkel des gelebten Augenblicks,* des je gegenwärtigen Lebens verharren? Aber er weiß genau, daß wir keine Tiere sind, die wie Nietzsche in »Vom Nutzen und Nachteil der Historie für das Leben« so schön ausführt, nur die Gegenwart, das ewige Jetzt kennen. Wir wollen aus diesem Dunkel heraus. Doch wie geschieht dies, wie ist es möglich? Hier findet Bloch eine originelle Lösung. Der Mensch ist ein Wesen, dem als erstes das aufgeht, was er entbehrt, was er noch nicht hat, aber im nächsten Augenblick haben könnte. Er spürt, daß er *hungernd, bedürftig* ist.[4] Dieser Hunger ist sein Grundtrieb, von dem sich alle anderen Triebe ableiten. Hunger bedeutet für Bloch jegliches Gefühl des Mangels, nicht nur den einfachen leiblichen Hunger, sondern auch die Mängel, die der hochzivilisierte Mensch empfindet und die er beseitigen möchte. Anthropologisch ausgedrückt, handelt es sich um den menschlichen Selbsterhaltungstrieb, der stets auf die weitere Realisierung der sich abzeichnenden Möglichkeiten angelegt ist. In der Blochschen Sprache lautet dies: der Mensch will nicht in seinem *Daß,* nämlich: daß er lebt, verweilen, sondern zu dem gelangen, was er noch nicht hat. Dieses Noch-Nicht im Noch-Nicht-Haben ist die Triebfeder seines Lebens. Das bedeutet aber, daß er stets nach vorn schaut, sich von dem Zukünftigen leiten läßt, ein antizipatorisches Wesen ist. Das Jetzt-Sein wird von dem Noch-Nicht bestimmt. Die Zukunft herrscht über die Gegenwart, aber auch über die Vergangenheit, denn das eben Gewesene bekommt seine Bedeutung erst durch das, was eingetreten ist. Gegenwart und Vergangenheit sind mit anderen Worten Funktionen der Zukunft.

Der Mensch strebt auf das nächst Zukünftige nicht nur materiell zu, indem er seinen Hunger wortwörtlich befriedigen will oder indem er sich ausmalt, wie er einen empfundenen Mangel beheben könnte, sondern auch individuell durch das Träumen, durch Wunschvorstellungen, Sehnsüchte, Hoffnungen. Hieraus leitet Bloch die Grundsituation des Menschen ab: daß er von der Hoffnung erfüllt, ja bestimmt ist.

Bloch wehrt sich jedoch immer wieder gegen eine Loslösung des Antizipatorischen von dem Jetzt. Er hält nichts von schwärmerischen Utopien (was ihn später mit dem Marxismus verband). In ihnen erblickt er zwar eine Bestätigung seiner Ansicht, daß der Mensch stets vom Zukünftigen erfüllt ist, aber nicht auf diesem Wege komme der Mensch zu sich selber. Dann könnte er ja gleich bei den Religionen bleiben, die ja auch Ausdruck der Hoffnung sind. Doch diese Hoffnung liegt zu weit von uns weg; sie ist draußen, nicht in uns. Aus diesem Grund verwirft Bloch Meister Eckhart, dem er manches entnommen hat. Eckhart habe bei aller Anerkennung seiner Mystik die *(...) Lichtsubstanz noch sehr hoch, sehr entfernt im Raum, vom Subjekt und Wir hinweg zu dem übergotten Gott in die höchsten Tiefen gerückt, in schwindelnde Tiefen von Engelslicht, als welche doch das einzige Geheimnis, das Geheimnis unserer Nähe am wenigsten enthalten, erlösen können*[5]. Nur *der gerade gelebte Augenblick* kann Licht in unser Selbst bringen. Bloch spricht auch von dem *endlich aufgedeckten Angesicht unserer unaufhörlichen nächsten Tiefe*[6]. Und eine Seite weiter sagt er im »Geist der Utopie«, daß ein zu weites Wegschreiten vom Jetzt zur Aufgabe des Lebens und zur Schaffung von Gegenständen führe, *die uns nichts angehen,* die sich nur selber repräsentieren, wie Gott, der oberste dieser Gegenstände. *Der bedürftige Mensch* wünsche dagegen *nur das Eine, Fließende, Dunkle, Leidvolle, Urlichthafte in sich gelöst zu erhalten* (...).[7]

Neben dem Hunger bringt Bloch eine weitere Grundeigenschaft des Menschen ins Spiel, die ihn zu einem antizipatorischen Wesen macht, ohne das Unmittelbare, das Dunkel des Augenblicks allzusehr zu verlassen: nämlich das Staunen über die eigene Existenz, über das *Daß* (daß ich lebe, daß es das Sein gibt) und die Frage nach dem, was ich bin (Bloch nennt es die Frage nach dem *Was*). Dieses Staunen betrifft häufig nur kleine Dinge. Manchmal ist es nur ein Sich-Wundern über den Regen, die Blumen, das Wachsen etc., oft ist es nur ein Bild, welches den Betrachter nicht losläßt, oder ein Wort (Bloch spricht in der Manier der Zeit sogleich vom Urwort), welches ein Licht in das geheimnisvoll Dunkle wirft oder nur zu werfen scheint. Die Augenblicke des Staunens vergleicht Bloch mit jenen Augenblicken des Mystikers, in denen dieser Gottähnliches gewahr wird, ohne genau zu wissen, was es ist.

Die Struktur des Staunens läßt sich m. E. mit der des Hungers vergleichen, denn beide sind in der Darstellung Blochs weitgehend ähnlich. Das Staunen beginnt mit vagen, unbestimmten Eindrücken, es betrifft ein Noch-Nicht, das erst ausgefüllt werden muß. Meist folgt ihm jedoch ein allzu konkretes Ausfüllen (ein schnelles Sich-satt-Essen), etwa durch die wissenschaftlich exakte Beantwortung der tastend gestellten Frage, wodurch der anfängliche Impuls, der vom

Staunen ausging, verdeckt, ja vergessen wird. Eine solche Antwort auf die vom Staunen ausgehende Frage schüttet, wie Bloch immer wieder betont, die fruchtbare Unruhe, die im Menschen steckt, zu. Es tritt etwas Ähnliches ein wie bei der Sättigung des Hungers: der Stillstand, das, was Nietzsches Zarathustra mit dem Wort des *letzten Menschen* ausdrücken wollte. Aber dieser letzte Mensch ist in Blochs anthropologischer Konstruktion eigentlich undenkbar, denn alles, was der Mensch ißt, schmeckt nach mehr, und er wird nie aufhören zu staunen. Dagegen spricht auch nicht, daß nur wenige *das fragende Staunen länger* aushielten *als bis zur ersten Antwort,* denn der Mensch will nun einmal aus dem Dunkel des gelebten Augenblicks, der Unmittelbarkeit heraus, um zu sich zu kommen.

Dieses Zu-sich-kommen ist allerdings ein großes Problem, das uns Bloch aufgibt. Einerseits will er eine Philosophie des Noch-Nicht entwickeln, in der das vor uns Liegende, die realisierbaren Möglichkeiten das menschliche Dasein bestimmen (dieses vor uns Liegende haben wir als etwas Offenes zu verstehen, von dem wir höchstens ahnen können, welche endgültige Gestalt es annehmen wird); andererseits erklärt Bloch immer wieder, daß wir uns noch nicht haben, A noch nicht A sei. Wie ist das eine mit dem anderen zu verbinden? Mit welchem Recht kann Bloch alle Erinnerung an Gewesenes, alle Ursprungsphilosophie verurteilen? Denn wenn es das Ziel des Menschen sein soll, zu sich selbst zu kommen, scheint das doch zu bedeuten, daß bereits feststeht, was der Mensch an und für sich ist, wie dieses A, das noch nicht A ist, aussieht. Es gäbe also doch etwas, was von Anfang an feststeht, bekannt ist und am Ende erreicht wird. Diese Behauptung würde Bloch zurückweisen und zwar mit Recht, denn in dieser Form kann sie sein System nicht treffen. Das Ganze ist etwas komplizierter.

Im Menschen steckt, wie man aus Blochs Schriften herauslesen kann, schon immer ein dunkler Drang nach der Entdeckung seines wahren Ichs. Hier drängt sich natürlich die Parallele zur Mystik auf: dem wahren Ich entspräche das Göttliche, Vollkommene im Menschen. Bloch knüpft an das mystische Erbe von Meister Eckhart bis zu Angelus Silesius an,[8] an den Gedanken, daß das Göttliche in unserer Seele enthalten ist, es Gott ohne den Menschen nicht gibt, was Bloch dahingehend abwandelt, daß das Göttliche, das Ultimum, ganz und gar im Dunkel des gelebten Augenblicks zu suchen ist. Das zu erhellende Geheimnis befindet sich nicht mehr in einer weiten Ferne, im *vergotteten Gott,* sondern in uns selber. Wir können es aber nie in direkter Weise auflösen, da wir uns ja nicht selber hier und jetzt haben. Wir müssen den Weg durch das Noch-Nicht gehen, um zu der ersehnten Identität mit uns und der Natur zu gelangen. Wie diese Identität aussehen wird, ist unbekannt. Wir können es nur ahnen und zugleich gewiß sein, daß es sie gibt. Den Satz *A ist noch nicht A* haben wir daher so zu verstehen, daß ein hypothetisch angenommenes A, von dessen Form oder Aussehen wir nichts oder nur sehr wenig wissen, einst zu einem wirklichen A werden wird.

Auf dieses A verweist auch der Vorschein, der uns die Fülle des Seins und die Identität der Dinge mit der Natur und den Menschen ahnen läßt. Bloch drückt es auch so aus: im Vorschein ist Seiendes als *wahrhaft Seiendes antizipatorisch ›gegeben‹*. Das Wesen der Dinge ist im Vorschein zu suchen. Es ist nicht, wie Plato meint, den Dingen vorgeordnet, noch ist es ihnen, wie Aristoteles, Hegel und einige Materialisten behaupten, inhärent. Es entfaltet sich erst in der Zukunft, bis dahin leuchtet es nur durch.

Der Vor-Schein des *wahrhaft Seienden,* des Ultimums oder Optimums ist am besten ablesbar in der Religion sowie in der Kunst, wobei Bloch der letzteren das Primat zuerkennt, da sie den wahren, nämlich immanenten Endzustand ahnen läßt. *Ästhetisch versuchter Vor-Schein* bedeutet für ihn ein *Durchscheinen dessen, wie die Welt vollendet werden* könnte, *ohne daß diese Welt, wie im christlich-religiösen Vor-Schein, gesprengt wird und apokalyptisch verschwindet.* Kunst treibe daher *Weltgestalten, Weltlandschaften, ohne daß sie untergehen, an ihre entelechetische Grenze* (...)[9]. In der Kunst scheint der utopische Zustand in verschiedener Weise durch, einerseits in Bildern, Gestalten und Symbolen, anderseits durch das Gelungensein des Werks, seine Durchformung, um mit Adorno zu sprechen.[10]

Diese Idee erinnert an die Auffassung des jungen Lukács, daß das gelungene Werk stets den Eindruck einer verwirklichten Utopie macht.

Blochs Hauptaugenmerk gilt allerdings den Bildern, die unseren Wunsch nach dem erfüllten Augenblick zum Ausdruck bringen, sei es Eldorado, Eden, das Schlaraffenland, Fausts Wette und deren Ausgang oder die Freiheitsvision im »Fidelio«. Bloch wendet sich auch den kitschigen Wunschbildern in der Jahrmarkts- und Zirkuskunst, in Märchen, Kolportagen und Reklame zu, die für ihn ebenfalls Symbole echter Zukunftsträume einfacher Menschen sind. Ideologiekritische Analysen dieser Bilder als Manifestationen falschen Bewußtseins weist er als halbe Wahrheiten zurück. Analysen dieser Art würden nicht sehen, daß Ideologen nicht nur Widerschein der Zeit sind, sondern auch einen Überschuß enthalten, der die Zeit überschreitet. In den ästhetischen Bildern des Alltags ist dieser Überschuß recht gering, in den großen Kunstwerken ist er dagegen so groß, daß er das Ideologische, Zeitgebundene weitgehend überschreitet. Das Utopische ist stärker als das Ideologische. Im Laufe der Zeit verstärkt es sogar seine Wirkung. Das an die einstmalige Wirklichkeit Gebundene wird immer blasser, während das auf die vollendete Zukunft Verweisende stärker hervortritt. Hierbei ist es nicht so, daß der *Vor-Schein einer humanvollendeten Welt* schon von Anfang an seinen Bestimmtheitsgrad erreicht hat, sondern das Kunstwerk entfaltet seine antizipatorische Bedeutung erst in der geschichtlichen Entwicklung. Dadurch, daß sich in der Geschichte neue Möglichkeiten abzeichnen, bekommen die Kunstwerke einen neuen Sinn, oder anders gesagt, ihre Bedeutung entfaltet sich im Laufe der Geschichte. Diesem Umstand verdankt das gelungene Kunstwerk sein Fortleben. Der Lukács'schen Theorie des Mißverständnisses setzt Bloch hier eine Theorie der antizipatorischen Kraft der Kunstwerke entgegen. *Jedes große Kunstwerk* ist, schreibt er im »Prinzip Hoffnung«, *außer seinem manifesten Wesen, auch noch auf eine Latenz der kommenden Seite aufgetragen, soll heißen: auf die Inhalte einer Zukunft, die zu seiner Zeit noch nicht erschienen waren, ja letzthin auf die Inhalte eines noch unbekannten Endzustands. Nur aus diesem Grunde haben die großen Werke jeder Zeit etwas zu sagen, und zwar Neues, das die vorige Zeit an ihnen noch nicht bemerkt hatte* (...)[11].

Die Königin der Künste ist für Bloch die Musik, sie ist die *utopisch überschäumende Kunst schlechthin.* Ihre eigentliche Geschichte hat zwar erst spät eingesetzt, nämlich mit Bach – alles, was davor war, konnte mit den anderen Künsten nicht konkurrieren –, aber um so stürmischer hat sie sich seitdem entfaltet. Sie hat die Kulturgeschichte in verkürzter Form durchschritten, wobei Bloch es mit der Chronologie nicht so genau nimmt. In Mozarts Musik sieht er das griechische Stadium, in welchem alles auf das *kleine weltliche Ich* konzentriert ist, alles *heidnische Freude* ausstrahlt, während Bach mittelalterlich sei. Er gebe das *kleine geistliche Ich,* das *kräftig und geschlossen aufgebaut* und von *Liebe und Hoffnung* erfüllt sei. *Beethoven, Wagner sind dagegen ausgebrochen, beschwörend, führen in das große weltliche luziferische Ich, sucherisch, aufständig, trostlos an allem Gegebenen, voll von kämpferischen Ahnungen eines höheren Lebens, unterwegs auf einem namenlosen Entdeckungszug, noch ohne deutliche Beute; sie sind die Meister des dramatischen Kontrapunkts und des Sturms auf den inneren, letzten Himmel.* Sie künden die künftige vollendete Musik, die das *große geistliche Ich, die oberen Stufen des Menschseins* verkörpern wird, aber nur an.[12] Sie wird erst im neuen Reich kommen.

Die Musik ist eine Kunst, die uns in die Heimat führt, aber in eine Heimat der Zukunft, in eine, in der *man noch niemals war*[13]. Bloch beruft sich hier auf Jean Paul, der einmal die Frage stellte: »*Warum vergißt man darüber, daß die Musik freudige und traurige Empfindungen verdoppelt, ja sogar selber erzeugt, daß sie allmächtiger und gewaltsamer als jede Kunst uns zwischen Freude und Schmerz ohne Übergänge in Augenblicken hin und her stürzt – ich sage, warum vergißt man eine höhere Eigentümlichkeit von ihr: ihre Kraft des Heimwehs, nicht ein Heimweh nach einem alten verlassenen Land, sondern nach einem unbetretenen, nicht nach einer Vergangenheit, sondern nach einer Zukunft?*«[14]

Die Musik ähnelt mit anderen Worten dem Ich, das sich noch nicht hat, wobei dieses ›sich‹ als etwas in der Zukunft Liegendes zu verstehen ist. Und da die Musik so sehr unserem *Dunkel des gelebten Augenblicks* ähnelt, ist sie uns auch die nächste Kunst. Wir hören in ihr uns und zwar in reinerer Form als anderswo. Dieses Hören ist jedem Sehen überlegen, da die sichtbare Welt völlig verdinglicht geworden ist und sie damit ihr Wesen verloren hat. Es gibt deswegen auch kein Hellsehen mehr. An dessen Stelle mußte, wie Bloch recht originell im »Geist der Utopie« ausführt, das Hellhören treten. Aus den Tönen hören wir unser Selbst, die künftige Identität, das quasi Göttliche heraus. Der sichtbaren gottlosen Welt stellt Bloch (in klarer Opposition zum Autor der »Theorie des Romans«) die Welt der Töne entgegen. *Denn sie blühte auf, die Musik als das Sehen, das Hellsehen, die sichtbare Welt, auch die Spuren Gottes in der sichtbaren Welt zerfielen* (...), schreibt Bloch recht emphatisch. Die Musik wird wohl auch die letzte Kunst bleiben, denn sie ist, so möchte man sagen, Gott am nächsten oder, wie Bloch in »Geist der Utopie« erklärt, *die erste Fügung des Ebenbilds, die ganz andere Nennung eines Gottesnamens*[15]. Im späteren Werk ist von Gott weniger häufig die Rede. Die Musik wird nun zum Vor-Schein der immanenten Transzendenz, des Zustandes der Identität von Draußen und Innen.

Ein Vorteil der Musik ist ihre Unbestimmtheit. Das musikalische Werk läßt sich besser als die gegenständlichen Künste als Ausdruck des Ichs, des Dunkels des gelebten Augenblicks interpretieren. Es läßt sich mit Ich-Elementen und denen der geahnten Zukunft ausfüllen. Das ist allerdings nicht möglich, wenn man sach- und fachkundig hört, wenn man das Gefühlsmäßige gänzlich auszuschalten sucht. Bloch ist gegen eine Theorie des nur adäquaten Hörens. Er erkennt zwar an, daß man zum Hören von Musik bestimmte Voraussetzungen braucht, aber das wichtigste bleibt für ihn trotzdem die gefühlsmäßige Aufnahme, das in Sich-Hineinhören und das Heraushören des Anderen, des hinter der Form Liegenden, die Ahnung von *utopischen Bedeutungsländern,* die *gleichsam in den Fenstern des Werks*[16] liegen.

Der späte Bloch sieht in Goethes »Faust« einen Gipfelpunkt künstlerischen Schaffens, denn hier werde *das höchste Exempel eines utopischen Menschen* dargestellt, *sein Name bleibe der beste, der lehrreichste.*[17] Der »Faust« überrage in seinem philosophischen Gehalt sogar Hegels »Phänomenologie des Geistes«, in der das Fürsichsein des Geistes nur mit dem *Verlust der Gegenständlichkeit selber* erreicht werde, während Faust in seiner Schlußvision die Welt nicht aufgebe, sondern den letzten Augenblick als ein *Erreichnis des Daß oder des Erstrebnisses* erlebe. Das Draußen ist nicht mehr *eine entfremdete Sphäre,* sondern etwas, mit dem das Subjekt sich vereint fühlt. Dies käme in dem Bild des Landgewinns und des Reiches der Freiheit *(auf freiem Grunde mit freiem Volk)* zum Ausdruck. Hier habe Faust das Vorgefühl des *hohen Glücks,* in dem er den *höchsten Augenblick* genießt. Es ist das Vorgefühl der wahren *immanenten Heimkehr*[18], des absoluten Fürsichseins, wobei im Gegensatz zu Hegel die Nähe zum Jetzt nicht verloren geht. Aus diesem Grund sei der »Faust« metaphysischer als die metaphysisch angelegte »Phänomenologie des Geistes«. Man könnte es auch so ausdrücken, Faustens Weg und der Inhalt der Wette entsprechen Blochs Ideen mehr als die von Hegel in der »Phänomenologie des Geistes«.

Man fragt sich natürlich, ob der Zustand der Utopie, der Identifikation von Subjekt und Objekt, Innen und Draußen jemals erreicht werden kann. Und wie dies geschehen soll? Auf die erste Frage antwortet Bloch mit einem Ja. Er lehnt eine Auffassung ab, wonach die Menschen an ihrer Vollkommnung arbeiten, ohne sie jemals gänzlich zu erreichen. Für ihn gibt es so etwas, wie einen Endzustand der Geschichte. Hier müssen wir jedoch zwischen dem Bloch der Arbeit an »Geist der Utopie« und dem späteren unterscheiden.

In »Geist der Utopie« wird das ersehnte Reich erlangt, wenn alle Seelen zu sich selbst gekommen sein werden, was nach Bloch aber nur möglich ist, wenn wir erstens eine Seelenwanderungslehre annehmen und zweitens voraussetzen, daß die Zahl der Seelen eine endliche ist. Der Mensch lebt so kurz, daß es ihm in einem Leben nicht möglich wäre, sein eigentliches Selbst zu finden. Dazu bedarf es mehrerer Leben der Seele, die Bloch als *unzerstörbar* ansetzt, während der Leib vergänglich ist. Die Seele erscheint in verschiedenen Zeitabschnitten in einem neuen Körper, ohne daß dieser jedoch von seiner früheren Existenz weiß. Er ahnt es nur in außerordentlichen Augenblicken. Erst am Sterbelager erkennt der Mensch am *Engel des Todes,* um *wieviel er zurückgeworfen, um wieviel er näher gekommen und wie groß die Schuld ist, die ihm sein Leben gegen sein Urbild offen gelassen oder auch getilgt hat.* Im Laufe der Wanderung durch die Leiber muß die Seele endlich zu ihrer Reife oder Vervollkommnung gelangen, denn sonst käme es ja nie zu dem glücklichen Endzustand, wo Subjekt und Objekt nicht mehr auseinanderklaffen.

Nun soll der Endzustand aber erst eintreten, wenn alle Seelen ihr Selbst erreicht haben, was praktisch unmöglich wäre, wenn immer wieder neue Seelen entstünden. Diese können sich ja erst durch mehrere Menschenleben hindurch vervollkommnen. Bloch löst diese Schwierigkeit auf die Weise, indem er wie Plato im »Staat« erklärt, die Zahl der Seelen stehe bereits fest, sie sei *längst vollendet;* was ausstehe, sei *die Reife der Seelen.* Erst wenn alle Seelen zu ihrem Selbst gekommen sein werden, kann man vom Ende der Geschichte sprechen. Ein solches Ende garantiere zugleich den *Begriff der ›Menschheit‹ in seiner dereinst höchst konkret vollzähligen, absoluten Entität*[20].

Dieses Ende erreichen die Seelen leichter nach einer sozialistischen Revolution, denn nun braucht der Mensch keine materiellen Nöte mehr zu erleiden und kann sich wortwörtlich um sein Seelenheil kümmern. Er werde auch nicht mehr vom Staat belastet, da dieser, wie der Marxismus lehre, absterbe. Die sozialistische Revolution kann Bloch aber nicht als ein Endstadium ansehen, denn in ihr stehe das Ökonomische zu sehr im Vordergrund, während die Sorge um die Seele kaum eine Rolle spiele. *Was wirtschaftlich kommen soll,* sagt Bloch hierzu, *die notwendig ökonomisch-institutionelle Änderung, ist bei Marx bestimmt, aber dem neuen Menschen, dem Sprung, der Kraft der Liebe und des Lichts, dem Sittlichen selber ist hier noch nicht die wün-*

schenswerte Selbständigkeit in der endgültigen sozialen Ordnung zugewiesen.[21]

In dem zu erreichenden Reich wird es keinen Staat und kein Privateigentum mehr geben. Die Ordnung wird eine gewaltfreie sein. Alles Wirtschaftliche regelt eine *genossenschaftliche Sozietät*, so daß *die wirkliche Privatheit und die ganze sozial unaufhebbare Problematik der Seele stärker als jemals hervortreten* können.[22] Damit aber die neue Gesellschaft nicht in voneinander losgelöste Individuen zerfällt, sieht Bloch eine Kirche voraus, die die Seelen miteinander verbindet. Sie wird sich von einem neuen Offenbarungsgehalt leiten lassen, der *a priori nach dem Sozialismus* gesetzt werden wird. Die *verwandelte Kirche* wird *die Trägerin weithin sichtbarer Ziele* sein; *sie steht im Leben jenseits der Arbeit, ist der denkbare Raum einer weiterquellenden Tradition und Verbindung mit dem Ende, und keine wie immer gelungene Ordnung kann dieses letzten Glieds in der Beziehungsreihe zwischen dem Wir und dem letzten Wozu-Problem entraten. Dann werden die Menschen endlich zu jenen einzig praktischen Sorgen und Fragen frei, die sonst nur in der Todesstunde warten, nachdem in ihrem ganzen bisherigen Unruhleben wenig mehr als Abriegelung vom Wesentlichen war. Es ist so, wie der Baalschem sagt, daß erst dann der Messias kommen kann, wenn sich alle Gäste an den Tisch gesetzt haben; dieser ist zunächst der Tisch der Arbeit, jenseits der Arbeit, dann aber sogleich der Tisch des Herrn; – die Organisation der Erde besitzt im philadelphischen Reich ihre letzthin ausrichtende Metaphysik.*[23]

Der spätere Bloch hat es als erklärter Marxist mit dem Ende der Geschichte schwerer. Er versucht nun die Materie in seine Spekulationen einzubeziehen. Nicht nur das Subjekt hat sich noch nicht gefunden, sondern auch die Materie ist unbeendet. Ich will diese Gedankengänge nicht weiter ausführen, da sie meiner Meinung nach recht unerquicklich sind. Bloch gerät hier in eine schellingsche, ja frohschammersche Denkweise, die schon im 19. Jahrhundert etwas Anachronistisches an sich hatte. Ähnlich wie Frohschammer läßt er die Phantasie zu etwas Objektivem, einem Weltprinzip werden.[24] Bloch nennt sie ein Organon der verborgenen Tendenz in der Welt. Diese Tendenz werde uns durch die *bedeutende Dichtung* bewußt gemacht, die zu erkennen gebe, wohin, zu welchem Ziel die Welt verändert werden will.

Trotz dieser wenig haltbaren Ideen sollte man Blochs Philosophie des antizipatorischen Denkens nicht unterschätzen oder gar zurückweisen. Immerhin ist er einer der wenigen, der vom Begriff der Zukunft aus philosophiert. Für die meisten gelten immer nur Vergangenheit oder Gegenwart als jene Zeiten, die unser Bewußtsein bestimmen. Bloch kehrt auch die Denkweise um, daß der Idealzustand, die Utopie, in einer Vorzeit der Geschichte (im Paradies, goldenem Zeitalter, Urkommunismus etc.) liege, nach der sich die Menschen zurücksehnen. Er erklärt dagegen: In unserem Leben sind wir immer um einen Schritt voraus, wir leben in der Zukunft. Unser Leben ist ein stetes Überschreiten der Gegenwart nach vorn. Wir tun dies vor allem durch unser Denken und durch die Tagträume, die Bloch bekanntlich den Nachtträumen entgegenstellt.

Der späte Bloch war überzeugt, daß er mit seiner Sichtweise den Marxismus weiterentwickelte bzw. vertiefe. Er berief sich deshalb immer wieder auf den Brief von Marx an Ruge (1843), wo es heißt: *Unser Wahlspruch muß also sein: Reform des Bewußtseins nicht durch Dogmen, sondern durch Analysierung des mystischen, sich selbst unklaren Bewußtseins, trete es nun religiös oder politisch auf. Es wird sich dann zeigen, daß die Welt längst den Traum von einer Sache besitzt, von der sie nur das Bewußtsein besitzen muß, um sie wirklich zu besitzen.* Ähnlich wie Marx verwirft Bloch abstrakte Utopien, da in ihnen die Gegenwart als Ausgangspunkt mißachtet wird; sie sind nicht aus dem Jetzt erwachsen, wie das bei den konkreten Utopien der Fall sei.

Das, was ihn von Marx unterscheidet, übergeht er mit Schweigen, besonders in den späteren Jahren. Der wesentliche Unterschied ist m. E. in der Menschenauffassung zu suchen. In seiner Philosophie steht das Ich als Ich und nicht als Ensemble gesellschaftlicher Kräfte im Mittelpunkt, ein Ich, das sich noch nicht gefunden hat. Die Möglichkeit, daß Menschen ihre Würde und ihren aufrechten Gang im Namen einer übergeordneten Notwendigkeit verlieren können, hat Bloch nicht vorgesehen. Ohne die Freiheit des Einzelnen, betont er mehrmals, kann es keine allgemeine Freiheit geben. In diesem Sinne verfaßt er auch sein vielfach bewundertes Alterswerk »Naturrecht und menschliche Würde«, das 1961 erschien. Dort lesen wir, daß es keine menschliche Würde ohne ein Ende von Not und Elend geben wird, aber daß es auch kein menschliches Glück geben kann ohne ein gerechtes Recht und ein Leben im aufrechten Gang.

Den Menschen fällt es schwer, sich in allem vom Begriff der Zukunft leiten zu lassen. Sie fürchten sich vor dem Neuen, wenn es das noch niemals gegeben haben soll. Anstatt sich der Zukunft zuzuwenden, verharren sie in der Vergangenheit oder bestenfalls in der Gegenwart. Sie wollen sich nicht der Offenheit der Geschichte stellen. Auch die bisherigen Philosophen haben sich so verhalten, indem sie das Ultimum, d. h. den anzustrebenden Endzustand als *erlangte Wiederkehr eines bereits vollendeten, verlorenen oder entäußert gegangenen Ersten* vorstellten. *Die Form dieser Wiederkehr,* erklärt Bloch in »Prinzip Hoffnung«, *nimmt die vorchristliche des sich verbrennenden und wieder erneuernden Phönix auf, sie nimmt die Heraklitische und stoische Lehre vom Weltbrand auf, nach der das Zeus-Feuer die Welt in sich zurücknimmt und sie ebenso wieder, in periodischem Kreislauf, aus sich entläßt. Und dieses eben: der Kreislauf ist die Figur, welche das Ultimum dermaßen ans Primum heftet, daß es darin logisch-metaphysisch verschießt.*[25] Das Ultimum ist somit kein Novum, sondern das ursprüngliche Alte. Das sei aber völlig verkehrt gedacht, denn die unzähligen Möglichkeiten, die sich im Laufe der Entwicklung der Natur und vor allem des Menschen ergeben, sind *dem Anfang nicht an der Wiege gesungen worden.* Das Ende der Geschichte wird etwas völlig Neues sein. Bloch denkt hier im Sinne von Franz Baader, der einmal sagte: *Es ist ein Grundvorurteil der Menschen, zu glauben, daß das, was sie eine künftige Welt nennen, ein für den Menschen geschaffenes und vollendetes Ding sei, und ohne ihn bestehend wie ein gebautes Haus, in welches dieser Mensch nur einzugehen braucht, während doch vielmehr jene Welt ein Gebäude ist, dessen Erbauer dieser nämliche Mensch ist, und welches nur mit ihm wächst.*[26]

Die Möglichkeit, daß unsere Geschichte mit einer Katastrophe, dem Nichts, endet, schließt Bloch nicht aus, wenngleich er sie immer wieder von sich weist. Im Grunde hofft und glaubt er, daß die Menschheit das Ultimum erreichen wird. Dies macht Bloch für religiöse Denker so attraktiv, die sich nicht davon irritieren lassen, daß er sich als Atheist deklariert. Sehr philosophisch hat der Theologe Moltmann begründet, warum gerade Atheisten für das religiöse Denken eine grundlegende Rolle spielen müßten. Bisher sei *die christliche Theologie meistens dem platonischen Grundsatz gefolgt: Gleiches wird nur von Gleichem erkannt.* Es gäbe aber auch den heraklitischen Satz: Nur Ungleiches erkennt sich. *Danach wird Gott als ›Gott‹ nur vom Nicht-Gott erkannt. Der Gottlose erkennt Gott als dem Anderen, dem er nicht gleicht. Gott erkennt den Gottlosen, indem er, wie Paulus sagt, die Gottlosen rechtfertigt und immer nur ihr Gott und Rechtfertiger ist. Die reformatorische Theologie und die moderne dialektische Theologie wußten das. Sollte darum der Atheist, der nichts Gottverwandtes oder Gottähnliches in sich selber findet, diesem Gott, der aus dem Nichts neues Leben schafft, näher sein als der Religiöse, der sein eigenes Auge für sonnenhaft hält? Es gibt einen Atheismus, der das alttestamentliche Bilderverbot ernst nimmt, wie bei Feuerbach. Es gibt einen Atheismus um Gottes willen, wie bei Bloch. Es gibt Atheismus als negative Theologie. Muß nicht christliche Theologie, die von Gott um des Gekreuzigten willen redet, aus dem Reich der dogmatischen Antworten immer wieder in das Reich der kritischen Fragen zurückkehren, damit jenes Reich der dogmatischen Antworten das Reich der Freiheit öffnet und nicht mit transzendenten Setzungen verstellt?*[27]

Eine solche Perspektive ermöglicht Christen einen fruchtbaren Dialog mit den Atheisten. Auf seiten der Atheisten ist dieser Dialog wohl nur unter der Bedingung denkbar, daß sie keine Zyniker und absolute Relativisten sind. Irgendwie muß ihr Denken von übergeordneten Werten durchdrungen sein, wenn auch nicht in dem Maße, wie es bei Bloch der Fall ist.

Blochs Philosophie des antizipatorischen Denkens ist nicht nur eine teleologische, sondern trägt auch theologische Züge, denn ihr ist eine Heilserwartung nicht fremd. Nur erfolgt das Heil auf dieser Welt ohne Zutun und Beisein eines deus absconditus. An dessen Stelle ist ein homo absconditus getreten. *Nicht der menschgewordene Gott steht am*

Ende, sondern der gottgewordene Mensch, sagt treffend Moltmann. Das Einverständnis mit Nietzsches Satz ›Gott ist tot‹ bedeutet mithin noch nicht, daß der Nihilismus den Sieg davongetragen hat. Es gibt noch viele Auswege aus dieser Situation, wie wir aus der Geschichte der zeitgenössischen Philosophie und Theologie wissen.

1 Vgl. hierzu den Briefwechsel zwischen Tolstoi und Gandhi, jetzt abgedruckt in L. Tolstoi: »Rede gegen den Krieg. Politische Flugschriften«, hg. von Peter Urban, Frankfurt/M. 1983. — **2** Ernst Bloch: »Geist der Utopie«, Frankfurt/M. 1973, S. 17. — **3** Ders.: »Tübinger Einleitung in die Philosophie«, Frankfurt/M. 1973, S. 14. — **4** Ebd. — **5** »Geist der Utopie«, a.a.O., S. 247. — **6** Ebd. — **7** Ebd., S. 248. — **8** Darüber hinaus an die Gnosis und Kabbala. — **9** Ernst Bloch: »Ästhetik des Vor-Scheins 1«, hg. von Gert Ueding, Frankfurt/M. 1974, S. 230. — **10** Vgl. hierzu mein Buch »Einführung in die Ästhetik Adornos«, Berlin-New York 1979, S. 33ff. — **11** Ernst Bloch: »Das Prinzip Hoffnung«, Berlin 1960, Bd. 1, S. 112. — **12** »Geist der Utopie«, a.a.O., S. 181. — **13** Ebd., S. 186. — **14** Ebd., S. 199f. — **15** Ebd., S. 201. — **16** Ebd., S. 152. — **17** »Das Prinzip Hoffnung«, Bd. 3, S. 100. — **18** Ebd., S. 111. — **19** »Geist der Utopie«, S. 325. — **20** Ebd., S. 331. — **21** Ebd., S. 303. — **22** Ebd., S. 306. — **23** Ebd., S. 307. — **24** Vgl. hierzu auch mein Buch »Diltheys Erlebnisbegriff«, Berlin-New York 1972, S. 56f. — **25** »Das Prinzip Hoffnung«, Bd. 1, S. 221. — **26** Zit. nach Habermas in »Theorie und Praxis« Neuwied und Berlin, ^{3}1969, S. 340. — **27** In »Materialien zu Ernst Blochs ›Prinzip Hoffnung‹«, hg. von B. Schmidt, Frankfurt/M. 1978, S. 491.

Ernst Bloch

Lebenslauf, Selbstdarstellung

Am besten krümmt man sich nicht beizeiten. Auch auf die Gefahr hin, kein Häkchen zu werden. Die Hauptsache ist, man bleibt gesund und darin nicht bloß munter.

Wie manches steht um unser Leben nur herum. Das Gute, das man hatte, hebt sich dann ganz eigen heraus. Man ist ihm dankbar, so wie man von einer Speise, die etwas hergibt, ebenfalls sagt, sie sei dankbar. Ich hatte auf der Schule alle Kameraden, aber keine Lehrer als Freunde. Bei vielen ist das oder Verwandtes ähnlich; zweite Hauptsache: Druck nicht ertragen zu lernen. In der Arbeiterstadt Ludwigshafen begann man früh politische Schriften zu lesen. Dann nach dem 16. Jahr erste Kenntnis von Kants kleineren Schriften und Hegels ästhetischen Vorlesungen. Mit 17 Jahren Aufsatz »Über die Kraft und ihr Wesen«, worin dies Wesen (›Ding an sich‹) in Natur und Geschichte als ›objektive Phantasie‹ zu bestimmen versucht wurde. Danach (Abklang der Pubertät) psychologistische, antimetaphysische Phase (Beziehung zu Berkeley, Briefwechsel mit Mach). Studium 1905/06 bei Theodor Lipps in München, doch auch erste Berührung mit Scheler, ›dadurch‹ Husserl. 1907, mit 22 Jahren, kam der Durchbruch: Manuskript »Über die Kategorie Noch-Nicht«. Das bezog sich vorerst, psychologisch, auf das subjektiv Noch-Nicht-Bewußte, aber das Korrelat des objektiv Noch-Nicht-Gewordenen stand, konkret utopisch, bereits dahinter. Die Würzburger Dissertation bei Külpe, 1908, über Rickert, nahm einiges davon erkenntnistheoretisch auf. Deren Schluß bezog sich deutlich auf die ›schweren Vorgänge des Heraufkommens‹.

1908–11 Berlin, Freundschaft mit Simmel, Erziehung zum (keineswegs impressionistisch bleibenden) Blick auf kleine Realitäten. Außerdem immer mehr wachsender und verpflichtender Blick auf den offenen Zusammenhang. 1911 in Heidelberg Beginn der Freundschaft und zehn Jahre währenden geistigen Symbiose mit Lukács. Das im Zeichen Hegels, eines totalen Systemwillens, freilich eines stets dialektisch-paradox unterbrochenen, und – bei mir vor allem – futurisch, ja ›eschatologisch‹ offenen. Selber marxistisch, verwandt den Gedanken in Lukács Buch von 1923 »Geschichte und Klassenbewußtsein«; erst die spätere Orthodoxie bei Lukács machte dieser Freundschaft vorübergehend ein rein sachliches Ende.

1915, in Garmisch vorbereitet, mit viel Beethoven außer Hegel im Kopf, nicht ohne Berührung mit dem Expressionismus des Blauen Reiter, erfolgte in junger Ehe die Niederschrift des »Geist der Utopie«, beendet 1917 in Grünwald im Isartal. Ebenso in Garmisch vorbereitet (dem noch gänzlich lärmfrei gewesenen) die einleitenden »Spuren«, erst 1930 erschienen. Im München der immer finsteren Reaktion 1921 »Thomas Münzer« geschrieben. Dann, nach langer schöpferischer Pause, im Berlin der sogenannten goldenen zwanziger Jahre »Erbschaft dieser Zeit« zusammengestellt (dies könnte selber den ironischen Untertitel ›The Golden Twenties‹ tragen). Dann aber, in der Prager Emigration, Vorbereitung des Buchs »Geschichte und Gehalt des Begriffs Materie«, vermehrt erschienen 1972 unter dem Titel »Das Materialismusproblem, seine Geschichte und Substanz«: der Bogen der Utopie-Materie wird hier gespannt. Und nun die amerikanische Emigration, mit treuer Hilfe meiner Frau überstanden und in fruchtbar unbeachteter Ruhe mit der Abfassung der Bücher »Das Prinzip Hoffnung«, »Naturrecht und menschliche Würde«, »Subjekt-Objekt. Erläuterungen zu Hegel« ausgefüllt.

1949–1956 philosophisches Ordinariat in Leipzig, bei wachsender Unzufriedenheit der Funktionäre. 1961 Übersiedlung in die BRD, an die Universität Tübingen, in die vertraute Erinnerung Hölderlin – Schelling–Hegel, zu alten und neuen Freunden, Beginn der Gesamtausgabe im Suhrkamp Verlag. In Tübingen »Tübinger Einleitung in die Philosophie« geschrieben, »Atheismus im Christentum«, »Zur Ontologie des Noch-Nicht-Seins«. Zur Zeit bin ich beschäftigt mit dem Buch »Experimentum Mundi«.

Das Arbeitsproblem heißt ›docta spes‹, das ist negativ wie positiv durchleuchtete Hoffnung. Mit dem nicht nur jungen Marx möchte dergleichen verpflichtend in allem curriculum philosophiae experimentalis stehen. (1974)

Hans-Ernst Schiller

Auswahlbibliographie

Der Schwerpunkt dieser Zusammenstellung liegt auf der deutschsprachigen Sekundärliteratur. Von Blochs Schriften sind die Erstveröffentlichungen – vgl. zu ihrer Bibliographie I.B – in der Regel auch dann nicht verzeichnet, wenn er sie für die Gesamtausgabe überarbeitet hat. Verzichtet wurde ferner auf eine Liste verschiedener Ausgaben oder Sammlungen Blochscher Texte, die in der leicht zugänglichen Gesamtausgabe enthalten sind. Auch bei der Sekundärliteratur war freilich an Vollständigkeit nicht zu denken: Rezensionen und Zeitungsartikel – sie sind teilweise in den Sammelbänden (IV. 1, 7, 9 und 10) dokumentiert – mußten weitgehend unberücksichtigt bleiben; ebenso Bücher und Aufsätze, die sich nicht im Titel und nur in Passagen geringeren Umfangs auf Bloch beziehen. Die weitere Auswahl sollte vor allem die Themen des Blochschen Werks und die Positionen seiner Rezeption angemessen repräsentieren.

Benutzt wurden die angeführten Bibliographien und das Verzeichnis der Hochschulschriften; die meisten Angaben konnten nachgeprüft werden. Besonders danken möchte ich Dr. Karlheinz Weigand vom Ernst-Bloch-Archiv in Ludwigshafen, der mir einige Hinweise gegeben und vor allem die noch unveröffentlichten Teile seiner Titelsammlung der unselbständig erschienenen Sekundärliteratur zur Verfügung gestellt hat.

GLIEDERUNG

I. Schriften Blochs

A. Gesamtausgabe, Frankfurt/M. 1959 ff.

Bd. I *Spuren.*
Bd. II *Thomas Münzer als Theologe der Revolution.*
Bd. III *Geist der Utopie* (leicht veränderte Ausgabe der zweiten Fassung von 1923).
Bd. IV *Erbschaft dieser Zeit.*
Bd. V *Das Prinzip Hoffnung.*
Bd. VI *Naturrecht und menschliche Würde.*
Bd. VII *Das Materialismusproblem, seine Geschichte und Substanz.*
Bd. VIII *Subjekt-Objekt. Erläuterungen zu Hegel.*
Bd. IX *Literarische Aufsätze.*
Bd. X *Philosophische Aufsätze zur objektiven Phantasie.*
Bd. XI *Politische Messungen. Pestzeit, Vormärz.*
Bd. XII *Zwischenwelten in der Philosophiegeschichte.*
Bd. XIII *Tübinger Einleitung in die Philosophie.*
Bd. XIV *Atheismus im Christentum.*
Bd. XV *Experimentum Mundi.*
Bd. XVI *Geist der Utopie* (Faksimile der Fassung von 1918).
Erg.-Bd. *Tendenz-Latenz-Utopie.*

B. Weitere Fundorte

1 *Kritische Erörterungen über Rickert und das Problem der modernen Erkenntnistheorie* (Dissertation 1908), Ludwigshafen 1909.
2 *Schadet oder nützt Deutschland eine Niederlage seiner Militärs?* Bern 1918.
3 *Vademecum für heutige Demokraten*, Bern 1919.
4 *Marx als Denker der Revolution,* in: Bloch u. a., »Marx und die Revolution«, Frankfurt/M. 1970, 7–11.
5 *Vom Hasard zur Katastrophe. Politische Aufsätze aus den Jahren 1934–1939,* hg. von Volker Michels, mit einem Nachwort von Oskar Negt (auch in IV, 7), Frankfurt/M. 1971. (Die Sammlung bringt auf eine journalistische Intervention hin Originalfassungen von Texten, die in Bd. XI der Gesamtausgabe redigiert worden sind.)
6 *Im Christentum steckt die Revolte.* Ein Gespräch mit Adelbert Reif, Zürich 1971 (teilweise in: 8, 145 ff.).
7 *Umsturz durch Arbeiterklasse oder durch politische Intelligenz?* Gespräch mit Ernst Bloch, in: Grossner, Claus, Verfall der Philosophie, Reinbek 1971, 243–254.
8 *Gespräche mit Ernst Bloch,* hg. von Rainer Traub und Harald Wiesner, Frankfurt/M. 1975.
9 *Tagträume vom aufrechten Gang.* Sechs Interviews mit Ernst Bloch, hg. und eingeleitet von Arno Münster, Frankfurt/M. 1977.
10 *Revolution der Utopie.* Texte von und über Ernst Bloch, hg. von Helmut Reinicke, Frankfurt/New York 1979.
11 *Abschied von der Utopie?* Vorträge, hg. von Hanna Gekle, Frankfurt/M. 1980.
12 *Preußen und der Bolschewismus.* Ansichten aus den Jahren 1917–1919, in: Sabotage des Schicksals (Ulrich Sonnemann zum 70. Geburtstag), hg. von Gottfried Heinemann und Wolf-Dietrich Schmied-Kowarzik, Tübingen 1982, 79–97.
13 *Leipziger Vorlesungen zur Geschichte der Philosophie,* 4 Bde., hg. von Ruth Römer und Burghart Schmidt, Frankfurt/M. 1985.

Vgl. ferner:
Bloch, Karola/Reif, Adelbert (Hg.), *Denken heißt Überschreiten* (IV.10).
Über Walter Benjamin, Frankfurt/M. 1968 (Bloch: 16–23).

C. Briefe

Ernst Bloch: *Briefwechsel 1903–1975,* hg. und kommentiert von Jan Robert Bloch, Karola Bloch, Anne Frommann, Hanna Gekle, Inge Jens, Martin Korol, Inka Müller, Arno Münster, Uwe Opolka und Burghart Schmidt, Frankfurt/M. 1985. (Angekündigt. Der Band will eine Auswahl der an Bloch gerichteten sowie von ihm geschriebenen Briefe, soweit sie bekannt geworden sind, bringen. Nur der Briefwechsel mit Arnold Mezger soll gesondert erscheinen.)

Die bislang größte Anzahl Blochscher Briefe – dreizehn – ist zu finden in:

Karádi, Éva/Fekete, Éva (Hg.), *Georg Lukács, Briefwechsel 1902–1917,* Stuttgart 1982.

Vgl. ferner:
Dutschke, *Die Revolte* (III.3).
Münster, *Utopie, Messianismus und Apokalypse im Frühwerk Ernst Blochs* (VI.22).
Reinicke, *Revolution der Utopie* (I.10).
Schumacher, Joachim, *Leicht'gen Morgen unterwegs. Eine philosophische Reise,* München 1979.
Ders., *Die Angst vor dem Chaos. Über die falsche Apokalypse des Bürgertums,* Frankfurt/M. 1978.

II. Bibliographien

Gropp, Rugard Otto (Hg.), *Ernst Bloch zum 70. Geburtstag,* Berlin 1955 (IV.2).

Unseld, Siegfried (Hg.), *Ernst Bloch zu Ehren,* Frankfurt/M. 1965 (IV.4).

Münster, Arno (Hg.), *Tagträume vom aufrechten Gang,* Frankfurt/M. 1977 (I.B.9).

Wie die beiden letzten Bücher enthalten anspruchsvollere Bibliographien zur Sekundärliteratur:

Über Ernst Bloch, Frankfurt/M. 1968 (IV.5) (von Renate Kübler).

Ernst Blochs Wirkung. Ein Arbeitsbuch, Frankfurt/M. 1975 (IV.7) (von Burghart Schmidt).

Materialien zu Ernst Blochs »Prinzip Hoffnung«, Frankfurt/M. 1978 (IV.9) (von Burghart Schmidt).

Zudeick, Peter, *Die Welt als Möglichkeit und Wirklichkeit,* Bonn 1980 (VI.40) (nur deutschsprachige Literatur).

Deuser, Hermann/Steinäcker, Peter (Hg.), *Ernst Blochs Vermittlungen zur Theologie,* München/Mainz 1983 (IV.14) (von Jörg Hallmann).

Diese, nicht immer zuverlässigen Zusammenstellungen sind durch die bibliographischen Veröffentlichungen von Karlheinz Weigand im Bloch-Almanach (IV.1) überholt oder werden es in absehbarer Zeit sein:

1981: Rundfunktexte, Videodokumente, Übersetzungen
1982: Verzeichnis unselbständig erschienener Primärtexte
1983: Sekundärliteratur: Aufsätze A–L
1985: Sekundärliteratur: Aufsätze M–R – (angekündigt)

III. Erinnerungen, Biographisches

1 *Bahr, Eberhard,* Ernst Bloch, Berlin 1974.
2 *Bloch, Karola,* Aus meinem Leben, Pfullingen 1981.
3 *Dutschke, Rudi,* Die Revolte. Wurzeln und Spuren eines Aufruhrs, hg. von Gretchen Dutschke-Klotz u. a., Reinbek 1983, 234–263.
4 *Markun, Silvia,* Ernst Bloch, Reinbek 1977.
5 *Mayer, Hans,* Ein Deutscher auf Widerruf. Erinnerungen Bd. II, Frankfurt/M. 1984, 275–293.
6 *Susman, Margarete,* Ich habe viele Leben gelebt, Stuttgart 1964, 79–81 und 86–89.
7 *Ueding, Gert,* Bloch in Tübingen, in: Nordhofen, Eckhard (Hg.), Physiognomien. Philosophen des 20. Jahrhunderts in Porträts, Königstein/Ts. 1980, 159–177.
8 *Zudeick, Peter,* Der Hintern des Teufels. Ernst Bloch, Leben und Werk, Bühl-Moos 1985.
9 *Zwerenz, Gerhard,* Kopf und Bauch. Die Geschichte eines Arbeiters, der unter die Intellektuellen gefallen ist, Frankfurt/M. 1971, 111 ff. (teilweise auch in IV,7).

Vgl. ferner:
Denken heißt Überschreiten (IV,10).
Gespräche mit Ernst Bloch (IB, 8).
Tagträume vom aufrechten Gang (IB, 9).
Revolution der Utopie (IB, 10).
Ernst Blochs Wirkung (IV,7).
Bloch-Almanach (IV,1).

IV. Sammelbände: Festschriften und Arbeitsbücher

1 *Bloch-Almanach,* hg. vom Ernst Bloch-Archiv der Stadtbibliothek Ludwigshafen durch Karlheinz Weigand, Ludwigshafen 1981 ff.
2 Gropp, Rugard Otto (Hg.), *Ernst Bloch zum 70. Geburtstag, Berlin 1955* – (Die meisten Aufsätze beziehen sich nicht unmittelbar auf Bloch).
3 Gropp, Rugard Otto (Hg.), *Ernst Blochs Revision des Marxismus. Kritische Auseinandersetzung marxistischer Wissenschaftler mit der Blochschen Philosophie,* Berlin 1957.
4 Unseld, Siegfried (Hg.), *Ernst Bloch zu Ehren,* Frankfurt/M. 1965.
5 *Über Ernst Bloch,* Frankfurt/M. 1968.
6 Perels, Joachim/Peters, Jürgen (Hg.), *Ernst Bloch zum 90. Geburtstag: Es muß nicht immer Marmor sein. Erbschaft aus Ungleichzeitigkeit,* Berlin 1975.
7 *Ernst Blochs Wirkung. Ein Arbeitsbuch zum 90. Geburtstag,* Frankfurt/M. 1975.
8 *Ernst Bloch – Aktualität und konkrete Utopie* (= Spuren. Sozialistische Zeitschrift für Kunst und Gesellschaft, Berlin 1977, Heft 3/4).
9 Schmidt, Burghart (Hg.), *Materialien zu Ernst Blochs »Prinzip Hoffnung«,* Frankfurt/M. 1978.
10 Bloch, Karola/Reif, Adelbert (Hg.), *Denken heißt Überschreiten. In memoriam Ernst Bloch 1885–1977,* Köln/Frankfurt/M. 1978.
11 Böhme, Wolfgang (Hg.), *Das Reich der Hoffnung. Über Ernst Bloch,* Karlsruhe 1979.

12 Daxner, Michael/Bloch, Jan Robert/ Schmidt, Burghart (Hg.), *Andere Ansichten der Natur,* Münster 1981. (Nicht alle Beiträge stehen in engerer Beziehung zur Blochschen Philosophie.)
13 Schmidt, Burghart (Hg.), *Seminar: Zur Philosophie Ernst Blochs,* Frankfurt/M. 1983.
14 Deuser, Hermann/Steinacker, Peter (Hg.), *Ernst Blochs Vermittlungen zur Theologie,* München/Mainz 1983.

Hingewiesen sei ferner auf:
Vosskamp, Wilhelm (Hg.), *Utopieforschung. Interdisziplinäre Studien zur neuzeitlichen Utopie,* Stuttgart 1982, Bd. 1 (vor allem die Beiträge von Brenner, Stockinger, Seibt und Kalivoda beziehen sich auf Bloch; Ueding schreibt über Ernst Blochs Philosophie der Utopie (IV, B. 51).

V. Unselbständig erschienene Sekundärliteratur

A. In Sammelbänden

Beiträge, die auch in Buchveröffentlichungen ihres Verfassers enthalten sind, werden mit Verweis auf den Sammelband unter B verzeichnet.

1 *Abicht, Ludo,* Die Praxis der Philosophie (IV.10, 235–254).
2 *Bahr, Hans Dieter,* Ontologie und Utopie (IV.9, 291–305).
3 *Bauer, Gerhard/Haß, Ulrike/Schölch, Herbert,* »Der schärfste Stachel des Aufruhrs«. Revolutionäre und schwärmerische Geschichtsschreibung in Blochs Münzer-Buch (IV.8, 51–77).
4 *Binder, Klaus,* Phantasie und Subjektivität im Prozeß gesellschaftlicher Naturbeherrschung (IV.12, 60–77).
5 *Ders.,* Falsche Anamnesis in der Frage, was uns antreibt und wohin. Zu Blochs Freudkritik (IV.13, 299–325).
6 *Bloch, Jan Robert/Schmidt, Burghart,* Naturallianz: Zur Entwicklung einer Leitidee (IV.12, 1–33).
7 *Bloch, Jan Robert,* Zur Bestimmung der Naturqualität (IV.12, 78–115).
8 *Ders.,* Ein alter Tisch aus London (IV.13, 261–282).
9 *Bodei, Remo,* Ernst Blochs utopischer Marxismus gegen einen »zu weiten Fortschritt des Sozialismus von der Utopie zur Wissenschaft« (IV.9, 592–609).
10 *Braun, Eberhard,* Die naturrechtlichen Fundamente der klassischen politischen Ökonomie. Ein Beitrag zu Ernst Blochs Theorie des Naturrechts (IV.7, 381–419).
11 *Ders.,* Antizipation des Seins wie Utopie. Zur Grundlegung der Ontologie des Noch-Nicht-Seins im »Prinzip Hoffnung« (IV.13, 123–150).
12 *Christensen, Ralph,* Blochs Kritik an der marxistisch-leninistischen Funktionsbestimmung des subjektiven Rechts (IV.1, 1984, 115–157).
13 *Cox Harvey,* Eschatologie und Anthropologisierung im Christentum (IV.9, 502–513).
14 *Czaijka, Anna,* Ernst Blochs Interpretation des Menschen (IV.6, 177–198).
15 *Deuser, Hermann,* Dialektisches Denken. Das Beispiel der Philosophie Ernst Blochs (IV.14, 30–44).
16 *Dietschy, Beat,* Eine Seitentüre als Naturzugang. Ernst Blochs »Spuren« (IV.1, 1981, 91–115).
17 *Ders.,* »Experimentum Mundi«: Prinzip und System gelingender Praxis (IV.13, 163–183).
18 *Ders.,* Marxismus als konkrete Utopie (IV.10, 140–158).
19 *Dutschke, Rudi,* Im gleichen Gang und Feldzugsplan (IV.9, 214–222, auch in III.3).
20 *Fahrenbach, Helmut,* Zukunftsforschung und Philosophie der Zukunft. Eine Erörterung im Wirkungsfeld Ernst Blochs (IV.7, 325–361).
21 *Ders.,* Ernst Bloch und das Problem der Einheit von Philosophie und marxistischer Theorie (IV.13, 75–122; Vorform in IV.11).
22 *Fergnani, Franco,* Der Bann der Anamnesis. Bloch über Hegel (IV.9, 245–260).
23 *Fetscher, Iring,* Ernst Bloch auf Hegels Spuren (IV.4, 83–98).
24 *Frenzel, Ivo,* Philosophie zwischen Traum und Apokalypse (IV.5, 17–41).
25 *Furter, Pierre,* Ernst Blochs »Prinzip Hoffnung« in der Diskussion übers utopische Denken (IV.9, 570–592).
26 *Gramer, Wolfgang,* Musikalische Utopie. Ein Gespräch zwischen Adornos und Blochs Denken (IV.1, 1984, 175–190).
27 *Gross, David,* Bewußtseinsveränderung durch revolutionäre Phantasie. Statt Ende der Philosophie Ausreifung der praktischen Leitbilder im Novum (IV.9, 609–632).
28 *Heubrock, Dietmar,* Zur Bloch-Rezeption in der Psychologie (IV.1, 1984, 159–174).
29 *Hobsbawm, Eric J.,* »Das Prinzip Hoffnung« (IV.9, 176–182).
30 *Hochländer, Hans,* Der Bildcharakter des »Vor-Scheins«, auch in der Sprache (IV.9, 439–445).

31 *Hojer, Ernst,* Die pädagogischen Schriften Ernst Blochs. Versuch einer kritischen Würdigung (IV.1, 1982, 59–81).
32 *Holz, Hans Heinz,* Das Wesen metaphorischen Sprechens (IV.2, 101–120).
33 *Ders.,* Kategorie Möglichkeit und Moduslehre (IV.4, 99–120).
34 *Ders.,* Einsatzstellen der Ontologie des Noch-Nicht-Seins (IV.9, 263–290).
35 *Horster, Detlef,* Marx und Bloch (IV.6, 59–81).
36 *Ders.,* Phänomenologie der sozialistischen Zukunft (IV.10, 97–108).
37 *Howard, Dick,* Ernst Bloch – unser Zeitgenosse (IV.7, 435–460).
38 *Jameson, Frederic,* Die Ontologie des Noch-Nicht-Seins im Übergang zum allegorisch-symbolischen Antizipieren: Kunst als Organon kritisch-utopischer Philosophie (IV.9, 403–439).
39 *Jückstock, Lutz,* Der menschliche Faktor in der Geschichte. Ernst Blochs Versuch einer neuen Philosophie der Subjektivität (IV.1, 1984, 97–114).
40 *Kimmerle, Heinz,* Spuren der Hoffnung. Religion in der Philosophie Ernst Blochs (IV.14, 15–29).
41 *Korol, Martin,* Über die Entwicklung des politischen Denkens Ernst Blochs im Schweizer Exil des Ersten Weltkriegs, dargestellt an drei Texten aus den Jahren 1917, 1918 und 1919 (IV.1, 1981, 23–45).
42 *Kneif, Tibor,* Ernst Bloch und der musikalische Expressionismus (IV.4, 227–326).
43 *Kübler, Renate,* Die Metapher als Argument. Semiotische Bestimmung der Blochschen Sprache (IV.7, 271–283).
44 *Lenger, Hans-Jürgen,* Ernst Bloch–Georg Lukács. Kontroverse um den Expressionismus (IV.8, 91–106).
45 *Levinas, Emmanuel,* Über den Tod im Denken Ernst Blochs (IV.13, 151–162).
46 *Lowe, Adolph,* S ist noch nicht P (IV.4, 135–144).
47 *Ders.,* Über das Dunkel des gelebten Augenblicks (IV.10, 207–213).
48 *Luther, Andreas,* Variationen über die Endzeit. Bloch contra Benjamin (IV.1, 1984, 57–74).
49 *Mahlmann, Theodor,* Das eschatologische Faktum der Schöpfung (IV.14, 144–185).
50 *Maihofer, Werner,* Demokratie und Sozialismus (IV.4, 31–67).
51 *Ders.,* Ernst Blochs Evolution des Marxismus (IV.5, 112–129).
52 *Mandel, Ernest,* Antizipation und Hoffnung als Kategorien des historischen Materialismus (IV.10, 222–234).
53 *Markovits, Francine,* Ein zweideutiger Materialismus (IV.13, 184–203).
54 *Martin, Gerhard Marcel,* Erbe der Mystik im Werk von Ernst Bloch (IV.14, 114–128).
55 *Massuh, Victor,* Die utopische Funktion und der Mythos (IV.9, 189–195).
56 *Mayer, Hans,* Musik als Luft von anderen Planeten. Ernst Blochs »Philosophie der Musik« und Feruccio Busonis »Neue Ästhetik der Tonkunst« (IV.9, 464–472).
57 *Ders.,* Ernst Blochs poetische Sendung (IV.4, 21–30).
58 *Ders.,* Ernst Bloch, Utopie, Literatur (IV.7, 237–250).
59 *Ders.,* Der Redner Ernst Bloch (IV.7, 218–220).
60 *Metz, Johann Baptist,* Gott vor uns. Statt eines theologischen Arguments (IV.4, 227–242).
61 *Metzger, Arnold,* Utopie und Transzendenz (IV.4, 69–82).
62 *Morf, Otto,* Ernst Bloch und die Utopie (IV.2, 257–262).
63 *Moltmann, Jürgen,* Messianismus und Marxismus (IV.5, 42–60).
64 *Ders.,* Die Apokalyptik im Messianismus (IV.9, 482–492).
65 *Negt, Oskar,* Ernst Bloch – der deutsche Philosoph der Oktoberrevolution. Ein politisches Nachwort (IV.7, 136–151; auch in LB,2).
66 *Ders.,* Erbschaft aus Ungleichzeitigkeit und das Problem der Propaganda (IV.6, 9–34).
67 *Oellers, Norbert,* Blochs Nähe zu Hebel (IV.1, 1983, 123–134).
68 *Pannenberg, Wolfhart,* Der Gott der Hoffnung (IV.4, 209–226).
69 *Pasterk, Ursula,* Utopie und Revolution (IV.9, 514–533).
70 *Perels, Joachim,* Sozialistisches Erbe an bürgerlichen Menschenrechten? (IV.6, 82–95).
71 *Peters, Jürgen,* Es muß nicht immer Marmor sein. Kleine Bloch-Kommentare (IV.6, 35–46).
72 *Petrović, Gajo,* Ernst Blochs Hegelverständnis und der Systemgedanke (IV.9, 225–245).
73 *Pietsch, Roland,* Das Reich der Hoffnung. Die eschatologischen und mystischen Elemente im Werk Ernst Blochs (IV.11, 102–120).
74 *Piron-Audard, Catherine,* Marxistische Anthropologie und Psychoanalyse nach Ernst Bloch (IV.13, 283–298).
75 *Ratschow, Carl Heinz,* Der unbekannte Mensch. Gottes Leugnung bei Ernst Bloch als Selbstzerfall des Menschen (IV.11, 82–101).
76 *Raulet, Gerard,* Hermeneutik im Prinzip der Dialektik (IV.7, 284–304).

77 *Ders.*, Subversive Hermeneutik des »Atheismus im Christentum« (IV.13, 50–74).
78 *Reinicke, Helmut,* Abenteuerliches Philosophieren für die Revolution (I.B.8, 7–23).
79 *Reininghaus, Frieder,* Musik wird Morgenrot. Ernst Bloch und die Musik (IV.8, 78–90).
80 *Rühle, Jürgen,* Das warme und das kalte Rot. Ernst Bloch im Netzwerk der SED (IV.1, 1984, 75–84).
81 *Schiller, Hans-Ernst,* Kant in der Philosophie Ernst Blochs (IV.1, 1985).
82 *Schmidt, Alfred,* Der letzte Metaphysiker des Marxismus (IV.10, 62–65).
83 *Schmidt, Burghart,* Ein Bericht: Zu Entstehung und Wirkungsgeschichte des »Prinzip Hoffnung« (IV.9, 15–40).
84 *Ders.*, Die Stellungnahme Ernst Blochs als Marxist (IV.9, 41–58).
85 *Ders.*, Vom teleologischen Prinzip in der Materie (IV.13, 204–227; auch in IV.7, 362–380, verändert).
86 *Ders.*, Die Aktualität einer Naturpolitik in Blochscher Perspektive (IV.13, 228–260, auch in IV.12, 34–58, verändert); s. auch Jan Robert Bloch (IV.A, 6).
87 *Scholtz, Gunther,* Drittes Reich. Begriffsgeschichte mit Blick auf Blochs Originalgeschichte (IV.1, 1982, 17–38).
88 *Schneider, Irmela,* Ernst Bloch als Feuilletonist der »Frankfurter Zeitung« (IV.1, 1984, 41–56).
89 *Schumacher, Joachim,* Wie zu erben sei (IV.7, 201–207).
90 *Škorić, Gordana,* Die Philosophie des möglichen Neuen (IV.10, 197–202).
91 *Starke, Ekkehard,* Ernst Blochs Müntzer-Interpretation und ihre Bedeutung für die Theologie der Gegenwart (IV.14, 61–113).
92 *Tillich, Paul,* Das Recht auf Hoffnung (IV.4, 265–276).
93 *Tjaden, Karl Heinz,* Zur Naturrechts-Interpretation Ernst Blochs (IV.7, 89–103).
94 *Ueding, Gert,* Traumliteratur. Über literarische Erfahrungen und ihre Wirkung (IV.7, 251–270).
95 *Ders.*, Schein und Vorschein in der Kunst. Zur Ästhetik Ernst Blochs (IV.9, 446–464).
96 *Valdes, Ernesto Garzon,* Die Polis ohne Politik (IV.9, 372–387).
97 *Verhofstadt, Edward,* Ernst Blochs Kurzprosa: Blendwerk und Sinn des Augenblicks (IV.1, 1981, 57–67).
98 *Vilmar, Fritz,* Geschichte als »Heilsgeschichte« oder »Laboratorium salutis?« (IV.1, 1982, 39–45).
99 *Walser, Martin,* Prophet mit Marx- und Engelszungen (IV.5, 7–16).
100 *Weigand, Karlheinz,* Zu Tiecks »Der blonde Eckbert« anhand der Deutung durch Ernst Bloch (IV.1, 1983, 115–122).
101 *Zecchi, Stefano,* Die Realität der Utopie (IV.7, 305–324).
102 *Zudeick, Peter,* Im eigenen Saft. Sprache und Komposition bei Ernst Bloch (IV.1, 1981, 69–90).

B. In anderen Publikationen

Zeitschriftenaufsätze, die in Sammelbände übernommen wurden, sind unter IV.A genannt.

1 *Adorno, Theodor, W.*, Blochs Spuren, in: Noten zur Literatur, Gesammelte Schriften, hg. von Gretel Adorno und Rolf Tiedemann, Bd. 11, Frankfurt/M. 1974, 233–250.
2 *Ders.*, Henkel, Krug und frühe Erfahrung, a.a.O., 556–566 (erstmals in IV.4, 9–20).
3 *Bense, Max,* Ernst Bloch, in: Rationalismus und Sensibilität. Präsentationen, Krefeld/Baden-Baden 1956, 137–149 (auch in IV.9, 71–81).
4 *Brenner, Peter, J.*, Kunst als Vor-Schein. Blochs Ästhetik und ihre ontologischen Voraussetzungen, in: Literarische Utopie-Entwürfe, hg. von Hiltrud Gnüg, Frankfurt/M. 1982, 39–53.
5 *Buhr, Manfred,* Der religiöse Ursprung und Charakter der Hoffnungsphilosophie Ernst Blochs, in: Deutsche Zeitschrift für Philosophie Jg. 6, 1958, Nr. 4, 576–598.
6 *Dahlhaus, Carl,* Ernst Blochs Philosophie der Musik Wagners, in: Jahrbuch des staatlichen Instituts für Musikforschung 1971, 179–188.
7 *Djuriĉ, Mihailo,* Schwierigkeiten der Kategorie Möglichkeit, in: Philosophisches Jahrbuch Jg. 89, 1982, 56–77.
8 *Emmerich, Wolfgang,* »Massenfaschismus« und die Rolle des Ästhetischen. Faschismustheorie bei Ernst Bloch, Walter Benjamin, Bertolt Brecht, in: Lutz Winckler (Hg.), Antifaschistische Literatur Bd. 1, Kronberg/Ts. 1977, 223–290.
9 *Endres, Josef,* Die Hoffnung bei Ernst Bloch, in: Studia moralia Jg. 7, 1967, 307–330.
10 *Eucken-Erdsiek, Edith,* Prinzip ohne Hoffnung. Kritische Betrachtungen zum Hauptwerk von Ernst Bloch, in: dies., Die Macht der Minderheit, Freiburg 1970, 53–69.

11 *Fahrenbach, Helmut,* Kierkegaards untergründige Wirkungsgeschichte. Zur Kierkegaardrezeption bei Wittgenstein, Bloch und Marcuse, in: Anz, Heinrich u. a. (Hg.) Die Rezeption Søren Kierkegaards in der deutschen und dänischen Philosophie und Theologie, Kopenhagen/München 1983, 30–69.

12 *Fehér, Ferenc,* Am Scheideweg des romantischen Antikapitalismus. Typologie und Beitrag zur deutschen Ideologiegeschichte gelegentlich des Briefwechsels zwischen Paul Ernst und Georg Lucás, in: Agnes Heller u.a., Die Seele und das Leben. Studien zum frühen Lukás, Frankfurt/M. 1977, 241–327 – zum Verhältnis von Bloch und Lukás v.a. 256–2751 passim.

13 *Geyer, Iris,* Thomas Müntzer im Bauernkrieg, Besigheim 1982, Kapitel 4: Blochs Müntzer-Deutung, 41–52.

14 *Gollwitzer, Helmut,* Die Existenz Gottes im Bekenntnis des christlichen Glaubens, 2. Teil, München 1964, 76–84: Ernst Blochs atheistische Deutung der biblischen Rede von Gott.

15 *Ders.,* Zu Immanuel Kants und Ernst Blochs Hiob-Deutung, als Exkurs in: Krummes Holz und aufrechter Gang. Zur Frage nach dem Sinn des Lebens, München 1970, 239–250.

16 *Großmaß, Ruth,* Ernst Bloch, in: Kimmerle, Heinz (Hg.), Dialektik-Modelle von Marx bis Althusser, o. O., o. J. (Bochum 1983), 161–184.

17 *Habermas, Jürgen,* Ernst Bloch. Ein marxistischer Schelling, in: Philosophisch-politische Profile, Frankfurt/M. 1981, 141–159 (auch in IV.5, 61–81).

18 *Heer, Friedrich,* Vision der Zukunft in Rot und Gold: Ernst Bloch, in: Hochland Jg. 53, 1960/61, 35–52.

19 *Jahnson, Heinz,* Utopische Hoffnung in der Immanenz – Kritische Hoffnung in der Transzendenz. Ein Vergleich zwischen Bloch und Kant, in: Trierer theologische Zeitschrift Jg. 81, 1972, Nr. 1, 1–25.

20 *Jonas, Hans,* Das Prinzip Verantwortung. Versuch einer Ethik für die technologische Zivilisation, Frankfurt/M. 1971, darin Kapitel sechs: Kritik der Utopie, 316–393.

21 *Kaltenbrunner, Gert-Klaus,* Prinzipielle oder experimentelle Utopie. Ernst Blochs Messianismus, in: Wort und Wahrheit. Monatsschrift für Religion und Kultur, Nr. 24, 1969, 257–272.

22 *Kamps, Walter,* Versuch einer ontologischen Fundierung der Pädagogik unter Zugrundelegung der Philosophie Ernst Blochs, in: Vierteljahrsschrift für wissenschaftliche Pädagogik Jg. 56, 1980, 361–376.

23 *Kempski, Jürgen von,* Brechungen. Kritische Versuche zur Philosophie der Gegenwart, Hamburg 1964, darin Kapitel neun: Hoffnung als Kritik, Kapitel zehn: Bloch, Recht, Marxismus (auch in: IV.9, 551–570 und 367–372).

24 *Krieger, Evelina,* Das Prinzip Hoffnung. Auseinandersetzung mit Ernst Bloch, in: Das Konkrete in Reflexion und Geschichte von Hegel bis Bloch, Freiburg/München 1968, 9–36.

25 *Kurella, Alfred,* Zur Theorie der Moral. Eine alte Kontroverse mit Ernst Bloch, in: Deutsche Zeitschrift für Philosophie, Jg. 4, 1956, 599–621.

26 *Lieber, Hans-Joachim,* Utopie und Selbstaufklärung der Gesellschaft/Reflexionen zu Ernst Blochs »Das Prinzip Hoffnung«, in: Philosophie, Soziologie, Gesellschaft, Berlin 1965, 164–185.

27 *Lindner, Burkhard,* Der Begriff der Verdinglichung und der Spielraum der Realismus-Kontroverse. Ausgehend von der frühen Differenz zwischen Lukács und Bloch, in: Hans-Jürgen Schmitt (Hg.), Der Streit mit Georg Lukács, Frankfurt/M. 1978, 91–123.

28 *Lochmann, Jan Milic,* Eine atheistische Interpretation der Bibel. Ernst Bloch: Atheismus im Christentum, in: Reformatio Jg. 20, 1971, 231–246.

29 *Lohmann, Hans-Martin,* Stalinismus und Linksintelligenz. Anmerkungen zur politischen Biographie Ernst Blochs während der Emigration, in: Exil, 1984, Nr. 1, 71–74.

30 *Moltmann, Jürgen,* Theologie der Hoffnung, München 1977[10] (1964) Anhang: »Das Prinzip Hoffnung« und die »Theologie der Hoffnung«. Ein Gespräch mit Ernst Bloch, 313–334.

31 *Müller, Ernst,* Utopie und Dialektik, in: Tübinger Blätter 52 (1965), 23–34.

32 *Müller-Stromsdörffer, Ilse,* L'art pour l'espoir. Ernst Blochs Ästhetik des Utopischen, in: Bauer, Hermann u. a. (Hg.), Wandlungen des Paradiesischen und Utopischen. Studien zum Bild eines Ideals (Probleme der Kunstwissenschaft Bd. 2), Berlin 1966, 323–352.

33 *Münster, Arno,* Marxismus und Tendenzwissenschaft im Werk von Ernst Bloch, in: Michael Grauer/Wolfdietrich Schmied-Kowarzik (Hg.), Grundlinien und Perspektiven einer Philosophie der Praxis, Kassel 1982, 55–79.

34 *Muminović, Rasim,* Philosophie der Heimat, in: Praxis Nr. 2, 1966, 434–448.

35 *Ders.,* Utopicum als Indikation der Krise des Humanismus, in: Praxis Nr. 8, 1972, 47–61.

36 *Paetzold, Heinz,* Neomarxistische Ästhetik, Teil 1: Bloch, Benjamin, Düsseldorf 1974, 22–129.
37 *Phelan, Tony,* Die sogenannten »Goldenen zwanziger Jahre«: Zeitkritik und Kulturgeschichte in Ernst Blochs »Erbschaft dieser Zeit«, in: Keith Bullivant (Hg.), Das literarische Leben in der Weimarer Republik, Königstein/Ts. 1978, 250–281.
38 *Pieper, Josef,* Hoffnung und Geschichte. Fünf Vorlesungen, München 1967, 81–102.
39 *Pröpper, Thomas,* Der Jesus der Philosophen und der Jesus des Glaubens, Mainz 1976 (Teil I, Kapitel 2: Jesus – Selbsteinsatz des Menschen in Gott (Bloch), 29–38).
40 *Radnóti, Sándor,* Bloch und Lukács. Zwei radikale Kritiker in der gottverlassenen Welt, in: Agnes Heller u. a., Die Seele und das Leben. Studien zum frühen Lukács, Frankfurt/M. 1977, 177–191.
41 *Raulet, Gerard,* Die Überwindung des bürgerlichen Wissenschaftsbegriffs durch Blochs objektiv-reale Prozeßerkenntnis, in: Praxis 1982, Heft 2, 84–98.
42 *Remschmidt, Helmut,* Progression und Regression. Ernst Bloch und die Tiefenpsychologie, in: Wege zum Menschen, Monatsschrift für soziale Berufe Jg. 22, 1970, 386–401.
43 *Röhrig, Paul,* Ernst Bloch und die Pädagogik, in: Neue Sammlung Nr. 21, 1981, 343–562.
44 *Rühle, Jürgen,* Literatur und Revolution. Die Schriftsteller und der Kommunismus, Köln/Berlin 1960, darin: Die Dämmerung nach vorn. Der Philosoph Ernst Bloch, 253–265 (auch in: IV.9, 159–176).
45 *Sauter, Gerhard,* Zukunft und Verheißung. Das Problem des Zukünftigen in der gegenwärtigen theologischen und philosophischen Diskussion, Zürich/Stuttgart 1965 – Teil III, 2. Abschnitt: Philosophie der Zukunft (E. Bloch), 277–348.
46 *Schaeffler, Richard,* Was dürfen wir hoffen? Die katholische Theologie der Hoffnung zwischen Blochs utopischem Denken und der reformatorischen Rechtfertigungslehre, Darmstadt 1979, vor allem Teil II und IV.
47 *Schmidt, Alfred,* Zum Begriff der Natur in der Lehre von Marx, 1971[2] (1962) (Ausschnitt in IV.9, 325–335).
48 *Ders.,* Anthropologie und Ontologie bei Bloch, in: Kritische Theorie, Humanismus, Aufklärung. Philosophische Arbeiten 1969–1979, 56–94 (auch in IV.11, 11–41).
49 *Schmidt, Burghart,* Ernst Bloch, der Enzyklopädist der Hoffnung, in: Fassmann, Kurt (Hg.), Die Großen der Weltgeschichte Bd. XI, München 1978, 559–579.
50 *Ders.,* Ernst Bloch: Die Frage nach dem Augenblick in der Geschichte, in: Speck, Josef (Hg.), Grundprobleme der großen Philosophen, Philosophie der Gegenwart Bd. VI, Göttingen 1984, 9–42.
51 *Schumacher, Joachim,* Anmerkungen zur Vorgeschichte des Begriffs Nichts bei Hegel und seine Aufhebung durch Marx und Ernst Bloch, als Anhang in: Die Angst vor dem Chaos. Über die falsche Apokalypse des Bürgertums, Frankfurt/M. 1978, 385–398.
52 *Simons, Eberhard,* Hoffnung als elementare Kategorie praktischer Vernunft. Kants Postulatenlehre und die kritische Verwandlung konkreten Handlungs- und Gestaltungsverständnisses durch Hegel und Bloch, in: Philosophisches Jahrbuch 88, 1981, 264–281.
53 *Steinacker-Berghäuser, Klaus-Peter,* Mystischer Marxismus? Das Verhältnis Ernst Blochs zur Mystik, in: Neue Zeitschrift für systematische Theologie und Religionsphilosophie Jg. 75, Berlin/New York 1975, 39–60.
54 *Ueding, Gert,* Glanzvolles Elend. Versuch über Kitsch und Kolportage, Frankfurt/M. 1973, Teil III: Begriffene Kolportage, 163–204 (gilt der Interpretation von Blochs »Spuren«).
55 *Ders.,* Blochs Ästhetik des Vorscheins, als Einleitung in: Ernst Blochs Ästhetik des Vorscheins, hg. von Gert Ueding, Frankfurt/M. 1974, Bd. 1, 7–27.
56 *Ders.,* Tagtraum, künstlerische Produktivität und der Werkprozeß, a.a.O., Bd. 2, 7–23.
57 *Ders.,* Ernst Blochs Philosophie der Utopie, in: Wilhelm Vosskamp (Hg.), Utopieforschung, Bd. 1, Stuttgart 1982, 293–303.
58 *Vattimo, Gianni,* Ursprung und Bedeutung des utopischen Marxismus (Materialismus und Geist der Avantgarde) in: Momme Brodersen (Hg.), Benjamin auf Italienisch. Aspekte einer Rezeption, Frankfurt/M. 1982, 47–76.
59 *Vilmar, Fritz,* Philosophie für Gewerkschafter. Einführung in das Werk Ernst Blochs, in: Gewerkschaftliche Monatshefte 1964, Nr. 12, 737–743.
60 *Vogt, Hermann,* Weltimmanente Hoffnung. Zu Ernst Blochs Hoffnungsbegriff, in: ders. (Hg.), Die Wiedergewinnung des Humanen, Stuttgart 1975, 39–60.

61 *Vranicki, Predrag,* Geschichte des Marxismus, Bd. 2, Frankfurt/M. 1974, 818–829 (auch in IV.9, 351–363).
62 *Werckmeister, Otto Karl,* Ernst Blochs Theorie der Kunst, in: Ende der Ästhetik, Frankfurt/M. 1972, 33–56.
63 *Wiedmann, Christoph,* Ernst Bloch: Linker Trost aus Tübingen, in: Bayernkurier vom 13. 8. 1977.

VI. Buchveröffentlichungen und Hochschulschriften

1 *Adam, Klaus Richard,* Selbsterweiterung. Pädagogische Reflexionen zur Philosophie Ernst Blochs, Diss. Tübingen 1983.
2 *Bothner, Roland,* Kunst im System. Die konstruktive Funktion der Kunst für Ernst Blochs Philosophie, Bonn 1983.
3 *Bütow, Hellmuth G.,* Philosophie und Gesellschaft im Denken Ernst Blochs, Berlin 1963.
4 *Christen, Anton F.,* Ernst Blochs Metaphysik der Materie, Bonn 1979.
5 *Damus, Renate,* Ernst Bloch. Hoffnung als Prinzip – Prinzip ohne Hoffnung, Meisenheim/Glan 1971.
6 *Diersburg, Roeder von,* Zur Ontologie und Logik offener Systeme. Ernst Bloch vor dem Gesetz der Tradition, Berlin 1967.
7 *Eckert, Michael,* Transzendieren und immanente Transzendenz. Die Transformation der traditionellen Zweiweltentheorie von Transzendenz und Immanenz in Ernst Blochs Zweiseitentheorie, Wien/Freiburg/Basel 1981.
8 *Eggeling, Klaus,* Die Intelligenz in Philosophie und politischem Denken bei Ernst Bloch, Diss. Hamburg 1977.
9 *Franz, Trautje,* Revolutionäre Philosophie in Aktion. Ernst Blochs politischer Weg, genauer besehen, Hamburg 1985.
10 *Gerhards, Hans-Joachim,* Utopie als innergeschichtlicher Aspekt der Eschatologie. Die konkrete Utopie Ernst Blochs unter dem eschatologischen Vorbehalt der Theologie Paul Tillichs, Gütersloh 1973.
11 *Hoffmann, Rainer,* Montage im Hohlraum. Zu Ernst Blochs Spuren, Bonn 1977.
12 *Holz, Hans Heinz,* Logos spermatikos. Ernst Blochs Philosophie der unfertigen Welt, Darmstadt/Neuwied 1975.
13 *Horster, Detlev,* Ernst Bloch zur Einführung, Hannover 1977.
14 *Hümmerlink, Gabriele,* Humanismus bei Ernst Bloch, Diss. München 1973.
15 *Jäger, Alfred,* Reich ohne Gott. Zur Eschatologie Ernst Blochs, Zürich 1969.
16 *Kimmerle, Heinz,* Die Zukunftsbedeutung der Hoffnung. Auseinandersetzung mit Ernst Blochs »Prinzip Hoffnung« aus philosophischer und theologischer Sicht, Bonn 1974[2] (1966).
17 *Koschel, Ansgar,* Dialog um Jesus mit Ernst Bloch und Milan Machoviec, Frankfurt/Basel 1982.
18 *Kränzle, Karl,* Utopie und Ideologie. Gesellschaftskritik und politisches Engagement im Werk Ernst Blochs, Bern 1970.
19 *Marsch, Wolf-Dieter,* Hoffen worauf? Auseinandersetzungen mit Ernst Bloch, Hamburg 1963.
20 *Matić, Marko,* Jürgen Moltmanns Theologie in Auseinandersetzung mit Ernst Bloch, Frankfurt/M., Bern, New York 1983.
21 *Moltmann, Jürgen,* Im Gespräch mit Ernst Bloch, München 1976 (Aufsatzsammlung).
22 *Münster, Arno,* Utopie, Messanismus und Apokalypse im Frühwerk von Ernst Bloch, Frankfurt/M. 1982.
23 *Ratschow, Carl Heinz,* Atheismus im Christentum? Eine Auseinandersetzung mit Ernst Bloch, Gütersloh 1970.
24 *Reinicke, Helmut,* Materie und Revolution. Eine materialistisch-erkenntnistheoretische Untersuchung zur Philosophie von Ernst Bloch, Kronberg/Ts. 1974.
25 *Romberg, Rainhard,* Fortschritt und Immanenz in der Philosophie Ernst Blochs, dargestellt an der Funktion des Begriffs »Vor-Schein«, Diss. Gießen 1972.
26 *Schelsky, Helmut,* Die Hoffnung Blochs. Kritik der marxistischen Existenzphilosophie eines Jugendbewegten, Stuttgart 1979.
27 *Schiller, Hans-Ernst,* Metaphysik und Gesellschaftskritik. Zur Konkretisierung der Utopie im Werk Ernst Blochs, Königstein/Ts. 1982.
28 *Schmidt, Burghart,* Ernst Bloch, Stuttgart 1985 (angekündigt).
29 *Schmitt, Gerhard,* Philosophie zwischen Heilsgewißheit und Verzweiflung. Die Philosophie Ernst Blochs in ihrem Verhältnis zum Marxismus, Diss. Bochum 1974.
30 *Simons, Eberhard,* Das expressive Denken Blochs. Kategorien und Logik künstlerischer Produktion und Imagination, Freiburg/München 1983.
31 *Sonnemans, Heino,* Hoffnung ohne Gott? In Konfrontation mit Ernst Bloch, Freiburg 1973.

32 *Stauder, Peter,* Ernst Bloch. Kritik am lebensphilosophischen Fundament seines Systems, Diss. Berlin 1980.
33 *Strohschein, Barbara,* Tagträume hinter Schulmauern. Impulse aus Ernst Blochs »Prinzip Hoffnung« für die Ästhetische Erziehung, Frankfurt/M. 1982.
34 *Steinacker-Berghäuser,* Klaus-Peter, Das Verhältnis der Philosophie Ernst Blochs zur Mystik, Diss. Marburg 1973.
35 *Tripp, Günther,* Absurdität und Hoffnung. Studien zum Werk von Albert Camus und Ernst Bloch, Diss. Berlin 1968.
36 *Tüns, Gerhard,* Musik und Utopie bei Ernst Bloch, Dis. Berlin 1981.
37 *Weimer, Ludwig,* Das Verständnis von Religion und Offenbarung bei Ernst Bloch, Diss. München 1971.
38 *Widmer, Peter,* Die Anthropologie Ernst Blochs, Frankfurt/M. 1974.
39 *Wiegmann, Hermann,* Ernst Blochs ästhetische Kriterien und ihre interpretative Funktion in seinen literarischen Aufsätzen, Bonn 1976.
40 *Witschel, Günther,* Ernst Bloch. Literatur und Sprache: Theorie und Leistung, Bonn 1978.
41 *Zudeick, Peter,* Die Welt als Möglichkeit und Wirklichkeit. Die Rechtfertigungsproblematik der Utopie in der Philosophie Ernst Blochs, Bonn 1980.

VII. Fremdsprachige Literatur

Artikel, die in deutscher Übersetzung vorliegen, werden hier nicht mehr verzeichnet. Titel auf Japanisch und Schwedisch sowie – in geringer Anzahl – auf Hebräisch, Polnisch, Portugiesisch und Russisch wurden übergangen und können den genannten Bibliographien entnommen werden. Zudem will der Bloch-Almanach (IV.1) auch über die Rezeption in anderen Ländern informieren. In Folge 3, 1983, sind erschienen:

Fujihiko Komura, Der heutige Stand der Ernst Bloch-Rezeption und -Forschung in Japan, 147–151.
Ders./Kogawa, Senya, Bloch-Rezeption in Japan. Eine Bibliographie, 151–156.
Bartonek, Leo, Zur Bloch-Rezeption in Schweden, 135–146.

Für 1985 sind Beiträge zur Bloch-Rezeption in Italien und Israel vorgesehen.

Im folgenden sind die Titel bzw. Kurztitel von Sammelbänden und Monographien

A. Dänisch

Andersen, Jørn Erslev, Marxismen er en konkret utopi – bemaerkninger omkring Ernst Blochs utopiske filosofi, in: Nordtext Jg. 10, 1981, Nr. 4, 50–60.
Ders., N. K. Nielsen, P. Stounbjerg, H. J. Thomsen, Håbet kan laeres, in: *Andersen, J. E. u. a., Ernst Bloch – en introduktion,* Aarhus 1982, 7–24.
Ders., Håb og utopi – Ernst Blochs utopiske projekt, in: *Introduktion,* 37–56.
Falk, Jørn, »Selv det at vaere klog er kun den halve klogskab«. Til kritikken af den venstreintellektuelle sokratisme samt til erindringen om Ernst Blochs aktualitet, in: Hug 1978, Nr. 18, 9–18.
Hansen, Knut, En ny marksistik filosofi, in: Dansk udsyn, Jg. 44, 1964, 358–366.
Jensen, Ole, Historik-poetisk materialisme. Et bidrag til kritikken af Ernst Blochs naturforståelse, in: Kritik Nr. 39, 1976, 52–67.
Nielsen, Niels Kayser, Revolution og arv – en introduktion til Ernst Blochs historieteorie, in: *Introduktion,* 57–76.
Stounbjerg, Per, Den utopiske gejst, in: *Introduktion,* 94–111.
Thomson, Hans Jørgen, Natur og utopie, in: *Introduktion,* 77–93.
Wolf, Jakob, Marxisme og metafysik. Om Ernst Blochs filosofi, in: Foenix 1979, 173–185.

B. Englisch

Braaten, Carl, Toward a Theology of Hope, in: Theology Today Nr. 24, 1967, 208–226.
Ders., Ernst Bloch, Philosophy of Hope, in: ders./Jensen, R. W., The futurist Option, Westminster 1970, 59–78.
Breines, Paul, Bloch magic, in: Continuum Nr. 7, 1967, 619–624.
Cox, Harvey, Afterword (Bloch and Teilhard de Chardin), in: Callahan, Daniel (Hg.), The Secular City Debate, New York/London 1966, 197–203.
Fiorenza, Francis P., Dialectical Theology and Hope, in: The Heythrop Journal Nr. 9, 1968, 143–163, 384–399, sowie Nr. 10, 1969, 26–42.
Green, Ronald M., Ernst Bloch's Revision of Atheism, in: Journal of Religion, Nr. 49, 1969, 128–165.
Gross, David, Ernst Bloch: The Dialectics of Hope, in: Howard, Dick/Klare, Karl E., The Unknown Dimension: European Marxism since Lenin, New York/London 1972, 107–130.
Heinitz, Kenneth, The Theology of Hope according to Ernst Bloch, in: Dialogue, Nr. 7, 1968, 34–41.
Hudson, Wayne, The marxist Philosophy of Ernst Bloch, London/Basingstoke, 1982 – Die Bibliographie wurde benutzt und enthält weitere Angaben.

Johnson, William A., Transcendence as Future in Ernst Bloch, in: ders., The Search for Transcendence, New York 1974, 83–112.

Kellner, Douglas/O'Hara, Harry, Utopia and Marxism in Ernst Bloch, in: new german critique, 1976, Nr. 9, 11–34.

McNicholl, Ambrogio, The Eschatological Neo-Marxism of Ernst Bloch, in: Aquinas (Rom) Nr. 15, 1972, 25–53.

O'Collins, Gerald, The Principle and Theology of Hope, in: Scottish Journal of Theology Nr. 21, 1968, 129–144.

Ders., Spes quaerens intellectum, in: Interpretation Nr. 22, 1968, 36–52.

Piccone, Paul, Bloch's Marxism, in: Continuum 7, 1969, 627–631.

Rabinbach, Anson, Unclaimed heritage: Ernst Blochs »Heritage of our times« and the theory of fascism, in: new german critique, 1977, Nr. 11, 5–21.

Raulet, Gerard, Critique of Religion and Religion as Critique: The Secularized Hope of Ernst Bloch, in: new german critique, 1976, Nr. 9, 71–85.

Reimer, James A., Blochs Interpretation of Muenzer, in: Clio 9, 1980, 253–267.

Schilling, S. Paul, Ernst Bloch: Philosopher of the Not-Yet, in: The Christian Century 84, 1967, 1455–1458.

Schreiter, Robert, Ernst Bloch, the man and his work, in: Philosophy today 14, 1970, 231–235.

Wren, Thomas E., The Principle of Hope, in: Philosophy today 14, 1970, 250–258.

C. Französisch

Armogathe, Jean Robert, Ernst Bloch, prophète marxiste? in: Les quatre fleuves. Cahiers de recherche et de refléxion religieuses, 1974, Nr. 2, 108–114.

Bowman, Frank Paul, Ernst Bloch et l'eschatologie, in: *Raulet, Gerard (Hg.), Utopie/Marxisme selon Ernst Bloch, Paris 1975,* 193–204.

Braun, Eberhard, Possibilité et non-encore-être – L'ontologie traditionelle et l'ontologie du non-encore-être de Bloch, in: *Utopie/Marxisme,* 155–170.

Cranaki, Mimica, Le maître, l'esclave et la femme-fragment d'une utopie, in: Utopie/Marxisme, 309–317.

Dumas, André, Ernst Bloch et la théologie de l'esperance de Jürgen Moltmann, in: *Utopie/Marxisme,* 222–232.

Fischbach, Fred, Lukács, Bloch, Eisler. Contribution à l'histoire d'une controverse, in: Europe 1979, Nr. 600, 36–85.

Furter, Pierre, L'espérance selon E. Bloch, in: Revue de théologie et de philosophie, Jg. 98, 1965, 286–301.

Ders., L'imagination créatrice, la violence et le changement social, Cuernavaca (Mexico), 1968.

Ders., L'espérance sans garantie, in: Cahiers de Viellemétrie 1971, 50–72.

Ders., La dialectique de l'esperance, in: *Utopie/Marxisme,* 178–189.

Ders., Visages d'Ernst Bloch, in: Revue de théologie et de philosophie, Jg. 109, 1976, 206–217.

Ders., Ernst Bloch et ses interprètes, in: Archive de sociologie des réligions, 1977, Nr. 4/1, 5–23.

Ders./Raulet, Gerard, (Hg.) *Stratégies de l'utopie, Collogue au centre Thomas More, Paris 1979.*

Gillon, Ludovice B., La joyeuse espérance du »chrétien athée« selon Ernst Bloch, in: Angelicum (Rom) 1971, 490–508.

Hartweg, Frédéric, Thomas Müntzer, théologien de la Révolution, in: *Utopie/Marxisme,* 205–221.

Hurbon, Laënnec, Ernst Bloch, ou les fondements de l'action révolutionnaire, in: Lettre Nr. 155, 1971.

Ders., Ernst Bloch. Utopie et espérance, Paris 1974.

Ders., Ernst Bloch – l'énergie historique de l'utopie, in: Lettre, Nr. 233/234, 213–224.

Ders., Théologie et politique dans l'œuvre d'Ernst Bloch, in: Etudes théologiques et religieuses 49, 1974, 201–224.

Ders., L'utopie concrète et les luttes de libération actuelles du tiers monde, in: *Gandillac, Maurice de/C. Piron (Hg.), Le discours utopique (Colloque de Cerisy-la Salle 1975) Paris 1978,* 106–113.

Ivernel, Philippe, Ernst Bloch: Actualité de l'utopie, in: Allemagne ajourd'hui, Sept./Okt. 1968, 61–72.

Ders., Soupçons – d'Ernst Bloch à Walter Benjamin, in: *Utopie/Marxisme,* 265–277.

Lyotard, Jean-François, Puissance des Traces, ou contribution de Bloch à une histoire païenne, in: *Utopie/Marxisme,* 57–67.

Masset, Pierre, Espérance marxiste, espérance chrétienne, in: Nouvelle Revue Théologique, 109, 1977, 321–339.

Ders., Une utilisation philosophique de la Bible. L'athéisme dans le christanisme d'Ernst Bloch, in: Nouvelle Revue Théologique 112, 1980, 481–496.

Mottu, Henri, La figure de Job chez Bloch, in: Revue de théologie et de philosophie, 1977, Nr. 4, 307–320.

Ders., Le rêve éveillé comme catégorie théologique?, in: Les cahiers protestants, 1978, Nr. 3, 5–15.

Münster Arno, Figures de Liturgie dans la pensee d'Ernst Bloch, Paris 1985.

Neher, André, Job dans l'œuvre d'Ernst Bloch, in: *Utopie/Marxisme,* 233–238.

Ders., Le pélerin de l'espérance, in: IV.4, 85–95.

Opolka, Uwe, Héritage et réalisme – Ernst Bloch dans le débat sur l'expressionisme, in: *Utopie/Marxisme,* 80–92.

Petitdemange, Guy, L'utopie chez Marx relu par Ernst Bloch, in: Projet, April 1972, 391–406.

Piron, Catherine, Lettre et ›esprit‹ de l'utopie. Apropos du ›Geist der Utopie‹ de Ernst Bloch, in: *Le discours utopique,* 21–32.

Quillet, Pierre, Le carcan hégélien, in: *Utopie/Marxisme,* 171–177.

Raulet, Gérard, Utopie – discours pratique, in: *Utopie/Marxisme,* 9–35.

Ders., Encerclement technocratique et dépassement pratique – l'utopie concréte comme théorie critique, in: *Utopie/Marxisme,* 291–308.

Ders., Ernst Bloch en France: Réception de la méthode, méthode d'une réception, in: Les cahiers protestants 6, 1978, 24–35.

Ders., Espérance et critique ou la secularisation selon E. Bloch, in: *Le discours utopique,* 119–134.

Ders., Humanisation de la Nature. Naturalisation de l'homme. Ernst Bloch ou le projet d'une autre rationalité, Paris 1982 (Die Bibliographie wurde hier benutzt und enthält weitere Angaben).

Ders., Espérance et sécularisation chez Ernst Bloch – Contribution du ›Principe Espérance‹ a une philosophie pratique de l'histoire, Lille 1985
s. auch: Furter, Pierre.

Schmidt, Burghart, Ernst Bloch, philosoph marxiste, in: Le discours utopique, 135–148 (Vorform von V.A.83).

Schnebel, Dieter, Formes de la musique nouvelle, in: *Utopie/Marxisme,* 93–106.

Stoianova, Ivanka, La musique-utopie d'après Ernst Bloch et la musique occidentale contemporaine, in: *Le discours utopique, Paris 1978,* 153–160.

Vincent, Jean-Marie, Droit naturel et marxisme moderne, in ders., Fetichisme et societé, Paris 1973, 51–73.

D. Italienisch

Bodei, Remo, Ernst Bloch e la »scienza della speranza«, in: Il Mulino Nr. 124, 1972, 1102–1116.

Ders., Vico in Ernst Bloch: »Soggetto-oggetto«, in: Bolletino del Centro di Studie Vichiani Nr. 8, 1978, 118–122.

Ders., Multiversum. Tempo e storia in Ernst Bloch. Il confronto di Bloch con la tradizione filosofica da Plantone a Heidegger, Napoli 1979.

Boella, Laura, Ortopedia del camminare eretti: l'eredità socialista del diritto naturale nella filosofia politica di Ernst Bloch, in: *aut-aut Nr. 173/174, 1979,* 29–69.

Dies., Storia e diritto nel pensiero di Ernst Bloch, in: Studi di filosofia politica e diritto, 1979, Nr. 2, 3–62.

Dies., Il tempo elastice di Ernst Bloch, in: aut-aut Nr. 179/180, 1980, 138–148.

Cacciatore, Guiseppe, Ernst Bloch: L'utopia della realizzazione dell' »humanum«, in: Critica marxista 18, 1980, 109–128.

Colombo, Alberto, Il logos e il futuro, in: Filosofia e teologia della speranza, Padua 1973, 167–185.

Coppellotti, Francesco, Il Terzo Evangelo e il suo regno, in: Ernst Bloch, Ateismo nel cristianesimo, Mailand 1971, 7–21.

Ders., Ironia e dissonanza dell'utopia concreta: Ernst Bloch in Italia, in: Metamorfosi Nr. 4, 1981, 196–232.

Cunico, Gerardo, Essere come Utopia, Firenze 1976.

Ders., Ernst Bloch-Experimentum mundi: dalla domanda originaria al sistema aperto delle categorie, in: *aut-aut Nr. 173/174, 1979,* 125–139.

De Sanctis, Nicola, Bloch: Dialettica e speranza, in: aut-aut Nr. 112, 1969, 99–104.

Fergnani, Franco, L'utopia e dialettica nel pensiero di Ernst Bloch, in: Rivista critica di storia della filosofia 29, 1974, 191–220.

Ferretti, G./Festarozzi, F., Bibbia e speranza. Dialogo sull'interpretazione biblica di Ernst Bloch, in: La Chiesa per il mondo, Bd. 2: Fede e prassi, Bologna 1974, 611–661.

Galeazzi, Umberto, La filosofia della speranza o della disperazione? in: *Filosofia e teologia della speranza, Padua 1973,* 43–57.

Holz, Hans Heinz, La rilevanza della filosofia di Ernst Bloch per il marxismo, in: *aut-aut Nr. 173/174, 1979,* 140–150.

Mancini, Italo, Ernst Bloch, in: Rivista di filosofia neo-scolastica 65, 1973, 423–470 und 661–710.

Ders., La metareligione di Ernst Bloch e il coflitto delle teologie, in: Filosofia e teologia della speranza, Padua 1973, 11–16.

Ders., Teologia/ Ideologia/ Utopia, Brescia 1974.

Ders., Bloch, in: Bausola, A. (Hg.), Questioni di storiografia filosofica. Il pensiero contemporaneo Bd. 3, Brescia 1978, 297–314.

Marzocchi, Virginio, Ernst Bloch: metafisico dell'utopia o filosofia della prassi? in: Critica marxista 19, 1981, 101–112.

Ders., Materia e utopia nel pensiero di Ernst Bloch, in: Rivista critica di storia della filosofia 33, 1978, 341–359.

Matassi, Elio, Ernst Bloch o del fraintendimento della polemica hegeliana contro il »Sollen«, in: Bolletino bibliografico per le scienze morali e sociali, 1976, 139–182.

McNicholl, Ambrogio, Ernst Bloch: dialogo sulla speranza, in: Incontri culturali 5, 1972, 359–375.
Morra, Gianfranco, Ernst Bloch: La »docta spes« come ateismo cristiano, in: Ethica 10, 1971, 203–222.
Ders., Marxismo e religione, Mailand 1975, 119–140.
Negri, Paolo, Utopia; escatologia e teologia del regno in Ernst Bloch, in: Humanitas 1975, Nr. 3, 201–223.
Neri, Guido D., Realtà e realizzazione. Bloch e il socialismo »realmente existente«, in: *aut-aut Nr. 173/174, 1979,* 89–105.
Ders., Aporia della realizzazione, Mailand, 1980.
Paci, Enzo, Considerazioni attuali su Bloch, in: aut-aut Nr. 125, 1971, 20–30.
Parinetto, Luciano, Ernst Bloch: un teologo? in: ders., Né dio né capitale, Mailand 1976, 181–216.
Penzo, Giorgio, Riflessioni sulla dimensione ontologica della speranza Blochiana, in: *Filosofia e teologia della speranza, Padua 1973,* 101–113.
Perlini, Tito, Metafisica e utopia in Bloch, in: aut-aut Nr. 125, 1971, 61–82.
Prastaro, Anna Maria, Umanismo, cosmologismo e filosofia della speranza di fronte al problema religioso, in: *Filosofia e teologia della speranza, Padua 1973,* 79–88.
Racinaro, Reoberto, Hegel nella prospettiva di Bloch e Adorno, in: Critica marxista 12, 1974, 127–153.
Raio, Giulio, Wer denkt abstrakt? Soggetto-oggetto e pensiero dialettico, in: Metaphorein Nr. 1, 1977, 101–116.
Spagnalo, Salvatore, Anamnesi e rivelazione. Introduzione a Moltmann e Bloch, in: Teoresi Jg. 31, 1976, 35–66 und 223–266.
Vattimo, Gianni, Ernst Bloch interprete Hegel, in: Incidenza di Hegel, Neapel 1970, 913–926.
Zecchi, Stefano, Utopia e speranza nel communismo, Mailand 1974.
Ders., La filosofia morale del communismo: il »Thomas Münzer« di Ernst Bloch, in: *aut-aut Nr. 173/174, 1979,* 71–88.

E. Jugoslawisch

Bošnjak, Branko, Blochov odgovor na pitanje: što je filozofija? in: Filozofija, Zagreb 1973, 120–124.
Ders., Blochova videnje Biblije – očima kommunističkog manifesta, in: *Rukovet 1982, Nr. 2/3,* 221–237.
Buha, Aleksa, Ernst Bloch: Tübingenski uvod u filozofiju, in: Pregled 57, 1967, 630–635.
Burger, Hotmir, Blochovo osporavanje nihilizma, in: Filozofska instraživanja 1980, H. 2, 6–12.
Čačinovič-Puhovski, Nadežda, Estetika svakidašnjice, in: Delo 10, 1975, 377–398, 1418–1424.
Cuculovski, Ljupčo, Bloch kao tumač Marksovih »Teza o Fojerbahu«, in: Socijalizam 22, 1977, 2235–2244.
Deši, Abel, Izazov i inspiracija Ernsta Bloha, in: *Rukovet 1982, Nr. 2/3,* 50–61.
Iveković, Rada, Uz žensko pitanje kod Ernsta Blocha, in: *Rukovet 1982, Nr. 2/3,* 238–254.
Kocbek, Edvard, Ernst Bloch, in: Sodobnost 10, 1962, 254–263.
Mešterhazi, Mikloš, Bloch i Lukács, in: *Rukovet 1982, Nr. 2/3,* 255–288.
Mikecin, Vjekoslav, Živa baština Blochove filozofije nade, in: Kulturni radnik 31, 1978, H. 2, 55–67.
Milosavljević, Ljubinko, Rekonstrukcija sveta i zavicaj. Blochova interpretacija Marksovih teza o Fojerbachu, in: Marksističke teme 2, 1978, 156–166.
Muminović, Rasim, Ernst Bloch i dijalektičko – Kritičke mogućnosti umjetnosti, in: Knjizevna Kritika i marksizam, Belgrad 1971, 53–70.
Ders., Utopijsko u filozofiju Ernsta Blocha, in: Filozofija 1971, H. 2/3, 75–91.
Ders., Filozofija Ernsta Blocha, Belgrad 1973.
Ders., Bloch-Marx-marksizam, in: *Rukovet 1982, Nr. 2/3,* 109–126.
Oršolić, Marko, Blochova »Topla struja u marksizmu«, in: Dobri pastir, 17/18, 1968, 147–160.
Orihić, Kasim, Prizmatičko misljenje Ernsta Blocha, in: Treci Program Radio, Beograd 1978, H. 36, 87–117.
Pejović, Danilo, Dva marksistička pristupa Hegelu, in: Naše teme 4, 1960, 345–360.
Ders., Pojam napretka kod Ernsta Blocha, in: Naše teme 4, 1960, 296–312.
Ders., Potrega za bitkom kao hermeneutika nade. Utopijska filozofija Ernsta Blocha, in: Ernst Bloch, Tübingenski uvod u filozofiju, Belgrad 1973, 7–28.
Petrović, Gajo, Nada u misli Ernsta Blocha, in: Filozofska istraživanja, 1980, H. 2, 53–64.
Petrović, Miloje, Kritika Blochove kritike staljinizma, in: Socijalizam 1976, 590–614.
Poglavje, Treče, Ernst Bloch. Historija Marksizma, Zagreb 1961.
Rodin, Davor, Varijacije na Blochovu temu, in: Praxis Nr. 3, 1966, 343–353.
Škorić, Gordana, Ernst Bloch u interpretacijama jugoslavenskih autora, in: Kulturni radnik 31, 1978, Nr. 2, 116–123.
Dies., Filozofija eksperimenta uspjele prakse, in: Kulturni radnik 32, 1979, Nr. 2, 109–125.
Dies., Problem nasljeda kod Blocha i Lukaca, in: *Rukovet 1982, Nr. 2/3,* 312–320.

Dies., Krisa marksizma i utopija kod Blocha, in: Savremenost 1983, Nr. 9, 91–99.
Dies., O Blochovom djel u »Prinzip Nada«, in: Kulturni radnik 35, 1983, Nr. 3, 133–147.
Strehovec, Janzez, Estetske koncepcije Ernsta Blocha in njihove marksistične implikacije, in: Athropos 1980, H. 1/2, 280–303.
Sutlič, Vanja, Ernst Bloch i marksizam, in: Naše teme 1, 1957, 323–333.
Ders., Povijesna vremenitost u ruhu utopije (Ernst Bloch), in: Bit i suvremenost, Sarajewo 1967, 330–345.
Tadić, Ljubomir, Marksistička kritika prava i značenje uspravnosti kao prava u filzofiji Ernsta Blocha, in: Filozofska istraživanja, 1980, H. 2, 76–81.
Tamaš, Gašpar Mikloš, Ernst Bloch, in: *Rukovet 1982, Nr. 2/3,* 175–184.
Telebaković, Boško, Uspravam hod Ernsta Blocha, in: *Rukovet 1982, Nr. 2/3,* 295–311.
Vranicki, Predrag, Ernst Bloch i Georg Lukács dva velika marksistička mislioca, in: Praxis Nr. 5, 1969, 671–701.

F. Niederländisch

Boullert, Karel, Ernst Bloch –uiteindelijk–: de wereld als idylle, in: *Enden, Hugo van den (Hg.), Marxisme van de hoop – hoop van het Marxisme? Essays over de filosofie van Ernst Bloch, Bussum 1980,* 103–117.
Burghgraeve, Paula, Religiositeit in het atheismo, in: *Marxisme van de hoop,* 67–87.
Commers, Ronald, Praxis tegen eschaton: Kritick op Blochs bijdrage tot het socialisme, in: *Marxisme van de hoop,* 149–183.
Dongen, W. van, Buiten het gebied der vergankelijkheid. De exterritorialiteit aan de dood in het »marxisme« van Ernst Bloch, in: Tijdschrift voor theologie 14, 1974, 31–53.
Enden, Hugo van den, Poging tot kritische doorlichting van de basislijnen van Blochs filosofie, in: *Marxisme van de hoop,* 185–219.
Miskotte, Kornelis Heiko, Ernst Bloch, in: Het wezen der joodsche religie, Haarlem 1933, 377–393.
Plattel, Martin, De rode en gouden toekomst – de avontuurlijke wijsbegeerte van Ernst Bloch, Bilthoven 1976.
Ders., Ernst Bloch, in: Berkels, C. P./Petersen E. (Hg.), Filosofen van de 20e eeuw, Assen/Amsterdam 1977, 153–162.
Verhofstadt, Edward, Ernst Blochs esthetica van openheid en zelfontmoeting – Een ruiter op droomstraaten in de stuwing van het expressionisme, in: *Marxisme van de hoop,* 119–147.

G. Spanisch

Corral, Justo P. del, El Marxismo calido de Ernst Bloch, Madrid 1977.
Ders., Homo absconditus. La antropología de Ernst Bloch, in: Lucas, Juan de Sahagun (Hg.), Antropolgías del siglo XX., Salamanca 1979, 216–236.
Del Val, Fernando Ariel, Filosofía y utopía, in: Cuadernos de realidades sociales, 1975, Nr. 5, 7–20.
Gimbernat, José Antonio, La crítica de la religión en Ernst Bloch, in: Proyección, Nov./Dez. 1976, 288–296.
Ders., Introducción a Ernst Bloch, un filosofo marxista, in: *Caffarena, José Gomez u. a., En favor de Bloch, Madrid 1979.*
Goméz-Heras, José Maria G., Introducción: Un éxodo personal hacia la utopía, in: *Moltmann J./Hurbon L., Utopía y speranza. Dialogo con Ernst Bloch, Salamanca 1980,* 9–27.
Riezu, Jorge, Ernst Bloch – permanencia de lo utópico, in: Arbor Nr. 95, 1979, 51–58.
Ruiz de la Peña. J. L., Sobre la muerte y la esperanza. Aproximación teológica a Ernst Bloch, in: Burgense 18, 1977, 183–222.
Timayo, Alfredo, La muerte en el marxismo. Filosofía de la muerte de Ernst Bloch, Madrid 1979.

Klaus L. Berghahn, geb. 1937 in Düsseldorf; lehrt seit 1967 Neuere Deutsche Literatur an der University of Wisconsin-Madison. Veröffentlichungen u. a.: »Ästhetische Reflexion als Utopie des Ästhetischen«, in: »Utopie-Forschung«, Stuttgart 1983; »Literarische Utopien von Morus bis zur Gegenwart« (hg. zusammen mit H. U. Seeber), Königstein 1983.

Barbara Brand-Smitmans, Studium der Germanistik, Theologie, Kunstgeschichte, Empirischen Kulturwissenschaft und Philosophie in Münster, Freiburg und Tübingen (hier Schülerin von Ernst Bloch); arbeitet an einer Dissertation über das Verhältnis von Alltag und Philosophie speziell bei Bloch. Freundschaftliche Beziehungen zu Schülern von Georg Lukács und der Budapester Schule förderten die theoretische und praktische Auseinandersetzung mit Utopie und Alltag des Sozialismus.

Thomas Bremer, Gastherausgeber dieses Bandes, ist (nach Tätigkeiten an den Universitäten Bologna und Paris und als Literaturkritiker) seit 1979 Wissenschaftlicher Mitarbeiter und Lehrbeauftragter für Neuere Romanische Literaturwissenschaft an der Universität Gießen. Zahlreiche Veröffentlichungen zur Literaturtheorie und Ästhetik (Adorno, Benjamin), zur französischen, italienischen (u.a. den TEXT + KRITIK-Band zum Italienischen Neorealismus; zu Pasolini und Montale) und lateinamerikanischen Literatur des 19. und 20. Jahrhunderts; zuletzt »Hacia una historia social de la literatura latinoamericana« (Hg., 1985).

Trautje Franz, geb. 1939; studierte nach kaufmännischer Lehre und Berufstätigkeit Politische Wissenschaft und Wirtschafts- und Sozialgeschichte an der Universität Hamburg; Arbeitsschwerpunkte: Politische Philosophie, Sozialgeschichte der Utopie, Internationale Politik. Veröffentlichungen: Eine Recherche zur Entwicklung der sowjetischen Militärpolitik nach 1945, in: »Rüstungsökonomie und Militärstrategie«, Frankfurt/M. 1982; »Revolutionäre Philosophie in Aktion. Ernst Blochs politischer Weg, genauer besehen«, Hamburg 1985.

Ansgar Hillach, geb. 1934 in Görlitz; Studium der Germanistik, Romanistik und Theaterwissenschaft in Frankfurt/M., Wien und Madrid; Promotion 1966 mit einer Arbeit über Nestroy; seit 1968 Lehrtätigkeit an der Universität Frankfurt/M. Veröffentlichungen zum spanischen Barock, Fritz Mauthner, Sternheim, Horváth, Benjamin, zuletzt: »Der Anteil der Kultur an der Prägung faschistischer Herrschaftsmittel. Was leistet Benjamins Diagnose des Faschismus?«, in: »Walter Benjamin. Profane Erleuchtung und rettende Kritik« (hg. von N. W. Bolz und R. Faber), Würzburg[2] 1985.

Hans-Thies Lehmann lehrt nach der Tätigkeit an der Freien Universität Berlin und Gastprofessuren an der Universität Amsterdam seit 1983 Angewandte Theaterwissenschaft in Gießen. Veröffentlichungen u. a.: »Beiträge zu einer materialistischen Theorie der Literatur«, 1977; »Bertolt Brechts ›Hauspostille‹ – Text und kollektives Lesen«, 1978; wissenschaftliche Aufsätze zur deutschen und französischen Literatur der Moderne, Theatergeschichte, zu Adorno, Benjamin, Derrida u. a.

Virginio Marzocchi, geb. 1951; Studium der Philosophie, Geschichte, Psychologie und Theologie an der Universitas Gregoriana und an der Universität Rom; 1976 Laurea in Philosophie, 1977 Forschungsstipendium an der Universität Marburg, dann Lektor für Italienisch an der Universität Gießen; seit 1985 Inhaber einer Forschungsstelle am Philosophischen Institut der Universität Rom. Veröffentlichungen: Aufsätze über E. Bloch, K. Kautsky, W. Benjamin und J. Habermas.

Helmut Reinicke, geb. 1941; Studium in Marburg, San Franzisco und Frankfurt; seit 1971 Hochschullehrer an verschiedenen Universitäten; Privatdozent für Soziologie an der Universität Frankfurt. Veröffentlichungen u. a.: »Materie und Revolution. Eine materialistisch-erkenntnistheoretische Untersuchung zur Philosophie von Ernst Bloch«, Kronberg 1974; »Revolte im bürgerlichen Erbe«, Lollar 1975; »Revolution der Utopie. Texte von und zu Ernst Bloch«, Frankfurt/M. 1979; »Gaunerwirtschaft«, Berlin 1983.

Karol Sauerland, Professor für Germanistik an der Universität Warschau. Veröffentlichungen: Zahlreiche Aufsätze in polnischen, deutschen, österreichischen, dänischen und jugoslawischen Zeitschriften über Probleme der deutschen Literaturgeschichte, Philosophie und Ästhetik.

Hans-Ernst Schiller, geb. 1952; Studium der Philosophie, Germanistik, Geschichte und Soziologie in Erlangen und Frankfurt/M.; 1978 Magister Artium; 1981 Promotion; lebt nach Lehraufträgen stellungslos in Frankfurt. Veröffentlichungen u. a.: »Metaphysik und Gesellschaftskritik. Zur Konkretisierung der Utopie im Werk Ernst Blochs«, Königstein 1982; »Zurück zu Marx mit Habermas«, in: Wolfgang Pohrt u. a.: »Krise und Kritik. Zur Aktualität der Marxschen Theorie«, Lüneburg 1983; »Habermas und die kritische Theorie«, in: »links«, Nr. 170 und 171, Offenbach 1984; »Selbstkritik der Vernunft. Zu einigen Motiven der Dialektik bei Adorno«, in: »Hamburger Adorno-Symposium« (hg. von Michael Löbig und Gerd Schweppenhäuser), Lüneburg 1984.

Hermann Schweppenhäuser, geb. 1928 in Frankfurt/M.; Studium der Philosophie, Soziologie und Germanistik; Mitarbeiter am Frankfurter

Institut für Sozialforschung; Promotion bei Adorno und Horkheimer mit einer Arbeit über Heideggers Sprachtheorie (1956); Lehrstuhl für Philosophie an der Hochschule Lüneburg seit 1960; Habilitation mit einer Arbeit über Kierkegaard und Hegel in Frankfurt 1966; dort Honorarprofessor seit 1971. Buchveröffentlichungen zu Themen der Philosophie, der Kritischen Theorie und der Literaturtradition (auch aphoristische); zahlreiche Essays und Aufsätze in deutschen und ausländischen Sammelwerken und Periodica; Mitherausgeber der »Gesammelten Schriften« W. Benjamins seit 1972. Der Blocharbeit liegt ein Gedenkvortrag anläßlich der Gründung des Instituts für Sozialpädagogik an der Hochschule Lüneburg zugrunde.

Florian Vaßen, geb. 1943; Studium der Germanistik, Romanistik, Philosophie, Geschichte und Soziologie; 1970 Promotion; wissenschaftlicher Assistent in Gießen; Professor am Seminar für deutsche Literatur und Sprache an der Universität Hannover. Veröffentlichungen u. a.: »Georg Weerth. Ein politischer Dichter des Vormärz und der Revolution von 1848/49«, 1971; »Marxistische Literaturtheorie und Literatursoziologie«, 1972; »Vormärz«, ^{2}1979; »Geschichte machen und Geschichten schreiben – Gedanken zu Volker Brauns ›Unvollendeter Geschichte‹«, in: Monatshefte 1981; »Der Tod des Körpers in der Geschichte. Tod, Sexualität und Arbeit bei Heiner Müller«, in »TEXT + KRITIK«, Heft 73, 1982; »Asoziales Theater. Spielversuche mit Lehrstücken und Anstiftung zur Praxis«, Köln 1984.

Jochen Vogt, geb. 1943; Professor im Fachbereich Sprach- und Literaturwissenschaften der Universität Essen, schrieb zuletzt in »TEXT + KRITIK« über Peter Weiss, Alexander Kluge und Hans Magnus Enzensberger, im KLG über Bertolt Brecht, im KLfG über Doris Lessing und John le Carré.

Anna Wołkowicz, geb. 1953; arbeitet nach dem Studium der Germanistik seit 1977 als Lektorin für Deutsch an der Universität Warschau und bereitet dort eine Dissertation über Ernst Bloch vor.

Stefano Zecchi, geb. 1945; nach Lehrtätigkeit an den Universitäten Padua und Verona Inhaber des Lehrstuhls für Ästhetik an der Universität Mailand. Veröffentlichungen u. a.: »Die Realität der Utopie«, in: »Ernst Blochs Wirkung«, Frankfurt 1975; »La fenomenologia dopo Husserl nella cultura contemporanea«, 2 Bände, Firenze 1978; »La magia dei saggi«, Milano 1984; Herausgeber der italienischen Übersetzung des »Münzer«-Buches.

Martin Zerlang, geb. 1952; lehrt seit 1975 Literaturwissenschaft an der Universität Kopenhagen. Mitherausgeber der neunbändigen Sozialgeschichte der dänischen Literatur; Mitredakteur der Zeitschrift »Kultur og Klasse«. Veröffentlichungen: Bücher und Artikel über Bauernliteratur und Volkskultur in Dänemark, Beiträge zur Mentalitätsgeschichte und Geschichtstheorie (zuletzt: »Problemer og perspektiver i fransk mentalitetshistorie« in »Kultur og Klasse« 48) und zur lateinamerikanischen Literatur.

Ernst Blochs Briefe an Klaus Mann sind ein Vorabdruck aus dem Band Ernst Bloch: »Briefe 1903–1975«, herausgegeben und kommentiert von Jan Robert Bloch, Karola Bloch, Anne Frommann, Hanna Gekle, Inge Jens, Martin Korol, Inka Mülder, Arno Münster, Uwe Opolka und Burghart Schmidt, und werden hier gedruckt mit freundlicher Genehmigung des Suhrkamp Verlags Frankfurt/M.; Blochs Lebenslauf entstammt dem Band »Philosophie in Selbstdarstellung«, Band 1 (herausgegeben von Ludwig J. Pongartz) und wird gedruckt mit freundlicher Genehmigung des Felix Meiner Verlags Hamburg; Klaus Manns Besprechung von »Erbschaft dieser Zeit« ist seit 1934 ungedruckt und wird hier wiederveröffentlicht mit der freundlichen Zustimmung von Professor Dr. Golo Mann, Kilchberg.

Neuerscheinungen

ERIKA BAUER
Wortwahl und Wortvariation in Heinrich Hallers „Hieronymus“
1984. 148 Seiten. Kartoniert DM 62,–
(Germanische Bibliothek. Neue Folge)

ROLF BREUER
Literatur
Entwurf einer kommunikationsorientierten Theorie des sprachlichen Kunstwerks
1984. 214 Seiten. Kartoniert DM 70,–. Leinen DM 95,–
(Britannica et Americana. 3. Folge, Band 5)

WALTHER BULST
Lateinisches Mittelalter
Gesammelte Beiträge. Hrsg. Walter Berschin
1984. 241 Seiten, 1 Titelbild. Leinen DM 65,–
(Supplemente zu den Sitzungsberichten der Heidelberger Akademie der Wissenschaften, phil.-hist. Klasse. Band 3, Jahrgang 1983)

YVON DESPORTES
Das System der räumlichen Präpositionen im Deutschen
Strukturgeschichte vom 13. bis zum 20. Jahrhundert
1984. 134 Seiten. Kartoniert DM 64,–
(Germanische Bibliothek. Neue Folge)

ELVIRA GLASER
Graphische Studien zum Schreibsprachwandel vom 13. bis 16. Jahrhundert
Vergleich verschiedener Handschriften des Augsburger Stadtbuches
1985. 520 Seiten. Kartoniert DM 75,–. Leinen DM 112,–
(Germanische Bibliothek. Neue Folge)

Der historische Roman I: 19. Jahrhundert
Verantwortliche Herausgeber: Raimund Borgmeier u. Bernhard Reitz
1984. 186 Seiten. Kartoniert DM 20,–
(anglistik & englischunterricht, Band 22)

KARL PRÜMM
Walter Dirks und Eugen Kogon
als katholische Publizisten der Weimarer Republik
1984. 432 Seiten. Kartoniert DM 48,–. Leinen DM 75,–
(Reihe Siegen. Beiträge zur Literatur- und Sprachwissenschaft, Band 53)

HANSGEORG SCHMIDT-BERGMANN
Ästhetismus und Negativität
Studien zum Werk Nikolaus Lenaus
1984. 192 Seiten. Kartoniert DM 50,–. Leinen DM 75,–
(Frankfurter Beiträge zur Germanistik, Band 23)

HANS-ULRICH TREICHEL
Fragment ohne Ende
Eine Studie über Wolfgang Koeppen
1984. 233 Seiten. Kartoniert DM 54,–. Leinen DM 80,–
(Reihe Siegen. Beiträge zur Literatur- und Sprachwissenschaft, Band 54)

JOHANN HEINRICH VOSS
Wie ward Friz Stolberg ein Unfreier?
Mit Index nominum und Nachwort herausgegeben von Klaus Manger
1984. VI, 113 Seiten u. 38 Seiten Anhang
(Jahresgabe 1984/85)

JOHANNES WEBER
Libertin und Charakter
Heinrich Heine und Ludwig Börne im Werturteil deutscher Literaturgeschichtsschreibung 1840–1918
1984. XXIV, 307 Seiten. Kartoniert DM 65,–. Leinen DM 86,–
(Neue Bremer Beiträge, 2. Band)

CARL WINTER · UNIVERSITÄTSVERLAG · HEIDELBERG

Momente einer nie dagewesenen Betroffenheit

INHALT

Grete Lübbe-Grothues
Leseerfahrungen mit Lavantgedichten

Wolfgang Nehring
Zur Wandlung des lyrischen Bildes bei Christine Lavant

Siegfried J. Schmidt
»aber nie bin ich sanft« Bemerkungen zur Lyrik Christine Lavants am Beispiel dreier Gedichte

Harald Weinrich
Christine Lavant oder die Poesie im Leibe

Beda Allemann
Die Stadt ist oben auferbaut

Beatrice Eichmann-Leutenegger
»Die Närrin hockt im Knabenkraut

Weyma Lübbe
Fromm oder unfromm? Zur religiösen Lyrik Christine Lavants

Wolfgang Nehring
Zwischen Jesukind und Krüppelchen: Ein Frauenschicksal

Grete Lübbe-Grothues
Christine Lavants »Hungerlieder«

Mirko Križman
Die existentiellen Spannungen in der Dichtersprache Christine Lavants

Christine Lavant – Hilde Domin
Briefwechsel

Über Christine Lavant

Leseerfahrungen - Interpretationen - Selbstdeutungen

Herausgegeben von Grete Lübbe-Grothues
172 Seiten, Paperback, DM/sfr 26,—, S 182,—

Es gibt viele Leser, die Christine Lavant, »die unvergleichbare Dichterin aus dem Lavanttal« (Hans Bender) für sich entdeckt haben und gelegentlich mit starken Worten (»ein Wunder«, »beim Lesen Momente einer nie dagewesenen Betroffenheit«) ihrem Staunen Ausdruck geben. Nur vereinzelt aber hat sich die Literaturforschung der Sprachkunst und Thematik von Christine Lavants Gedichten zugewandt.
Hier ist nun eine erste Sammlung von Interpretationen und Leseberichten zusammengestellt, die dem Leser eine Hilfestellung für sein Verständnis anbieten. Der zum erstenmal veröffentlichte Briefwechsel mit Hilde Domin gibt Einblicke in die Selbstdeutungen Christine Lavants.

OTTO MÜLLER VERLAG SALZBURG